1

彩圖1——史蒂芬·史勞特作品《漢斯·史隆爵士》(*Sir Hans Sloane*, 1736):身為英國皇家學會會長的史隆坐在椅子上,手持一張牙買加白皮樹植物畫,以博物學家和視覺知識大師的身分展示自己的工作成果。

2

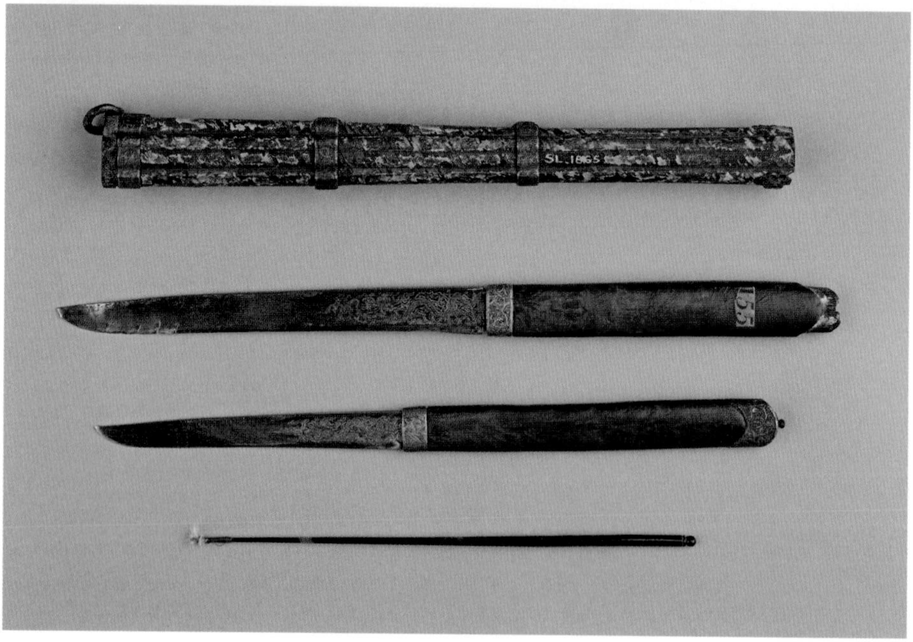

3

彩圖2——巧克力是奢侈品：史隆擁有的這些上釉的陶杯為飲用巧克力所用，現收藏於大英博物館。杯子優雅的造型，加上彩繪聖經故事的妝點，說明在十七世紀後期的英國，飲用巧克力代表了菁英地位。

彩圖3——來自一只中國式外科收納櫃的器械：史隆經常因為自己對亞洲珍品的興趣而受嘲諷，有些批評者諷刺這不過是盲目趕流行的東方主義罷了。

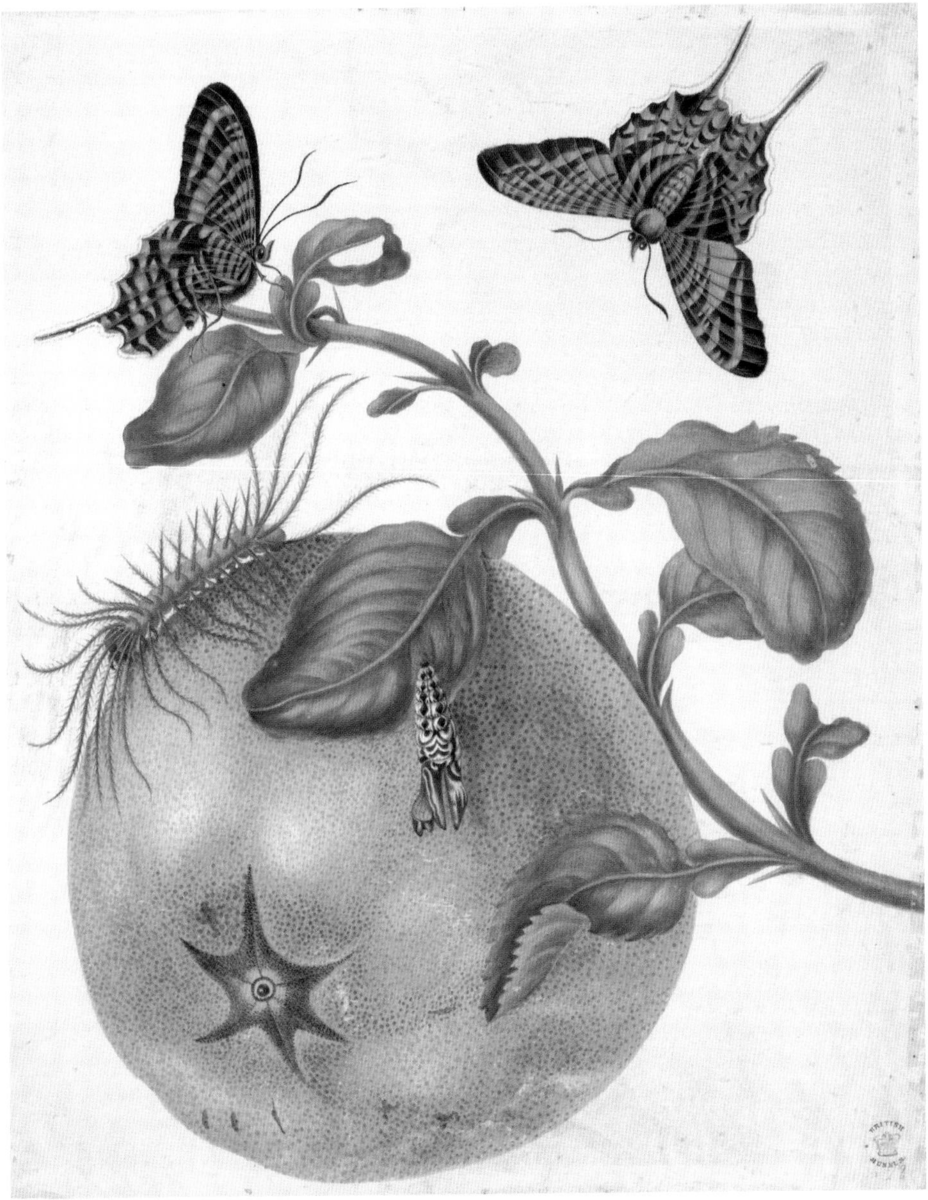

4

彩圖4——附著飛蛾、毛蟲和蟲蛹的蘇利南柚子，出自著名博物學家、旅行家暨藝術家瑪麗亞・西碧拉・梅里安之手：史隆從詹姆士・佩第維經手的一次收購中獲得許多梅里安繪製的圖示。

5

彩圖5——可攜式佛教觀音菩薩神龕：史隆將這座鍍金的神龕標示為假「偶像」，是坎普法在其通譯今村源右衛門的協助下從日本偷渡出來的。

6

彩圖6——阿肯鼓：此鼓由西非木材製成，鼓面為美洲鹿皮，是在中央航路用來「鼓勵奴隸跳舞」的一種鼓類。史隆從維吉尼亞一位名為克勒克先生的商人之處得來。

7

彩圖7——威廉．韋爾斯特作品《克里克人使節團拜見喬治亞省託管人》(*Audience Given by the Trustees of Georgia to a Delegation of Creek Indians*細部；1734–35)：殖民地外交經常有交換禮物行為。史隆在老鷹和熊（圖右）死後分別取得鷹皮和熊腎臟。

8

彩圖8——「準男爵漢斯．史隆爵士贈與好友約翰．巴特拉姆之禮」：巴特拉姆用史隆送來要購買樣本的錢為自己製作了這只銀杯，就為了向殖民地的朋友炫耀。

9

彩圖9——威廉・豪爾作品《阿尤巴・蘇萊曼・迪亞羅（約伯・班・所羅門）》（*Ayuba Suleiman Diallo (Job ben Solomon)*, 1733）：迪亞羅這名西非穆斯林貿易商來自邦杜（塞內加爾），曾經身為奴隸被帶到倫敦，後來為史隆及其友人所解放。最後以皇家非洲公司代理人的身分重回非洲。

10

彩圖10——來自波斯刻有可蘭經文的護身符：迪亞羅在等待恢復自由之身期間，運用自己的阿拉伯文知識為史隆翻譯了這些有保護作用的祈禱文，而史隆認為對「護身符」的信仰為無知的迷信。

11

彩圖11 ——土耳其人與印度人：此圖來自恩格伯特・坎普法，於一六八四到八五年間從波斯的伊斯法罕收集而來。這些圖片顯示諸如史隆的近代早期收藏家，如何藉由此類詳盡描繪服裝的圖畫來收集有關異國文化的民族誌資料。

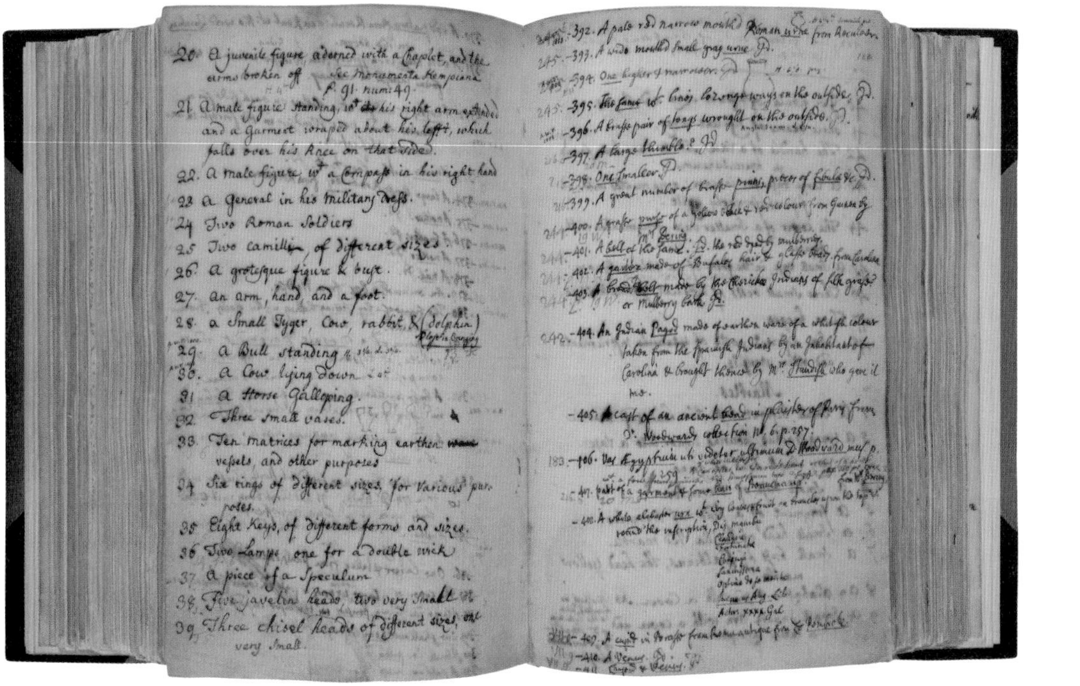
20. A juvenile figure adorned with a Chaplet, and the arms broken off — See Monumenta Kempiana p. 91. num. 49.
21. A male figure standing, wt his right arm extended and a Garment wraped about his left, which falls over his knee on that side.
22. A male figure, wt a Compass in his right hand
23 A General in his military dress.
24 Two Roman Soldiers
25 Two Camilli, of different sizes.
26. A grotesque figure & bust.
27. An arm, hand and a foot.
28. A Small Tyger, Cow, rabbit, & (dolphin)
29. A Bull standing
30. A Cow lying down
31 A Horse Galloping.
32 Three small vases.
33. Ten matrices for marking earthen vessels, and other purposes
34 Six rings of different sizes, for various purposes.
35 Eight Keys, of different forms and sizes.
36 Two Lamps one for a double wick
37 A piece of a Speculum
38. Five javelin heads, two very small
39. Three chisel heads of different sizes, one very small.

392. A pale red narrow mouthed Roman urne from Reculver.
393. A wide mouthed small gray urne.
394. One higher & narrower.
395. The same w. lines lozenge ways on the outside.
396. A brasse pair of tongs wrought on the outside.
397. A large thimble.
398. One smaller.
399. A great number of brasse pins, pieces of fibula &c.
401. A bell of the same.
402. A girdle made of Bufalo hair & glass beads from Carolina
404. An Indian Pagod made of earthen ware of a whitish colour taken from the Spanish Indians by an Inhabitant of Carolina & brought thence by Mr. ... who gave it me.

12

彩圖12——史隆的古物目錄：此為史隆整理其收藏所製成的五十四本目錄其中一本（大多數都保存下來），其中包含各式各樣的資訊，並依照物件的類型細分出子項目。

13

彩圖13——自然界成為清單：此為收納史隆〈植物性物質〉收藏品的九十個抽屜其中之一，原先共收藏了超過一萬兩千種種子和其它植物性物質，其中三分之二的收藏品保存至今。每個號碼皆有相應的目錄條目和說明。

14

15

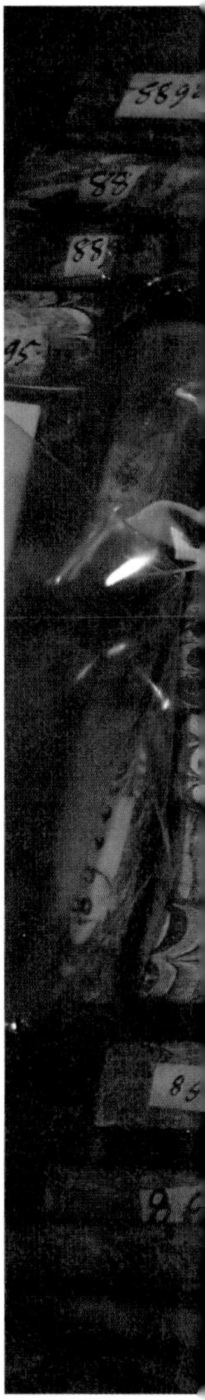

彩圖 14 ——為自然上標籤：如同這項甜辣椒樣本，史隆大多數的〈植物性物質〉皆以雲石紋紙密封，並同時標有目錄號碼以及史隆在世界各地的供應者所提供的資訊。

彩圖 15 ——雲母薄膜套中的幾內亞蝴蝶：這些薄膜套又稱白雲母，用於保存脆弱的標本，正反兩面皆可觀賞，並讓參觀史隆收藏品的訪客深刻體會其保存和展示的雙重功能，亦感受到其不低的成本。

16

17

彩圖16——史隆的部分鞋類收藏：史隆的目錄以及展示內容皆依照物件類型整理，以呈現個別分類中的多樣性。諸如鞋子等人造珍品便記錄了不同文化的自然資源、製造工藝和美學風格。

彩圖17——魔法用具，為伊莉莎白時期的行家約翰．迪伊所有：史隆收集與魔法、煉金術和占星學相關的手稿與物件，就是為了記錄把這些道術當真的人，在他看來他們的心智都有問題。

18

19

彩圖 18 ——嵌入牛脊椎的橡樹枝：除了收集一般的動植物標本，史隆對獨樹一幟的珍品以及較老式、逗趣的自然史傳統也保有興趣。

彩圖 19 ——仿雄黃玻璃花瓶：中國康熙皇帝時期耶穌會士運作的工作坊製造。由於相傳道教煉金術相信雄黃（硫化砷）有長生不老之效，這些花瓶可能對史隆特別有吸引力。

20

彩圖20——一七五五年版本的大英博物館封印：儘管博物館的座右銘可譯為「為了致力追求人文知識者所設」，且該圖像也援引了為人崇敬的古典文明，然而其創建卻仰賴一場貪汙彩券的醜聞而成立。

蒐藏全世界

史隆先生和大英博物館的誕生

COLLECTING *the* WORLD

Hans Sloane and the Origins of the British Museum

James Delbourgo 詹姆士・德爾柏戈 ——著 王品元 ——譯

獻給 Rosella Maria Properzi 和 Laura Leonora Kopp

無庸置疑的是，此等珍藏絕無僅有、此後亦無人能及：
全世界任何堪稱偉大的此類收藏都相形見絀；
我們亦無法想像誰能再度收集得到同一套珍藏，
唯有造就眼前這番成就的所有因素都奇蹟般地重現才有可能。
——札克利．皮爾斯〈漢斯．史隆哀悼文〉（1753）

收集事物之人內心最深層的動機或許如是：
與物品四散的情況搏鬥。
——華特．班雅明《拱廊街研究計畫》（1920–40）

目次

PART

2

組裝全世界

領讀人1

終於和黑奴再相逢的漢斯·史隆

戴麗娟（《記憶所繫之處》譯者、中研院史語所研究員）

二〇二〇年春，新冠疫情在全球爆發，許多博物館都被迫暫時關閉，大英博物館也不例外。八月二十七日重新開張時，眼尖的參觀者和記者都發現，博物館創始人史隆（Hans Sloane）的半身塑像從原本單獨擺放的位置，被搬移到一個玻璃展櫃內，而展櫃的標題是：「帝國與收集」。旁邊則標示：「第十四櫃：漢斯·史隆爵士、帝國與奴隸制」。這看來只是短短幾公尺的移動，其實改寫了大英博物館兩百六十多年來起源敘事的基調：過去從來沒有一個策展人會從奴隸制的角度來檢視博物館的奠基者。事實上，十餘年前，當時已多少被淡忘的史隆雕像才被博物館的主事者放進新闢的啟蒙運動展示廳，以肯定他對歐洲啟蒙的貢獻。如今，史隆生平被忽略的另一面向受到關注，參觀者必須以大西洋三角貿易和黑奴勞力的角度觀察，才能瞭解他的收藏財富形成的背景。

為何會有這樣的轉變？二〇二〇年五月美國黑人佛洛依德（George Floyd）枉死所引起的抗議和「倒像運動」等時事的衝擊可能是主因，但讀者眼前的這本書和同一作者早先出版的研究應該也算是幕後推手之一。

就像本書緒論所言，究竟誰是史隆？大英博物館的名號家喻戶曉，但大家對於這世界級博物館的奠基者卻所知甚少。若以英格蘭為中心的觀點視之，史隆的生平可說是從國家邊陲晉身到帝國中心的成功故事。出生於北愛爾蘭阿爾斯特省的一個蘇格蘭裔移民家庭，史隆的父親是被派往愛爾蘭殖民的貴族手下的收稅官，並非長子而無繼承權的史隆雖為平民，但對貴族文化並不陌生。年少一場幾乎奪命的大病讓他立志學醫，並且養成謹慎照顧身體的習慣。到倫敦求學的史隆被貴族長輩引介與同鄉化學家波以耳（Robert Boyle）結識，喜歡收集植物標本和藥用材料的他也因為時常貢獻採集品而和當時知名的植物學家芮（John Ray）成為忘年之交。兩位博學之士成了他青年時期最重要的導師。與貴族和資深學者往來的經驗讓史隆養成收集和研究收集品的習慣，而日益擴大的收集慾望也貫穿了他的一生。

二十三歲時，為了精進自己的醫學知識，他效法前輩，跨海到法國北部的巴黎和南部的蒙布利耶求教，並且在蒙布利耶附近一個新教大學奧倫治大學取得醫學博士。回到倫敦後，他開始實習，並且成為跨入門檻頗高的皇家內科醫師學院的一員，也成功加入皇家學會。至此，他的生涯與其他也喜歡自然史的優秀年輕醫生相較並無太大差別。然而一個沒有多少人敢於承接的高薪任務，促使他遠離英國中心，前往當時正在擴張的大英帝國最重要的殖民區域：西印度群島（現今加勒比海群島），這成為他一生最重要的轉捩點，也是他作為一個絕世收藏家的真正出發點。

原來是當時將派駐牙買加的新任貴族總督正在尋找一個隨行醫生，然而當時的牙買加被認為是熱帶地獄，白人殖民者的死亡率相當高，加上旅途中可能遭遇的船難、海盜、各種疾病，無一不使人卻步。受到貴族長輩引介的史隆在幾經躊躇後，決定賭賭運氣。畢竟移民與殖民對來自北愛爾蘭的他並不算陌生，而當時沒有多少知識青年有機會到西印度群島旅行。據他自己和友人通信中的說法，他也想效法古代醫者，到某些藥材的原生地去親身觀察。就這樣，他在一六八七年十月初隨著總督船隊出發，在歷經兩個多月的旅程後抵達目的地，在當地停留約十五個月，最後活著回到英國！雖然回程時他是伴隨著總督的遺體和遺孀一起回鄉。

再度來到倫敦定居的史隆，因為受到本身也是貴族後代的總督遺孀的器重和引介，不消幾年便在高級的布隆伯利（Bloomsbury）區開啟了自己的診所，他的病人圈也增加許多貴族，後來他甚至成為安妮女王、喬治一世和二世的御醫。喬治一世即位後，在一七一六年任命他為英國陸軍的總醫官，並賜給他一個從男爵（baronet）的爵位，這在當時英國醫界仍是稀有的榮譽。他與總督遺孀的緣份還不止於此。一六九二年，這位富有貴族夫人改嫁給新近喪妻的蒙塔古公爵一世，而這位公爵當時新建的法式風格府邸在大約六十年後被政府收購，以作為新成立的大英博物館的所在地，存放的就是史隆一生的收藏。若翻閱博物館早期的圖片，經常見到標示Montagu House的字樣，所指的便是這個建築物。到了一八四〇年代，因為收藏品數量已經大大超載，原建築被迫拆除，才改建成今日我們所見的大英博物館。

從牙買加回鄉的史隆除了行醫之外，一邊持續發表他的牙買加研究，一邊將他的收藏範圍從西印度群島擴展到全世界，從北美、亞洲到非洲都有他的通信人為他寄上各種採集品，也有其他知名的收藏家與他建立交換或收購藏品的長期關係，這些層層疊疊的交遊網絡使他的收藏規模日益壯大。邁入中年的史隆不僅當上英國皇家學會的會長和皇家內科醫師學院的院長，還買下曾是亨利八世擁有的切爾西莊園（Chelsea Manor），將之打造成自家住宅和收藏展示處，並在九十二歲高齡、福壽雙全的情況下辭世，葬於切爾西老教堂墓園。

瀏覽至此，讀者應該已經注意到我前面說的重要轉捩點：牙買加。但值得注意的是，雖說是這麼重要的一環，但在過去有關史隆的生平敘述中，卻很少被仔細訴說，直到各位眼前的這本書出版為止。簡單地說，牙買加之旅對史隆生涯的重要性至少有三點。第一、獨特收藏的起點：在牙買加之前，史隆當然也收集自然史標本，但真正奠定他獨特收藏的起點，就是他在當地採集的八百多件植物標本和各種稀奇古怪的東西，包括一些和非洲奴隸有關的物件。這些成為他收藏初期的核心部分，而這些都是隨著運載總督遺體的船隊一起被帶回英國，雖然其中一些活體動物在途中意外身亡，但牠們最終也都被製成標本。第二、知名研究的重心：牙買加所見所聞和特有經濟植物成為史隆最早的幾篇研究性文章的主題，也是他受到當時歐洲學界注目的起點。這些早期發表受到皇家學會成員的肯定，他因此被委託來經營學會當時搖搖欲墜的刊物《自然科學會報》，前後將近二十年（1695-1713），而這個角色也使他有機會和許多不同人士聯繫，並增加他的藏品採集者名單。在此同時，他耗費多年精心製作才得以出版的《牙買加自然史》為他奠定頂尖自然史學者的名聲。此套書成為當時想要瞭解牙買加及其鄰近島嶼自然環境和社會情況的國際學人必定參考的重要著作。法國百科全書的作者就認為史隆是科學旅行家的典範，而這似乎也開啟後續對自然史有興趣的英國年輕學人必須親自踏上旅途去觀察採集的傳統，例如班克斯（Joseph Banks）、達爾文（Charles Darwin）都是後世經常被提及的例子。

西印度群島的經歷，不僅讓他累積歐洲罕見的藏品，也讓他有機會結識經營大種植園和販賣黑奴而富可敵國的英國殖民者。一六九五年，史隆迎娶一位富有的寡婦伊莉莎白·蘭里·

羅斯（Elizabeth Langley Rose），她的亡夫也是醫生，並且是當時牙買加種植園大地主之一，而她繼承了亡夫遺產的三分之一，外加她自己父親早先留下的遺產。依照當時的法律，史隆有權管理其妻的財產，而參與種植園經營和出售蔗糖所得的鉅額收入，讓他成為當時英國出手最闊綽的收藏家之一。是的，這就是牙買加對他生涯貢獻的第三點，他在牙買加認識他未來的妻子，也分享她的財富，得以滿足他的收集慾。世界各地都有人為他寄來各種自然界造物和人工製成品，從最高貴的寶石到最古怪的胃石，都在他的收藏中佔有一席之地。除了以各種方式動員有機會到異國工作或旅行的人為他收集之外，他的長壽也讓他有機會收購一些同代知名收藏家過世後釋出的藏品。這使他的收藏如錦上添花，更穩固他大收藏家的地位。本書作者因此說他像是採集採集者的採集者，也可以說是收藏收藏家的收藏家（collector of collectors）。當時各國鴻儒、王公貴族都想來他的豪宅參觀，他也樂意親自接待解說。而這些名人的參訪，更進一步烘托其收藏的無雙價值。

於此可知，不管是收藏來源、收藏研究，或是購買收藏所動用的財富，背後多少都有黑奴的身影。史隆本身也許不自覺，卻也從來沒有掩飾過這個事實，只是後代研究者囿於歐洲中心的觀點，或是科學偉人傳記的敘述手法，對這段史事總是視而不見，或是草草帶過。本書作者集結科學實作研究、收藏史、黑色大西洋史研究的手法，加上對史隆作品和書信內容的仔細梳理，成就了這份精采作品，為我們揭示當時知識、商貿、殖民帝國攜手並進的一段歷史。

晚年的史隆因為沒有子嗣，只有兩位出嫁的女兒，開始憂心己身收藏的未來。他希望繼承者能將所有藏品視為一個整體來保管，而不要隨類別分送給不同機構，更不要像他認識的許多收藏家，過世後藏品就被家人送到拍賣場，因此落入不同買家手中。種種考量讓他決定立下遺囑，將一生收藏共七萬多件藏品，以半賣半相送的方式，交給國家管理，並要求未來要公開給全民欣賞。這的確是劃時代的創舉！

在他生前，史隆和他的助手已發展出一套為收藏品分門別類、貼上標籤、附上研究註解的嚴謹管理系統，不僅脫離文藝復興以來貴族間流行的那種恣意填滿的奇珍櫃作法，連皇家學會附屬博物館的管理者都望塵莫及，還要來向他請教。如今這暮年的遺囑，一舉將私人收藏變成國家級博物館，也帶動日後私人收藏轉型成公共博物館、對平民大眾開放的趨勢。不過，在大英博物館成立初期，遺囑執行人仍然不支持完全開放的想法，因此用需要預約門票、專人導覽、縮時參觀的種種方式來限制開放程度。博物館真正對大眾開放要等到十九世紀初才落實，而大約也是在這個時候，種種更精彩絕倫的藏品陸續加入國家收藏，使得博物館內收藏和展示空間不足，史隆難以歸類的某些怪異藏品開始被嫌棄，發臭的動物標本被整批燒毀，他本人也漸被淡忘。

一九五三年，大英博物館慶祝兩百週年，此時才有關於史隆的第一本傳記出版，將他帶回眾人的眼前。二〇〇三年，博物館兩百五十週年，他被譽為是啟蒙運動的先鋒，研究者強調的是他對皇家學會的貢獻。然而，構成他生涯最大轉捩點，也是他得以蒐購全世界的財富來源：牙買加蔗糖生產與銷售，以及背後的黑奴勞力，卻直到晚近幾年才漸受關注。在揮別牙買加三百多年後，史隆終於和他書中所描述的黑奴再相逢，不過這次是在博物館的展櫃和書本中。他們將一起，帶我們認識收藏活動與擴張帝國裡，不同貢獻者交織而成的故事。

領讀人2

給我一個博物館，我就給你全世界

洪廣冀（臺灣大學地理環境資源學系）

《蒐藏全世界：史隆先生與大英博物館的誕生》（*Collecting the World: Hans Sloane and the Origins of the British Museum*）一書主標包含當前科學史研究的兩個關鍵詞：採集（collect）與世界（world）。就前者而言，一直到相當晚近，科學史家才開始關心採集。理由在於，當科學史這個學科於一九六〇年代初具規模時，研究者關心者往往是抽象理論的突破；關於「採集」這種會把手弄髒之事，科學史家往往視之為枝微末節。

然而，自一九八〇年代起，科學史研究迎來所謂「實作轉向」（practice turn）。研究者的焦點從科學家在想什麼，逐步轉移至科學家在何時、何處、基於何種理由、以何種手段來做科學。影響所及，實驗室、博物館、植物園、田野等科學地點（scientific site）逐步出現在科學史研究者的視野。

二〇〇〇年前後，研究者則體會到，如果說科學知識最大的特色是能放諸四海皆準，那麼，單單揭露科學知識的生產地是不夠的；如林奈、達爾文等為世界之運作提出解釋架構的偉大學者，他們之所以能辦到，不是因為他們與世隔絕地做研究，從而參透世界的真理，反倒是他們如何積極地與世界打交道。本書作者德爾柏戈（James Delbourgo）自己是這樣說的：「普世知識必須仰賴超越社會階級、橫跨各式文化的普世交遊」。二〇〇四年，劍橋大學科學史家塞科德（James Secord）發表"Knowledge in Transit"一文，呼籲研究者得將「交遊」（在臺灣，或許「交陪」是更為恰當的詞彙）放在科學史研究的中心。科學之所以能放諸四海皆準，關鍵不是四海遊走之人的心悅誠服，反倒是性格海派的科學家費心經營的結果。如此以「世界」取代科學之普世性（universality）的研究取向，研究者稱之為「全球轉向」。

《蒐藏全世界》可說是前述兩大轉向中最引人注目的作品之一。作者德爾柏戈於一九七二年出生於英格蘭，父母均為義大利人。在東英吉利大學（University of East Anglia）、劍橋大學與賓州大學接受訓練後，他於哥倫比亞大學攻讀博士，師從著名英國史與全球史家阿米蒂奇（David Armitage）。畢業後的德爾柏戈先至麥克基爾大學（McGill University）任教，目前則擔任羅格斯大學（Rutgers University）大學的講座教授，同時也是哈佛大學科學史系的兼任教授。德爾柏戈長期關心採集與博物學史，亦為當今全球科學史研究的領軍人物。

有趣的是，德爾柏戈的第一本書其實是關於實驗科學史，且視角侷限在十七至十八世紀的美國。在這本題為*A Most Amazing Scene of Wonders: Electricity and Enlightenment in Early America*（2006）的著作中，德爾柏戈娓娓道來一頁少為人知的電力文化史。我們都知道富蘭克林在雷雨中放風箏與發明避雷針的故事；但德爾柏戈告訴我們，在富蘭克林身處的美國，為電力著迷者絕對不限於自然哲學家，還包括魔術師、傳道者與醫生，均為電力所著迷，並藉此探索人類、自然與神聖間的關係。

按照德爾柏戈日後的說法，在他探討當時對電力感興趣的人們如何以原產自荷屬圭亞那

（Dutch Guiana；今日的蘇利南）的電鰻進行實驗時，他開始對採集與全球科學史等主題感興趣。顯然的，要探討電鰻實驗，關鍵主題是電鰻究竟從何而來。然而，他發現，這顯而易見的問題竟然是當時科學史研究的最大盲點。他體會到，關於啟蒙或所謂「科學革命」的研究往往侷限在「物理科學及一小群在歐洲大都會活動的人物」，少有研究者願意將視線轉移到世界舞臺上，更別說把採集者、奴隸、殖民官僚、旅行者等不會出現在科學論文之作者欄、也不會現身研討會的行動者納入考量。

二〇〇八年，他與麥克基爾大學的同事迪尤（Nicholas Dew）合編 *Science and Empire in the Atlantic World*，嘗試回應由電鰻引發的一系列思考。二〇〇九年，他與劍橋大學科學史家夏佛（Simon Schaffer）等人合編 *The Brokered World: Go-Betweens and Global Intelligence, 1770-1820* 一書，集結對全球科學史感興趣的研究者，一同探討間諜、掮客、教會、翻譯者等「中介者」（go-between）在全球知識生產與流通的角色。二〇一七年，他出版《蒐藏全世界》，離他的第一本書已超過十年。至此，一度醉心於實驗科學與美國史的德爾柏戈，終於解決他的電鰻問題，蛻變為探討採集、博物學等主題、並以全球為尺度的全球科學史家。

• • •

《蒐藏全世界》以十七至十八世紀英國科學與醫學界動見觀瞻、權傾一時的漢斯．史隆（Hans Sloane, 1660–1753）為主角，探討這名來自北愛爾蘭阿爾斯特（Ulster）的貴族僕役之子，如何從當時英國社會的底層與邊陲力爭上游，於一六八三年取得醫學學位，在一六八四年被選為皇家學會會員，一六八七年被選為皇家內科醫師學院（Royal College of Physicians）會員，一六九三年擔任皇家學會秘書（secretary），一七二七年接替牛頓，成為皇家學會會長，且兼任皇家內科醫師學院院長，成為有史以來能將這兩個頭銜納入懷中的第一人。一七三九年，在飽受疾病折磨後，史隆著手草擬遺囑，表示國會若能出資兩萬英鎊，他就願意將價值八萬英鎊的博物學、書籍、古物、藝術等收藏交給國家，條件是國會不得拍賣或變賣它的收藏，也不得與其他收藏品結合。他認為他的收藏能彰顯神的榮耀，並反駁無神論及其影響；他希望他的收藏應對所有希望欣賞或參觀之人開放，且盡量為人所用，如此方能滿足人們的好奇心，並推動人類之進步。一七五三年一月十一日，史隆撒手人寰，離他九十三歲的生日只有三個月。經過一番激烈爭辯後，國會決定發行彩券，籌措史隆要求的兩萬英鎊——畢竟，在其遺囑中，史隆也註明，若國會未在十二個月內買下其收藏，他的代理人將會在聖彼得堡、巴黎、柏林、馬德里等地尋求買家。一七五三年六月，喬治二世於通過〈大英博物館法〉；一七五九年一月十五日，幾乎剛好在史隆過世的整整六年後，大英博物館開館，館址位於倫敦的大羅素街上。全球首間免費的公共博物館，於焉成立。

單看史隆的豐功偉業，讀者可能會以為，《蒐藏全世界》不過是另一本啟蒙或科學革命之科學英雄的傳記。實則不然，德爾柏戈筆下的史隆，絕對不是為真理而挺身對抗權威的伽利略或哥白尼，也非甘冒生命危險、在雷雨中放風箏的富蘭克林，更不是把手錶當雞蛋、不食人間煙火的牛頓。在德爾柏戈筆下，或許可以這樣比擬：在高牆與雞蛋間，史隆會選擇站在高牆那邊；又或者說，史隆會仔細端詳那枚雞蛋，辨明其真偽、產地與性質後，構思如何以這枚雞蛋為敲門磚、墊腳石或支點，讓他得以翻過眼前的高牆，展望下一堵高牆。是的，對德爾柏戈而言，史隆能平步青雲的理由再尋常不過，跟你我在收集郵票、球員卡與寶可夢時所做的並無二致：採集。

故事來到一六八七年的倫敦。憑藉與他同樣出身愛爾蘭之自然哲學家波以耳（Robert Boyle）的交情，以及其高超的醫術，史隆成為牙買加首任總督的私人醫師。待在牙買加的十五個月間，史隆花很多時間在解決總督本人及英國殖民者的酗酒問題。與之同時，他也深刻體會到，如時人不無諷刺地點出的，為了促進自然哲學發展而設立的皇家學會，與當時負責奴隸貿易的皇家非洲公司（Royal African Company）堪稱「雙胞胎姊妹」，有幾任的皇家學會會長同時兼任加勒比海地區的總督。剛被選為皇家學會會員的史隆，決意證明這樣的觀察是多麼正確。

一方面，他協助當地的蔗糖莊園主，維持黑奴的健康，以確保正急遽工業化與帝國擴張的英國社會，能有源源不絕的碳水化合物來源；另方面，他也發現，對人類知識的發展而言，黑奴相當「好用」。他悉心收集黑奴的地方知識，採集他們的樂器與工藝品，莊園主用來懲罰頑劣之黑奴的刑具，並動員他們為其採集。這些自黑奴身體上與腦海中採得的知識，成為史隆日後撰寫兩大卷《牙買加自然史》（*Natural History of Jamaica*, 1701-1725）的主要材料。

回到倫敦後，史隆對採集的興趣並未稍歇。從後見之明來看，他最「划算」的收藏為一名叫做羅斯（Elizabeth Langley Rose）的寡婦。羅斯的前夫為倫敦市議員，同時也是牙買加的主要蓄奴者與蔗糖業者。兩人於一六九五年成婚，立即為史隆帶來一年三百萬英鎊的收入，以及一批能讓他持續收集牙買加自然史資訊的奴隸大軍。當史隆的口袋越深，他的視野也越來越廣。關鍵在於，史隆所置身的英國，也在這個時間點，經歷一陣陣激烈的轉型，「從一個以務農為主、飽受宗教與族群宗徒的多族群共同體，演化成一個更統一也更富裕的國家，並開始經營世界上幅員最廣闊的商業帝國」。區區牙買加的自然史已不能滿足史隆；現在，他要採集全世界。

有錢或許能使鬼推磨，但不見得能使人聽話。德爾柏戈指出，「史隆要向全世界收集珍品，就得收集同樣多種的人」。引用著名科技與社會（science and technology studies, STS）研究者拉圖（Bruno Latour）的「assemble」概念，德爾柏戈又說，「assemble 一詞指涉建造某項物品，也有聚集人群之意，史隆能收集到何種物品，取決於他能集結到何等人物」。

確實，當史隆決議要採集全世界後，他所做的不是勸說皇家學會派出採集者，也非向政府施壓，希望政府能出面組織海外探險隊。他做的其實是寄信給英國的海外殖民據點，期待散落在帝國邊緣的墾民、奴隸商人、公司主管、投機客、探險家可以為其採集。要之，與我們比較熟知的深具官方或組織色彩的探險不同，史隆是以一介富紳之姿，編織出綿密的採集網絡。在此網絡中流動的不只是金錢，標本也不只是商品，把人與人、人與物牽連起來的也非契約明訂的權利義務；支撐起這網絡的，德爾柏戈的分析顯示，更多是禮尚往來的人情與禮物交換。德爾柏戈指出，「這些網絡不僅是史隆事業的脈絡，它們#就是&他的事業，需要不斷地運作與協商」；在那個寫信還算是個奢侈之舉的時代，德爾柏戈估計，史隆的書信往來共有一七九三封。至史隆於一七五三年辭世之際，其收藏涉及的空間尺度已讓人乍舌：「世界有多大，史隆的收藏看起來就有多廣」。

英文中有個諺語：you are what you eat；在史隆的例子，我們或許可以說，you are what

you collect。在經營他遍佈全球的採集網絡時，史隆也逐漸演化為德爾柏戈所說的「謹慎、嚴肅、又全無想像力的基督新教實用主義者」。雖說貴為英國學術與醫學界的龍頭，他無意如同時代的牛頓或林奈一般，為自然甚至宇宙的運作，提出某種普遍的理論；他樂此不疲的，是為他手中的藏品編目，並就當中特別怪異的收藏，撰寫描述性的文章。

可以理解，在那個後世稱為「科學革命」的年代，史隆的科學貢獻毫不起眼；確實，牛頓本人、同僚與粉絲就曾批評史隆的科學風格，認為這個靠砂糖與為名流看診而致富的暴發戶，毫無理論化與抽象思考的能力，收了一屋子的破爛還沾沾自喜。然而，德爾柏戈指出，史隆可說是英國最嚴格的事實查核者與謠言終結者；當他汲汲營營地為其收藏建立秩序的同時，他也是在為輪廓初具的大英帝國建立政治秩序。身為新教徒的他，除了以其醫術幫安妮女王（Queen Anne）續命，確保新教的漢諾威選侯（Elector of Hanover；日後的喬治一世）可以繼位，杜絕天主教詹姆士黨人（Catholic Jacobites）奪權的希望外，更以其收藏為基石，輔以一則一則的藏品目錄與描述，為英國社會展現一個政治正確、吻合新教教義、且可通過經驗檢證的世界。這個世界容不下奇蹟、怪力亂神與道聽途說；站在這個世界的中心者，是如他這樣知所進退、腳踏實地、靠己身能力站上社會高層的富紳，而非他曾在牙買加目睹的不知節制、放縱、喝酒喝到喪命的王公貴族。

臺灣的讀者或許樂於知道，一六九七年，有個自稱為喬治・撒瑪納札（George Psalmanazar）的傢伙出現在倫敦，宣稱他是來自福爾摩沙，並一路招搖撞騙。當時挺身挑戰撒瑪納札者便是史隆。再者，曾任荷蘭東印度公司醫生、派駐長崎的坎普法（Engelbert Kaempfer, 1651–1716），身後留下的龐大日本收藏與手稿，曾面臨遭到後人拍賣的危機；是在史隆的奔走下，坎普法對日本的第一手觀察方得以保存與出版，奠定歐洲日本研究的基礎。在其著名的關於巴斯德的研究中，拉圖曾言，「給我一個實驗室，我將舉起全世界」；他的意思是，實驗室給了巴斯德一處支點，讓他可以借力使力，以一系列精巧設計的實驗，為世界帶來莫大改變。在史隆的例子，或許可以說，十八世紀上半葉，當年邁的史隆思索他可為後世帶來的貢獻時，他心裡吶喊的是，「給我一個博物館，我就給你全世界」。

• • •

《蒐藏全世界》為德爾柏戈帶來國際聲譽。BBC、NPR、*New York Times*、*New York Review of Books*、*New Republic*等媒體均出版書評或專題報導。評論者盛讚德爾柏戈試著重建一個「有血有肉之史隆」的努力。以德爾柏戈的話來說，史隆可說是「成名與失憶兩症合發的特殊案例」；他的意思是，即便史隆之名似乎無人不知，甚至「史隆遊俠」一詞也被發明出來，以譏諷那些住在倫敦史隆廣場周遭的有錢人，但具體來說史隆是誰，卻無人知曉，甚至也沒人關心。

科學史家則認為德爾柏戈賦予「科學革命」更豐富多元的意涵。關心科學史或STS的朋友一定知道謝平（Steve Shapin）與夏佛（Simon Schaffer）的《利維坦與空氣泵浦：霍布斯、波以耳與實驗生活》（英文版出版於一九八五年；中文版出版於二〇〇六年），《蒐藏全世界》關心的也是同一時代，甚至也是同一個社會。並置兩書，我們可看到，如果說波以耳等實驗科學家試著以實驗得到的「事實」來建構自然界的秩序，從而描繪出一個理想的政治秩序，史隆要做的並無二致。當謝平與夏佛引用維根斯坦之語，表示實驗是種生活形式（form of life），德爾柏戈則告訴我們，採集同樣也是。不同的是，當謝平與夏佛關心的生活形式多少還是侷限在倫敦都會區，且實踐者不過是一小撮自認為紳士的實驗哲學家時，德爾柏戈的視角早已跨出倫敦，「從西非的奴隸碉堡延伸到北美的殖民聚落，從加勒比海延伸到東印度公司散佈在南亞與東亞的商館」。採集作為一種生活形式，是帝國的，且沒有放在帝國的脈絡中，便不能妥善理解。

• • •

完成《蒐藏全世界》的德爾柏戈目前正在從事多項研究計畫。一者為深海探險的文化史；當我們提到探險時，思考的軸線往往是二維的，對於深海探險這樣涉及垂直維度的科學活動，理解相對有限。二者為採集的暗黑史：顯然的，如史隆這樣把採集、帝國與奴隸制結合在一起的科學工作者，既非前無古人，更非後無來者。第三則為「知的世界」（the knowing world）之教學與研究計畫。在一篇發表在*History of Science*的文章中，史隆回顧他從「採集全世界」至「知的世界」的心路歷程。他表示，全球科學史的研究者要做的既非把科學放在全球脈絡中理解，也非探討科學在旅行；研究者有必要汲取過去被視為區域研究者的心血，探討過去數百年來與科學共存、交流、激盪且相互傾軋的知識體系。對德爾柏戈而言，在花費十年以上的光陰為讀者建構一個史隆曾活過且參與打造之世界的同時，這個世界也改變了他。

Collect的拉丁文為*colligere*，意指把物與字詞聚集（gather）在一起。因此，閱讀一本書，其實也是在做個「採集的動作」；我們進入作者費心建構的世界，同時也採集作者的概念與語彙，從而學到一個新世界的建構方式或建構世界的新方式。過去的臺灣為採集者的天堂，而晚近公民科學在臺灣的蓬勃發展，也意味著採集這種生活方式從未離我們遠去。德爾柏戈這本書就如佈滿著發亮貝殼的海灘；在此邀請各位在當中徜徉，採集當代一流科學史研究者所用的概念與語彙，從而建構一個足以描述臺灣之過去與現在的概念博物館，讓歷史上與當代曾在臺灣自然史上扮演關鍵角色的採集者與博物學者，在德爾柏戈之「知的世界」中留下屬於臺灣的地位。

領讀人 3

面向世界的全球史

蔣竹山（中央大學歷史所副教授兼所長）

幾年前在國外書展買到這本英文書，當下就覺得這本書一定要有譯本，曾在臉書社群分享希望有出版社能夠來翻譯。很高興，幾年後終於有中譯本即將要在左岸出版。

這不是一本大英博物館的發展史，在裡頭看不到現在你我所知道的大英博物館。嚴格說起來，這本書是大英博物館歷史的前傳，講的漢斯．史隆爵士這位醫生收藏家的收藏史，以及如何在其過世後，透過遺囑及友人的協助，將其私人博物館的收藏品賣給英國，成為一七五九年大英博物館開館初期的重要資產。

這本書不僅是十七至十八世紀英國面向世界的全球史，書中內容豐富，關鍵字涉及了很多主題，有博物學、自然史、商業、科學社群、種植園、人際網絡、蒐藏、殖民、奴隸、美洲、非洲、牙買加、藏珍閣、博物館、公共、物種、皇家學會、帝國、西印度群島、科學革命、光榮革命、啟蒙運動、分類、標籤、標本等等。

我們現在所知道的大英博物館，應該是十九世紀維多利亞時期改建、重組並建立近代博物館分類標準後的新樣貌，對於十八世紀建館初期的歷史應該是完全陌生，一般讀者更不用說會將史隆與大英博物館產生任何連結，基本上，應該說是完全忽略他的存在。

也因為如此，這本書的出版，讓我們認識到，要成為一位像史隆這樣的收藏家，他的條件及時代特性是如何結合，才能成就這一段精彩的博物學發展史。

他的故事雖然只是同時期的十八世紀博物學學家故事的一段，卻有著不同於其他人的豐富內容。憑著就是他活的夠長，九十三歲的高齡，奴隸種植園時代所累積的財富、醫生社群與病人人脈、皇家學會研究網絡、自然史蒐藏及博物知識追求，讓他成就了許多事蹟。儘管科學成就比不上前後的牛頓、林奈、達爾文及班克斯，但其蒐藏的各種文物，不僅造就了日後知名的博物館，也啟發了許多人士對博物學與自然史知識的探討。

在推薦這本書給各位讀者的同時，我也順帶推薦我在閱讀此書時的幾本延伸閱讀書目，同樣展現了英國在十八世紀與外在世界的連結，尤其是對異國事物的追求這一面向。

像是馬克辛．伯格的《奢侈與逸樂：十八世紀英國的物質世界》（二〇一九），提到十八世紀的英國要放在一個全球性貿易往來的網絡來看，新近從亞洲及美洲發現的奢侈品，促使人們形成與過去不同的物質文化品味。這種全球網絡刺激產生更新的英國生產的消費品，雖然是山寨產品，卻反映其模仿的內在精神及技術革新的成就。安．希黛兒的《花神的女兒：英國植物學文化中的科學與性別（1760-1860）》（簡體譯本），則探討植物學如何在林奈時代的英國，被推崇為適合女性的科學。瑪雅．加薩諾夫的《帝國的東方歲月》（二〇二〇，貓頭鷹出版），則描繪十八中葉至十九世紀中葉的大英帝國的收藏家與文物收藏故事，探討帝國的權力與文化的糾結。這幾本同《蒐藏全世界》一樣，帶給我們的是一幅截然不同的十八世紀大英帝國的新圖像，值得我們去好好深讀。

領讀人4

打開抽屜：蒐藏家史隆的萬花筒

蔡思薇（《椰子的葉蔭》譯者、自然史研究者）

大英博物館是世界上最重要的公共博物館之一，閱讀《蒐藏全世界》一書，絕對會引起更多理由，讓你想多瞭解這個博物館一些。不論是該場所的盛名、對古文物的好奇鑑賞之心，甚至到今日仍為人津津樂道的「入館免費」政策，都可以在本書中得到相應的解答。

人類的歷史上，博物館出現「公共」概念的時刻很晚。《蒐藏全世界》一書填補了私人蒐藏邁入公共博物館，這個幾近奇幻轉變的時刻。透過閱讀大英博物館最重要的蒐藏貢獻者，漢斯．史隆的一生，我們能快速地走入史隆龐大的蒐藏迷宮。

嚴格來說，史隆的出生並不顯赫，在講究階級的時代，他不是當時英國社會真正的「貴族」。他的愛爾蘭人身份使他必須隱藏自我的政治、宗教傾向，成為一位寄望在倫敦安身立命及求取名望的醫師。因緣際會之下，他成為牙買加總督的家庭醫師，特殊的牙買加經驗令他累積財富，當然更重要的是，他也累積無人能望其項背的牙買加採集者群和相關物件。這些經驗使他的自然史視野大增，成為與他人有極大區別的蒐藏家。在本書出現重要篇章其分析的牙買加經歷與相關物件收藏，至今仍是大英博物館分立出來的倫敦自然史博物館，最重要的蒐藏品。

在這本書中，我特別著迷作者描述史隆蒐藏各式各樣物件時，與之相關的人物及方法。這些細節勾勒出人與物之間的琥珀時光，又猶如柴火，摩擦畫出的一道道烈焰，但稍縱即逝。有視覺，有氣味，也有恍惚的嗔癡嘆息。五花八門的人會前往史隆的大宅叩門，兜售物品。反之，也有史隆苦求而不可得的蒐藏。史隆精挑細選攜回的活體生物，在回程船途中死的死，逃的逃，全數失去，他只好平靜默然地寫下感想：「就這樣，行旅至此，我失去了所有的活體生物，這是多數人都經歷過的。」

另外，自然史的書頁長廊上，大量缺少女性的敘述，即使現今已是為數眾多的女性擔任科學家的時代，但各式各樣的女性自然史家的紀錄，仍是匱乏的。每多一個字，不論在研究或擴展智識的廣度上，都是極為貴重的珍珠。

一九九六年，加拿大約克大學教授安・希黛兒（Ann Shteir）曾出版 *Cultivating women, cultivating science : Flora's daughters and botany in England, 1760-1860*（簡體中譯為《花神的女兒：英國植物學文化中的科學與性別（1760-1860）》），分析植物學知識在過去如何屬於男性氣質的一部份，但在一七六〇年代，漸漸被幼年、年輕、老年的各世代女性喜愛及接受。這其中當然隱含著「價值」的轉變。也就是說，如果有一份如何培養「優秀女性」的列表，植物學的「部分」技藝，應該要成為女性教育的內容之一。加上當時植物學書籍被簡化、刪減「過多的負擔」，成為「女性也讀得懂」的書漸漸出現。不過，史隆死於一七五三年，本書中出現的女性們，比《花神》研究的時間更早，是故這些女性在書中的身影，更加珍貴。看得出作者盡可能地描繪了當時自然史相關的女性與史隆之間的往返。例如，臺灣已有譯著的《蘇利南昆蟲之變態》的自然史家梅里安（Maria Sibylla Merian），壯闊的生命經驗與勇氣自不待言，她的自然史畫作是史隆指名收購的作品。成功收購梅里安的作品，使得史隆得到了相應的名聲。梅里安甚至能在大部分女性難登自然史研究之堂，或往後大英博物館成立，女性前往參觀仍被處處刁難的時代，就得以參觀史隆的其他蒐藏，將其放入構圖中。

史隆有時也介入蒐藏者逝世後，不知所措的寡婦處理遺品的事件。有別於後來我們更熟知的植物學者林奈，約翰．芮（John Ray）是當時英國最知名的植物學者，也是一位獻身宗教的侍道者。他的自然神學思想深深的影響史隆，史隆大量仰賴的芮的判斷與建議。然而芮並沒有史隆的生意頭腦。芮逝世後，家族貧困，史隆出手協助芮的遺孀瑪格麗特（Margaret Oakley），以她希望的價格售出芮的蒐藏。

在女性經常面臨以「精神失常」作為法律控訴，被強取財產的時代，史隆也曾為熱心蒐藏蝴蝶的寡婦，在第二任丈夫想掌握她財產時，作證「她並沒有精神失常」。更別提熱愛植物的波福公爵夫人瑪麗（Mary Somerset），在丈夫逝世後「得到解脫」，史隆介紹她與當時的植物界通信、討論植物，重拾了波福夫人對生命的熱切，並在公爵家族爭奪亡夫留下的產業時，提供夫人道德支持。往後，這位公爵夫人為了報答史隆，將切爾西莊園（Chelsea Manor）不遠的波福樓（Beaufort House）高級宅邸賣給史隆。直到今日我撰寫此文時，正是小甜甜布蘭妮歷經十三年法律控制，父親的監管終於被法院宣判終止，重獲自由與人生主導權的時刻，看得我心有戚戚。

史隆必須在蒐藏界建立自己的名聲與人脈，並且「品格出眾」，讓中介商認為自己是個「出手大方的人」，如此他才能比別人更快得到風聲，洞燭先機，優先蒐藏到自己感興趣的物件。

但另一方面，他自然不想當個「盤子」，被敲竹槓。各式收購策略及衍生相應帶來的名聲效應，伴隨著史隆炫技炫富、目光閃閃精明，每一樣物件幾乎都來自與史隆相距遙遠之地，每一個都令他好奇。當然，也不是一切都能靠財富和策略解決。當時英國科學第一紳士牛頓，與史隆不合，這不僅是私人恩怨，也是長期以來盤旋於「物理至上」的爭論下所衍生的價值判斷。牛頓詆毀史隆，並提醒自然史「別忘了自己是誰、身分如何低下，還妄想登上寶座、擅取科學之后的頭銜」。這一段鮮活的句子，至今仍在科學討論「物理主義」（或「物質科學」）和「生物學」到底是不是「同一種」質性的科學時，時而盤旋交錯。

不論如何，透過本書，編寫目錄成痴的史隆，彷彿正站在我們面前，思量著自己下一個策略。史隆很清楚體認到，自己不可能每個領域都是專家，不可能什麼都蒐藏。他與其他同時代的貴族蒐藏家達成協議，將自己的重心放在醫學和自然史物件上，而歷史手稿則讓給財力雄厚的對手。但即使如此，自然史和醫學的範圍如此之大，委託的代理人或者他自己，仍必須擁有高度的鑑賞能力和好奇心，且背後有大量的苦勞：史隆得經手大量講價、物件品相、傳聞及其他各式各樣討論的往返信件。綜觀史隆的收藏中，有三分之二是大批購買而來，包含我們現在在大英博物館看的瞠目結舌的部分埃及文物。史隆有一項絕活，是購買逝者釋出的珍藏品。書中寫道：「死亡是收藏家的好朋友，不論敵對或者友好關係，都能被死亡轉化成相當的收穫。」幾句話道出了蒐藏者世界的「死亡觀」。他人的殞落，是在世者眼中甫誕生的新星，閃閃發光的寶藏，靜候發動。

看似與臺灣無關的大英博物館，其實與臺灣博物館史有些關連。十九世紀中葉，來臺採集的英國博物學者史溫侯（Robert Swinhoe），其蒐藏後來存放於大英博物館分立出的倫敦自然史博物館。一九〇八年，當臺灣設立第一個自然史博物館「總督府博物館」（今臺灣博物館）之初，大英博物館的史溫侯蒐藏，成為總督府博物館羨慕，甚至希望仿效的目標。一九三〇年代，總督府博物館面臨檢討，引起學者討論。當時任職於臺北帝國大學的動物學者青木文一郎，又以大英博物館及倫敦自然史博物館馬首是瞻，大書特書總督府博物館的未來走向。

至今，大英博物館仍重要，但重點已非她持續刻出的「偉大功名」。該館面對過去帝國主義「黑歷史」蒐藏的指控，必須不斷做出反思與努力。作者在這本書不避諱點出，史隆蒐藏成功的背後，乃因史隆身處世界的中心，以剝削者的角度，累積大量財富，加上因身份地位所帶來的有效網絡及訊息交換，始能得到世界各地珍品。最後，本書有許多「三名法」與怪絕的物件，呈現出二名法及現代科學統一世界「前」的豐富滋味。套用書中的用法，這些蒐藏是萬花世界下的藏珍閣。除了上述恢弘的歷史外，細細品味書中紛紛落下神壇的人們，他們是名人，也是凡人；他們編織出強而有張力的蒐藏世界，人性與幻想也涉入其中，未嘗不是另一種閱讀的樂趣。

INTRODUCTION
導論：原版的史隆遊俠
Sloane Ranger

一七四八年，倫敦。某個六月天，威爾斯王子（Prince of Wales）弗雷德里克（Frederick）偕同妻子奧古斯塔王妃（Princess Augusta）從市區沿著泰晤士河向西行至切爾西，為了一探「最傑出的哲學性娛樂」。他們的目的地是英王亨利八世在切爾西莊園的故居。兩人抵達時，克倫威爾．莫蒂默（Cromwell Mortimer）親自迎接。莫蒂默是英國最受尊崇的科學機構皇家學會的秘書，他聲稱得以在這對皇室夫妻下馬車時吻手相迎，是他的「榮幸」。王子則「不拘泥於禮數」，保證他和王妃將「全盤接受莫蒂默的指示與引導」。莫蒂默引領兩人上樓會見莊園的主人。這位主人是當時最有名的收藏家，兩位皇室成員前來參觀他由世界各地蒐羅的珍奇藝品。王子與這位「標準紳士」交談，表示「對他的尊敬與重視」，並指出「博學之士」對他收藏大量珍奇物品「皆感激莫名」。[1]

美麗誘人又著實稀奇的寶石大展是參觀行程的第一站。助理們早已將展示桌擺設於三間起居室，打開的抽屜上滿是「陳列於天然基座的寶石」，還有胃石，或稱「胃內的結石」、「動物體內形成的結石，從眾多疾病中孕育出來的」、以及人體內「腎臟和膀胱」產生的結石。莫蒂默詩意地解釋道，趨近完美的樣本來自地球的「胸懷」，他很享受寶石色彩的多樣性：蒼綠的翡翠、紫色的紫晶、金色的黃玉、蔚藍的藍寶、深紅的石榴石、緋色的紅寶石、耀眼的鑽石、炫目的貓眼石、還有各式連花神芙蘿拉（Flora）都會想戴上身的彩繪寶石」。王子與王妃也欣賞了「用瑪瑙、縞瑪瑙、瑀、和碧玉等製成的完美無瑕的器皿」。莫蒂默說道，這些寶石確實「賞心悅目」，但也有助於性靈的反思，同時提升「心智以讚美萬物的創造者」。

替換展覽品之時，王子與王妃佇立一旁。如同身處饗人盛宴一般，「第二道各式珠寶」以及「切割過或是雕刻過的寶石」，連同「莊重又富有教育意義的古代遺跡」被放置於同一個桌面展示。奢華的礦物饗宴接著端出「第三道」金銀礦的展示品時，這對皇室夫婦再度讓開，以便另一系列的物品加入陳列，包括「來自世界各地，從西伯利亞到好望角、從日本到祕魯的男性衣著上珍貴又稀奇的裝飾」，以及印有古今名人、像是亞歷山大大帝以及英王威廉三世肖像的錢幣或勳章。參觀行程的下一站是一個超過一百英尺長的陳列廳，布滿了珊瑚、水晶、化石、「最鮮豔的蝴蝶和其他昆蟲」、彩繪貝殼、以及「與寶石爭豔的」羽毛，並以「大洪水之前的遺跡」做最後的妝點。訪客穿越擺滿手稿、書籍和冊子的房間，書籍收藏中包括法國國王送來的二十五冊印刷品，更有三百三十四冊植物標本集，收納來自全球乾燥過的植物。行步下樓，一行人進入數個「擺滿珍奇又備受尊崇的古董」，來自埃及、希臘、伊樹里亞、羅馬、不列顛、「甚至美洲」等地。「主會客室的每道牆都排放」浸泡數種動物的「烈酒」，迴廊則陳列著「各式動物的角，包括非洲的雙角犀牛」以及「來自愛爾蘭、九英尺寬的鹿角」。莫蒂默在欣賞「不同國家的兵器」時不忘嘲諷英國在十八世紀的主要競爭對手，說道「該享有發明刺刀這種殺戮兵器的尊榮者是馬來人，而非我們最虔誠的基督徒法國鄰居」。在行程的結尾，莫蒂默對王子表示敬意，特別推崇弗雷德里克在他面前發表的「諸多明智的評論」，同時王子也宣告「很高興在英格蘭」能欣賞「如此令人讚嘆的收藏」，並指出「若能將之展示大眾、為後代所享用，該是英國無上的光榮」。

很神奇的是，這個願望在短短的五年內果然成真。英國國會在一七五三年買下切爾西的收藏品並成立大英博物館以便展示保存。但我們要問，最初是何人大量收集了這一系列令人驚嘆的珍奇寶物？它們如何被帶進倫敦？它們又如何促成全世界第一間國家公共博物館的成立？

漢斯．史隆爵士（Sir Hans Slone, 1660–1753）是這些收藏以及大英博物館成立的幕後英雄。史隆就是在切爾西招待王子與王妃的主人，但他究竟是何等人物？又為了什麼收藏大量珍品？即便史隆廣場（Sloane Square）是今日倫敦最為人所知的地址之一，史隆的生平與經歷卻鮮為人知。史隆在英王查理二世復辟那年出生於愛爾蘭的阿爾斯特（Ulster），從光榮革命到七年戰爭這七十年中，他成為科學與醫學界的主導人物之一。他的生涯橫跨數個歷史轉型時期，也因此得以集結令人欽佩又涵蓋廣大幅員的收藏品；此時不列顛群島也在轉型，從一個以務農為主、飽受宗教與族群衝突荼毒的多族群共同體，演化成一個更統一也更富裕的國家，並開始經營世界上幅員最廣闊的商業帝國。此帝國從北美與加勒比海群島延伸到南亞與東亞，透過大西洋奴隸貿易以及種植園制度致富，也致使包括史隆在內的許多人累積了前所未有的財富。透過帝國這個管道，史隆累積了財產，建構利於收藏的廣大網絡，更為後代留下一個特殊的遺產，也就是能普及知識的免費公共博物館。本書講述的就是這些故事，並經由故事點出橫跨全球、包羅萬象的收藏方式如何塑造現代博物館的原型。

• • •

史隆的經歷可說是成名和失憶兩症合發的特殊案例。他的名字銘刻在倫敦的街道上，隨處可見：史隆廣場、漢斯月牙街（Hans Crescent）、漢斯鎮（Hans Town）、漢斯廣場（Hans Place）、史隆街（Sloane Street）、史隆大道（Sloane Avenue）等等，這些地點原本是史隆的地產，多是在一七〇年代為建築師亨利．霍蘭德（Henry Holland）所開發，坐落今日倫敦的「肯辛頓與切爾西區」史隆的後人被封為卡多根伯爵（Earl of Cadogan），如今是此區最大的地主，也是英國最富有的家族之一。在史隆廣場有家名為「植物學家」（The Botanist）的餐廳，無意間成為紀念史隆的場所，餐廳的內牆掛著特別上色的加勒比海植物標本的雕刻版畫，是史隆在一六八七年遊訪牙買加殖民地時收集的；許多標本的植物原型則存於史隆植物標本館（Sloane Herbarium），位於附近的自然史博物館中，其中最主要的展覽品要屬史隆帶回的可可豆樣品，距今已三百年。在史隆擔任會長的英國皇家學會掛有戈弗雷．內勒（Godfrey Kneller）為他畫的肖像，附有以下說明文字：他的珍奇收藏不僅「奠立了大英博物館館藏的基礎」，更宣稱他「發明了巧克力牛奶」。一張具歷史意義的貿易經商卡（trade card）顯示吉百利（Cadbury）兄弟挪用史隆的配方為自己的廠牌打出名號，而史隆委製的牙買加可可豆樣本版畫，如今則被用來包裝漢斯．史隆巧克力（Hans Sloane Chocolate）。史隆的其他肖像、雕像以及半身像也保存於國王路上的切爾西草藥園（裘園的前身）、大英圖書館、大英博物館、以及國家肖像藝廊。但若要問史隆確切的事蹟為何，卻無人能答。「史隆遊俠」一詞在一九八〇年代被用來譏笑史隆廣場有錢的居民，但此惡名卻未曾引起對史隆本人的注意。又因為大英博物館不以史隆為名，兩者之間的關係也經常被忽視。人們也的確經常將史隆與約翰・索恩爵士（Sir John Soane）混淆，後者是十九世紀重新設計英格蘭銀行的建築師，他在林肯因河廣場（Lincoln's Inn Fields）的故居至今仍對外開放。史隆最初在布隆伯利廣場（Bloomsbury Square）的居所不對外開放，而他在切爾西莊園的房子也已不復存在。[2]

史隆的故事被埋沒在層層的歷史中。比方說，大眾對大英帝國的記憶多聚焦於維多利亞和愛德華時代，以及印度與非洲，卻忽略了幾個世紀前，是西印度群島（West Indies）燃起了這個殖民帝國的野心。對科學史的敘述向來尊崇物理科學的大家，例如與史隆同時期的艾薩克・牛頓（Isaac Newton），杜撰關於獨來獨往的天才傳說，卻無視具有高度社會性的科學領域、也就是史隆透過通信建立的人際網路所從事的自然史。即便在自然史的領域，史隆也被瑞典的生物分類學家卡爾・林奈（Carolus Linnaeus）的光芒所掩蓋，林奈對十八世紀動植物分類的改革顛覆了史隆所理解的植物學。英國的科學與帝國歷史寫作也忽略史隆，經常以一七六八年約瑟夫・班克斯（Joseph Banks）與庫克船長（Captain Cook）在太平洋的遊歷為起點，以無傷大雅的口吻將之呈現為一段受到開明國家金援、為追求有用知識的「發現之旅」。史隆對近代早期英國人所稱「人類的自然史」所做的貢獻，也只是偶爾被肯定為民族誌漫長歷史中的一部分。史隆以珍品收藏家的身分深入大西洋奴隸制度的險境、處於英國商人與種植園主人靠非洲男女奴隸做牛做馬來獲利的環境下，進行漫長的科學探索。當他與牛頓、林奈、班克斯以及之後的查爾斯・達爾文等人的英雄事蹟相提並論時，我們會發現他的故事難寫多了。[3]

對史隆的忽視令人格外地震驚，因為他曾擔任英國皇家學會以及英國皇家內科醫師學院兩個組織的會長；他所出版的自然史是當時內容最豐富的作品之一；他在大英博物館的創建過程中扮演舉足輕重的角色，同時他的許多收藏品後來也成為其他重要機構的主要館藏：一八八一年開放的倫敦自然史博物館收有他的標本，於一九七三年成為獨立機構的大英圖書館則保有他的藏書。他的收藏品有很大一部分被保存下來，包括史隆植物標本館所收藏的數千株植物標本；數以百計的物件與繪圖冊子保存於大英博物館；數千封書信、手稿、圖片、以及印刷出版的書籍成為大英圖書館的館藏；甚至在他手寫的五十四本目錄原稿中，有四十四本被保存下來。這些令人讚嘆不已的收藏品可說是十八世紀最豐富的個人收藏，是史隆以學會醫師的資格賺取的可觀收入，加上牙買加的蓄奴種植園收入、倫敦地產的地租以及公職薪水蒐集來的。[4]

史隆的確四處遊歷。仔細探究他跨尺度的經歷之後，他被忽視的弔詭情況便漸趨明朗：看似杳無蹤影的史隆其實無所不在。他對今日的我們來說像個隱形人，只因我們無法將他定位，畢竟他的事業生涯串聯起的不同領域從現今的眼光看來毫無交集。試想將大英博物館、大英圖書館與自然史博物館的核心館藏，包括物件、書籍、手稿、動植物標本等等，置於同一個屋簷下，而屋簷底下就是史隆的居所。試想收集這些藏物的人經營倫敦最昂貴的醫療診所，也是全世界個人通信連繫網路最廣泛的人士之一，其交流對象涵蓋了歐洲各地的博學之士、在英國北美殖民地的屯墾者、還有在印度與中國的雇員。試想同一個人為了找尋有效的新藥而從世界各地採集植物建立標本館，同時也收集各式珍品，例如一只令人費解的「珊瑚掌」和一隻「以人皮製成的鞋」、一顆北極海象的頭和一串有魔力的護身符、法國國王委託繪製的標本圖以及從日本走私出來的佛龕、更有旅行日誌以及可蘭經副本等各式手稿。最後再試想這個近代早期歐洲學術生活、亦即「文人共和國」（the Republic of Letters）的偉大創造者，在看顧家族設在西印度群島的大種植園時，還一面傳輸商業機密呢。史隆涉足的還不只這些呢！[5]

最重要的是，對史隆的忽略是自十八世紀開始將知識分類的結果。在當代人眼中，他從事的自然史幅員之遼闊、內容之廣博似乎到了無可救藥的地步：何以手稿、貝殼、勳章、動物都能稱為「珍品」？即使他的植物標本辨識度高到符合科學標本的標準，但珊瑚掌與「人皮鞋」肯定不符。這些多元的收藏品一開始被視為一個整體，但到了十九和二十世紀，當現代專業學科例如生物學、地質學、人類學、考古學等被正式區隔與定義，同時博物館也經歷重整，他的收藏也隨之被分割了。時至今日，研究者要到聖潘克拉斯（St Pancras）的大英圖書館才能閱讀史隆的手稿、到大羅素街（Great Russel Street）的大英博物館去檢視他的物件、到南肯辛頓（South Kensington）的自然史博物館去研究他的植物。他的收藏品被分送到不同機構保存的事實，對完整地重建史隆的所作所為、包括他的動機，形成了難以跨越的障礙。且把此障礙看作皮卡迪利線（Piccadilly Line）的難題吧：搭地鐵去一氣呵成研習史隆的手稿、物件還有標本應是很容易的，但學術專業化以及藝術與科學的分野卻讓這項任務難以達成。[6]

史隆的收藏品非但被瓜分，更經常遭人嗤之以鼻。的確，他在歐洲的手稿被完整地保留在大英圖書館並經常被調閱，植物學家至今也依舊利用他的植物標本進行研究，但其餘的收藏品不是被摧毀、丟棄，就是被存放在儲藏室、甚至完全棄之不理。在十九世紀初期，大多數的動物標本「堆置在蒙塔古府邸（Montagu House）的地下室，不是腐爛就是變黑，儼然是不為人知珍寶的墳墓或是屍骨存放處」，促使原本就「厭惡漢斯．史隆那個年代的剝製術」的館長威廉．利奇（William Leach）安排多次「火葬」，導致「火燒蛇產生的刺鼻氣味」瀰漫博物館的台階。數以千計的動物標本如今幾乎全數消失。十九世紀時大英博物館收入一系列令人驚豔的上古遺跡，例如來自雅典巴特農神殿內的大理石、亞述人遺留在寧洛德與尼尼微的石刻，使得史隆的收藏相形失色。到了一八五二年，一本博物館指南指稱史隆的收藏為館中「極不重要的一部分」；隔年，上古館館長奧古斯塔斯．法蘭克斯（Augustus Franks）在「佈滿灰塵的地窖裡的廢棄物堆中」，偶然發現一個史隆擁有的中古英格蘭星象盤。一九三五年在《每日郵報》發表的一篇文章，以「廢物堆中的『魔法』箱」為題，描述在自然史博物館的地下室，營救一個曾為史隆所有的藥材箱當中、一只「塞滿科學療法與迷信土方」的抽屜。隨著時間過去，史隆本人反而成為他所建立的博物館中最主要的珍品，而從他為了收藏而所費不貲，可一窺其瘋狂的程度。一段二十世紀的文字為了描述一個奇特物件「橡樹枝穿越一段水牛的脊椎骨、填滿骨頭中間空隙並持續向外生長」這麼說：「犯失心瘋的」史隆「花了十先令（五十便士）這一大筆驚人的費用買下這個標本」。各館館長與學者對史隆是否預示了啟蒙運動的來臨，或者史隆是否啟蒙運動這個致力於有系統又理性的分類運動欲掃除的對象，也未能達到共識。傑出的醫學史家羅伊．波特（Roy Porter）興致勃勃地將史隆列入「任何啟蒙運動先鋒隊」的一員，但卻未曾對他寫下隻字片語。直到一九七四年，大英博物館的歷史學家還以「混亂的開始」描述草創期，並指史隆為「招搖賣弄的怪人」。史隆究竟是現代性的眾多英雄之一還是前近代的恥辱？大英博物館直到二〇〇三年才將其創始者展示於新設的「啟蒙運動陳列廳」，多少重振他的能見度。儘管如此，不論在陳列廳內外，絕大多數關於史隆的故事仍不為人知。7

要理解史隆如何收集又為何收集，我們必須踏上兩段旅程，一段探索他的收藏品，另一段則跨入廣大的世界、走進物品的來源地。要順利完成第一段旅程，我們必須拋棄科學進步必勝式的論述，此種取向以當下的關懷來評斷過去並扭曲過去，將重點放在那些造就了我們眼前景況的歷史發展。再者，要將史隆個人完全置於歷史中檢視，則有必要竭盡所能地、以過去為出發點來重建思想與行為結構：我們非但要拒絕將史隆引入我們的世界，更有必要轉而投入他的世界。這個論點看似理所當然但卻極端重要，特別是因為在針對十七世紀科學革命的論述中，史隆經常被邊緣化，這些論述也狹隘地聚焦在物理科學以及一小群在歐洲大都會活動的人物。相對而言，史隆能全面地調整我們對近代早期科學的理解，迫使我們將視線轉移到世界舞台上，透過此時期在不同文化區進行的多種知識交流，來洞察對自然史的探索。長久以來，儘管史隆因為未曾發明新理論或是新的分類系統而被學者忽略，他的事業生涯卻顯示知識在十八世紀的全球化已頗具規模、也顯露出知識累積的過程。史隆是個對神的每一項創造物都有興趣、也有能力體驗和檢視它們的人，他想要收集世界萬物並將之分類，至少這是他的夢想。但該如何實現呢？

即便是收藏史也對這個問題鮮少著墨。它們以史隆來標示現代公共博物館的起源，認為這是他身後最重要的遺產，但卻忽視他的願景、以及他在有生之年如何試圖實現這個願望。史隆的收藏行為源於文藝復興時期的多寶閣或是Wunderkammern（藏珍閣）的傳統，多寶閣展示的稀有珍品向來被排除於科學史敘述之外，因為這些收藏不符合後代用以界定科學的標準。

不過，米歇爾・傅柯在一九六六年出版的《事物的秩序》一書中明確挑戰此種態度。二十世紀初期，第一次世界大戰毫無意義的血腥殘殺已促使藝術家與思想家對現代性的褒揚提出質疑，也挑戰文明的進步是奠基於理性與科技的論述。這些人被稱為超現實主義者，以安德烈・布荷東為代表，他們對珍玩著迷，正是因為珍玩難以歸類。半世紀之後，傅柯受豪爾赫・路易斯・波赫士的作品所啟發。波赫士在〈約翰・威爾金斯的分析語言〉（"The Analytical Language of John Wilkins," 1942）一文中，描述英國皇家學會的創始者威爾金斯冀求發明一種普世或是自然語言，以為全世界的事物做分類，此想法載於威爾金斯在一六六八年發表的《試論真切性格與哲學語言》（*Essay towards a Real Character and a Philosophical Language*）（這是史隆最早為個人圖書收藏所購買的書籍之一）。然而波赫士反駁以下這樣的看法：威爾金斯提倡的分類法既不自然也不理性，事實上是毫無章法，他將此種分類法相比於一部虛擬的「名為『善智天朝』（"Celestial Empire of Benevolent Knowledge"）的中國百科全書」，這部虛擬的百科全書將動物歸入不對稱到可笑的類別，包括：「(a)屬於皇帝的，(b)防腐處理過的，(c)溫馴的，(d)乳豬……(h)收納於此分類法的……(k)以精細的駱駝毛筆畫出的，(l)其它」。從波赫士的幻想清單中，傅柯得到的體會並非是「過去等同異國」，而是領悟「異國能夠反映出歐洲的過去」；波赫士的中國百科全書提出了一種可能性，亦即在歐洲早期的分類系統中確實能找出陌生但可辨識的規則，然後傅柯以及後世學者接著重建這段歷史。此項復原歷史的關鍵，是體認到被定義為科學或理性的方法本身並非靜態或固定的，它們會因時地的差異而變化。[8]

波赫士將奇特的分類系統與異國社會連結在一起，指引出為了瞭解史隆的收藏所必須進行的第二段旅程，亦即進入大英帝國以及近代早期的世界。史隆與這個世界的交流經驗，在不同時期有截然不同的解讀。在出版於一九五三到五四年的最近一套史隆傳記中，他的生平基本上被當作一個歐洲的故事來描述，儘管他曾遊歷到牙買加，也和殖民過程有不少關聯。史隆的傳記作者當中有一位加文・德・比爾（Gavin de Beer），是個演化生物學家，曾任軍事情報員、也是倫敦自然史博物館的館長，他將史隆塑造成以客觀態度追求真理並在戰時倡導國際合作的楷模。這也代表了冷戰時期對史隆的觀點，德・比爾在飽受核戰威脅的那幾年撰寫此傳記，《科學不宣戰》（*The Sciences were Never at War*, 1960）這本書的書名貼切地恭維了史隆是科學家的表率，在政治交涉中應「置身事外」。反觀半個世紀之後，一個截然不同的史隆出現在女性主義科學史家朗達・施賓格（Londa Schiebinger）筆下。在她《植物與帝國》（*Plants and Empires*, 2004）開創性的著作裡，她指出史隆從事的自然史研究是歐洲資本主義透過武力擴散的一個環節；在此過程中，敵對的帝國互相競爭、貪婪地透過奴隸制度的暴力行徑從土著手中奪取天然資源。從冷戰時期的外交官到新自由主義的生物探勘家，對史隆與其世界的描繪，無可避免因關懷的差異而產生落差。[9]

對收藏、特別是藝術收藏的學術論述通常強調收藏家個人的「熱情」和心理狀態。這個取向過度推崇個人，對脈絡卻缺乏討論。本書的中心論點即是：史隆要能向全世界收集珍品，就得收集同樣多種的人。普世知識必須仰賴超越社會階級、橫跨各式文化的普世交遊。正如社會學與哲學家布魯諾・拉圖（Bruno Latour）所言，「assemble」（拼裝、組裝、集結）一詞指涉建造某項物品，也有聚集人群之意，史隆能收集到**何種物品**，取決於他能集結到**何等人物**。大英博物館的創立源自史隆在英國與世界各地培養出的人際關係，以及他在亞洲、美洲以及其它地區的書信往來者在當地所建立起的人脈。這些網路並非僅是史隆事業的脈絡，它們就是他的事業，需要不斷地運作與協商。不過，處於網路中心的這個人究竟是何方神聖？要說從收藏家的收藏品中發現其個人認同，是人所皆知的慣常做法；許多文學與電影都探究過這個觀念，最著名的例子要屬奧森・威爾斯（Orson Welles）的作品《大國民》（*Citizen Kane*, 1941）。片中記者調查與電影同名的報業大亨（是根據威廉・藍道夫・赫斯特〔William Randolph Hearst〕所塑造的角色）之死，翻遍他數量龐大的收藏品，找尋線索，以解讀他臨死留下的遺言、同時體會他的一生。儘管如此，一個人收藏越多，他就更容易藏匿於收藏品中。結果凱恩的死仍是個謎。[10]

在接下來的篇幅中，讀者會震驚的發現，即便史隆個人擁有龐大的收藏，它們透露出關於史隆的訊息卻少之又少。不同人的眼中看到的是不同的史隆：朋友們稱許他是熱情良伴，但至少有一位同時期的人認為他沉默不擅言詞，同時史隆也樹立了不少敵人。這位集結了各色物品的收藏家給後代帶來許多困擾：一個人有能耐評斷鑑定如此多樣的物件，確實令人難以置信。就史隆的例子而言，解惑的關鍵在於他經常倚賴他人的協助，光靠個人的能力無法獨自完成這些鑑定。然而，史隆的收藏品的確有段不為人知的私密故事。這段私人軼事反映史隆這個來自阿爾斯特的外地人、同時也是周旋於大英帝國首都倫敦的高等謀略家，一面避免衝突，一面謹言慎行、建立人脈以發展事業，最後不僅蛻變為最精明的倫敦仕紳，更成為統治集團的棟樑。這段故事同時也述說了作為醫生的史隆，因為專業訓練而有能力鑑別科學與迷信、能斷定何人屬於「啟蒙派」而何人不是，此種判斷能力激發他收集的熱情，也構築了他對博物館的願景。

在以下的章節中，我將試圖重建這些至今仍隱藏在大英博物館制度史中的故事。我們將會看到史隆如何將國家機構、貿易機制、以及殖民過程巧妙地融合，以實現他追求普世知識的夢想、滿足個人的野心。[11]

除了史隆的手稿、通信及出版品之外，本書首次運用他所遺留的標本與物件，以及卷帙浩繁的物件目錄來建構這些故事。在第一部，我將詳細記錄他的殖民背景與旅行經驗。第一章以近代早期的科學、收藏和殖民為背景，追溯在皇室復辟後那幾年史隆生長於愛爾蘭的經驗，並探索他移居倫敦接受內科醫學訓練的過程，以及他在法國旅行的經歷。第二章與第三章討論奴隸制度如何為史隆的科學家生涯、醫學聲譽以及個人財富奠立基礎。這兩章聚焦於史隆以總督醫生的身分遠赴牙買加並停留十五個月的經歷，他在當地一面行醫、一面利用與島上種植園主和非洲奴隸大量的互動來豐富個人的收藏。兩冊一套的《牙買加自然史》（*Natural History of Jamaica, 1701–25*）便是依據史隆所收集的標本編纂而成的百科全書，奠定了史隆作為從種族到植物學都有涉獵的頂尖博物學者的地位。這兩章也詳細記錄史隆如何將標本轉化成科學性的藝術，製作附有精美插圖的目錄、以及他為英格蘭剛開始蓬勃的蓄奴殖民地所生產的物資編制目錄的工程如何成為殖民地科學研究的典範。

第二部將深入描寫光榮革命之後，史隆以一位菁英醫生的身分在倫敦崛起的過程，包括他在公共醫學中扮演的中心角色、他如何在惠格統治集團中鞏固地位、以及如何展現其野心勃勃的收藏家身分。第四章探討的是史隆在建立私人行醫事業的同時，如何在英國皇家學會站穩關鍵席位，並在完成《牙買加自然史》一書的同時獲取多項公職。本章也指出，儘管史隆以專業獲取的新財源以及從全球貿易中牟取的暴利，皆與他的自然史收藏息息相關，這些藏品卻一直被指控為膚淺的學術，更被譏諷為社會攀升的踏腳石。史隆熱衷於炫耀他收藏的珍異結石，但並非每個觀賞者都認同它們的美麗或效用。國際貿易的確成就了普世的自然史，以收集越多物件越好為目的，但在人們對於英國與世界各地交流因而產生愛恨交織的時代，貿易也讓普世的自然史研究染上了塵埃。第五章顯示史隆的收藏並非個人天才的成果，而是集體辛勞的產物。我們將探索無數殖民旅行者在異文化地區的遊歷如何提供物件來充實史隆不斷擴張的博物館，以及史隆如何與這些人士協商、取得他們的奇珍異品。第六章指出，整理收藏品必經的編目、標籤、加註等流程必須仰賴一個研究團隊的群體努力，即便是當史隆已經開始對朋友、學者以及達官顯要展示其收藏品，實現能提供全面資訊架構的夢想，終究要以合作為基礎。本章指出，史隆一方面期望他的收藏象徵著天賜的自然資源、以供受啟蒙影響的博學之士所用，另一方面也嘲諷那些相信自然是個具有魔力的體系、自以為能用魔法與咒語操弄自然的人士。然而，史隆的批評者對這個裝模作樣的暴發戶醫生的質疑未曾消減，譏諷他不斷擴張的收藏庫為腐敗物質主義的表徵。

最後，第七章描述大英博物館如何依照史隆遺囑中的指示而成型。雖然人們收集物品，物品也反過來聚集願意保存、研究和崇拜物件的人群。成立某種形式的公共博物館在史隆的時代不算新的想法，這想法是古文明的遺產，比方說，西元四世紀在埃及亞歷山大城的圖書館就是市立博物館的一部分；博物館一詞最初用來指涉供奉繆思（古典神話中激發文學、文化以及藝術靈感的女神們）的殿堂，是根據亞里斯多德在雅典所建的學校而設計的，供學者群體使用。

儘管如此，史隆倡導的普世圖書館仍有其創新之處，在於它的雙重含義：集結全世界的物件以展示於全世界的公民眼前。其結果便是全球第一間免費公共博物館的創立，即便開放博物館供公眾使用的營運條件引發了激烈的爭辯，甚至博物館最初的幾位管理人也反對免費入場的設計，這使得大英博物館的創立成了一個歷史上的重大弔詭，也引發了一個亙久的文化辯論。大英博物館造就了一種環境，使得史隆本人消失於自己建立的博物館牆內，更重要的是，它留下了一個至今仍無解的急迫問題：公共博物館為何存在？又為誰存在？[12]

PART 1

Empire of Curiosities

奇珍異品的帝國

CHAPTER

1 移植

Transplantation

異鄉的自然界

史隆筆下為數不多的年少記憶，刻畫出搜尋自然界珍寶的生活。他在一七〇七年出版的《牙買加自然史》的序論裡，回憶道，自己一直「非常享受研究植物以及自然界的其他部分」，也提到在家鄉曾經見過許多「在田野中、在花園裡或是收納於多寶閣內的」珍奇物件。一七一〇年，史隆致克隆馬帝伯爵（Earl of Cromertie）的謝函中感謝他講述埋於蘇格蘭沼澤地的奇珍異品，它們給了史隆比較家鄉土壤的機會。史隆告訴伯爵：「我見過許多樣本，閣下對珍品的紀錄著實精確無誤」。史隆記得觀察過工人翻開草皮採集泥炭做燃料，也記得他們如何發現杉木的樹根與樹墩，以及樹根在草皮下盤根錯節的情形。這種木材有時用來製造蠟燭或是繩子，也用作風車的支柱，還有船桅，此外還找到巨型麋鹿的骨架、金鍊、「幾塊錢幣」、以及一些樹皮，這些樹皮被當地人製作成保存奶油的器皿。數年後，史隆於一七二五年在一封寫給約克郡植物學家理查．李察遜（Richard Richardson）的信中，感謝他贈送數個鷸鳥樣本，並提到他在兒時曾去過「許多無人小島，當地普通的海鷗等鳥類經常在地面下蛋，只築很小的巢、甚至不築巢，滿地鳥蛋密布，經過時很難不踩到牠們，同時鳥在我們頭上盤旋、製造刺耳的噪音」。雖然只是簡短的描述，這畫面卻預示了史隆往後的事業生涯：史隆與他的夥伴從容不迫地進入自然保護區收集珍貴的樣本，完全無視周遭的喧擾。[1]

這些經過並非發生在英格蘭或蘇格蘭，也不在某個遙遠的熱帶小島，而是在愛爾蘭北部、史隆出生長大的阿爾斯特。諸多歷史事件重塑了少年史隆的世界，包括宗教改革及其在不列顛群島引發的衝突，以及共主聯邦（union of Crowns）造就了大不列顛這個國家、也開啟了英格蘭對愛爾蘭的殖民統治。自十二世紀，來自諾曼的男爵試圖征服阿爾斯特的蓋爾族領主歐尼爾（O'Neill）與歐唐納（O'Donnell）氏族開始，愛爾蘭就不斷遭受其東鄰的侵略。來自東邊侵擾的力道在十六世紀英格蘭改宗基督新教之後增強，由於西班牙在美洲的殖民地，例如祕魯等地，開採銀礦，累積了龐大的財富與實力，也成為極大的威脅，英格蘭殖民者因而宣稱有必要占據愛爾蘭，以抵抗西班牙可能的侵略行為，並在愛爾蘭大量伐木以備燃料和建築之需。一六〇三年，詹姆士六世將他的母國蘇格蘭與英格蘭、威爾斯以及愛爾蘭結合，以詹姆士一世之名登基；歐尼爾與歐唐納兩族在一六〇七年逃亡歐陸之後，英國取消天主教徒持有地產和擔任公職的資格，同時將英格蘭的新教徒與蘇格蘭西南部多屬長老教會的新教徒遷移至原屬愛爾蘭天主教徒的土地，並賦予地產所有權。當入侵者站穩優勢後，五十五家以倫敦為據點的公司成立了一個名為愛爾蘭協會（Irish Society）的合股企業，目的在於清除阿爾斯特的天主教居民以及人稱「山林中的鄉巴佬」（"woodkernes"，也就是居住於森林中的叛軍），以便殖民。據英王詹姆士的司法部長約翰・戴維斯爵士（Sir John Davies）所言，阿爾斯特是「全愛爾蘭最粗魯也最不開化的地區」，國王陛下認為在當地殖民「才能建立基督傳下的正統宗教……（在此）幾乎與迷信混為一體」。不過，對許多人來說，包括於一六一〇年從諾福克（Norfolk）來此的湯瑪斯・布倫納哈塞特（Thomas Blennerhasset）在內，人稱「美好的阿爾斯特」指的是當地「誘人的田野和肥沃的土地」所招來的、獲利不菲的屯墾活動。[2]

史隆家族是以貴族僕人的身分來到阿爾斯特。一六〇三年從蘇格蘭亞爾夏（Ayrshire）移居愛爾蘭的詹姆士・漢彌爾頓（James Hamilton）是新移民當中的新教徒之一。漢彌爾頓因效力英王詹姆士有功，於一六二二年受封領土與爵位，成為首位克蘭德柏伊子爵（Viscount Clandeboye）。克蘭德柏伊於一六四四年去世，同樣名為詹姆士・漢彌爾頓的兒子繼承其領地，並成為首位克蘭布拉索伯爵（Earl of Clanbrassil）；克蘭布拉索於一六四一年與蒙茅斯伯爵（Earl of Monmouth）之女安妮・凱利（Anne Carey）成婚，但他在一六四〇年代英國內戰中支持英王查理一世，最後敗在奧立佛・克倫威爾（Oliver Cromwell）手下，景況因此一蹶不振。漢彌爾頓與凱利兩家聯姻也間接促成家族中兩位傭人的婚姻：男方是同樣來自亞爾夏的亞歷山大・史隆（Alexander Sloane），是漢彌爾頓家的表親，協助管理產業。女方莎拉・希可斯（Sarah Hicks）則是伴隨安妮・凱利的女侍。亞歷山大與莎拉・史隆婚後育有七個子女，其中只有三位順利長大成人。他們的兒子詹姆士成為律師以及國會議員，威廉則是個商人。最小的兒子漢斯於一六六〇年四月十六日出生於道恩郡（County Down）的啟利列（Killyleagh）集鎮，他的名字當時在蘇格蘭雖然不算少見，但顯然是為了紀念老詹姆士・漢彌爾頓在亞爾夏的父親、人稱「登祿普（Dunlop）的約翰・

漢斯・漢彌爾頓牧師大人（Reverend John [Hans] Hamilton）」而命名。因此漢斯這個名字具有雙重意義，一方面反映出身為貴族的漢彌爾頓一家與其忠實的僕人史隆一家的密切關係，另一方面也顯示史隆家新教徒的傳統，因為漢斯・漢彌爾頓是登祿普第一位新教教區牧師。史隆的父親亞歷山大成功地闖出一片天。一六六〇年查理二世復辟後，他基於動員大臣（commissioner of array）的身分，以國王之名招募了一支軍隊，同時也晉身擁有地產的仕紳階級，得以雇用佃戶協助務農。過世之後留下了位於道恩郡若瑞（Rowreagh）和巴里加凡（Ballygarvan）兩地的地產，不過，根據長子繼承制，他的長子詹姆士接手所有產業，他的幼子漢斯則必須靠自己找尋立足之地。[3]

儘管漢斯年少時期的世況相對平和，漢彌爾頓家族的運勢仍舊蒙上一層不確定的陰影。在一六四一年間，英國內戰引發愛爾蘭人的血腥反抗，天主教的仕紳階級與操蓋爾語的農民報復新教徒，但起義很快地就被克倫威爾的「新軍」以殘暴的手段平定。復辟之後，查理二世對天主教徒廣為包容，阿爾斯特經濟繁榮，新教徒也鞏固了在社會上的優勢。然而，內部分裂依舊是愛爾蘭新契機裡的一個隱憂。在漢彌爾頓家族支持漢斯的長兄詹姆士代表啟利列競選惠格黨的國會議員之時，漢斯的父親亞歷山大捲入了一場關於克蘭布拉索伯爵遺囑的糾紛。遺囑表明克蘭布拉索的土地必須傳給他的兒子亨利，但若亨利與其妻子艾莉絲伯爵夫人沒有子嗣，地產則轉由亨利的叔伯共享。有一說法是伯爵夫人說服亨利將遺產轉移給她，但在轉移之前亨利就突然身亡（有人宣稱是中毒），以致艾莉絲這位富孀享有獨自繼承所有財產的權利。後來僕人們找到一份遺囑的原稿，促使叔伯們採取法律行動以恢復其繼承地位。最後地產劃分給幾個爭吵不休的親戚，不少財產落入蘇菲亞．漢彌爾頓（Sophia Hamilton）名下，她是一位道恩郡的地主、另一個詹姆士．漢彌爾頓的女兒。[4]

以上便是漢斯．史隆生涯早期的困境。他出生於一塊被侵略與被殖民等過程重塑的土地，帶著貴族家庭僕人的兒子的身分成長，有蘇格蘭血統又是阿爾斯特新教徒，他屬於人稱在愛爾蘭的新英格蘭殖民者。因此，嚴格來說，他既不算英格蘭人也不是愛爾蘭人（亦非蘇格蘭人），卻是少數統治菁英的一份子；這些菁英與喪失權力的天主教多數人口相比，是絕對的少數，自詡為「愛爾蘭的英格蘭人」。阿爾斯特菁英的政治認同不甚明確，他們對愛爾蘭效忠的同時，也表達想與英格蘭保持密切關係的渴望。亞爾馬（Armagh）大主教詹姆士．烏雪（James Ussher）是十七世紀初期愛爾蘭新教教會的主要支持者，極力主張基督新教比羅馬公教要更接近愛爾蘭式基督教的原形。在《論愛爾蘭與不列顛人自古信奉的宗教》一書中，烏雪發表頗具爭議的論點，指出「古代主教們信奉的宗教，與當前統治者所支持的形式相同，且與後世羅馬主教（教宗）的跟隨者所信奉的外來信條相牴觸」。烏雪的論點主張天主教是強加於愛爾蘭的外來信仰，基督新教才是本土信仰，但這個看法可信度很低。然而換個角度來看，愛爾蘭協會的董事們都以倫敦為據點，許多殖民者也都與英國首都保持密切聯繫，他們都希望達到更高度的政治統一，寄望英國王室和新教同儕指引方向。我們不清楚史隆如何看待他的種族和國家認同，因為他未曾留下對此議題發表正式意見的紀錄。儘管如此，他的生命軌跡確實帶有強烈的英國特色，缺乏愛爾蘭特色，而且從大一點的角度來看，也缺少嚴格定義的英格蘭風格。雖然他一直忠於阿爾斯特的家族並與之保持聯繫，史隆之後終究移居倫敦，再也不曾踏上故土。[5]

史隆，這個阿爾斯特的新教徒確實從打壓愛爾蘭天主教徒及沒收他們土地等行徑得利，遑論沒收土地幫助殖民者致富。即便不是漢彌爾頓家的親屬，他也很可能與這個貴族世家關係深厚，這層關係在史隆與其他不同身分地位的人士交往時似乎頗有助益，後來也成為他廣闊的社交圈最主要的特色之一。湯瑪斯・史台克（Thomas Stack）是史隆後來雇用的圖書館員，他在一七二八年寫信給史隆說明自己學者的資格時，附上一段對愛爾蘭貴族隨和性格的讚美詩以奉承他未來的雇主，並堅持史隆繼承了這個正面特質：「在這受上天眷顧的島嶼，無法以傲慢的皺眉區分偉大的貴族與吝嗇的丑角，眾人皆知貴族平易近人和藹可親……隨意詢問，任誰都說貴族和農民並無二致」。然而，史隆年少時身處的環境，不論是爭奪愛爾蘭的血腥衝突，或在幾乎就是他第二個家的漢彌爾頓家族中對遺囑的激烈爭辯，都明白地凸顯分裂不合所帶來的危險。他親身觀察父親，得知專業服務與財產權是仕紳地位的表徵，也理解到以嚴謹、堅毅態度經營家產才能避免分裂與衝突。[6]

最重要的是，史隆在阿爾斯特發現自然界的美好、首次為「將自然占為己有的可能性」深深吸引。啟利列位於斯特朗福湖（Strangford Lough）西緣，離愛爾蘭海不遠，周遭的動植物群令他驚豔。他和同伴從海鷗處取得的蛋可能來自於附近的科普蘭群島（Copeland Isles）。漢彌爾頓家族開放在啟利列堡（Killyleagh Castle）的家族圖書館供史隆閱覽，這很可能是他智識的啟蒙，雖然沒留下任何閱覽紀錄，史隆這名新教徒在年少時肯定讀過聖經。此種文化傳承能將基督教信仰對自然的敬畏深植他的心中，但同時也會激發一種善用自然以謀求人類福祉的使命感。對早期近代的基督徒而言，聖經《創世紀》教導以勞力將「蠻荒」轉化成花園是虔誠的行為，能夠救贖亞當和夏娃的原罪，也就是人類從神的恩典 被逐出伊甸園的由來。來自史坦福郡（Staffordshire）的清教徒花匠雷夫・奧斯汀（Ralph Austen）在他的《果園的性靈效用》書中提出許多如下的主張：「世界是個偉大的圖書館，果樹便是藏書之一，其中我們得以閱讀並清楚地目擊神的力量、智慧、以及美善等特質」。英格蘭新教徒也常以天賜的資本主義來解釋他們對其他列島的占領行為：這是「改善」土壤與自身的手段，（最終的目的則）要透過掌握植物學、勤於灌溉花園、以及藉農業獲利的方式達成。史隆將來也採用此觀點，寫道「眼見英格蘭的花園中栽培如此多樣的、在其他國家見到的野生植物」令他「非常欣慰」。史隆在阿爾斯特以小男孩的眼光凝視自然界時，舉目所見的盡是殖民佔領下的地景，因此，很諷刺的，他首次見到的「其他國家」便是他生長的土地。[7]

珍品與關係

史隆的少年時期頗為坎坷，在十六歲時幾乎因重病喪生。一六七六年，史隆因「嚴重內出血」開始吐血。根據歷史學家、也是英國皇家學會秘書的湯馬斯・伯奇（Thomas Birch）所記載，接下來的三年，史隆多半在啟利列的房中養病、足不出戶。日後史隆指定伯奇為其受託者之一，也在晚年接受他的深度訪談，談話內容成為寫作史隆少年時期的主要資料來源。史隆的活力雖然慢慢恢復，相同的毛病卻糾纏他一輩子。這次重病對史隆產生多重又深遠的影響，此後，史隆特別留意飲食，刻意減少飲酒，這點與他同時期許多人的習慣大不相同。他對飲酒節制研究甚深；引一句伯奇發人深省的話來說，史隆專精於「明智的自我管理」。儘管漢彌爾頓在阿爾斯特產業的爭議給了史隆有效經營個人家產與人際關係的重要教訓，年少時期的重病則為他點出了謹慎照顧身體健康的必要。至少就身體健康這方面而言，這場重病很可能對史隆堅決步上醫生這個職業生涯有所影響。[8]

三年後，史隆跟隨許多阿爾斯特同鄉的步伐，於一六七九年橫跨愛爾蘭海抵達倫敦。移居到遍地是機會的英格蘭首都彰顯了史隆的野心。羅斯子爵（Viscount Rosse）在十八世紀初對他的新教同鄉們發出如此埋怨：「多數的年輕紳士不是已經去了倫敦、就是即將前往倫敦」；另一位愛爾蘭觀察家則無奈地指出：「所有該發生的事情都在倫敦發生」。倫敦雖是大英帝國的中心，卻飽受新舊教衝突之苦。在史隆抵達的前一年，英國國教牧師泰忒斯・奧提斯（Titus Oates）揭露了一個虛構的教皇密謀（Popish Plot），宣稱天主教徒將密謀暗殺英王查理二世。接著於一六七九到八一年爆發的王位排除危機（Exclusion Crisis），卻揭發查理二世的弟弟約克公爵詹姆士事實上是個天主教徒。惠格黨憂心情勢的轉變，進而提議立法取消詹姆士繼承王位的資格。然而在托利黨人的支持下，查理二世藉由多次解散國會，成功地阻止惠格黨的行動。於此同時，查理二世極力爭取更多對天主教徒寬容的措施；他曾對其表親法王路易十四發下密誓，將歸信天主教，以換取法國支持英國與其商業與軍事上的勁敵荷蘭相抗衡。一位牛津的解剖學家威廉・古德（William Gould）在一封一六八一年一月發出的信件中告訴史隆（這是現存史隆通信紀錄中年代最久遠的一封信）：這段期間「棘手的事件、忌妒和恐懼、加上密謀與反密謀」使英格蘭淪為一個「既不安又動盪的國家」。[9]

雖然史隆對當前局勢必定有所擔憂，他仍專注學習醫術並潛心鑽研植物學。他的居所位於黑衣修士（Blackfriars）水巷（Water Lane）的一間屋子裡，與藥劑師學會（Society of Apothecaries）總部藥劑師公會（Apothecaries Hall）的化學實驗室為鄰。此組織成立於十七世紀初期，目的在於動員藥劑師爭取能夠像教育程度較高的內科醫師一樣，有同等的開處方和賣藥的權利。史隆在此組織結識了一位德國化學家尼可拉斯．斯塔弗斯特（Nicolaus Staphorst），他教授史隆如何煎熬、發酵、以及提煉植物精華以「製造和運用多數的化學藥品」，史隆從此站上了醫界最實用的一個台階。他也開始聽解剖學演講，此學門在當時因涉及盜墓以及商業性的娛樂行為而頗具爭議，但史隆聽講的對象或是演講主題後人卻不得而知。由於史隆未曾接受大學教育，他在此時期的讀物可能多有自學的性質。不論如何，史隆對物件和花園的興趣與他對文字與圖書館的喜好不相上下。對史隆而言，花園本身就是圖書館，正如虔誠的基督教植物學家奧斯汀所堅稱：「自然這本書」是神為虔敬之人所寫，得仔細閱讀每一個物種。為此，史隆兩度西行，拜訪自一六七三年便由藥劑師學會管理的切爾西草藥園，以便訓練用肉眼辨識不同物種的能力、並記下這些差異，同時也學習草藥作為藥物的優點與療效。史隆日後向一位朋友解釋，只有確實了解藥物的成分才能判斷藥物的價格是否合理，藥劑學培養的便是此種判斷力。在草藥園長瓦茲（Watts）先生的同意下，史隆得以專注於觀察切爾西享譽各地的最先進的植物學科技。史隆興奮地對朋友講述：「他在溫室的樓板下建了一個大型火爐，並利用地道將暖氣傳送到室內各處」。這套用來移植異國物種、使之適應新環境以產出果實的方法，是少數在英格蘭首度施行的技術之一，而這套經由氣候控制來實行人工培植外國物種的系統，其潛力也占據了史隆的想像空間。史隆接著對朋友講到：「透過這項技術」，瓦茲「意欲以人工手法製造春天、夏天以及冬天等〔季節〕」。[10]

學徒期結束後，史隆得利於愛爾蘭海兩岸的人際網路，遊走其中並很快地融入上流社會的知識社交圈中。流著英格蘭與愛爾蘭血液的人們雖然遠離家鄉，卻形成一個緊密的群體，其中阿爾斯特與倫敦之間因為愛爾蘭學會總部的設立，其連結特別密切。伯奇為史隆所寫的回憶錄中指出，史隆在倫敦初期能有所成就，關鍵在於他的同鄉、也是著名的實驗哲學家與傑出的英國皇家學會會員羅伯特・波以耳（Robert Boyle）。波以耳生於愛爾蘭南岸的瓦特福郡（County Waterford），是科克伯爵（Earl of Cork）的繼承人。有證據顯示波以耳很可能與一位以前的戀人保持聯繫，這位女士是克蘭布拉索伯爵、也就是史隆父親的雇主的同輩姻親，而克蘭布拉索伯爵曾與波以耳的姊妹瑪麗女士交往。因此，與史隆家有深交的漢彌爾頓家很可能遠從阿爾斯特為史隆的事業助了一臂之力。波以耳的財富、以基督徒操守著稱的聲譽、及其英國皇家學會創會元老的地位，意味著與他交往即能為年輕的史隆同時開啟接觸學界與上流社會兩個圈子的大門，波以耳因貴族性格使然，很自然地擔任引薦人的角色。然而，身為波以耳年輕的同鄉，史隆絲毫不敢怠惰，伯奇略帶戲謔的口氣記錄道：「史隆為了培養〔與波以耳的關係〕隨時報告任何有趣或重要的發現」，但伯奇並未詳述這些發現的內容。或許史隆描述的是稀有的物件，也可能是異常的現象或是新穎的儀器，例如瓦茲的熔爐或是斯塔弗斯特的實驗室（波以耳也有自己的實驗室），也或是當時史隆開始在倫敦周遭採集的一些植物。且不論史隆提供的資訊為何，事實證明這個策略有效，因為波以耳用「至高的禮數和敬意」歡迎史隆〔進入他的圈子〕。

史隆很快地體認到，奇珍異品是博學界交流與施惠的通貨。他的收藏中保存年代最久遠的植物樣本採集於一六八二年；這些樣本並非自用，而是為一位上流社會收藏家威廉・庫廷（William Courten）所採，這位人士也成為史隆此時「非常特別也親近的朋友」。[11]

在史隆接受醫學訓練的這段時期，對自然界的哲學性敘述也正歷經重大變化。古希臘羅馬哲學家的原始作品，包括關於自然哲學（物理科學）、醫學以及自然史的著作，都隨著希臘地區與羅馬帝國的衰落而消失無蹤。然而，許多希臘羅馬文本在伊斯蘭哈里發國被翻譯成阿拉伯文（以及阿拉邁克文），其統治的區域在七世紀之後從中東延伸到北非以及伊比利半島。多數的翻譯工作在九世紀初期，由阿巴斯（Abbasid）王朝的馬蒙（al-Ma'mūn）哈里發成立於巴格達的智慧之家（House of Wisdom，或稱拜亞特・阿錫克瑪〔*Bayt al Hikma*〕）贊助完成，翻譯內容還包括對重要著作的詳盡評論，例如十世紀時波斯的穆斯林博物學家伊本・西拿（Ibn Sīnā，歐洲人稱 Avicenna〔阿威森那〕）對蓋倫的醫學論文所做的評注。數學上的新發現以及實驗科學在哈里發國治下也蓬勃發展，例如源自希臘、埃及以及其他地區的煉金術，在多數手稿中皆有描述，包括出自穆斯林阿拉伯博物學家賈比爾・伊本・哈揚（Jabir ibn Hayyan，之後歐洲人稱蓋伯〔Gerber〕）之手的《賈貝爾全集》（*Corpus Jabianum*）。鄂圖曼帝國於一四五三年征服康士坦丁堡（或稱伊斯坦堡）、瓦解了東羅馬拜占庭帝國之後，為數眾多的學者以及手稿流入西方，特別是義大利半島，促使文藝復興的人文主義者進行拉丁文的翻譯工作。即便多數歐洲大學的學者直到十八世紀仍忠於古代哲學傳統，但將成套已經阿拉伯化的科學著作重新翻譯仍舊掀起了不小的波濤。十六世紀的波蘭籍天文學家尼可拉斯・哥白尼便援用伊朗的馬拉蓋學派（Marāgha school）穆斯林天文學家的方法，提出一套站在數學的基礎上為宇宙天體運行建構的假設，指出地球繞著太陽運行，而非如亞歷山卓的托勒密在《天文學大成》中堅稱，是太陽繞日而行。不過，哥白尼的目的並非對科學進行革命性的改造，而是為了將他的看法與亞里斯多德模型下的完美幾何宇宙整合，因為他仍舊支持傳統的理論模式。[12]

來自比薩的自然哲學家伽利略，在十七世紀開頭的幾年用更強力的新式望遠鏡觀察到太陽表面非幾何圖形的黑點，其觀察結果支持哥白尼以太陽作為宇宙中心的假設，使得亞里斯多德主義作為科學正統的地位受到更大的衝擊。有些人更開始同時質疑兩個傳統，一是獨霸大學課程的古典學術傳統，二是罕見的、或是所謂玄妙神秘哲學，像是亞里斯多德的因果論，就將自然視為一個有靈性或有內在目的的整體的理論；秘術（Hermetic magic，源自傳說中的異教神祇赫爾莫斯．特利莫吉斯特〔Hermes Trismegistus〕）、新柏拉圖主義（Neo-Platonism）的眾多流派、以及煉金術和占星術也屬於此傳統。法國的勒內．笛卡兒與皮耶．蓋森第（Pierre Gassendi）以及英格蘭的波以耳等人在十七世紀發表的作品中都闡述了一種「機械哲學」，以此駁斥自然運行有其既定目的的觀念。取而代之的是漸為人知的微粒說（corpuscularianism），針對笛卡兒所稱「運行的物質」來解釋「微粒」（原子）的活動，捨棄物質有其「天生具備的傾向」的說法。以機械角度來重新測試物理因果的實驗性計畫也在各式新科學機構展開，包括伽利略的學生們於一六五七年在佛羅倫斯成立的西芒托學院（Accademia del Cimento），以及一六六〇年成立於倫敦的英國皇家學會。[13]

學者們通常將以上事件通稱為科學革命，認為它們是歐洲邁向真正的實證科學方法的重要轉捩點。在鼓吹此觀點的論述中，赫伯特·巴特菲爾德（Herbert Butterfield）於一九四九年出版《現代科學的起源》（*Origins of Modern Science*）是最強有力的聲音，他們把此種轉變與現代世俗世界觀的誕生相提並論，體現人類理性的勝利以及西方文明的絕對優越地位。「科學革命」一詞在一九三九年才由法籍科學史家、任教於開羅的亞歷山大·夸黑（Alexandre Koyré）首度提出；但在彰顯科學界重大變化的同時，此詞經常扭曲事實，忽視科學在十七世紀仍與過去的傳統保持高度連續性的事實。典型的對「革命性變革」的論述，常與事實相抵觸，因為幾乎所有的自然哲學家，包括笛卡兒和波以耳在內，都是篤信神的基督徒，他們不認為對自然的機械論理解足以取代聖經創世紀的故事，兩種描述造物主所創世界的論述是並存的。虔誠的波以耳非但是英國皇家學會實驗計畫的主導人，同時也是個煉金術士，對超自然的世界有濃厚的興趣。在更早時期，其他許多文化也有實驗的傳統，像是中古時期伊斯蘭哈里發國的煉金術士多設有實驗室。再者，機械哲學既不新穎也不特別的實證，一方面它是以古希臘的德謨克里特和伊比鳩魯的論述為基礎，而且沒有人能夠親眼觀察到原子這個所謂物質的基本元素。牛頓於一六八七年出版的世紀鉅著《自然哲學之數學原理》將所有天體與地表物體的運行簡化，以機械運算得出的運動定律及引力定律作為總結，以致十八世紀的追隨者稱頌牛頓所描繪的宇宙如同機器。浪漫時期的批評家對這個意象特別反感，例如威廉·布萊克（William Blake）在一七九五年發表的知名「牛頓」版畫中，將這個偉大的自然哲學家描繪成毫無靈魂、對自然界的美妙絲毫無動於衷的幾何學者。綜合言之，以上兩派看法都扭曲了牛頓的成就以及他的世界觀。其實牛頓私底下也熱中煉金術，他同時是個狂熱的非正統基督徒、反對三位一體的教條，更是個千禧末世論的預言家，花在計算聖經時序的心力比寫作《數學原理》的時間還多——他預測最後的審判日將在二〇六六年到來。牛頓描繪的絕非一個隨機的機械式宇宙；他在一七〇四年出版的《光學》一書討論電流和磁力等作用當中的「主動性能量」，有些人認為此種論述等於重啟探討了物質根據「天生具備的傾向」運行的可能性，立場與亞里斯多德學派學者和魔法術士所持的「玄妙神秘」觀點相近。14

史隆對機械性物質原理的認識似乎大多來自化學。在當時，「化學」一詞（Chymistry）指涉的活動範圍很廣，從嚴謹的技術性實驗，到神祕經驗中的「異象」顯示化學在行善的基督徒生活中扮演何種角色，一應俱全。就其在醫學上的應用而言，化學提供了蓋倫式療法以外的另類選擇。蓋倫療法採用放血以及排淨等醫療介入法，達到體內四大體液（血液、痰液、黑膽液以及黃膽液）的平衡、維持身體健康。一位十六世紀操德語的瑞士醫者、人稱佩洛塞蘇斯（Paracelsus）曾被指控施行邪惡法術，然而他運用煉金的技術、以礦物為基礎製作藥物的手法仍頗具影響力，因為他將人體視為物質世界（即宇宙整體）的縮影。他的擁護者更創造了古醫化學（*iatrochemistry*）一詞來指涉化學療法。隨後，一位法蘭德斯籍的化學家約翰那斯・巴提斯塔・凡・海爾蒙特（Johannes Baptista van Helmont）反對佩洛塞蘇斯的整體／縮影模式，然而佩洛塞蘇斯的基本原則仍舊左右海爾蒙特進行性靈的探索，力圖發現一種比火更細緻的液體（萬能溶劑）以化解物體。佩洛塞蘇斯和凡・海爾蒙特兩人的思想在英國內戰以及共和時期很受異教徒與改革份子歡迎，但清教派在王室復辟期間遭譴責之後，從機械理論出發、將物質理解為被動而非主動個體的思潮也逐漸產生影響力。15

我們沒有紀錄能顯示史隆接受醫學訓練期間所接觸過的讀物，但史隆曾在巴黎上過法籍化學家尼可拉．勒莫利（Nicolas Léméry）的講座，他對史隆的立場可能有深遠影響。史隆與勒莫利首次見面可能是在一六八一年，後者赴英格蘭尋求英王查理二世贊助之時，這兩人在兩年後於法國再度相會。在某個時間點，史隆獲得了一系列勒莫利在巴黎的演講筆記，關於發酵、熔爐的運用和動物實驗，同時也取得勒莫利的出版著作，包括一六七五年發表的《化學教程》（*Cours de chymie*）。《教程》非常暢銷，印刷了數個版本，書中勒莫利譴責煉金術士號稱得以煉金是「不算藝術的藝術，他主要的任務是說謊、是苦幹、最後是行乞」。但實際上，勒莫利本人也使用煉金術士研發出的儀器和技術，甚至承認特利斯莫吉斯特是化學領域「之父」，但卻將所有與金屬質變有關的討論從《教程》的第三版刪除。史隆所接觸的勒莫利的化學理論顯然對所有與法術有關的觀念懷有敵意，同時與微粒學家波以耳的交情也讓史隆更對法術有敵意，使得史隆堅定地認為自然這個機械式的整體是神所設計的產物，應為增進人類福祉所用。此觀念著實形塑了他作為收藏家的態度。[16]

很可能透過波以耳的人脈，史隆結識了許多知識界的人士，與他聯繫的學者大多鑽研全球各地、多元又至關重要的問題，這些議題因旅行、貿易和殖民活動增加而生，與自然和社會兩者皆息息相關。牛頓在《數學原理》中證明，不論在地表或是在空中，所有物體的運動都依照計算出來的規律進行，但如此一致性的原則是否適用於理解世界上的人群、植物與動物則尚無定論。史隆也結識了哲學家約翰．洛克（John Locke），他與波以耳自一六六〇年起便是朋友；洛克不僅服務於一六六四年建立於北美新殖民地南方的卡羅萊納（Carolina）之英國貴族地主的麾下，他也是貿易與種植園理事會（Board of Trade and Plantation）的理事之一（洛克稱史隆「聰慧機靈」又是自己「非常好的朋友」）。洛克在對世界各地不同社會的分析中，發現：在道德的領域，並沒有牛頓所謂的普世物理定律。比方說，在仔細研讀詳盡介紹墨西哥「人殉」習俗的旅遊紀錄後，洛克在《人類悟性論》（*Essay Concerning Human Understanding*, 1689）一文中反對基督教正統信條，立下了無所謂先天存在的（而且本質上是道德的）人性這個結論。相反地，他強調從事「人的自然史」的必要，並採集人類社會道德與文化體制多元多變的證據；史隆從事的收藏工作日後為洛克所設定的目標做了相當的貢獻。[17]

針對全球多元性格的議題，史隆藉由植物學的範疇以及與約翰・芮（John Ray）的友誼達成個人最具決定性的參與。芮在移居埃塞克斯（Essex）之前曾於劍橋研讀；他是領受神職的牧師，同時也是英國皇家學會的會員。他成為「物理神學」（自然神學）的主要倡導者之一，並在其宗教性質的著作中，例如《上帝智慧彰顯於創造大工》（*The Wisdom of God Manifested in the Works of the Creation*, 1691）強調自然界天賦的理性結構。芮在一六六〇年寫道：「身為自由人，其最有價值也最愉悅的志業，莫過於沉靜思索大自然的鬼斧神工、向造物主無止盡的智慧與美德致敬。」在攜帶陌生樣本的船舶不斷地湧入歐洲各港口之際，包括芮在內的博物學者也積極試圖擴充動植物的目錄，以便判定異地的物種與歐洲的品種有無差異，同時有條理地將之列入生物分類學的系統。史隆與芮在一六八〇年代初期結識之時，芮正著手進行一套三冊、題名《植物誌》（*Historia plantarum*, 1686–1704）的植物分類學叢書，同時編撰昆蟲、魚類、鳥類、蛇、以及四足動物的目錄。敏銳的觀察力加上優異的記憶力以及口語描述能力是從事分類的基石，對拉丁文這個自然科學的通用語的掌握也是關鍵，如此才能順利製作標籤上多項式的描述。時人對繪製物種的喜好與日俱增，但多數博物學者欠缺製圖必備的靈巧手藝，有能力聘請藝術家的學者便走「外包」一途（比方說芮就負擔不起這項開銷）。就植物分類法而言，芮偏好先檢視一個物種眾多構造上的特徵再做斷定，這方法與他主要的對手，包括巴黎的植物學家約瑟夫·比東·杜何納夫（Joseph Pitton de Tournefort）與萊比錫的奧古斯塔斯·蕊密納斯（Augustus Rivinus）所提倡的單一特徵決定法不同。史隆日後從事的植物學工作便採用芮的方法。[18]

一趟歐陸之旅為史隆的養成訓練畫下完美的句點。一六八三年春，史隆偕同兩位博物學家坦克雷德·羅賓遜（Tancred Robinson）與湯瑪斯·魏克萊（Thomas Wakley）橫跨英吉利海峽抵達迪耶普（Dieppe），接著搭乘馬車前往巴黎，一行人最終的目的地是義大利半島。此次跨越英吉利海峽並非史隆的頭一遭；由於英國旅行者認為「法國空氣對健康有益」，史隆在一六八〇年顯然基於健康因素前往法國南部的蒙彼里耶（Montpellier）（威廉·古德曾經對史隆說他希望「蒙彼里耶」能有助其康復）。然事實證明第二趟歐陸之旅意義更為重大。這次旅程與貴族的壯遊不同，不能與阿倫德爾伯爵（Earl of Arundel）之流、為了晉身藝術品和古董收藏家之列而大量接觸古典文化和美術作品的舉動相提並論。史隆既非貴族、也未受過傳統的古典或是大學教育（古物收藏者學會〔Society of Antiquaries〕是少數史隆日後未加入的倫敦社團）。史隆踏上的算是一趟科學朝聖之旅。他在巴黎的皇家藥用植物園（Jardin du Roi）跟隨聲名顯赫的杜何納夫繼續研習植物學。如同他在切爾西的日程表，從早上六點到八點在公園中鑽研植物，下午兩點到四點去聽為人新潮卻虔誠的解剖學家約瑟－吉夏·杜維涅（Joseph-Guichard Duverney）的演講，講題包括人類和動物大體（活體與屍體兼備）的圖解分析。杜維涅的解剖課程與勒莫利的化學演講相似，對生理學著重於機械性而非蓋倫或亞里斯多德式的解釋，這些課程可能更強化了史隆以機械觀點來看待物質的傾向。另外，史隆很可能也得以一窺這些博學之士有關自然史和解剖構造的精心收藏。史隆參訪知名的慈惠醫院（Hôpital de la Charité）以求觀察此機構如何醫治病患，並旁聽一位名為頌里庸（Sanlyon）的化學家的講座。他帶著杜何納夫所寫的介紹信南下蒙彼里耶，在皮耶・馬格農（Pierre Magnol）和皮耶・席哈克（Pierre Chirac）麾下、於當地的草藥園繼續研習有療效的植物。席哈克因為著重植物化學成分的療效而知名。[19]

羅賓遜和魏克萊繼續往義大利前行，史隆則停留在蒙彼里耶數月，也因此錯失了在波隆那參觀烏利賽・阿爾德羅萬迪（Ulisse Aldrovandi）聲名大噪的自然史收藏展，也沒機會欣賞博學的天主教「對抗改革」（Counter-Reformation）的耶穌會士阿塔納斯・契爾學（Athanasius Kircher）在羅馬的耶穌會「羅馬學院」精心規劃的展覽。魏克萊寫給史隆的信中提到：「我們在阿爾德羅萬迪的博物館中欣賞眾多無與倫比的自然珍品，幾乎每項物品皆附有文字說明、有條不紊地陳列，這是我所見過最完美的展示之一」。史隆認為有必要留在蒙彼里耶；他在當地的草藥園和魚市場一待就是數小時，博物學家們特別為後者所吸引，因為漁民經常捕獲稀有魚種。蒙彼里耶更是新教徒的聚集地。此時法國採取嚴苛手段壓迫基督新教，使之承受高度的壓力；撤銷一六八五年頒布的南特詔書（Edit of Nantes）是國家宗教迫害的極致，致使許多雨格諾新教徒（Huguenot）流亡英吉利海峽的另一端、北美洲、以及其他地區。魏克萊寫給芮的信中語帶驚恐地報導「國王的士兵與這一帶的新教徒日起紛爭」，目睹法國騎兵以武力逼迫雨格諾新教徒要放棄他們的信仰。化學家勒莫利也是新教徒，當他與史隆在前往巴黎途中相遇時可能曾向後者講述自己的苦難經歷。據伯奇所述，史隆與勒莫利相識初期便贈送後者幾件稀有的磷樣本（可能得自波以耳處，因為波以耳曾針對磷做了大量測試），「是這位偉大的化學家只在課堂中提過，卻未曾親眼目睹」的樣品。這份早來的禮物穩固了史隆與勒莫利的關係。此舉絕非臨時起意的善行：這顯示出史隆在很年輕時就很精明地體認到、也可能是他第一次理解到，如何利用珍奇物件來顯示他這個人的特殊或稀有價值、是對他人有益的人脈。此時勒莫利卻時運不濟，不但丟了御醫的職位，於一六八三年更因為他的宗教信仰被迫關閉他的藥房，致使他別無選擇、改宗天主教之後才得以繼續工作。在蒙彼里耶招待史隆的主人馬格農也是名雨格諾新教徒，因此史隆有可能從多處聽聞新教徒集體受迫害的經驗。[20]

史隆在法國的遊歷以另一個新教重鎮作結。一六八三年七月二十八日，他在奧倫治大學（University of Orange）領受醫學學位，這所位於蒙彼里耶東北部奧倫治公國的學校是法國唯一的新教大學，這也是荷蘭共和國執政者威廉三世的領地。在此，四體液學說這個歐洲醫學的正統不僅是史隆考試的內容，更成為史隆往後漫長的行醫生涯的基本架構，大量放血與他在此學到的多種草藥療法將被結合施行。史隆特別強調實證植物學以及物質的機械性哲學觀，也因此他與當時多數內科醫生持相同理念，堅守體液學說（humoralism）這個最古老的關於人體健康的教條之一。考試紀錄顯示史隆「接受測試並充分理解」希波克拉底與蓋倫的著作、「參與辯論並持續答辯，獲得最高殊榮」。報告也描述了史隆年輕時的樣貌：「中等身高，淺栗子色的頭髮甚短，臉型修長、表情嚴肅且略帶斑點」。考量到奧倫治主教是典禮的座上賓之一，史隆領受的學位強化了這名阿爾斯特人身為國際新教徒一員的地位，同時也預示了威廉三世在一六八九年取得英國王位後，他在史隆的人生際遇中即將扮演的角色。[21]

史隆在一六八四年的夏天返回倫敦，終於如願在佛里特街（Fleet Street）上開設一間私人醫療診所，同時繼續植物學的研究。湯瑪斯．席登漢（Thomas Sydenham）以反對醫學理論及對實證方法的重視而出名，他與史隆有私人交誼也對其提供贊助——這兩方面的支持對史隆而言都至關重要。波以耳很可能引介了兩人，他不僅認識席登漢，也似乎影響了席登漢對醫學的理解；史隆的另一個朋友洛克也認識席登漢。據說史隆攜帶一封推薦信去拜訪席登漢，此信形容史隆為「一位老成的學者、優秀的植物學家，更是技巧精湛的解剖學家」，對此席登漢如此回覆：「我知道他的條件優異，但光有學識是不夠的。植物學、解剖學，都沒用！尊敬的先生，我在柯芬園（Covent Garden）認識一位老婦人，她對植物學的了解〔比史隆〕更深，至於解剖，我的屠夫也能完美地分解一整塊關節。年輕人，你所謂的條件只是妝點，沒有實際效用，你得親身到病床旁，透過臨床經驗增進對疾病的認識」。根據伯奇的紀載，席登漢很快地就與史隆「成為往來密切的好友，並衷心希望他能在此街區穩定下來，如此才能引領史隆進入開業醫師之流，將史隆鄭重推薦給自己的病患」。[22]

席登漢的指導確實影響史隆的行醫取向，他捨棄傳統內科醫生著重於以第一原理出發來推論、解釋疾病發生的原因，走向直接觀察個別病例一途。如同自然哲學界對物質本質的辯論，醫學理論與醫療實踐之間的關係也處於紛擾的狀態。一五四三年，也是哥白尼藉由《天體運行論》（*De revolutionibus orbium coelestium*）提出太陽中心說的那年，布魯塞爾的解剖學家安德雷斯．維薩留斯（Andreas Vesalius）發表了《人體構造》（*De humani corporis fabrica*）一書，透過第一手的解剖和圖示說明來挑戰蓋倫關於人體解剖的經典論述。然而，博學的內科醫生小心翼翼地將他們近來對實證技巧的興趣與他們嗤之以鼻的「經驗主義醫派」（empirics）方法論保持距離。在醫療行為中運用法術的可能性對博學之士向來很有吸引力；舉例來說，十五世紀的新柏拉圖主義內科醫生馬爾西利奧・費奇諾（Marsilio Ficino）就曾經認真研究護身符和辟邪物是否真有其宣稱的療效。許多歐洲的博學之士在十七世紀後期逐漸拋棄對法術的信仰，內科醫生也開始譏諷底層民俗醫者的治療行為，並稱這些療者為「江湖郎中」或是「庸醫」；然而醫生與所謂的「郎中」競相爭取病患，郎中輕蔑地諷刺這些菁英醫生不過就是用滿嘴的拉丁文術語招搖撞騙罷了。史隆在菁英理論與經驗療法之間充滿不安氣氛的夾縫中找尋出路，在此過程中也不斷強化席登漢反理論的言論。日後他在關於牙買加的紀錄中寫道：「自然史的知識是對事實的觀察，其結論的準確性比其他〔方法〕高，依我的淺見，〔觀察〕相較於推論、假設和推理也較不容易出錯」。[23]

自此，史隆找到了出路。無地產的阿爾斯特新教菁英的出身對他而言是憂喜參半。他未曾取得任何家族財產，在倫敦這個權力中心是個外人，也毫無疑問地對新舊教徒之間持續加溫的衝突憂心忡忡。這些擔憂加上年少時疾病纏身，很有可能是奧倫治醫科考官所注意到、面容「沉重」的主因。不過，史隆的新舊人脈有助他進步神速。他不是個排外的愛國者，充分利用出國旅遊期間力求掌握拉丁文和法文；從歐陸回到英國前也建立了一個跨國界與跨宗派的人際網路，比方說，他向芮保證，若有需要，他會「竭盡所能」從巴黎和蒙彼里耶的草藥園為其取得樣本。他返回倫敦時便在席登漢的指導下行醫。這位受訓中的藥劑師已經超越一般低階藥師和外科醫生的地位，晉升至紳士級內科醫生的階層。至此，這位來自阿爾斯特、名下無地產的新教徒，搖身一變成為閱歷豐富、見多識廣之士，專精奇珍異品與收藏的學問。[24]

埋藏於地下的寶物和赫丘力士之柱

不久之後，史隆便為一個比倫敦醫師的圈子更廣也更險峻的世界所召喚。史隆回歸的這個城市很快地竄升為全球最大的商業交易中心之一。不列顛群島內的貿易和移民量增加，這意味著從一七〇〇年起，倫敦超趕過巴黎成為歐洲最大的城市，人口高達約五十七萬五千之多。雖然英國斯圖亞特王朝的統治者偏好天主教，其首都卻成為新教移民的庇護所，吸引了不同背景的新教徒，包括荷蘭與德國的工匠、瑞典人與摩拉維亞人（Moravians）、來自法爾茨（Palatinate）的流亡者、以及南特詔書撤銷之後流亡在外的法籍猶太人和雨格諾新教徒。勞動人口也從海外湧入歐洲、以倫敦為家，特別是數以千計的西非男女經由大西洋蓬勃的奴隸貿易進入倫敦，多數在抵達英格蘭之後從事家庭服侍工作。時至一六八四年，芮「在書商威爾金森先生的店、或在黑小子，在聖登斯坦教堂旁的佛里特街上」遞送他寫給史隆的信。「黑小子」是一家店的招牌，此類招牌在當時漸趨普遍，顯示了奴隸制度在英國經濟發展上的重要性，同時也象徵了史隆本人將有的體驗。史隆當時還不知道，從法國返鄉短短三年之後，他將步上一段更險峻的旅程：這回他將前往加勒比海的牙買加島，一邊行醫一邊從事自然史的收藏。[25]

自哥倫布在一四九二年首度跨越大西洋並登陸伊斯帕紐拉島（今日二分為海地和多明尼

加共和國）以來，葡萄牙和西班牙兩國便依一四九四年簽訂的托爾德西里亞斯條約（Treaty of Tordesillas）將世界一分為二，各據一方。葡萄牙領地包括非洲、南亞與東亞、以及南美洲最東端、之後稱作巴西的地區；西班牙征服者則往西進，建立了新西班牙（New Spain，即墨西哥）和祕魯等王國。巴西後來專事進口非洲奴隸到種植園採收甘蔗製糖，而西班牙殖民統治則奴役美洲原住民，差役他們在波多西（Potosí）等地的銀礦做苦工，祕魯也成為產銀重鎮、源源不斷供給西班牙巨量財富。依重商主義（Mercantilism）、即當時最具影響力的經濟哲學的觀點而言，各國認為全球的財富是有限的，衡量財力的標準是金塊銀塊累積量以及貿易平衡。依照此準則，西班牙是十六世紀最富裕的歐洲帝國，擁有以貴重金屬向印度與中國購買及進口高級絲綢和香料的實力。[26]

到了十七世紀下半葉，由於銀礦生產減量、加上國際競爭對手成功地開發新財源，西班牙霸權漸趨沒落。自一五三〇年代起，法國在魁北克經營獲利豐厚的皮毛貿易；不過，一六五九年奪取到部分伊斯帕紐拉島（賜予當地一個基督教名：聖多明尼克〔St. Dominique〕）卻為法國人開拓了更廣的財源，從此法國開始進口非洲奴隸以為製糖和採收咖啡與其他作物所用。儘管如此，伊比利的殖民模式要到荷蘭人出現後才明確地受挑戰。荷蘭人不靠設立總督轄區來延伸國家對殖民地的控制；相反地，他們發給私人公司執照來執行殖民擴張，並藉此破解葡萄牙在西非對奴隸貿易的獨佔。荷蘭人既不開挖金銀礦、也不採收主要作物（儘管在蘇利南和其他地區有種甘蔗製糖），反而成為傑出的私人海上貿易商。另一方面，英國人在嫉妒西班牙的財力之虞，也夢想著追求自己的礦產天堂，從新英格蘭和維吉尼亞（Virginia）到南美北端圭亞那叢林四處探險；英女王伊莉莎白時期的私掠船船長沃特・雷利（Walter Ralegh）就曾從這些地區稍回關於「多拉多」（el Dorado）黃金城的奇聞軼事。不過黃金城的夢想並未成真，反而是巴貝多島（Barbados）因製糖和奴隸制度在一六四〇年代成為英國頭一個帶來收益的大西洋殖民地，在此他們複製葡萄牙、西班牙以及荷蘭在亞速爾群島、巴西與西印度群島其他地區的殖民模式。一六五五年，克倫威爾為實現「西進計畫」、抵制西班牙的美洲帝國，進犯牙買加將之納為屬地。時至於此，荷蘭已成為英國的主要競爭對手，也因此英國國會從一六五一年起通過一系列的航海法案（Navigation Acts），禁止荷蘭商人從事高利潤的運輸貿易，亦即將諸如菸草的英國作物從美洲運往歐洲市場，兩國也在一六五二到一六七四年打了三場英荷之戰（Anglo-Dutch War）。史隆所在的倫敦在十七世紀後期便受到上述發展的刺激而崛起，英國的造船業以及相關製造業也隨之興盛；殖民地進口量增加三倍之多，英國王室的關稅收入更持續高漲。[27]

歐洲人在美洲的殖民也啟動了「哥倫布大交換」（Columbian Exchange）：疾病、植物與動物在此大幅轉移的過程中於美洲、歐洲、以及西非之間流動，轉化了三地的環境與人口。數個世紀以來，美洲原住民社會完全隔絕於其他陸塊，如今來自歐洲的疾病，例如天花，大幅削減了土著人口，當地的地景也因為歐洲人的農耕方式以及歐洲人引進的馬、牛、豬等人工馴養的動物而大幅改觀。歐洲人開始食用新食品，包括糖、巧克力、玉米以及馬鈴薯，從中獲取新的能量補給，而非洲植物品種例如秋葵與野草等等，也經由大西洋奴隸貿易登陸美洲。這些交換深深衝擊了歐洲人對自然界的認知。由於《聖經》和亞里斯多德皆未曾提及美洲大陸，哥倫布的意外發現（原意是為了尋找航向亞洲的新路線）在哥白尼與伽利略發表理論之前，已開始削弱了聖典以及古代智慧的可信度；即便新思潮對科學和醫學界造成的改變並非一蹴可幾，新世界這個奇觀的存在仍舊激發了哲學上新的懷疑論。擅於法術之人宣稱美洲為自然「機密」的源頭，法術成了建構有關美洲知識的一環。舉例來說，神祕主義者約翰．迪伊（John Dee）是伊莉莎白一世的幕僚之一，也是航事與占星術的專家，他便積極主張殖民美洲，也有一說，說他創造了「大英帝國」一詞。[28]

不論如何，歐洲人登陸美洲一事，的確激化了人們對收集資訊、樣本以及物件的熱誠。在十六和十七世紀，不只是自然哲學歷經重大的轉變，充滿野心、欲將全世界物品編目的計畫也衝擊了自然史。哥倫布和伊比利半島殖民者可說是為有心之士點了一盞明燈。日後史隆在關於牙買加的著作中指出，這位來自義大利的航海家〔哥倫布〕為了向他的西班牙贊助者展示美洲可能藏有的豐富資源，收集了「黃金、鸚鵡、玉米或稱印度黍、以及其他有價值或奇特的物品」的樣本。卡斯提爾（Castile）的伊莎貝拉皇后受到葡萄牙在一四三四年成立的印度之家（Casa da Índia）的啟發，於一五〇三年在塞維爾創立了貿易之家（Casa de Contratación），此機構管理商業行為、稅金和探險，工作內容聚焦於收集航海圖、植物以及藥物。西班牙一面建立國家機構以及帝國的基礎架構，一面開始測試新藥、並出版簡明自然史書籍，像是採礦督察岡薩羅．費南德茲．奧維多（Gonzalo Fernández de Oviedo）的《西印度通史與自然史》（*Historia general y natural de las Indias*, 1535–49）。此著作視美洲的動植物為帝國財產並將之盤點成冊，追隨老普林尼《博物誌》（*Historia naturalis*）的寫作傳統，《博物誌》這套編撰於第一世紀的百科全書為羅馬帝國的物產編目。馬德里的宇宙學家安德烈斯．賈西亞．德．塞佩達斯（Andrés García de Céspedes）的《航海大隊》

（*Regimiento de navegación*, 1606）便以卷首圖畫來傳達以旅行為基礎所產出的新知識，圖片中一艘船駛經直布羅陀海峽傳說中的赫丘力士之柱，此柱象徵當時人們〔歐洲人〕以為世界盡頭在地中海西端；圖畫也以基督教十字架點綴、並附上激勵人們探險之語——plus ultra，向前推進。[29]

長久以來，亞洲的貿易路線和殖民據點也是歐洲收藏家取得物件的來源。舉例來說，博物學家經由新的植物學和園藝計畫以求修正普林尼等古代權威所做的努力，助文藝復興人文學者一臂之力校訂古代文本。早在八世紀，伊斯蘭哈里發國的學者便設立栽培植物園並象徵性地將之視為性靈天堂的傳統，他們的靈感來自梵文文本和印度文化。從阿拉伯文翻譯成拉丁文的古代著作，像是阿威森那的作品，加上威尼斯共和國與黎凡特（Levant〔地中海東半部〕）之間的商業往來，更充實了上述種種植物學傳統的融合，促使新式花園在義大利和伊比利半島上漸趨興盛，一方面發揮醫療的功能，另一方面，也象徵著基督徒從原罪中被救贖，以及失落知識的重建。到了十七世紀，此種花園也開始在北歐流行，法蘭德斯植物學家卡羅盧斯・克魯修斯（Carolus Clusius）遠赴西班牙觀察美洲植物，並翻譯引用亞洲資料的典籍像是葡萄牙內科醫生賈西亞・達・奧爾塔（Garcia da Orta）發表的《平民和毒品專論集》（*Colóquios dos simples e drogas*, 1563），他也在一五九〇年代於萊頓大學開闢一個植物園。克魯修斯指示荷屬東印度公司（於一六〇二年成立，是個透過合股集資以與亞洲進行貿易的公司）的商人盡量多收集樣本寄送給他，這使得萊頓的植物收藏格外地豐富，樣本來自各地，從好望角延伸到印度的馬拉巴海岸以及爪哇島上的巴達維亞（又稱雅加達〔Jakarta〕），後者是荷屬東印度公司亞洲總部所在。這個商業網路造就了關鍵性的熱帶自然史調查著作，包括馬拉巴總督韓德瑞克・凡・理德（Hendrik van Reede）

主導編纂、一套十二冊的《馬拉巴花園》（*Hortus Malabaricus*, 1678–93），透過和當地的埃茲哈瓦（Ezhava，又稱喀拉拉〔Kerala〕）植物學家合作，收錄關於近八百種植物的資料與圖示。荷蘭人建立的有效網路逐漸將南亞的知識傳統、特別是阿育吠陀以及馬拉亞利（Malayali）文化傳入歐洲世界，其所樹立的「殖民的植物學」傳統也為法國人與英國人積極仿效。[30]

除了花園之外，歐洲人也成立了陳列自然標本和人造物件的博物館，來展示新發現的世界。歐洲人有系統收集物件並不是新的現象，然而之前的收藏行為多著重於能宣稱有神奇特性的物件。在中古時期，天主教會的寶庫保存著聖人遺體與原始十字架殘骸等聖物，寶物宣稱的療效不但吸引殘病之人，也引來朝聖者。文藝復興時期的統治者除了收集聖骨匣之外，也展示藏珍閣，將珍品當作宮廷奇觀來炫耀，以求令觀者驚艷讚嘆的效果。文藝復興時期簡明概要式的收藏傳統，其方法是以世界劇場（*theatrum mundi*）的形式重構世界的縮影，最終目的在於累積完整的普世知識。一位巴伐利亞的新教徒山繆・奎奇柏格（Samuel Quiccheberg）發表的《創意思想的偉大劇場》（*Inscriptiones vel tituli theatric amplissimi*, 1565）可能是首部印刷出版、指示如何收集包羅萬象物件的論文，文中簡要描述一個系統性的分類計畫，在分門別類後將每個物質形式妥善區分，以求全面理解神創造的世界萬物。這些物體包括「人造物（artificialia）」、「自然界（naturalia）」、「造物工具（改造自然的方式）」、以及「實踐的知識（體現）」；日後史隆也採取此種分類法，並加以調整以便整理他個人的收藏。不僅是開業的藥劑師例如那不勒斯的費蘭特・伊普拉多（Ferrante Imperato），貴族之流如同波隆那的費德南多・寇士匹（Fernando Cospi）和烏利賽・阿爾德羅萬迪也參與打造小型博物館（圖1.1）。不過，收集世界萬物的方法不僅一種，而

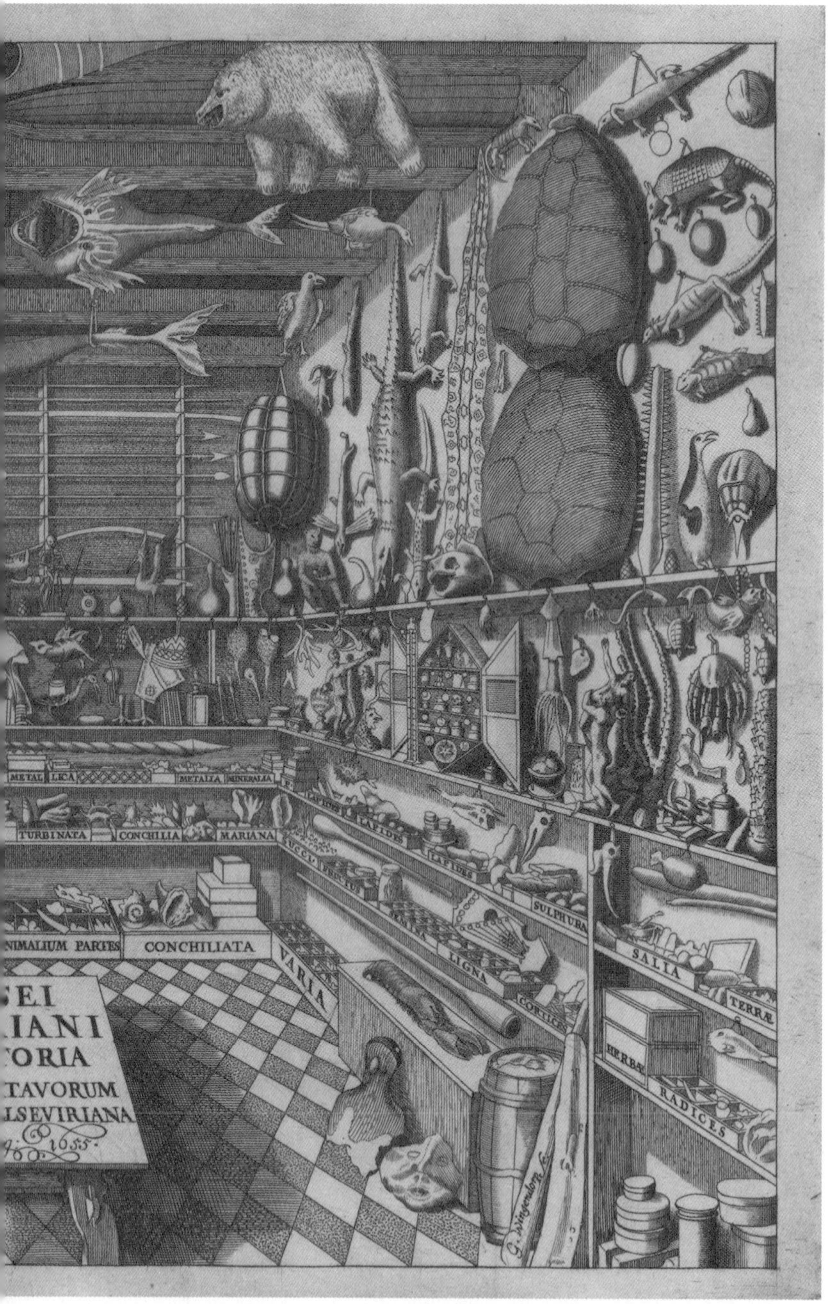
METAL LICA
METALLA
MINERALIA
TURBINATA
CONCHILIA
MARIANA
ANIMALIUM PARTES
CONCHILIATA
VARIA
LAPIDES
SUCCI
FRUCTUS
SEMINA
LIGNA
CORTICES
SULPHURA
SALIA
TERRÆ
HERBÆ
RADICES
SEI
IANI
TORIA
TAVORUM
LSEVIRIANA
1655

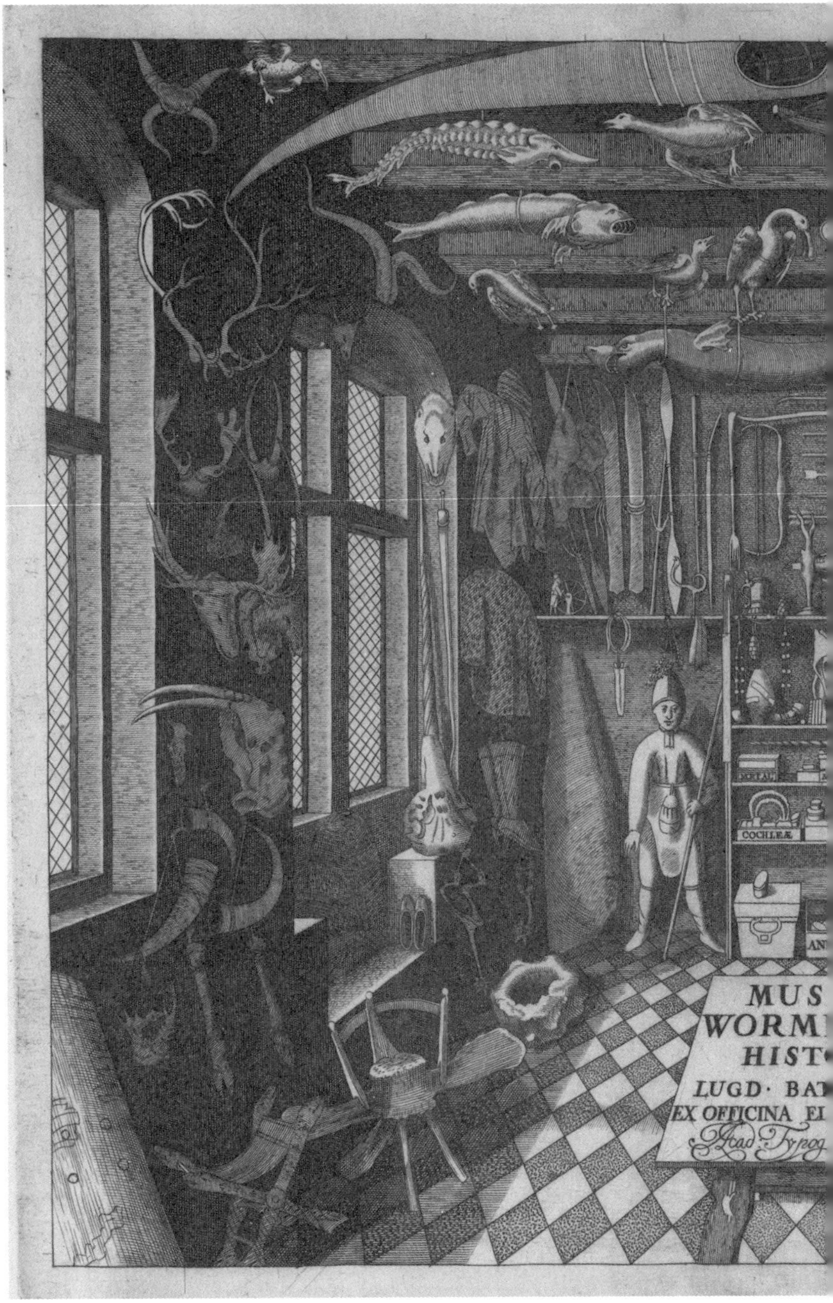

圖 1.1 ——藏珍閣和普世知識，丹麥收藏家奧勞斯・沃爾密烏斯（Olaus Wormius）所繪，出處《沃爾密烏斯的博物館》（*Museum Wormianum*, 1655）

史隆的收藏活動延續文藝復興時期的傳統，將萬千世界以世界劇場的形式集結成縮影，包括自然標本與各式人造物件所塑造。

每套收藏都不盡相同。最令人訝異的一個例子當屬阿塔納斯・契爾學在「羅馬學院」建立的博物館，也就是史隆的旅伴羅賓遜和魏克萊參觀的展覽，其中收藏了耶穌會傳教士從世界各地送回的物件。契爾學的收集方法深植於新柏拉圖以及自然法術的傳統，其博學既令人讚嘆、又帶有濃厚的神祕主義色彩。他鑽研化石、怪獸、火山、醫藥、語言、音樂和弦、比較宗教以及中國歷史；他也探究磁力時鐘和幻燈機（早期的投影機）等新興科技。最值得注意的是，儘管錯誤百出，他也翻譯了從埃及帶回羅馬的方尖碑上的象形文字。對契爾學而言，世界是個廣大玄妙的巴洛克拼圖，必須靠著高超的創造力才能順利拼湊、解除謎團。[31]

在這個日益擴張的世界，英國人算是晚來者。自十六世紀起，主張帝國擴張之士已開始出版遊記彙編，力勸與西班牙直接競爭，理查・哈克魯特（Richard Hakluyt）的《發現美洲蹤遊記》（*Divers Voyages Touching the Discoveries of America*, 1582）便持類似的主張。為了回應伊比利國家的威脅，培根（Francis Bacon）提出透過計畫性的收藏將科學與國家連結在一起；這項計畫將來對史隆有決定性的影響。培根生於一五六一年，以律師為業，在英王詹姆士一世治下晉升為大法官。他直接介入美洲殖民，不但擔任新興的維吉尼亞公司的股東和理事，也在論文中鼓吹開闢種植園。在擔任政府公職、殖民地的私人投資、加上復甦中的地理政治野心的三重背景下，培根倡議「大規模重建」或是改革科學知識。他對西班牙人的創新發展了解甚深，當時英國人其實已經飢渴地翻譯西班牙人航海和宇宙學的相關著作，培根也很清楚巴都亞（Padua）、萊頓和它處收藏的作品以及花園的情況。這些〔新科學研究的〕先例成為《格雷客棧狂歡夜》（*Gesta Grayorum*, 1594）的靈感來源。這份描寫狂歡的手稿據說是培根的作品，文中，想像自然科學與科技站在實證、集體以及機構的基礎上日益進步，進步的基礎包括了「一個臻於完美的通識圖書館」、「一具龐大的展示櫃」、一間實驗用的「蒸餾室……備有碾磨機、儀器、火爐與容器」，以及「一個寬闊美好的花園」能作為「大自然為私人所用的典範」。[32]

培根於一六二〇年出版的《新工具》(*Novum organum*)中指出，與其依循亞里斯多德學說的經院哲學學者的方法，亦即在觀察自然界的普遍現象後歸納整理出得以解釋其規律性運作的原理，博學之士應該捨棄尋常現象、轉而專注於異常的自然現象，設計多階段的實驗，並在特定環境下測試自然界的種種能耐，以此歸結出關於自然界的具體事證。他在虛構的作品《新亞特蘭提斯島》(*New Atlantis*, 1627)中重新闡述對科學的觀點，不再認為科學是一種有利國家整體福祉的集體工程。培根藉由此書提出對科學的新願景，也就是透過海外探險取得實用的知識；這些活動的中心是一個名為「所羅門屋」(Salonom's House)的推廣科學新知的機構，位於一座虛構的賓薩冷(Bensalem)島上。賓薩冷島派遣「光明商人」收集研究材料，幫「自然界的詮釋者探究……萬物的真相……其中神展現了造物的至高榮耀以及鬼斧神工，人類則因享用神造物的結果而獲利」，最終達到「拓展……人類帝國的疆土」的目的。為了凸顯伊比利國家成功的前例，培根書中的賓薩冷島民操西班牙語，所羅門屋更設有一處「重大發明家」的展覽廳，「發現西印度群島的哥倫布」居首。培根更不客氣地援用塞佩達斯書中收錄的、象徵哈布斯堡王朝的那艘橫跨赫丘力士之柱的船隻的圖片，收於自己的《新工具》的書名頁，並附上"Multi pertransibunt et augebitur scientia"的圖例說明，意指隨眾人來來往往，知識也因而擴張。這句引言來自聖經中的〈但以理書〉(Book of Daniel)，闡釋末日將臨以色列、以色列如何能得救、以及「末世之際」。培根模仿〈但以理書〉千禧預言的口吻，暗示新知才是信奉基督新教的英國得救的關鍵。史隆深受這位大法官觀點的鼓舞，他甚至將同一句引言放在自己《牙買加自然史》書名頁最顯著的位置。[33]

培根的學說對追求科學新知的制度化以及收集物件的習慣產生重大啟發，因此在十七世紀後期持續發揮影響力。英國的宗教改革將天主教的祭壇撤下，也因此將新教徒與歐陸仍舊盛行的華美裝飾、聖徒遺物和具有魔力的物件保持距離，此時收集藝術品亦與天主教奢華糜爛的感官經驗畫上等號。克倫威爾的軍隊沒收查理一世的藝術收藏、迅速將之變賣，以為清教共和國（Puritan Republic）籌措經費，但新教徒卻認為自然史的收藏行為既實用又能凸顯虔誠信仰。培根死後，以波蘭籍間諜山謬．哈蒂里布（Samuel Hartlib）為首的一個具影響力的英國新教千禧信徒群體，在英格蘭大力倡導其學說。據農學家加畢爾．普拉特（Gabriel Plattes）於一六三九年所言，哈蒂里布提出了一系列農業與經濟改革的計畫，從採礦到煉金術都在其規劃範圍之內，目標在於充分汲取「地球豐富的資源」、發掘「源源不絕的寶藏」。同時，收藏的數量也迅速增長。十七世紀中期，約翰．查德賽特（John Tradescant）和他的兒子在泰晤士河南岸開闢了一個藥草園，為貴族階級的贊助者從事收藏，並開設了以諾亞方舟為靈感、號稱「查德賽特方舟」的珍品博物館以示虔誠。古物收藏家兼煉金術士伊萊亞斯．阿什莫爾（Elias Ashmole）之後收購了這間博物館，並於一六八三年將之納入牛津大學的阿什莫倫博物館（Ashmolean Museum）。另外，英國皇家學會則進行完完全全培根式的自然史收藏計畫。一六六二年，在正式取得查理二世頒布的特許令不久後，皇家學會便成立了自己的博物館，名為「典藏庫」（Repository）。典藏庫的收藏焦點是日常普遍可見的樣本、反而迴避珍奇物件，此策略與其他採用全面性或是以建構「普世」知識為標的的計畫相同，比方說，約翰·威爾金斯（John Wilkins）便提議依循嚴謹的邏輯創造一個通用的自然語言，不但能用於命名和分類世間萬物，也適用於撰寫已籌畫好的貿易與藝匠的歷史。[34]

特別是在一六八五年晉身為英國皇家學會會員之後，身為植物學家的史隆對查德賽特父子以及「典藏庫」應有一定的認識，威爾金斯的專著也是他最早的個人圖書收藏之一。史隆最早期的私人收藏品以動植物為主，後來逐漸擴大範圍收集礦物、化石、錢幣、古物、書籍、手稿、及其他各式各樣的珍品。無疑地，堪稱博學之士的收藏家們所立下的榜樣在史隆成為收藏家的過程中佔有關鍵地位。英國皇家學會與培根虛構的所羅門屋、貿易之家或是一六六六年成立於巴黎的自然科學院（Academie des Sciences）皆不相同，它不是國家機制的一部分，而是由個別仕紳為滿足私人興趣所組成的團體，即便成員的目標是為英國國家生產知識，或是依學會早期史家湯瑪斯·斯普瑞特（Thomas Sprat）所言、累積「公共財」的資源。話說回來，收藏物件的確是內科醫生們躋身上流社會的手段。女性所展現對珍品的興趣經常會被聯想成夏娃在伊甸園中偷嘗知識的罪過、被認為欠缺女性氣質又具威脅性；男性的收藏家則自認為是普羅米修斯神話中富有男性氣概、精明又有創造力的英雄。史隆時代的倫敦一點都不缺大師的典範：多才多藝的廷臣，上通天文下知地理，「專精」各學門，更善於言談、對各種主題皆應答如流，例如約翰·伊夫林（John Evelyn）、威廉·庫廷、錢多斯公爵（Duke of Chandos）、更遑論約翰·伍德沃德（John Woodward）與理查·米德（Richard Mead）兩位內科醫生。這些人後來都與史隆建立交情，也成為史隆收集活動的榜樣。[35]

不過，與這些人不同的是，史隆的收藏行為也深植於商業和殖民活動兩者之間錯綜複雜的關係。舉例來說，化學家羅伯特・布萊特（Robert Plot）任職阿什莫倫博物館館長之時，於《牛津郡自然史》（*Natural History of Oxfordshire*, 1676）等作品中依循一種稱為地誌學的傳統，發表了對英格蘭各郡詳盡的調查，內容從古物研究到地方物產概述都有，包羅萬象。隨著英國海外屬地的擴增，自然史的方法也被運用到對殖民地的調查上。例如保皇派的理查・李恭（Richard Ligon）於一六四七年抵達加勒比海，十年後出版《巴貝多島真實史記》（*A True and Exact History of the Island of Barbadoes*, 1657）一書，描繪島上的動植物，更為有志開闢種植園之士提供設立糖廠的技術說明。李恭等人的作品大力宣傳糖廠的經濟價值，博物學家也被吸引。同為內科醫生和皇家學會會員的亨利・斯塔布（Henry Stubbe）在其著作《印地安蜜酒》（*The Indian Nectar*, 1662）中提到當時漸趨流行的巧克力這個商品；出版不久他便前往牙買加參訪。皇家學會的秘書亨利・奧登堡（Henry Oldenburg）請旅行者代為發送波以耳及其同仁設計的問題清單，其中多數的問題與商業活動有關。湯瑪斯・林區上校（Colonel Thomas Lynch）於一六七〇到七一年間赴牙買加就任總督一職，隨身攜帶一系列與當地相關的提問（後來也納入史隆的個人收藏），因導航之需提出關於風向的諮詢，以及颶風如何影響羅盤的運作、牙買加的糖是否較巴貝多的糖快乾等等；他也索取種子、果實和土壤樣本，並建議試種稻米、橄欖與咖啡等作物。湯瑪斯・斯普瑞特甚至把皇家學會以及皇家非洲公司（Royal African Company）形容成「雙胞胎姊妹」，兩個機構在這些年都合法壟斷輸送非洲奴隸的特權。斯普瑞特的比喻在這段期間特別恰當，因為皇家學會的幾任會長都兼任加勒比海地區的總督，例如一六七四到七八年擔任牙買加總督的卡貝里伯爵約翰・佛漢爵士（Sir John Vaughan, Earl of Carbery），在一六八六到八九年擔任皇家學會會長。知識和利潤果然是相輔相成的：卡貝里在牙買加忙於將自己的英籍傭人賣為奴隸之餘，找到空檔便與身處倫敦的亨利・奧登堡通信討論科學議題。[36]

英國於十七世紀末葉再度仿效荷蘭人的發明，這回專注於金融制度的創新：建構新的信貸工具、將私人公司上市從事股票交易、並開始投機性的投資行為，創立於一六九四年的英格蘭銀行則代表了這些發展的極致。這段期間出現許多惡名昭彰的「方案」：發明家用新穎的儀器為誘餌，吸引投資客注入資金並保證一夜致富，但大多不了了之、或被揭發為騙局。在轉行寫小說之前，同為商人與新聞記者的丹尼爾・狄福（Daniel Defoe）本身也是個大預測家，在各式投資方案中損失慘重，從潛水打撈海底寶藏船的金條銀塊到繁殖麝香貓等投資都不成功，他曾懊悔地說，「商人經常因為大膽的冒險精神和冀求暴利的渴望而慘遭滅頂」。雖然販售股份是一種新式的金融資本主義活動，預測推算的精神卻根源於一個更久遠的傳統，亦即尋寶，尋寶者會沿用古老的甚至神秘玄妙的方法。舉例來說，在一六九一年，惠格派政治人物古德溫・沃頓（Goodwin Wharton）在打撈一艘沉沒在蘇格蘭托伯摩立（Tobermory）的西班牙大帆船時，就召喚天使助他一臂之力（沃頓公開地表明相信天使的存在對他晉身為海軍大臣毫無阻礙）。一本作者不明、以《英格蘭之安危》（*Angliae tutamen*, 1695）為題的「反預期」小冊子便埋怨潛水鐘只會「發出擾人又無謂的噪音」、更代表了「惡性的預期行為」，用「這些工具可能從深海中打撈出的巨額金銀財寶，發出誘人的聲響……引君入甕」。不過財寶的誘人魔力確實令人難以招架。[37]

史隆在一六八〇年代收入了一系列令人矚目的海底打撈物，稍後他甚至將這份收藏以版畫形式呈現在他的《牙買加自然史》書中。顯然尋寶熱也延燒到史隆身上，引誘他進入西印度群島這個殖民、獲取暴利的投機環境，也經歷不少相關的爭議。在一六八七年初的一封書信中，史隆講述了一段有關一艘沉沒的西班牙寶藏船的故事，打撈上岸的桅杆與數枚銀幣由於在加勒比海沉浸許久，被珊瑚包覆，呈現藝術與自然結合的獨特現象。史隆為這段軼事所吸引，寫信告知在愛爾蘭的友人、也是阿爾斯特的大地主亞瑟·羅頓（Arthur Rawdon），他說：六位居於倫敦、自詡為英勇的「仕紳冒險家」的合夥人，其中包括第二代奧倫馬公爵克里斯多福·蒙克（Christopher Monck），贊助了一位來自「新英格蘭」、名為威廉·菲普斯（William Phips）的船長取得皇室專利（史隆後來取得這位船長的日誌）。菲普斯脅迫美洲原住民以及遠在錫蘭（Ceylon）採珠場工作的非洲裔和東印度裔潛水夫找尋一塊大石，大石來自沉沒的船隻，上面「長滿珊瑚」。這艘滿載白銀的西班牙寶藏船從卡塔赫納（Cartagena）出發，行經伊斯帕紐拉島以及波濤洶湧的加勒比海，準備前往目的地歐洲。多虧菲普斯召集的技術高超的潛水夫，「仕紳冒險家」打撈出重達十五噸的西班牙銀幣以及「大量來自墨西哥的銀條」，大撈一筆。光是奧倫馬的分紅就高達「約莫五、六萬磅重的銀球、銀條、黃金、盤子、以及稀有寶石……或是藍寶或是翡翠、也有紅寶石」，總值估計約莫二十一萬英鎊（換算成今日的幣值大約一千八百億英鎊）。雖然英國人未曾從美洲的土地直接開採貴重金屬，他們卻成功從對手的沉船中奪取金銀財寶。[38]

即便打撈的收穫驚人，史隆仍舊發出反對此類行為的評論，此後也持續不斷批評。《牙買加自然史》一書收錄這段軼事較長的版本，其中史隆提到許多人跟隨奧倫馬公爵的步伐，以為會有與他相同的好運氣，其中包括「來自荷蘭、後來成為英王威廉的奧倫治王子」，他「整備了一艘船前往打撈地點，但抵達時為時已晚」。奧倫馬的好運是特例，絕非常態。史隆也討論了潛水鐘這項發明，當時天文學家艾德蒙．哈雷（Edmond Halley）在泰晤士河沿岸展示不少設計成果，他原本企圖由一艘自西非返航卻在索塞克斯（Sussex）沿岸沉沒的船上打撈出象牙，卻徒勞無功。史隆承認「打撈第一艘沉船，成果豐碩，的確帶給英格蘭許多財富，但更多的資金卻浪費在類似的行動上。每當有關沉船滿載財寶的故事開始流傳，就有人相信並去爭取〔打撈的〕專利……派遣一艘船去載回白銀。話說在百慕達附近沉沒的一艘船，船上滿載的金銀財寶後來被瓜分、分別銷售，據說這艘船上的財寶為魔鬼所有，人們也不斷流傳魔鬼如何保守這些財富的故事」。[39]

不過，對財寶「天真」的執著仍然誘使史隆橫跨了大西洋。奧倫馬公爵（克里斯多福．蒙克）因急於還債，同意接任牙買加總督，藉此機會進行更多撈沉船的計畫。克里斯多福．蒙克的父親喬治．蒙克（George Monck）是個軍事將領，在查理二世復辟時扮演關鍵性的角色。最晚在一六八〇到八一年間，史隆在前往法國之前，可能透過亞瑟．羅頓與第二代的蒙克及其妻子公爵夫人相識，羅頓的父親喬治．羅頓（George Rawdon）在一六四〇年代的愛爾蘭暴動期間與喬治．蒙克並肩作戰。時至一六八七年，史隆正式成為醫界菁英的一員，他加入英國皇家內科醫師學院，這個慎選會員的專業團體直到十八世紀中葉仍維持只有四十五位會員的規模，這個身份鞏固了史隆作為重要內科醫師的地位。在御醫彼得．巴維克（Peter Barwick）的推薦之下，奧倫馬聘用史隆為私人醫生，而更重要的是他邀請史隆一同前往牙買加。這個機會可能會讓史隆有些尷尬，因為蒙克是托利黨人，由剛繼位的天主教徒英王詹姆士二世任命為牙買加總督，然而史隆的政治立場傾向惠格黨，與蒙克相左；史隆在一六八〇年第一次前往法國時與文契斯特侯爵（Marquess of Winchester）查爾斯・波利特（Charles Paulet）同行，後者是個重要的惠格黨員，在王位排除危機中極力反對詹姆士繼任。然而，且不論政治立場的尷尬，這份職務有利於收集歐洲人未曾知曉的物種樣本，有成就科學發展至高榮耀的潛力。史隆寫給芮的信中這麼說：「以奧倫馬公爵〔克里斯多福・蒙克〕私人醫生的身分前往牙買加這件事我已談論許久，如果我真的去的話，除了以醫學專業為公爵及其家人服務，我也將致力探詢當地的自然奇珍」。他接著寫道，「我希望能將在此觀察的結果發送給你，願神賜我時間與精力以完成這些計畫」。40

船難、海盜、疾病、以及奴隸暴動等威脅使得任何前往加勒比海的行程都具高度的危險性，好幾位史隆的友人都反對他前往。顯然席登漢以幽默的口吻警告他：「你不能去！去牙買加還不如跳進蘿薩蒙湖把自己淹死」，這指的是聖詹姆士公園（St. James Park）中經常發生自殺事件的地點。芮擔憂地說：「若非這趟漫長的旅程險峻多舛，我倒衷心希望如你之人能到牙買加一遊」。或許史隆的醫學專業使他有信心能承受橫越大西洋的挑戰以及熱帶地區的生活環境，也或許他認為沒被年少重病擊倒證明了他能克服生理上的折磨。再者，儘管史隆對尋寶多所不屑，他也一定曾經做過發財夢。因此他接受了奧倫馬公爵的聘書，決定跟隨父親的腳步，在英屬殖民地服侍貴族階級。由於學識淵博的博物學者鮮少親自踏上如此險峻的旅程，史隆的植物學同儕對於他能提升學界整體對世界物種的知識都感到興奮無比。芮對這趟行程的期待逐漸升高，旁敲側擊地說道：「我們對你的期望甚高，特別是解決我們對美洲那個地區所見植物的名稱的疑問」，以及觀察「美洲與歐洲是否有相同的植物物種」。坦克雷德・羅賓遜也持相同意見：「身處西印度群島最炎熱的地區，你一人便有可能收集大量的」新物種；他接著說：「不達到這個目的，我是不會讓你休息的」。牛津草藥園的園丁雅各布・伯巴特（Jacob Bobart）也為支持的聲浪錦上添花插上一句：「我就不可能有像你這樣到遠處工作的機會」，為史隆的科學使命提供重要的聲援和助力。[41]

史隆本人也表示渴望親眼見到向來只聞其名的植物，此經驗能提升他作為醫生的信譽，「許多古代和最好的內科醫生都曾親訪藥物來源地、深入研習」。除了增廣歐洲人對世界植物的知識，發現新藥材也可能廣開財源。史隆在一七一四年告訴一位法國友人：「因著發現像金雞納樹那樣的藥的希望，我決定遠赴印度群島」。金雞納樹是奎寧的前身，是一種治療瘧疾的植物精華，當時又稱祕魯樹皮或是耶穌會士樹皮。伯奇提到「史隆……在西印度群島取得財富」時很隱諱，從未明確指出財富的來源，但他很可能指涉類似的生物探勘活動。同時，史隆很清楚牙買加的種植園主會願意為了他的醫療服務，付出重金，目的是要維繫奴隸的生命以持續賺取利潤。史隆記下如此觀察：「不論黑種或白種，種植園主對好的奴隸很捨得花錢，並且盡力照顧他們，不讓他們受失能或死亡的威脅」。最後一個考量是薪資，史隆將情勢轉化成對自己有利的因素。史隆向英國王室取得全面管理公爵船隊醫療行為的權力，包括對所有外科醫生及藥師的管理權，皇室並答應以一年六百英鎊的巨額傭金體恤他為國服務的辛勞，並預先支付三百英鎊。經過數月準備、這些條件也都商談妥當，史隆二十七歲那年、於一六八七年九月十二日登上奧倫馬公爵的船隊，從普資茅斯（Portsmouth）的斯皮黑特（Spithead）啟程。史隆寫信給羅頓請他向遠在阿爾斯特的漢彌爾頓一家致意，說道「感謝神，我的身體健康。我對接下來的工作充滿信心，對豐碩的結果毫不存疑。」[42]

CHAPTER

2

珍品之島

Island of Curiosities

西印度群島盡入眼簾

奧倫馬公爵的船隊由以下船隻組成：國王殿下的快艇「伊莉莎白號」，兩艘商船「威廉與湯瑪斯號」和「沙力斯伯瑞號」，加上備有四十四個槍口的皇家海軍護衛艦「協助號」。作為主任醫生，史隆登艇後的首件任務便是治療在船員中迅速蔓延的暈船症。「保持輕鬆的姿勢，盡量待在平靜少晃動之處」，這是史隆在《牙買加自然史》中所記下他以堅忍的態度發出的醫囑，這本書也是我們得知他加勒比海旅程的主要資料。船隊駛往英吉利海峽的西緣之時，曾一度接受航向非洲幾內亞沿岸的船隻護航，這些很可能是奴隸船。此時史隆善用他的艙位角度觀察沿途相伴船隊前進的海鳥、鼠海豚、水母、飛魚、海豚以及鯊魚。他也記錄從海上冒出、如同「鋼與火石相擊時展生的火花」，令他回憶起自己送給化學家勒莫利作為禮物的磷。有時火花只持續「約莫半分鐘的時間，像是冰冷的夜光蟲或是磷，兩者發出的亮光顏色相近」。[1]

一六八七年十月二十一日，船隊在葡萄牙外海的馬德拉島下錨補充物資，史隆與公爵兩人一同上岸。史隆如此記載：「空氣溫和」、土壤「豐饒」；他也指出這座島嶼是個天然的實驗室、適合嘗試有利可圖的植物移植，「生產熱帶與寒帶的水果皆宜」。馬德拉島所產的酒已然取代蔗糖成為島上利潤最高的商品，現已「大量出口到西印度群島的各大種植園」。只用短短三天的時間，史隆在岸邊的芳夏爾（Funchal）地區觀察並採集了五十七種蕨類、草類以及果實的樣本。然而馬德拉也預示了加勒比海地區將會面臨的威脅：每個商人都隨身攜帶「一把長柄匕首，口袋裡還有一柄尖刀」；入夜之後沒人敢出門，「深怕被懷有敵意之人擊傷」。島民支使非洲奴隸採收蔗糖，僕役也「幾乎全是黑人」，這是另一個危機的源頭，〔因為〕「半塊西班牙銀幣就能買通一個黑人，取人性命」。史隆也對同為新教徒的群體在島上遭到的待遇感到不滿，當地宗教裁判所（Inquisition）的官員「強迫法國新教徒改宗」。據傳島上到處都是被流放的罪犯，史隆原本也預期這個島上充滿「野蠻和粗暴習氣」，然而他所遇到的皆是「教養再高不過」的紳士。史隆因醫生的身分備受禮遇，島民「非常看重英國內科醫生的技術」，邀請他治療聖克拉拉女修院中「憂鬱纏身」的修女，他也欣然完成任務。[2]

物資補給充裕後，船隊準備橫渡大西洋。船上的旅客被迫忍受一個月航程，包括降雨、風平浪靜和百無聊賴，加上更多暈船症的病例，才終於在十一月二十五日抵達巴貝多島上的橋鎮（Bridgetown）港。以酗酒聞名的奧倫馬在此受到熱烈的歡迎。史隆寫信告訴威廉・庫廷「我的公爵大人受到熱情的款待」，公爵希望「多留幾天」。在巡視島上的防備後，公爵的確逗留了一陣。巴貝多島有天然與軍事的雙重防禦，「迎風面有許多石頭……能抵禦這一邊的海岸」，同時「在每個輕舟可靠岸之處都架設了排炮」。奧倫馬「對迎賓的陣仗和餘興節目甚為滿意，飲酒量比平常更多」，導致血液順著他的鼻孔「冒出，如小溪般逕流不止」，史隆費了不少工夫才止住。不過，公爵閣下不會輕易因飲酒狂歡的些許負面影響而退卻。因為公爵持有皇家礦場在西印度群島的專利，他下令「仔細找尋礦藏」，然而他的隨從只見「一個引人注目、閃閃發光的山丘」，但也不過是白鐵礦（白鐵硫磺礦或稱為愚人金）罷了。在公爵一邊暢飲狂歡一邊追逐寶藏的幻象之時，史隆把當地人熱情的款待當作科學研究的對象；對一個植物學家來說，在巴貝多島上每頓晚餐的餐桌都像標本盤一樣。「對我而言，晚餐後的甜點比正餐更有趣，端上的有柚子、番石榴、松木、紅樹林中的馬尾藻、還有許多歐洲人所不知的果實，看到這些珍奇異物，一天的疲累都一掃而空了」。蔗糖自一六四〇年代引進巴貝多島以來，一直是島上的經濟命脈，但由於島上的土壤被「過度耕作」，糖業已大不如前。如同在馬德拉島的作為，史隆也在此研習並採集植物，並訪談種植園主。一位專精人工培植異國物種的園主為史隆展示了來自東印度群島、能製成艾絨的艾草。史隆寫給庫廷的信中這麼說：「此地果然是萬物的新世界」。如果他能受得了牙買加的氣候，相信收穫會更豐富。史隆坦承「這裡真的很熱」，並對自己有所節制、滴酒不沾感到欣慰：「流汗和喝水是我最大的成就，我發現飲水比其他烈酒更有效」。[3]

十天後船隊再度起錨，穿越以魚群和海盜著稱的加勒比海，往西北方航行，目睹聖露西亞（St Lucia，據說蛇多為患）、法屬馬提尼克島（French Martinique）、多米尼克島（Dominica，仍為原住島民卡里布人〔Caribs〕所據）、瓜德羅普群島（Guadeloupe）、蒙特賽拉特（Montserrat，被英國所掌控，但多數居民來自愛爾蘭）、以及瑞多納（Redona，佈滿鰹鳥與鼠蜥）這個小岩石島。接著船隊抵達另一個防禦堅實的英國殖民地尼維斯（Nevis），比其他各處還要更小也更多山。史隆在此地特別注意非洲奴隸，因為他們可能形成的威脅更大，寫道：「所有的山丘幾乎都被砍伐一空，但某些山頭仍保有樹林，可為逃脫的奴隸提供庇護」。尼維斯的人也不甚討喜。史隆發現他們「膚色較其他各島的居民都更黝黑，不然就是帶著泛黃的病容」。此後一行人再度上船繼續行程，終於看到牙買加島，他們進羅伊爾港（Port Royal）準備登陸。在二十一響禮砲響聲震天的歡迎儀式下，奧倫馬終於在離開英格蘭三個月之後，於一六八七年十二月二十日踏上牙買加的土地。據時人記載，公爵閣下被引領入聖保羅教堂，有張富麗堂皇的主位等他上座，「椅面由蔚藍色的天鵝絨製成，甚是豪華，以絲、金線和精巧匠藝滾邊刺繡，腳邊有一塊同等精緻的踏墊，據說含有兩千個金幣之多的黃金成分」。儘管如此，公爵顯然覺得迎賓禮不夠隆重，拒絕入座。而遠在英格蘭的史隆友人在謠言充斥的情況下，也不知他們的朋友是死是活。坦克雷德．羅賓遜便如此寫道：「即便公爵在海上身亡以及被海盜挾持的傳言在倫敦如火如荼，我還是希望你在聖雅各順利收到我的信」；「〔我〕每天供奉海洋之神祈禱你還健在，你在迪克與貝帝酒吧的朋友們也都為你哀悼」。至少到此為止神明對史隆還很眷顧，他活得好好的，一心只想探索英國最誘人但環境也最艱鉅的殖民地。[4]

牙買加是加勒比海島群中的第三大島，僅次古巴與伊斯帕紐拉島；從雨林氣候的藍山（Blue Mountains）到廣闊的疏林大草原，呈現多種地貌。牙買加最早為人所知的原住民是泰諾人（Taíno），他們與其他加勒比海島民一樣操阿拉瓦克語（Arawak），可能在西元六百年左右從伊斯帕紐拉島移居至此。考古遺跡顯示泰諾人善於狩獵、航海和工藝，以寇奴口（*conuco*）的農耕方式採收澱粉類的山藥和絲蘭，並依靠獨木舟與其他島上的居民聯繫。神職人員安德烈斯・伯納爾德斯（Andrés Bernáldez）於一四九四年記載「眾多的印地安人」歡迎哥倫布等人上島，「隨處都是村莊」。西班牙人逐漸取得優勢後開始奴役泰諾人，脅迫他們開挖金礦；泰諾人雖不輕易屈服、起而抵抗，但由於工作過勞、過度饑餓、加上對盛行歐洲的疾病包括天花和麻疹缺乏抵抗力，當地人口在一五二〇年代幾乎完全滅絕。然而，泰諾人為家鄉取的名字卻未被第一次接觸的災難性後果所磨滅：Xamayca（與牙買加同音），意指木與水之地。[5]

西班牙人在征服牙買加之後開始從西非引進奴隸，讓他們在牧場上工作，獸皮成為島上首要的出口商品，同時也設立小規模的農場，生產蔗糖與可可豆。因為島上缺乏金礦，殖民帝國對它興趣缺缺，因此牙買加的人口直到十七世紀初期都維持在大約七百名西班牙人和六百名非洲人左右的規模。情勢在一六五五年產生變化：英國攻擊牙買加，執行克倫威爾的「西進計畫」奪取這個島嶼。事實上，牙買加是個最末獎，英國因為攻不下其首要目標伊斯帕紐拉島，轉而求其次。西班牙人堅守牙買加長達五年之久，而英國在侵略的第一年就不抵瘧疾與痢疾的摧殘而損失三分之二的兵力。此時很多奴隸趁亂逃亡、藏身山區並與不同族群的原住民合作成立了一個自由人社群，自稱馬隆人（Maroons）。牙買加雖然在一六六〇年正式成為英格蘭皇家殖民地（英國皇家學會也在同年成立），商人們仍舊需要不斷地說服查理二世這座毫無利潤可言的島嶼是值得佔據的。[6]

剛開始英國殖民者以此做為海上劫掠活動的據點，如寄生蟲般地專事劫掠西班牙滿載金銀、航向歐洲的運寶船。亨利・摩根船長（Captain Henry Morgan）成為最有名的私掠船長（受國家許可的海盜），他在一六七〇年藉著愛國的口號洗劫巴拿馬，甚至因而受封騎士，更被任命為牙買加總督，即便摩根的侵略行為違反了英國與西班牙兩國在當時仍有效力的和平協定。此後，海盜與牙買加新興的種植園主階級之間很快地爆發派系衝突。在加勒比海經商的商人對克倫威爾多有怨言，因為後者的艦隊干擾他們與鄰近的西班牙殖民地進行非法交易，因此代表商人的議員在牙買加議會中以「英格蘭的傳統自由」之名，極力保護商人的利益不受外界干涉。奧倫馬最主要的任務是加強倫敦對帝國殖民地的控制，其中一環便是壓制牙買加種植園主的種種訴求，包括取消英國給予皇家非洲公司在奴隸貿易上的獨佔權；英王詹姆士二世於一六八五年將一群北美殖民地劃入一個名為新英格蘭自治領（Dominion of New England）的中央政府機構的管轄權下，種植園主們也擔心這項舉動會成為牙買加種植園主權喪失的先例。在這個情況下，公爵與海盜派系結盟，強硬地將自己人安插到地方政府任職，並以罰金與牢獄之災脅迫對手就範；他的首席法官甚至「公開在法庭上對民眾宣布，他們將會受到嚴刑峻法的統治」。英國殖民者在牙買加南部和東部的大草原上圈養家畜，並擴展口糧作物的種植範圍。克倫威爾遣送阿爾斯特的愛爾蘭天主教叛亂份子到牙買加，造成僕役人口遽增，他們要勞役數年才能換取自由、買地自用（至少政府對他們提出如此的保證）。除了英國軍人以外，早期牙買加的殖民者還包括受「政府授地」方案所吸引的巴貝多島移民，以及來自尼維斯、百慕達以及維吉尼亞的雇傭工人，還有不少來自伊比利半島的賽法迪（Sephardic）猶太商人。[7]

多虧了製糖與奴隸制度的蓬勃，種植園主和他們的商人盟友最後仍佔上風。牙買加之所以有利可圖，全靠著來自西非的男女奴隸、包括孩童們在種植園中的勞動，而在十七世紀後期英國人也開始引進更多的奴隸。許多牙買加的奴隸買家是從一兩個開始購買，但公職人員像是湯瑪斯．林區總督和掌權者如亨利．摩根之流，一次向皇家非洲公司購買至少五十人之多。奧倫馬公爵與史隆在一六八七年抵達之後購買了六十九個奴隸。在英屬加勒比海奴隸制度剛施行的數十年裡，引進牙買加的奴隸多屬阿坎族（Akan），這是一個散佈在今日的迦納和象牙海岸地區、有著獨特的語言與血統的族群。英國商人自以下港口向非裔貿易商人買入奴隸：邦尼、貝南灣的新舊卡拉巴（亦即所謂的「奴隸海岸」）、比亞夫拉灣、黃金海岸、以及中非西部直到剛果王國的北部。經過內陸的長途跋涉後抵達海岸，然後這些俘虜被買下並囚禁於港邊要塞中，之後便被迫忍受橫越大西洋、現在稱為「中央航路」的折磨。這段旅程極為恐怖又經常取人性命。貨艙中塞滿了奴隸，他們不但不知身處何處，還得承受營養不良、疾病和鞭打的折磨，若反抗還會備受體罰。許多人因病喪命，更有人因不願受奴役而跳海自盡。非洲裔的廢奴運動者奧拉達．艾奎亞諾（Olaudah Equiano）稍後將英國奴隸販子描繪成「惡靈」，他們鞭笞他時顯出「野獸般的殘暴」，也提到奴隸船上的臭味「令人作嘔、無法消受，在艙中多待一秒都很危險」，使他「期盼死亡這個最終的朋友助他解脫」。橫越大西洋的死亡率在十七世紀末期創下整個奴隸貿易史中最高的紀錄，從比亞夫拉灣到西印度群島的航程歷時三個月，死亡率達三成左右。人稱存活下來的奴隸為柯曼廷（Coromantees），此稱號來自黃金海岸名為柯曼茲（Kormantse）的奴隸港，也是奴隸們的出發點，柯曼廷以強健的體魄、勇武和不輕易屈服的意志著稱。隨著奴隸制度在牙買加盛行，起義也越來越頻繁，議會在一六六四和一六九六年分別制定了兩項奴隸法規，使武力制裁非洲奴隸合法化。一六六四年的法規指出「管制與懲罰前述黑奴有利於維護一般殖民者的福祉」；對不服從的處罰是鞭刑，而公開反抗的懲罰則是處決。奴隸法令將非洲奴隸制度定義為一種有繼承性質的永久奴役地位，也用法律鞏固了白種人的種族優越性。[8]

蔗糖帶來的利潤、以及因營養不良與過勞而導致的奴隸高死亡率，促使加勒比海的奴隸進口量急速竄升。產糖工作極端辛苦又高風險。在播種前首先要砍伐清除好幾畝的樹林，接著栽種甘蔗、除草施肥，過了十八個月的成長期，奴隸會用鐮刀採收成熟的甘蔗。將採收的甘蔗運到糖廠後，奴隸與牲口一同在高熱的環境下推動磨坊榨甘蔗汁，若他們的手腳在取汁的過程中捲入設備中，會有截肢甚至死亡的可能。接著他們煮沸甘蔗汁使其淨化並讓水分蒸發，產生糖結晶，同時濾出糖漿以備蒸餾成萊姆酒之用，再將產出的糖乾燥化，以圓錐體妥善保存，裝入橡木桶中準備運往英國。糖業生意蒸蒸日上，從一六七〇年到史隆抵達牙買加的一六八七年間，當地的種植園數量從一百四十六處躍升到六百九十處（包括種植棉花、可可和靛藍染料的農場），其中兩百四十六座種植園專事產糖，牙買加每年供應七千磅的糖。一六八〇年代是英國售糖的轉捩點。及至一七〇〇年，英國國內的蔗糖消費（包括巴貝多產的糖）成長三倍，一年的需求量高達一萬四千噸之多。整個不列顛群島的人不論喝茶、咖啡或熱可可都加糖，糖，這個令人上癮的新能量來源也帶來新的享受。[9]

儘管如此，光是逼迫奴隸採收蔗糖並不保證高回收率。作物總有歉收的時候，奴隸會過勞致死，而且建立種植園需要挹注大量資金，也可能累積無法償還的債務。因此投資者採用新的信貸和保險工具，靠借貸來購買奴隸以及皇家非洲公司的股票。此時，成立於一六八八年的倫敦勞依茲（Lloyd's of London）和與其類似的經紀公司也開始為奴隸船投保，以管理海難的風險。

以上種種新發明將為數眾多的非洲人捲入奴隸制度的漩渦中。光在十七世紀的最後二十五年中，英國人就運送了為數七萬七千名的非洲人到牙買加，超過巴貝多的奴隸進口量，每位奴隸的價位也從三英鎊漲到三十英鎊。基於奴隸交易的豐潤利益，民間商人向英國國會遊說貿易解禁，皇家非洲公司很快地便喪失其獨佔權。據估計，在一七〇〇年島上的四萬奴隸人口遠超過僅只四千名的白種人口。至此，英國在加勒比海的所有殖民地已接收了總數二十五萬的非洲人口。然而這個駭人的數字只是個開端。到了十九世紀初期，一百萬非洲人將會被銷售到牙買加，就整個大西洋奴隸貿易的歷史而言，這個數量僅亞於巴西的紀錄。這就是史隆在一六八七年經歷的島嶼殖民地，此地暴力盛行、世局多變，對奴隸制度的依賴漸增，同時在英帝國的擴張中也開始扮演舉足輕重的角色。[10]

世界的糞堆

醫療，是史隆在島上的首要任務，採集活動並不是他的工作。他住在西班牙鎮；聖雅各德拉維加（St Iago de la Vega），這是公爵的寓所所在，也是牙買加議會和法庭開庭之處。在此他照料奧倫馬一家，騎著馬四處到府看診，偶而也遠赴農場為種植園主們提供醫療服務。對於這個殖民地是個險境的認知雖與牙買加的人口組成有關，但過去知識分子對這個傳說的建構也發揮了作用。史隆在《牙買加自然史》一書中便指此島「地處熱帶」。包括亞里斯多德與托勒密的古代知識權威將地球劃出熱帶、溫帶及寒帶等三個氣候區，因此歐洲人懷疑自己不可能在溫帶以外存活。比方說，旅行家愛德華・海斯（Edward Hayes）於一六〇二年將維吉尼亞鮮活地描述成「炙熱之地」，擔心「會對我們的體質造成過度的負擔」。自希波克拉底的時代開始，體液學說便認為不同的環境造就獨特的體質與性格，擅自跨區的人要承擔身體衰退的風險。這種恐懼歷久不衰。湯瑪斯・林區於一六七〇到七一年間在牙買加進行問題清單調查，其中一個問題是：食用烏龜是否令旅行者排出黃綠色的尿液，另外一個問題則觸及一個令人不安的議題：自然發生。他問道是否真有所謂的「蛆草原，下雨之時，一但雨水接觸任何衣物的縫線，只消半個鐘頭就會生蛆」。所謂的「新世界爭議」，也是歐洲人聲稱美洲的住民以及植物較為低等的先河，然而正因歐洲人對橫跨大西洋可能導致退化的恐懼，白人對自我的吹捧多少受到箝制。[11]

英國人特別愛拿牙買加開玩笑。內德・沃德（Ned Ward）這個在格拉伯街（Grub Street）逐利的庸俗文人，在一六九八年出版的大眾嘲諷文學《牙買加之旅》（*A Trip to Jamaica*）書中，誇張地抨擊牙買加，將之比擬為「世界的糞堆」、「神創世時留下的廢棄物…這堆不成形的垃圾是混亂的表徵，亂七八糟地擠成一團，為全能的造物者在塑造世界完美的秩序時所遺棄」。當牙買加腐敗的物質環境成為討論的焦點之際，島上道德的鬆散無疑也更形明顯；沃德對這點非常清楚，因為羅伊爾港幾乎是飲酒作樂、賣淫以及各式痛飲狂歡的同義詞。對這點心懷不滿、好發長篇大論的說教者則認為一六九二年摧毀羅伊爾港的地震是道德淪喪應得的報應（很奇怪的是，他們對奴隸制度的罪惡卻不發一言）。史隆與船員在登陸牙買加之前就已注意到生理現象在赤道以南的轉變：他們排出的尿液異常地「令人難以忍受」的臭，烈酒變酸，船隊攜帶的蠟燭也融化。氣候的改變「在每個人的身上都起了作用，除了流汗不止外，大家〔的皮膚〕都出現紅腫，長粉刺與膿皰」。不過，依史隆推斷，這些症狀是好現象，是天意釋出的預兆，告知這些外來的身體應當「妥善調節」以適應美洲環境，也給了我們以虔敬的心態「讚嘆血液結構的理由」。也許牙買加的確是個糞堆，但神的設計讓英國人能在當地蓬勃發展。[12]

調整飲食習慣是史隆在島上首要面對的課題之一。體液學說認為食物對於形塑每個人的體質至關重要，食用熱帶食物使人身體退化。史隆注意到牙買加「最好的居民」盡力複製英式飲食習慣，以牛肉、家禽、豬肉和魚肉為主食，但他們給奴隸吃的卻跟餵動物的食物沒兩樣，包括幾內亞高粱，腐肉、老鼠、蛇、浣熊等。不過，牙買加的飲食無可避免與英式飲食不同。史隆提到所謂的牙買加麵包是以樹薯根製成，「非常不同」。龜肉也很不同，他認為「會使食用者的血液受感染，他們的衣衫變黃、皮膚和臉色也呈黃疸色，上衣的腋下部分也沾滿污漬」，會「改變我們歐洲人的面容」。「面容」指的是性格與體質，不光是膚色。此外，史隆也很「驚訝地發現蛇類、老鼠以及蜥蜴被當作食物販賣，而買方竟是知識水準高、懂得欣賞美食的人」。老鼠「一次就賣數十隻，特別是蔗田中繁殖的老鼠，被內行人當作人間美味」。[13]

史隆非但不批評殖民地的口味，他還將之收入一個「獨特飲食」的目錄，使之合理化。有史以來，史隆認為人類因食用極度多元的食物而茁壯；有人用黑麥草和壽仙翁籽做麵包、一個女人靠葫蘆巴與麻籽存活數月，有些人只吃蔬菜，還有人從意想不到的動物身上取肉食用，像是騾、豹、獅子、犀牛、蝙蝠、蟾蜍等等。從歐洲到東印度群島，燕窩都被視作珍饈，而好望角的居民食用羊和牛的內臟。有個男人在荒島上光靠牡蠣存活，而西班牙軍人曾在加泰隆尼亞吃蠟燭以維繫生命。史隆勉強地承認食用鯨魚、松鼠或是象肉或許看似怪異，但「吃習慣的人偏好這些食物」——你不會變成你所吃下肚的東西，這是此結論的含意；文明人不論吃甚麼終究是文明人。然而西班牙人卻不接受此種認知。史隆指出，「西班牙人奴役美洲印第安人」正因為後者食用大毛蟲（Cossus worm），但這也只是「奴役他們採礦的借口罷了，許多人在礦坑中喪生」。話說回來，史隆的確認為飲食習慣與修養相關，他很驚訝地發現，非洲奴隸與「全世界最有教養的」古羅馬人都喜歡食用「大毛蟲」。[14]

史隆堅稱，英國人到了牙買加後調整飲食絕非野蠻化的突變，而是天意。他是基於化學知識提出此種理論。稍晚他對數學家約翰．沃利斯（John Wallis）如此解釋：「我相信人類能靠食用多種蔬菜和動物、以及動物的不同部位維生」；有些食物「很奇怪但能在自然界存活，我們的身體構造也是如此，得以從不同的食材中攝取養分」並且排出「不必要的廢物，就此而論」，史隆繼續說道：「自然界處理廢物的能力遠遠超過化學，不同的身體需要不同的溶劑來排泄」。史隆的化學背景反而使他質疑這門學問的一些企圖。他在《牙買加自然史》中指出：「長久以來，化學家竭盡心力地找尋一種萬能或是通用溶劑，以此擷取身體的精髓，然而就我的了解，結果並未達成」。不過，人體是自然界中最良善的機器，因為人類「用牙齒切割、撕裂、咀嚼，胃腸自然釋放出溶劑或分解劑，有效地攝取多種肉類的養分」，此等能耐由「全知的造物者」所設計，得以消化任何吃入口中的東西。此種飲食相對主義非常合乎英國人宣稱他們的身體注定會在美洲蓬勃茁壯而非退化的論調；相較之下，原住民人口則在自己的土地上因疾病而幾近滅絕。[15]

雖然史隆並不因為牙買加的飲食習慣不同而感到困擾，他對摧毀英國人健康的酒類卻很煩惱。史隆無力地指出，水是島上最「健全的」飲料、也是最有效的「解藥」，但人們卻對它沒興趣，部分原因是殖民者認為身處炎熱的氣候需要用同等炙烈的酒飲來幫助消化；他們狂飲的馬德拉酒，比「朝思暮想的」家鄉飲料（也就是各式啤酒）在高溫下更容易保存。因著凡事都要記錄一下的本性，史隆無法抗拒收集他的病人熱愛的當地酒飲的釀製法，包括大蕉汁、用腰果釀製的桃花心木酒、用糖釀成的「冷飲」、以木薯釀製的沛利諾（Perino）、玉米汁、甘蔗汁等，還包括萊姆與果汁混和調製的飲料，一種「很常見的、讓人昏頭轉向的一般酒飲」，由蘭姆酒、水、萊姆汁、糖、肉豆蔻調製而成，能讓傭人「立即睡去，在回家的路上從馬背上摔下來」。滴酒不沾的史隆對此深惡痛絕。在他寫給當時英國大法官愛德華・赫伯特的信中，抱怨當地人「因為不實的氣候觀念而自殘，就像火上加油、喝下毒性堅強的烈酒」。但他不願怪罪他的病人，竭力忍噤不語：「我還是別用這些無聊瑣事煩擾大人您」。在西印度群島無法逃脫烈酒的引誘，狂飲到爛醉以忘卻種植園生活的無趣是加勒比海人的待客方式，這也是白種人之間建立友好關係的一種儀式，並緩和對因病死亡或奴隸暴動的恐懼。16

英國人的死亡率高到異常的，加深了白種人的多疑心態。許多殖民者在二十多歲時便去世，只有百分之一活到六十歲，因此不只是種植園主生意興隆，醫生也因此獲利，不過如史隆這樣新來的醫生需要爭取當地人的信任。史隆承認「一開始」當地居民「甚至不放心讓我處理最輕微的瘟熱」，有些人懷疑歐洲醫學的效用：「有人跟我說，這裡的疾病跟歐洲的完全不同，要用截然不同的方法醫治」。湯瑪斯・特拉芬（Thomas Trapham）也是一位在牙買加行醫的英國醫生，史隆在行前很可能參閱他的著作《論牙買加島民的健康狀況》（*Discourse of the State of Health in the Island of Jamaica, 1679*），他認為「地點影響療法」，天花、壞血病、瘟疫和肺結核等幾乎不曾發生，而性病在此也「不好發」。史隆則謹慎行事。加勒比海的醫界缺乏規範，藥師和外科醫生都與教育程度較高的內科醫生爭取客戶，史隆也得面對如特拉芬（兩人在牙買加相識）般強勁的對手，同時要與島上宣稱有豐富在地知識的非洲醫者競爭。因此他不論天候，每次騎馬進城都堅持戴著假髮，端出仕紳內科醫生的姿態。比方說，一六八八年九月六日，他在牙買加的日記本上寫下一條：「清晨重露，曙光乍現時騎上馬背，假髮和衣服在日出之前早已濕透」。直到史隆用一套催吐和放血的療法，成功地為公爵及其夫人退燒（可能是瘧疾造成，史隆本人也感染）的消息傳開之後，「人們才相信我有能力幫助他們」。[17]

史隆的《牙買加自然史》共收錄了一百二十八件個案史。個案史是他的導師席登漢所倡導、收集醫療紀錄的形式，以此觀察不同疾病並進行分類。這些個案史赤裸裸地呈現牙買加生活駭人的實況，史隆以就事論事的語調記錄島民長期酗酒對自身招來的傷害。舉例來說，約翰．帕克這位仁兄是個「精力旺盛、血氣方剛的傢伙」，而且「嗜杯中物」，在發高燒之餘仍「狂飲蘭姆和果汁調酒」、醉倒在冰冷的大理石地板上不省人事。帕克醒轉後仍「意識不清、語無倫次」，但立即張口繼續狂飲蘭姆酒，致使「氣血噴張」，不久後便身亡。另外一位名為查爾斯的傭人「為人懶惰」，「全身上下肌膚變色」。史隆仔細檢視他腫脹到令人擔憂的生殖器，記下「他的陰囊積滿血清、腫脹得比他的頭還要大，幾乎呈透明色」。史隆以「磨成粉的藥喇叭（一種助瀉的根類植物）」治癒他的水腫，並幫助他排瀉，但這位傭人不遵從醫囑服藥，在服用數次「鴉片劑」之後仍不治身亡。湯瑪斯．巴拉德（Thomas Ballard）是招待史隆遊歷牙買加的種植園主人之一，有一回在興致格外高昂「豪飲一番白蘭地酒」之後，突然冒冷汗又心悸、感到不適。史隆以放血和燒灼等方法，並施以大量甜酒為他治療；某日巴拉德在騎馬之後突然感到一陣強烈的不適，所幸未因此喪命。同是史隆新交的種植園主朋友、也是奧倫馬理事會一員的法蘭西斯・華生爵士，也在飲酒狂歡之後高燒不止，多虧史隆施以祕魯樹皮解熱才挽回性命。另外還有一位史隆稱為F先生的病例。F「臃腫肥胖至極」，在一場飲酒大賽中，「以量計」喝下了一夸脫半的馬德拉酒，並就著六桶散裝啤酒、以瓠瓜為瓢一飲而盡，每桶約莫一夸脫的量。F的身體承受不住，「白眼一翻便直沖沖地」癱倒在椅子上、不省人事。史隆扶他坐直，命人將羽毛伸入他的喉嚨催吐，同時「用一把鑰匙抵住上下齒列、將嘴巴張開」。F整晚呼吸困難、口吐白沫，放血之後竟然撐過一晚，他「充滿悔意、熱淚盈眶地」向史隆救他一命致上誠摯的謝意。然而這只是暫時的緩解，F不久後終舊身亡。[18]

史隆的個案史也透露出白種人與黑種人之間親密接觸的歷史，特別是奴隸制度下，英國男性如何剝削黑人女性以求自身的健康和愉悅，身為醫生的史隆也鼓勵此等行徑。比方說，諾維爾隊長「飲酒過量、身體單薄」，嘔吐不止且頻頻「如廁」。史隆開了鴉片酊熬成的湯汁助他止吐，但諾維爾的嘔吐復發，毫無食慾並抱怨胸骨下方疼痛。史隆嘗試苦酒、健康飲品、又施以鐵舐劑和放血的療程。儘管如此，諾維爾仍舊改不了每早小酌白蘭地加糖的習慣。根據史隆記載，他的胃虛弱到只喝得下「從黑種女性乳房吸吮的奶水」。諾維爾的情況不是特例，另一個「喜與友同歡」的人也受激烈腹痛所擾，但當他「吸吮兩位黑種女性的奶水之後就完全康復了」。白種男性除了常以強暴的方式占用女性奴隸的身體之外，也鼓勵她們多生孩子增加奴隸人口，並用女性奴隸作為白種小孩的奶媽。在這個白種女性稀少的島上，女性黑奴的奶水成為珍貴的資源。史隆便如此記載：「黑種奶媽與白種奶媽一樣受歡迎，因為她們容易聘用多了」。史隆以健康理由為使用黑種奶媽辯護；他承認白種人通常「不冀求」黑種女性的奶水（諾維爾除外），但他本人「未曾目睹」其他人所擔心的、所謂黑種女性「將不良習俗透過奶水傳染給小孩」；他「確定黑人的奶水比牛乳更接近母奶」。[19]

在牙買加行醫也包括醫治奴隸，但史隆與奴隸的互動過程與他醫治其他白種病人的態度大相逕庭。當白種病人抱怨身體不適時，不論是否是自己造成的，史隆總是熱心應答，並抑制想要批評病人的衝動。這樣的態度在當時很尋常，這個時期醫生看診時很注意病人對身體狀況的陳述，因為醫界普遍認為病人對自己的身體最了解，而且多數病人的社會地位都比醫生要高。反之，史隆不斷地駁回奴隸對自己健康狀況的陳述。醫治奴隸的動機本身就有悖常理。對於在田間勞動的奴隸而言，過度操勞、營養不良、疾病以及體罰所造成的痛楚是家常便飯，但當受苦過度而影響工作時，種植園主就必須減緩他們的疼痛，因此在種植園中的醫療行為是讓奴隸制度持續有利可圖的重要關鍵。史隆對此任務極為熱中。比方說，他治療數位病童就為了讓他們回到工作崗位；對於「狡詐」的女性為了避免生下孩子受奴役之苦裝病、「誘使醫生開出有墮胎效果的藥物」之現象也多所抵制（「推託」著不直接回應此類要求）。看似非洲人專有的疾病最令種植園主傷神。舉例來說，史隆堅稱有一種腐蝕皮膚的問題是「黑人特有的」，他也因此臆測問題是「他們的黑色皮膚所有的獨特病症」所造成。他觀察了幾個〔體內〕有蟲的病例，認為病徵與食用「腐爛的水果、根類以及其它肉類」有關，也提到幾個皮膚和骨頭感染（熱帶莓疹）的案例。[20]

許多非洲人在受奴役期間學會一些英語，當史隆詰問他們對身體不適的抱怨時，總是假設他們撒謊、只是不想工作，信心滿滿地認為奴隸為逃避工作而耍的詭計騙不了他。史隆如此評論：「不論白黑，奴傭階級裝病是稀鬆平常的」，但「醫生如果用心、問出適當的問題，很輕易地就能戳破他們的謊言」。一位「身強體壯的黑人男僕」名叫艾曼紐，受命去攔截幾個劫掠白銀的海盜，他「假裝」生病、「一副痛苦狀」，要求不執行任務。史隆「詢問他的痛處為何、更洽當地說，是質疑他是否真的痛苦，認為這若非某種新的怪病」，便是典型黑人不誠實的表現。顯然地，史隆從接待他的種植園主處學到對奴隸本能地施以暴力，他召人端來「一只裝滿燒燙煤炭的炒鍋」，置於艾曼紐的頭上，並「在他的手邊和腳邊點上蠟燭」，這便是模仿白人凌虐和處決奴隸的手法。就史隆的說法，艾曼紐抗拒使命和最終的屈服同樣可笑，因為他突然就康復、回到工作崗位上。史隆的個案史也包括精神上的折磨，即便這些紀錄絲毫未顯露對受奴役者苦楚的敏感度。一位名叫蘿絲的黑人女性顯出「憂鬱、寡歡」的傾向，不願工作。「她不願和任何人說話，若非強迫進食她不吃也不喝，而且不記得她收到的指示是什麼」；如果「將一隻掃把放到她手中令她掃地，她就直忡忡地站著，一付失落抑鬱的模樣」。史隆嘗試各種療法，包括草藥湯汁、拔罐、疤痕紋身、以及「強灌」催吐劑以淨化身體。此景象非常令人擔憂，因為史隆試圖「治療」對奴隸制度的抵抗。有些奴隸直接拒絕治療，史隆曾面對一位名叫艾薩克的奴隸，「不論我怎麼說，他都不會康復」，接著就身亡了。史隆以平淡的語調思索著：「不論是希望或是恐懼，心靈的激盪對身體都有重大的影響」。然而，他的個案史未曾承認奴隸確實受苦。儘管他在治療酗酒的白種人時既有耐心又倍顯尊崇，對奴隸的病痛卻不屑一顧，總是強迫他們回到工作崗位、為他的種植園主朋友們繼續勞動。[21]

從傳統的角度而言，個案史向來被理解為對個人醫療史的實證觀察紀錄，然而此種理解並未阻止史隆仗著自身的醫學權威、對許多問題強加主觀判斷。史隆否定他的競爭對手湯瑪斯・特拉芬的說法，宣稱他自己「在牙買加遇過的疾病無一不是在歐洲就經歷過的」，因此即便他剛到牙買加不久，他的醫療效果絕不亞於任何人。他積極宣揚祕魯樹皮對發燒的療效，雖然這一方「在此地名聲不佳」，但他卻偏好使用此藥幫助退燒、「助人完全好轉」。同時他抨擊競爭者，大肆譴責「在牙買加享譽甚高的」占星術士。這些所謂的智者曾指示一位瀕死之人：「若他活過隔日中午，表示星球的相位同意保他一命」，但當這個人去世時，「同樣一群人又說星象早已確切預測他死亡的時刻」。黑人醫者則遭受史隆最尖銳的批判。不論男女，這些醫者依靠「(熱)瓢瓜來拔罐」，並用尖刀進行手術，「非但未能緩解痛楚，有時導致更多疼痛」。黑人醫者毫無醫術，只具備愚人的幻術。他們一方面「甚少開出」史隆經常熬製的「湯汁」為藥，通常都是依靠從別處學來的最基礎的植物知識來開藥，史隆記載道：「我聽說過許多他們治療疾病成功的例子」，但是「他們對醫術的微薄知識似乎來自印地安人」。另一方面，黑人誤以為精神疾病是巫術作用的結果，他們以為根治需要借助儀式性的超自然力量，比方說，他們認定那位拒絕工作的女性黑奴蘿絲被「同鄉的術法所制服」。不過，她的遭遇只不過是許多「常民不了解的腦部疾病」，常被「以為是巫術或是魔鬼惡勢力的作用」。史隆同意散發臭味的阿魏樹脂或許含有能緩解「歇斯底里或神經系統失調」的成分，但其原因絕非如驅魔者所言、「臭味令魔鬼無法消受」。

對於開明又隨時樂意為病人放血的體液學家而言，以上皆屬可笑的無稽之談。[22]

史隆對非裔醫者的評價的確反映出將黑人視為次等種族的歧視性假設，但我們也必須將史隆發出的論斷放在牙買加的大環境中來解讀，畢竟史隆在此直接與奴隸醫者競爭。為了爭取病人，史隆雙管齊下，一面推砌自己的資歷，一面抨擊他人的名聲。許多白人想方設法避免染病或死亡，即便口頭上不承認，對非裔醫者的信任卻高過對英國醫生的信心。這樣的態度不無原因。一般認為，自西班牙統治時期以來，非裔草藥醫者對島上的醫藥資源便有深刻的知識；此外，黑人醫者用植物入藥，而非類似水銀等有毒物質、或是放血等粗暴的方法，兩者都是史隆運用的醫治手段。當海盜亨利．摩根生病時，雖然諮詢了史隆和其他白種醫生，但這位老海賊最終還是捨白人醫生而就奴隸醫者。後者對他施以灌腸劑並敷上泥水混和的硬膏劑，不過此療法最終證明無效，摩根於一六八八年八月過世。有時史隆也正面與奴隸醫者交鋒、測試他們的能耐。他記錄一位名為赫丘力士的「強壯黑人，是個監工也是醫者」，他的醫術很「出名」。不過，就史隆的說法，赫丘力士登門請求史隆治療他的淋病，因為「鄉間庸醫」治不好。史隆用水銀醫治，宣稱將他治癒，下了如此論斷：「很多印地安人和黑人醫者名不符實」，因為他們對「人體解剖、疾病和方法論一竅不通」。[23]

史隆藉由《牙買加自然史》將自己塑造成醫術絕倫的名醫，但他記載的內容未能讓所有的讀者滿意。有些在牙買加曾接待史隆的人，後來指控史隆在敘事過程詆毀他們的「好名聲」，包括聲稱他們好食蜥蜴。史隆在牙買加史第二冊中回應以上指控，指出「有人說牙買加或西印度群島的住民不吃蜥蜴」，但這「顯然是誤植」，因為「在此地居住的所有人種對蜥蜴皆有甚高的評價」，「市價甚高」不是沒有原因的。其他人也指控史隆在提到「當地居民時多所不敬……記述他們患瘟熱時指名道姓」。史隆的確指名道姓，但他反駁說：這是絕對必要的，宣稱「這是為了證明此地的疾病和英格蘭的案例相同」，而且不論如何，「記錄觀察結果是所有醫生共同的慣例」（不過，依照前例，我們知道他會隱藏某些人的身分，例如「F先生」）。史隆堅稱，指出牙買加人穿著便宜的帆布衣料並不是為了「非議」他們；相反地，他本人也做了明智的決定「使用帆布料，因為它比其他衣料更為輕薄涼爽」。他花了二十年才出版了牙買加史的第一冊，也許時間太長，使得史隆對於種植園主的感受越來越不敏感。也許他本身堪稱典範的節制性格，使得他認定在加勒比海的病人都是頹廢墮落之流，這從他在寫給愛德華．赫伯特（Edward Herbert）的信中透露出的隱晦評論就可見端倪，信件的結尾模稜兩可地指出在牙買加人很明顯地「比英格蘭人糜爛縱慾多了」。即使種植園主的身體沒有變化，他們的行為似乎變得極端。諷刺的是，營養不良的奴隸反而「過著有節制的生活」，有時還能「活到一百二十歲」，至少史隆這麼相信。[24]

史隆面對過最艱難的個案情況，是該病人毫無節制可言。此案雖然收入《牙買加自然史》手稿，卻小心翼翼地從公開版本中悄悄抽掉——這就是他的雇主，奧倫馬公爵閣下。船隊離開英格蘭時奧倫馬盛年三十四歲，具史隆觀察，他氣色紅潤，膚色和眼白微黃，但「略紅」的面容顯示需要定期放血。史隆了解公爵「習慣在宮廷中通宵飲酒、與友同樂」；另外根據一位觀察家報導，有位顯赫的倫敦商人拒絕為公爵草擬人壽險，就因他熱愛馬德拉酒和紅酒。一六八二年，奧倫馬被任命為劍橋大學校長，但事實證明他比不上他聲名卓著的父親在軍事上的榮耀，比如在一六八五年，他無力動員德文（Devon）的民兵保衛英王詹姆士，以對抗蒙茅斯公爵的軍隊。早年他恣意於狩獵捕禽，既酗酒又積欠大量債務，現在他厭惡運動，也憎恨大多數的藥物。甚至在啟程之前，他便埋怨頭部「不對勁」，找史隆和其他的醫生諮商。他們的建議是忍耐以及「正常作息」，但史隆體認到牙買加「是個很熱的地方……很可能造成〔公爵的〕身體不適」，這麼說還算是謹慎的保守說法。奧倫馬公爵在接受史隆放血之後，吞下他固定食用治療「慣性黃疸」的藥丸，以番紅花和蘆薈萃取製成。但他頭部的問題卻越趨嚴重；他的神智越來越衰敗，晚間會猝然醒來、牙齒打顫。此時該用海蔥醋蜜（醋和蜂蜜）和催吐酒，這是酒石酸銻鉀溶劑，做催吐之用。儘管公爵的不適暫時得到紓解，但過不久痛楚又陣陣襲來，「很是難受」。公爵在該嘔吐時堅決不肯吐，史隆也無法忤逆其雇主的意願；公爵閣下堅持不要再催吐，寧可放血，一直到在巴貝多島時鼻腔血流如注才康復。神奇的是，奧倫馬在牙買加繼續縱慾尋歡數月，竟然都沒出事。[25]

儀式性場合上出現的誘惑卻令人難以抗拒。公爵完全不能自主地縱慾，這讓他再次墜入不適的深淵。他的腿部劇烈疼痛，發炎形成黃色的腫塊；除了再次放血之外，他還喝下以苦艾、鼠尾草、迷迭香、芸香、野生鼠尾草以及甜辣椒葉煎熬成汁，混和酒與皂發酵後製成的藥，並以橄欖硬皂搓揉腿部。痛感雖然緩解了，他的腳踝仍舊腫脹。由於液體在他的表皮之下累積，史隆擔心這是足以致命的水腫的開端。他轉與公爵夫人商談對策，即便公爵本人對此不滿，之後仍請來其他醫生共同諮詢，建言之聲不絕於耳。公爵後來同意讓史隆從他腿上抽取液體，但仍舊不遵循療程，選擇泡澡、讓人用匈牙利活泉水按摩腿部並包紮傷口。某日拜訪法蘭西斯．

華生爵士返家後，他感到不適、開始便秘，但他拒絕以催吐或灌腸緩解症狀。此時特拉芬現身。史隆明顯感到威脅，將特拉芬描述成號稱「居留多年、很了解本地疾病」的醫生。他挑戰史隆的權威，聲稱〔公爵〕肚子根本就不痛，史隆半信半疑地記下特拉芬的診斷和醫囑：「將一顆完整的鳥椒置於一顆水煮蛋中，保證會引來鸚鵡，這是一種天然療法，在此種氣候下，每個人都必須接受」。[26]

不過奧倫馬對兩人的醫囑都不聽從。因此兩人轉而合作，共同交代在公爵食用的雞湯中加入一個半盎司的甘露。公爵因而排出兩三條正常的糞便，但痛楚依舊，陣痛也復發，憂鬱的心情使症狀加劇。此時所有可能的療法都嘗遍了，包括在肩膀上拔罐抽出了幾盎司的血，也燒灼頸部、手腕和腳踝多處。此時另一位名為富爾克・羅斯（Fulke Rose）的醫生加入醫療陣容，繼續為公爵放血。雖然公爵的狀況有進展，此時他閣下已無法進食。血從他的口中湧出，吐出「大量的血塊」；他的腳踝被灼燒處雖已包紮但痛楚依舊，因此醫療群得再次開會討論。史隆想讓公爵重新開始服用黃疸藥丸，同時嘗試藥喇叭粉配苦酒，特拉芬則建議像自助餐一般的多元療程，包括運動和呼吸新鮮空氣，加上〔食用〕大黃、雞湯加甘露、以維吉尼亞蛇根藤的酊劑入萊茵區產的酒、以及辣根菜的萃取液。史隆不贊成運動，但公爵支持特拉芬的觀點，遂前往西班牙鎮以東的尼古安那（Liguanee），返家後立即加入慶祝遠在英格蘭的威爾斯王子新生兒的生日會，這消息才剛傳到牙買加，公爵便把酒狂歡。其結果是奧倫馬開始頭痛欲裂，牙齦出血、神智不清。這回醫生也束手無策，他閣下於一六八八年十月六日猝死，結束了一生。[27]

奧倫馬之死卻沒讓史隆從爭議中解脫，對遺體保存的激辯僅僅改變了論戰的內容。如同曝曬在牙買加陽光下的所有生物，公爵的遺體很快地因高熱與濕度而腐敗。據史隆記載：空氣「如此之熱，在死後四小時之內很快便能腐化肉體」，因此「往生的遺體必須要盡快下葬，不足為奇」。當地的習俗以十二小時為限。法蘭西斯・華生爵士繼任總督，與議會進行緊急會議。史隆無疑是與會者中照料遺體團隊的一員，「特拉芬以及包括史隆在內的醫生們希望與會成員能任命某人見證即將被防腐處理的遺體，因為有謠言傳出海外，說是醫生們未盡全力照料」。華生口出此言的動機不明，但他下令由退伍軍人轉行種植園主的巴拉德和佛里曼兩人，在「解剖閣下大人的遺體時」隨侍在兩位外科醫生之側。他們盡責地回報「除了心臟之外，其他重要器官皆嚴重毀損，在場者的共識是遺體無法持續現狀」。許多種植園主被安葬在自家花園，正因為要快速地將遺體運到羅伊爾港的墓園下葬有實質的困難（史隆反駁「我從未聽說有誰在死後因為沒能葬在被祝聖之地而出走的」）。然而公爵閣下並非一般的種植園主，他的遺體必須受防腐保存、運回英格蘭，才有可能接受正統的基督教葬禮。為了防止腐敗，醫生們很快地就移除他的腸和腦，也快速準備好以蘆薈、沒藥、肉豆蔻、肉桂、丁香油、加上石灰混合而成的防腐粉；在移除皮膚之後，切割肌肉深入骨頭，並倒入粉末以乾燥公爵的遺體。遺體所有的空間都被填滿縫合後，以切成長條的堅韌麻布浸泡於燒熱的瀝青、蠟、松香和動物性油脂，取出覆蓋於遺體之上冷卻。[28]

用以上方法將遺體密封後，接著將融化的瀝青注入公爵的棺木中。由於他的手開始冒泡，醫生們又再「加入些新鮮的原料」。棺木以釘子封緊後置入另一個鉛制的箱子，以瀝青填滿兩者之間的空隙。但「管工和木工」似乎有所缺失，因為棺木開始冒出「一股新鮮的屍體味」。

公爵大人不論生或死都在抵抗，他的遺體正在腐敗。照料遺體的人員手忙腳亂地製作一副新的雪松木棺木，置入新鮮的防腐材料；他們將新的麻布鋪在棺木上，再以黑布覆蓋之。遺體與防腐的分離迅速完成後，公爵的狀態總算穩定下來，他的內臟存放在另一個雪松木盒中，埋葬於西班牙鎮一個舊天主教堂聖壇之下的聖土中。剩下的遺體則被密封於兩只箱中，等待時機由奧倫馬公爵夫人帶回倫敦，公爵閣下將被安葬於西敏寺冰冷的石板地之下。不論生死，史隆都竭盡全力、為放蕩不羈的主人盡忠職守。[29]

島內行旅

除了在西班牙鎮工作之外，史隆在牙買加也進行了一連串他所謂的「島內行旅」，讓他見識到西班牙統治的遺跡，也感受到英國治下奴隸制度的擴張。史隆年輕時在倫敦見過非洲人，但某日一艘奴隸船抵達羅伊爾港的景象是截然不同的經驗。他寫道：我在一個奴隸市集「看到一艘來自幾內亞、滿載將被販售的黑人的船」，這些市集每天在美洲各處營業。他站得離船很近，近到可以聞到在「中央航路」一路累積下來的廢棄物、疾病和屍體所發出的惡臭，「因為擠滿了人，這艘船甚是噁心」。史隆夾雜在可能是想要購買奴隸的商人和種植園主的旁觀者群中，旁人告訴他「這些黑人靠印地安花生維生，是一種碗豆或是豆莢類植物」，加上水煮玉蜀黍，一天吃兩餐。選到健康的勞工是買主的至上考量，史隆觀察到「來自安哥拉和加彭的黑人不受蟲害*」，此觀察反映了買主的考量，「但來自黃金海岸的則很受蟲害影響」。[30]

在參訪當地的種植園時，史隆親眼見識製糖的過程。他輕描淡寫非裔奴隸工作的環境（只提到他們「撥起一些土」），但很重視生產過程的技術層面。在磨坊裡，以水牛推動的兩條鐵卷軸將甘蔗「擠傷」，接著將搾出的汁液送往煮沸室，加入萊姆、去除浮渣：「黑色膠狀」的殘留物被瀝過、乾燥後，就準備裝罐、以未精煉的褐色黑糖形式運出，因為此種狀態比精糖要容易保存。史隆不僅觀察，更實際參與甚至自行設計實驗：「我試著不加任何混和物，就想將甘蔗汁烹煮成糖，但汁液就是不凝結」；史隆更以鑑賞家的口吻說道：「好糖只有經驗豐富的製糖者才斷定得出，要以結晶之前產生的氣味做判斷」。《牙買加自然史》書中也顯露出史隆重視技術，卻忽略施展技術的人。比方說，他委託製作一幅軋棉機示意圖，但圖中卻忽略了操作機器的奴隸，然而其中唯一描繪種植園工作情況的版畫，卻很諷刺地呈現美洲印第安人跪在墨西哥的田裡、為西班牙人採收利潤極高的胭脂蟲染料的畫面。對追逐利潤的英國人而言，諸如此類作物的商業價值很高，史隆收集了糖、棉花以及菸草的樣本，記下「在英國每磅要價十二便士」。[31]

藉著總督醫生的身分，史隆與牙買加的種植園主建立了良好關係，而與他們的交誼對他在島內的遊歷至關重要。喜好與奧倫馬公爵對飲不醉不歸的法蘭西斯．華生爵士在自己的莊園接待史隆，他很喜歡與史隆暢談，從自己的氣喘聊到糖業的利潤，題材無所不包。華生在史隆返回倫敦後、於一六八九到九〇年寫給史隆的信件裡，透露出兩人的友好關係。華生向史隆索討「你的新書還有你保證要寄給我的其他書籍」；他明確地表示他向後來得上法庭的湯瑪斯．特拉

＊譯注：此處的蟲指的應該是細菌或是會侵入人體、影響健康的「蟲」。

芬保證史隆無意指控他（指控的內容不明，也許是奧倫馬公爵之死）；也傳達「巴拉德上校想請你幫他看看髖部的疼痛」的訊息。史隆顯然向華生擔保他會回到牙買加，但華生對此存疑，說道：「如果因緣際會讓你改變主意、不再回到牙買加（我希望你不會），請繼續將最新消息傳送給我」。同樣地，威廉・布拉格（William Bragg）於一六八九年四月、史隆離開牙買加一個月後寫了信，「我希望你安全返抵英格蘭」。布拉格也是一個主要的種植園主，他在西班牙鎮北邊幾英哩處的聖湯瑪斯山谷的農場上擁有五十多個奴隸，他為史隆提供有關委員會、民兵編制、以及當地的不滿與疾病的情況。布拉格的拼字顯示他的教育程度不高，但他的文字卻充滿情感，例如「醫生，我們很希望有你相伴，因為人們開始病得很嚴重」，我們也「被熱病折磨得受不了」，「好多黑奴在發燒」。[32]

趁著奧倫馬公爵死後難得多出的閒暇，史隆於一六八八年十月前往牙買加北岸的聖安斯長期停留（圖2.1）。他挑了匹好馬，集結了一群「本地仕紳」以及一位「很好的嚮導」，後者可能是非洲或印地安裔、技術精湛的獵人，比任何殖民者都精於帶領環島旅程。一行人從西班牙鎮往北，行進數哩後經過聖湯瑪斯山谷（今日隸屬聖凱薩琳教區），碰到一個人稱「十六哩小徑」之地。這裡的可可豆「小徑」多年來受蟲害所苦，但豐沛的雨量仍使山谷土壤格外肥沃，種植園主約翰・嗨亞（John Helyar）稱十六哩為「島上的尿壺」，史隆也提到此地的降雨「有時猛烈至極，沖刷地表的土壤以至於植物的根莖都暴露在外」。牙買加前任總督湯瑪斯・莫迪弗德（Thomas Modyford）於一六七〇年代在此地曾經坐擁偌大的產業、包括總數超過六百個奴隸和僕傭，勞動未曾中斷。史隆在此可能拜訪了另一個主要蓄奴主富爾克・羅斯醫生，他與史隆兩人曾經合作醫治亨利・摩根船長以及公爵本人。當時史隆無法臆測這趟會面的重要性，但這很可能就是他與未來的史隆夫人、也就是羅斯當時的夫人伊莉莎白相遇的場合，因爲眼前這片甘蔗園，這段婚姻將為史隆往後數年帶來廣大的財源。[33]

但那是未來的事。眼前的情況是，史隆及其夥伴繼續向北行，前往「蛆草原」（maggoti savana）和魔鬼山（Mount Diablo）紮營過夜。這可不是隨興的探險，他們精心規畫行程就是為了避免與叛逃的黑人（即馬隆人）正面交鋒。馬隆人控制的範圍包括東邊的藍山以及西邊的鬥雞峰（Cockpit）地區，根據史隆的記載，「脫逃的黑奴……埋伏此地〔鬥雞峰〕對路過的白人格殺勿論」。一行人將馬拴緊餵飽之後，進入一間「獵人小屋，躺在蕉葉和棕櫚葉上度過一夜」，這是他們首次體會奴隸的睡眠方式，因為種植園主通常在吊床上休憩。或者該說他們試著入睡，史隆回憶道：「我們的睡眠不斷被一種樹蛙的沉吟、蚱蜢的鳴唱、和夜行動物的聲響打斷」。不過，多虧了岸邊拂來的微風，至少夜間是涼爽的。翌晨，一行人跨越魔鬼山，在抵達目的地聖安斯、西班牙人稱新塞維爾之前，史隆非常興奮地收集了多種「奇妙的」蕨類樣本，而終點的新塞維爾則是哥倫布於一四九四年登陸牙買加的原始地點，也是西班牙人在島上建立的第一個首府。[34]

史隆為此地深深吸引，駐留長達五天、四處探索。接待史隆的是一位由軍人轉業為種植園主的理查・漢明斯（Richard Hemmings）。據史隆紀載，新塞維爾這個地方目前已成為「漢明斯的種植園」。然而任何對西屬牙買加遺跡的記載都不可能持中立立場，必定受到新教徒與天主教徒之間的論辯左右。與哥倫布同行的道明會修士巴托羅梅・德・拉斯・卡薩斯（Bartolomé de las Casas），就因在《簡述印度群島之毀滅》（*Brief Account of the Destruction of the Indies*, 1552）一書中描述

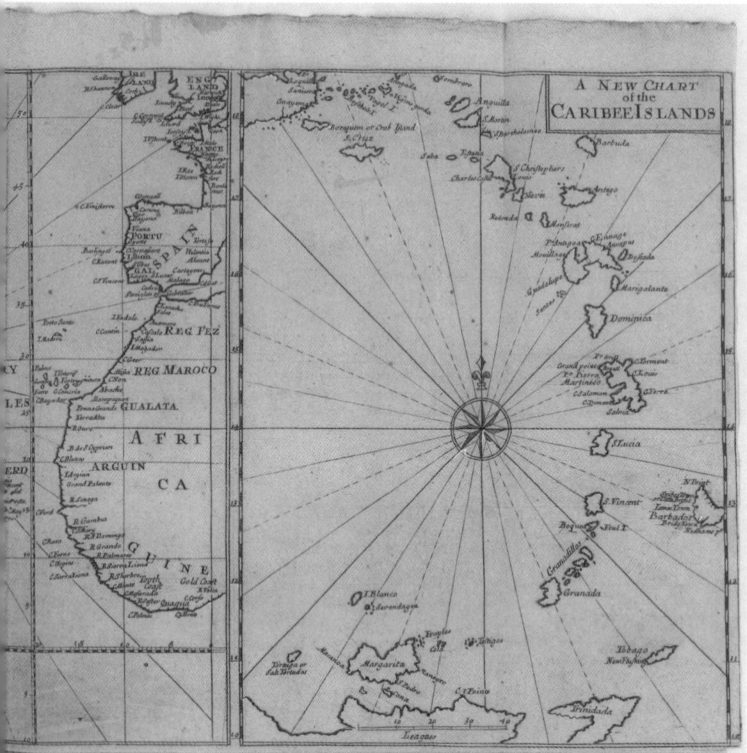
A NEW CHART of the CARIBEE ISLANDS
ENGLAND
FRANCE
SPAIN
PORTU GAL
REG FEZ
REG MAROCO
GUALATA
AFRI CA
ARGUIN
GUINE
Barbuda
Antego
Dominica
Marigalante
S.Lucia
S.Vincent
Barbados
Granada
Tobago
Trinidada
Margarita
Leagues

A NEW MAP OF THE ISLAND OF JAMAICA
The Characters exprest in the Map are
For a Towne
For a Church
a SugarWork
Indico work
Cotton & Provisions
a Cacao walk
Crawles for Hoggs
Pens for Cattle
S.T MARIES
S.T GEORGES
S.T THOMAS
S.T DAVIDS
S.T DOROTHYS
S.T KATHRINES
S.T ANDREWS
PARISH
Port Royall Harbour
Old Harbour
Port Royal
Miles
Leagues
London

圖2.1——取自《牙買加自然史》(1707)的地圖，標示出大西洋、加勒比海諸島、牙買加與羅伊爾港。多虧了大西洋奴隸貿易以及糖業貿易的高速發展，牙買加成為大英商業帝國中一個鋒芒漸露的殖民地。

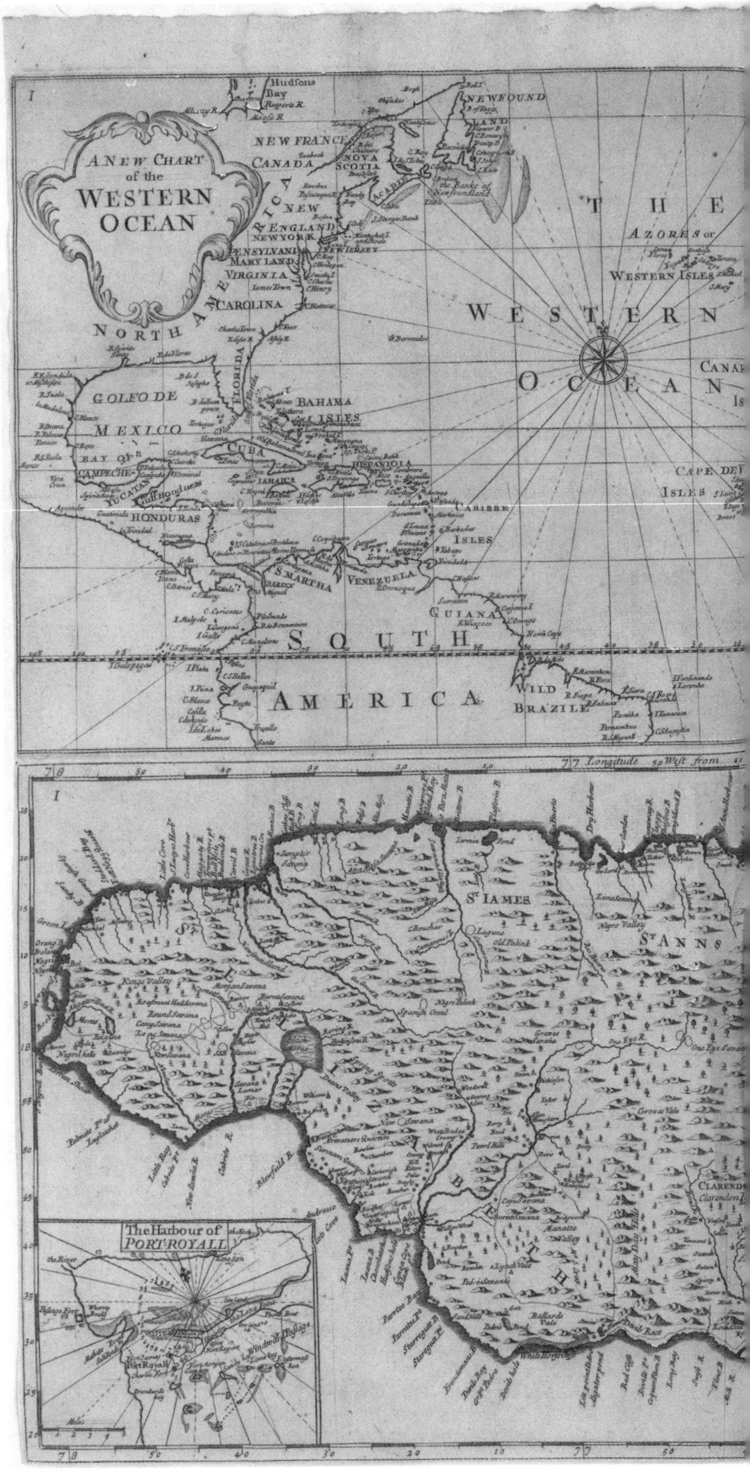

西班牙殖民者如何淩虐和殘殺美洲原住民，開啟了往後新教徒反西班牙人暴行常用的政治宣傳，此即所謂的黑色傳說（Black Legend）。拉斯．卡薩斯的作品陸續被翻譯成法蘭德斯文、法文以及德文，英文版也於一五八三、一六五六及一六八九年出版，其中更加入了來自列日（Liège）的版畫家迪奧多．德．布里（Theodor de Bry）描繪血腥暴力的圖示，包括西班牙人焚燒美洲印地安人、將其支解、更將砍下的四肢餵食其他原住民。英國人約翰．菲力普斯（John Philips）於一六五六年將拉斯．卡薩斯的英文版冠上煽情的書名《印第安人的眼淚》，其中對「西班牙式的殘暴」深感悲痛，「殘忍的程度足使天使們為眾多逝去的靈魂痛哭哀悼，此等傷痛幾乎足以救贖亡靈、將之引渡至永生之所」。菲力普斯指出，此等暴行足以為克倫威爾施加於愛爾蘭天主教徒的暴力行徑辯護；同時其他人也以新教徒拯救原住民的使命來正當化英國在美洲的殖民活動，指稱是為了拯救土著靈魂於「既血腥又受制於教宗的西班牙人」，預期英國的種植園比西班牙的銀礦在道德上更站得住腳。法蘭西斯．培根在一六二五年所寫的〈論種植園〉（"Of Plantations"）一文中提到「我喜歡開設在純淨土地上的種植園，也就是說，當地人不為了墾殖他處的土地而移居，不然這就不是種植而是移植了」。[35]

然而，從屠殺愛爾蘭天主教徒以及非洲奴隸貿易的例子可明顯地看出，原住民人口確實因英國人設置種植園而經常「被遷移」。黃金這個挑逗人心、引發西班牙人暴力惡行的根源在牙買加也未曾被遺忘，人們對這個島本身及其周遭仍存有尋寶的幻想。種植園主湯瑪斯．巴拉德就曾告知史隆一艘在塞拉那答群島（Seranata Islands）外海的沉船有打撈尋寶的機會；一位名為勞依德的軍人贈送史隆一份來自附近西班牙殖民地的黃金樣本。史隆記載「奧倫馬公爵曾為我展示一塊珍貴的銀礦，是他父親從卡羅萊納邊境的阿帕拉契山送來的」。珍寶似乎無所不在卻又杳無蹤影。亨利・巴罕（Henry Barham）醫生是皇家礦業公司（Royal Company of Mines）的官員，後來成為史隆在牙買加最信賴的通信友人，他就記錄了公爵進軍礦業的掃興結局。巴罕為史隆送上白鐵礦的樣本，告訴他這就是「那些蒙騙對礦業一無所知之人」所兜售的所謂「黃金」。當地的地主在奧倫馬以及夥伴在尋寶時不願合作，對總督干涉他們的事務也甚為不滿，不過公爵等人的認真程度卻也值得懷疑。巴罕指出，尋找礦藏「只是藉口」，公爵與其同夥其實只想要「到種植園主家中買醉」。從一開始，克倫威爾的西進計畫就是為了尋求貴重金屬以清償新教徒的債務，即便有些迂迴，英國人最終也的確取得西班牙人在牙買加的大量寶藏：他們販賣奴隸到附近西班牙的殖民地，因此奴隸商在一六八〇年代賺取了等值十萬到二十萬白銀的利潤。[36]

姑且不論商業上的現實考量，新舊基督教之間的衝突的確成了史隆陳述西屬牙買加歷史的架構。在《牙買家自然史》一書開場白的物件中，他意有所指地選了一樣失落的物件，亦即哥倫布的兄弟巴索羅繆（Bartholomew）為邀請英格蘭贊助哥倫布橫越大西洋的首航、於一四八八年向英王亨利七世呈上的地圖。不過，史隆語帶嘲諷地說：「非但沒有發現西印度群島，原先預計投入探險的經費反而被花在一組從安特衛普買下的精美織錦掛幅，現仍保存於漢普頓宮。」（史隆稍後也嘗試將這副地圖納入他個人的收藏，似乎如此便能為英國未能奪得美洲而贖罪，不過他的努力也未能成功。）早先有些收藏家已經自詡為哥倫布，例如波隆那的博物學者烏利賽・阿爾德羅萬迪在一五七〇年代得到西班牙菲力普二世對其美洲行的贊助，宣稱「我的目的與認真又機靈的克里斯多福・哥倫布將軍相似」。哥倫布閱讀過普林尼的著作，更是「從美洲帶回黃金、植物、動物、甚至加勒比海島民等收藏品」的第一人，史隆本人對他很熟悉。的確，各種物件標示出這位義大利裔航海家每個階段的進展。哥倫布最初向西航行的靈感來自一連串來自亞速爾群島的物件，包括幾片木頭、甘蔗與松木，加上引人遐想的「兩個有大臉的男性上身」。之後哥倫布因目擊鳥類、陸生植物以及多種海洋生物來預測船隊已逼近巴哈馬群島。但史隆也注意到哥倫布較負面的影響。他在伊斯帕紐拉讓自己捲入「關於黃金和女人的致命衝突」；他在牙買加時「利用」月蝕蒙騙當地的泰諾人，使他們相信若拒絕提供哥倫布的船員補給品的話會激怒神祇；史隆也宣稱哥倫布的屬下將疾病（梅毒）傳回歐洲。史隆更轉述個人對「黑色傳說」的詮釋。他取得數個版本的拉斯・卡薩斯的著作，並引用拉斯・卡薩斯以描繪西班牙人在滅絕牙買加泰諾人時的「嚴酷」：「在很短的時間內，西班牙人的殘暴行徑消滅了高達六萬的印地安居民，並將他們送往礦坑等地」。史隆的讀者應該可以清楚地看出西班牙人的道德遺產與英國殖民活動之間的對照，但他必須達到巧妙的平衡；一方面史隆要與哥倫布為追求黃金而施加的「殘忍」行徑保持距離，另一方面他野心勃勃地以這位義大利裔航海家歷史性遠航的繼承人自居。[37]

塞維爾的遺址綿延數哩方圓，包括一株「叢生的曼密樹」從一座高塔的城垛中竄出、一座為了抵禦鄰近港口而建的城堡現在只剩殘骸、一座過去曾依賴水磨運作的「大糖廠」、以及一座石工廠殘留的屋舍和石塊。史隆在一處未完工的天主教堂遺址逗留，教堂由易碎砂石和大理石為原料，其搭建因「印地安人」抵禦入侵者而「中斷」。史隆以步長測量教堂的大小：二十步寬，三十步長。仍載有貴族過於浮誇盾徽的老舊石塊散落四處，史隆假設他們屬於「哥倫布家族，亦即此島的所有人」。雕刻與拱形石塊散落在聖壇的原始所在地，而教堂的西門展示著「非常優異的」工匠手藝。門上展示著基督教殉教者受暴力侵害的受難雕塑，懲罰意味濃厚，包括「我們的救主頭戴荊棘冠，由兩位天使隨侍左右」，一邊是「某位身型圓潤的聖人、頭上插了把刀」，另一邊是「童貞女瑪莉或是聖母，手臂有三處以西班牙手法被綑綁」。在另一個盾徽之下有一段莊重但自視甚高的石刻銘文：

> petrus. martir. ab. angleria italus. civis. mediolanen. prothon. apos. hvivs insvle. abbas. senatvs. indici. consiliarivs. ligneam. prius. ædem. hanc. bis. igne. consvmptam. latericio. et. quadrato. lapide. primvs. a. fundamenis. extruxit.（彼得是為安潔拉〔Angleria〕的殉教者，來自義大利，是米蘭的市民。他是本島的首席傳教士和修道院長，也是印度群島理事會的成員。他為這座教堂打下第一個磚石的基礎，此前本堂是木造建築，兩度被大火焚毀。）[38]

在某種程度上，史隆不過是描繪他周遭的世界；他對島上前任主人的盾徽展現出的興趣，與當時英國郡縣自然史文獻對地方古物和貴族血統的重視並無二致。然而換個角度來看，他的紀錄也反映出新教與天主教徒在新大陸爭奪勢力的現實。在反西班牙的大環境下，史隆在作品中提及教堂的興建遭泰諾人「打斷」，有可能是為了提醒了《牙買加自然史》讀者「黑色傳說」以及西班牙人摧殘原住民的過往歷史。他認為大自然似乎站在英國人這邊。史隆會不經意地提

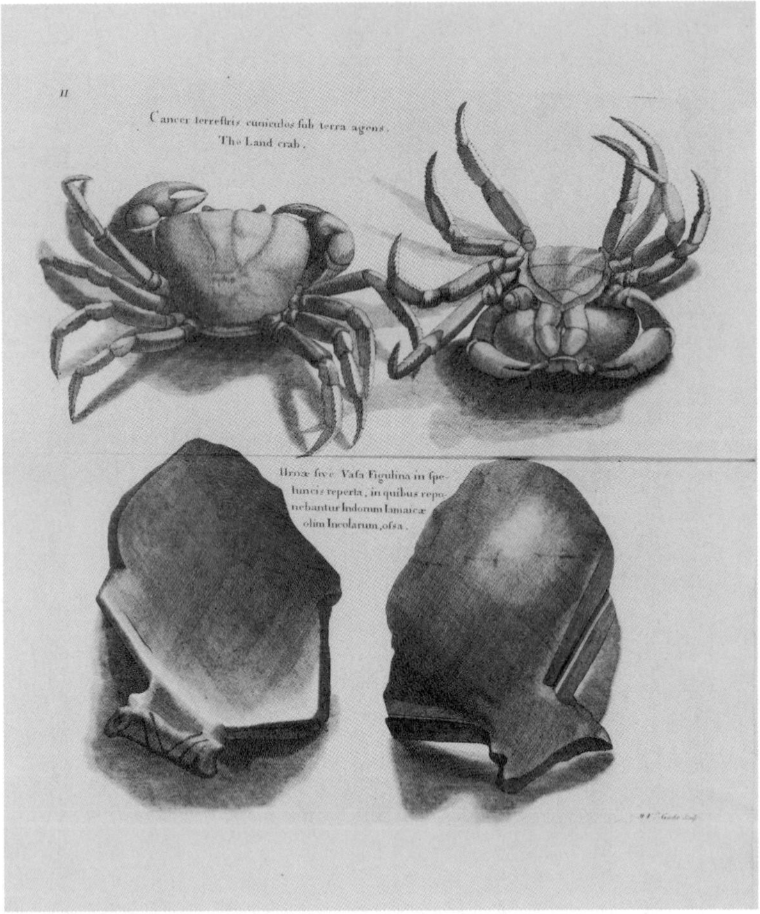

圖2.2——牙買加螃蟹的標本與罐子的碎片並置，後者是一位名叫邦斯的木匠帶史隆參觀洞穴時取得。史隆相信這些罐中裝有泰諾原住民的遺骸。將這些物件並列於《牙買加自然史》一書中可能是為了對照自然生成與人工雕塑的兩種質感。

及漢明斯，說有時他發現「在他種的甘蔗之下是西班牙人鋪設的路面，為三吋沃土所覆蓋」。西屬牙買加的遺跡不只是個令人好奇的景觀，更是令人驚豔的自然奇觀：英國的種植園用如波濤般的甘蔗田掩埋了牙買加的天主教歷史。現在換英國人當家做主。話說回來，史隆的記載是有選擇性的。比方說，他未曾提及眼見在漢明斯農場上或是附近辛勤耕作的奴隸。[39]

從塞維爾返家一兩個月後，史隆在一六八九年一月三十日、也就是查理一世斬首的四十年紀念日，踏上另一個旅程。這次他的目的地是西班牙鎮西北邊的瓜那堡山谷（Guanaboa Vale），而這趟旅程再次令他反思「西班牙人的殘暴」。他穿越一個叫做紅丘（Red Hills）之地，其實是個植物生長茂盛的山谷，每日都降雨，如黏土般的土壤散發著紅色塵埃，會沾黏在遊客衣物上。過了幾英哩後，他遇見一個木匠兼種植園主、名叫邦斯。這位木匠告訴他，附近長了一種有刺的黃木，「除了拿來燒，沒有別的用處」。他們倆也討論「異常的」天氣，談到一陣強烈的冰雹、好似要懲罰人一般地「攻擊」邦斯的柳橙樹和樹薯、「直到見根」；個別的冰雹「如雞蛋般大小，有各種形狀，有些如切割過的鑽石般有稜有角，有些狀似心型」。邦斯試著保存這些冰雹、以麵粉包裹它們，但在牙買加收藏冰塊顯然有其困難。他一面帶領史隆遊覽，一面指出西班牙人曾經種植樹薯之地，他說在「之前曾為農耕地」的遺跡經常可見陡壁、柳橙小徑以及萊姆等等。[40]

但邦斯還有更奇特的故事可說。十年前，在離他的種植園約半英哩之處發現一個八到九英尺寬、五英尺高的洞穴，位於陡峭懸崖的高處，「四壁很詭異地被平薄的石片封住」。邦斯移開石片、進入洞穴後，發現「一具局部腐朽的棺材，其中有具遺體，據他推測是個被草草埋葬的西班牙人」。屍體已被食肉的螞蟻咬食殆盡，但骨頭仍舊「完好」。此洞穴中有大的蟻穴以及刻有粗糙平行線紋路的「罐子或罈子」，「其中裝有男性與孩童的骨骸」（圖2.2）。邦斯帶著史隆檢視「螞蟻如何咬食屍體、深入見骨，並在骨頭底部鑽洞，我想牠們由此取食骨髓」。於此同時，史隆推測「黑奴搬移了現場許多罐子以烹煮肉類」，只留下一些碎片。邦斯的洞穴因此呈現出複雜的歷史現實堆疊：有螞蟻、有所謂的黑人劫掠者，同時無可避免地也有嗜殺的西班牙人。史隆的確認為罐中裝的是島上原住民的骨骸，而邦斯發現的洞穴其實是逃避西班牙侵略的泰諾人的自殺地點；他寫道：「我曾在樹林中見過許多在洞穴中的骨骸，他們是因為逃避主人的嚴厲懲罰而餓死的」。史隆的興致被此激起，決定進行即興的盜墓活動，從洞穴中拿取多樣物件納入自己的收藏，包括「從牙買加一個洞穴中取得的、原本埋葬其中的印第安人頭骨」、「一個滿是小洞的印地安人的上膊骨或是肱骨，軟骨和骨髓都被螞蟻所食」、「裝滿印地安人骨骸的陶土罈子的局部」、以及「一個印第安人的局部上頜，是從它們在牙買加的埋葬地點取得」。至於史隆是否向邦斯購買以上物件或是逕自拿取就不得而知了。不論如何，史隆在納入這些物件後儼然成為牙買加「非人道歷史」的收藏家。一個世紀之後，牙買加種植園主布萊恩．愛德華茲（Bryan Edwards）閱讀史隆對這些洞穴的描述後感嘆道：「上天慈悲，讓這些可憐的印地安人連同他們的壓迫者一併被移除！」如史隆作品般的敘述讓英國人想像自己被西班牙人的惡行所激怒而成為泰諾人的同盟，雖然這在現實上的可能性不大；同時英國人也自詡為伊比利式的野蠻行徑的道德抗衡，以此合理化自身的殖民擴張。[41]

史隆的遊歷有助他對牙買加進行整體的反思。從某些角度來看，這個島嶼似乎是個全然陌生的世界；史隆寫道：「地表看來與我在歐洲觀察所見截然不同」。狂暴的降雨狠狠地襲擊地面，造成通行困難，迫使史隆騎馬巡視病人；滾滾狂潮「將及目所見全數沖走」。在此，自然界似乎也大不相同。雷擊隆隆，地震也是家常便飯，史隆承認「我怕地震多於炎熱，我們才剛經歷一個大地震，屋子像跳舞般晃動、櫥櫃也搖搖晃晃……我的目光移至鳥園，看到園中的鳥也和我一樣害怕」。早期的遊記會質疑歐洲人能否在溫帶以外的地區存活，史隆筆下的牙買加則有所不同；這不是個野獸與異象充斥之地，恰恰相反，在很多層面上此地像極了英格蘭。他稱牙買加的大草原「翠綠宜人」，「如同我們青翠的原野」。炙熱的牙買加其實很「溫和」：「我很肯定我在法國的某些地方遇過比這裡還熱的天氣」；他也未曾「觀察到土壤層……與英格蘭的土壤有何不同」。他非但不散佈下雨生蛆的閒談，反而從一六八八年三月起，編彙以一年為期、井然有序的天氣圖，顯然是運用從英國攜帶的儀器測量。這些資料確認牙買加與母國的相似之處：「水銀在氣壓計上的高度以及差異的程度皆與英格蘭相同」。十七世紀末的英國作者大多都會做此種比較，因為他們想要重新標榜牙買加以及其他西印度群島為高能見度的殖民活動點，即便死亡率節節升高，而且許多人懷疑這些島嶼的價值。[42]

有些旅行作家喜好依循莎士比亞劇作《暴風雨》的傳統，眉飛色舞地描寫令人著迷的珍奇事物、有救贖能力的伊甸園、或是神奇的天堂。史隆與他們不同。他以坦誠的態度調查牙買加的環境資源、將之視為一座商品之島來編目，同時也將牙買加的商業本質以地圖的方式銘刻於他的《牙買加自然史》，似乎意在回應那張有歷史意義的、失落的哥倫布大西洋航海圖。在《牙買加自然史》中，史隆委託製作多達四幅、將牙買加定位於英國大西洋帝國的地圖。第一幅描繪西洋（Western Ocean，這是當時對大西洋的稱呼）、西歐沿海、美洲大陸、以及種植園奴隸的來源地，也就是西非。第二幅提供牙買加南方島嶼的微觀，第三幅描繪羅伊爾港這個優異的深水港。第四幅、也是最大的地圖則依循譜系學者威廉・康登（William Camden）在《大不列顛》（*Britannia*, 1586）一書中建立的慣例，詳細描繪牙買加島本身。自康登的書出版後，英國的自然史在陳述不同地點時，皆以當地貴族私人地產的邊界為基準。因此，即便自然史作品表面上是在描述自然景觀，但事實上是將社會景觀自然化。在史隆所製作、標記密密麻麻的島嶼地圖上，牙買加的種植園主取代了貴族地主、種植園也取代了莊園，並附有標記點出各地產業，比方說，華生在西班牙鎮以西的糖廠、布拉格和巴拉德在往北一些的種植園、還有富爾克・羅斯在聖湯瑪斯山谷的地產。[43]

從出版於倫敦的貿易資訊，例如不斷增長的商人貨品清單、貨物表格、股票價格等即可看出，這是個商品列表的時代，而史隆在羅伊爾港計算船隻上下貨的經驗，也成為此一紀錄格式的專家。英國人從歐洲進口麵粉、餅乾、牛肉與豬肉，加上販售給主人、僕人以及奴隸的服飾，還包括利潤高達百分之五十的馬德拉酒與各式烈酒。反過來，牙買加則將蔗糖、染料、棉花、可可豆、薑、胡椒、黃木、破布木、癒傷木、胭脂樹染料、蘇木等等運到歐洲。由於牙買加絕大多數的土地用來產糖與種植其他出口作物，商人們從牙買加再差遣滿載蘭姆酒、糖和糖蜜的雙桅帆船到新英格蘭和紐約交換包括牛肉和豬肉的食品。販售違禁品到「敵對的」西班牙殖民地的活動也很興盛。伊斯帕紐拉、古巴、波托貝洛（Portobelo）、聖瑪爾塔（Santa Martha）、以及卡塔赫納皆是「適於貿易的好地點」，這些地方供應牙買加卡藜、洋菝葜、珍珠、可可豆、胭脂蟲染料和祕魯樹皮，換回的是「黑奴以及歐洲商品」。史隆甚至逐一列出牙買加的八十條河流，好似英國人也擁有這些河流，包括掃羅河、庫羅河、林區河、黑河以及白河等等，洋洋灑灑地寫了超過兩頁。儘管在地圖上標出河流有實用目的，將它們的名稱集結成表卻無實際的功效。儘管如此，列出領地的特徵是自普林尼編撰羅馬自然史的百科全書以來所奠立的傳統，以「羅馬的勝利」（Roman Triumph）為典範，作為帝國征服領土的慶祝儀式。列表即是公開宣示所有權。[44]

史隆認為上天註定牙買加要為商業所用，東邊的島群「阻擋暴風之侵襲也作為大西洋的屏障，使得牙買加比此區其他島嶼都更適合製造與貿易」。在一篇於一六九九年為英國皇家學會《自然科學會報》（*Philosophical Transactions*）所寫的文章中，史隆更形容大西洋是天意注定、用以連結新舊兩個大陸的媒介。文中指出，「自神創物以來」此地沒有一個物種滅絕，因為神「井然有序地安置萬物，令多種植物和動物近趨完美……並保守物種免於滅絕」。牙買加槲寄生的梗和葉向上生長，因此得以從雨水中獲取濕氣、供給自身的液壓系統；富有彈性的刺芹每年在特定的時間散播種子，讓風「傳播〔種子〕到各個角落」。史隆接著寫道，物種是「奇妙的設計」，再度援用神意設計的言論。另外，由於在牙買加以及蘇格蘭和愛爾蘭的奧克尼群島（Orkneys）都能見到「奇怪的豆類」（例如藊與刺果蘇木），史隆〔對牙買加〕也下了類似的結論。他認為「我們很容易想像」這些豆類在牙買加生長，同時「可能從樹上墜落河裡，或是經由其他管道流入海中」，隨著海流、經過佛羅里達灣流轉入大西洋，最後抵達不列顛群島；「正如船隻向南行駛時預期貿易東風，當他們往北航行時便期待西風」。人類商業行為的路徑因此成為自然界內部行旅的範例，投入「相當的努力」就為了得到「必要的結局」。史隆在《牙買加自然史》中指出：

「似乎許多生物都展現出精巧的設計，而且自世界創造之初就被完善的保存，人們越去找尋〔這些精巧之處〕，就越對它們讚嘆不已。然而那些對自然史無知的人在觀察這些設計後，卻發出物種皆是意外的產物之結論」。自然界「自創世紀開始」就沒有變過，「並且直到世界末日都維持原樣，如同我們今日看到的樣貌」。[45]

即便史隆抱持強烈的命定論，他還是無法抗拒搜羅加勒比海奇聞軼事的誘惑。這些軼事既神秘又難以捉摸，多屬謠言與傳聞。其中一段故事講述一位米斯基托印地安人的傑瑞米王，來到牙買加尋求奧倫馬的協助、對抗海盜以及西班牙盜匪，並宣稱自查理一世時就與英國人結盟。亨利．摩根也講過一些難以置信的故事，是有關南美洲北岸馬拉開波湖上如「濃雲密佈」般的蚊子群；聶德翰上校也提過特內里費島外海聚集的蝗蟲，「集結成堆、如大船一般大」。不出所料，天主教「神職人員」很荒唐地想藉由「懺悔」來驅蟲、「將劍綁在手臂上，鞭笞自己，並用響鈴、書籍和蠟燭驅逐之，或是灑聖水」，但毫無作用。類似的傳言包括在坎佩奇從事蘇木貿易利潤很高；在馬加利塔島（Margarita Island）養珠場工作的印地安潛水夫，似乎能在水面下無止盡閉氣停留；一批神秘的祕魯樹皮在運往南海時離奇失蹤，原來是悲劇性地被拋下船；還有關於貿易商品、違禁品以及寶物等等沉沒於加勒比海洶湧波濤之下的故事。也聽說有魚群能令駛進羅伊爾港的船隻沉沒；受困滯留在托貝哥島上的拉脫維亞庫蘭德人（Latvian Curlander）靠犰狳和野豬維生。另外還有一個從逃脫的奴隸口中傳開的故事，話說西班牙海盜假扮英國人，在「蟹島」俘虜英國軍隊。史隆記下這些故事，並稱它們「多來自可信之人，可助人更加了解西印度群島事務」。儘管如此，這些故事畢竟不是史隆喜歡宣揚的類型，它們不過是有關加勒比海好運與危險參半的軼事罷了。從他冷靜、篤信商業的角度來看，這些故事反映出西印度群島本身就是個無法徹底看透的奇聞軼事，在此地，自然的真相與致富的幻想很難一分為二。這也是史隆等人所從事的自然史科學研究的本質：此種探究的形式不僅限於審視自然物種的細微區別，還要考慮有關創世之美好的神學性質說教，同時冷靜地以商業角度利用自然資源，卻不完全排除荒誕的故事。對史隆而言，收集事實的行為與危言聳聽的謠傳彼此並不相互牴觸，畢竟劫掠與虔誠、科學與誘惑在牙買加向來是齊頭並進的。[46]

一個極不合常理的民族

史隆因為在牙買加探險而與受奴役的男男女女經常接觸。此種接觸不僅限於醫療所需。受到對科學與人種的雙重好奇心驅使，他仔細觀察奴隸的身體和行為，就為了研究黑人的本質。我們應該將他的觀點放在當時歐洲對於奴隸制度、種族差異、以及如何用自然史來評價異人種的脈絡下來理解。雖然有組織的反奴隸制運動在十七世紀後期尚未成形，畢竟在大英帝國內倡導廢除奴隸貿易的運動要到一七八〇年代才激烈化，大西洋奴隸制度其實在史隆出航前就已激發出嚴肅的辯論。清教徒理查・貝克斯特（Richard Baxter）早在一六七三年就宣告蓄奴主「是神的叛徒」，英國國教傳教士摩根・戈德溫（Morgan Godwyn）於一六八〇在巴貝多島譴責奴隸制度為「泯滅靈魂的殘暴奴役狀態」，兩人基於基督教的家長式主義，都要求改善此制度，但未要求將之廢除。同樣地，阿芙拉・貝恩（Aphra Behn）的小說《奧魯諾可》（*Oroonoko*, 1688）所做的批評也有限。此作品雖然以同情的口吻對與書同名、淪為奴隸的非洲王子所受的苦難表達強烈的憤怒，卻將主角的反抗當作其獨樹一幟人格的證據、使他凌駕於「一般奴隸之上」。湯瑪斯・特里昂（Thomas Tryon）這位倫敦商人、同時也是占星術士和神祕主義者，態度就激進多了。他在一六六〇年代參訪巴貝多島，並於一六八四年出版〈黑人的哀訴〉（"Negro's Complaint"）一文，其中痛斥「虛有其名的基督徒」，將「殘忍」的罪名轉到英國人身上。特里昂這麼寫道：「較強壯與較不動聲色的那些人，恣意殺害、奴役、壓迫比較弱小的、較純真的以及單純的人們，更假裝他們掌握權力，只因他們有此能力。」因此，當史隆抵達牙買加時，奴隸制度已招來多方批評。由於他後來收集了戈德溫以及特里昂的作品，他對這些批評應該略有了解。[47]

歐洲貿易與殖民活動快速發展所產生的重要影響，便是更積極地想要找到描繪全世界人種並將之分類的方法。然而，在歐洲針對人種差異的辯論尚未建構出一個基於生物差異的「種族」概念，故還無法將非洲人視為比白種人低等，這樣的觀念要到十九世紀才成形。相反的，「種族」一詞有血統（包括動物和人類）、民族以及貴族譜系的含意。作為一個概念而言，歐洲人普遍認為所有人類都擁有理性的靈魂、是為亞當與夏娃的後裔、也與挪亞和他的兒子們一脈相傳。不過，他們的確區別所謂「文明的」基督徒和「野蠻的」異教徒，只是後者尚未接受福音、只待皈信。生理上的差異也是歐洲人對他者做論斷的一個重要指標。體液學說反對基於本質性的種族特徵所發展出的觀念，暗示氣候的轉變會導致面容的變化（這也正是英國人所懼怕的）。此學說也將歐洲人種視為標準型，認為處於溫帶以外的人種屬於「退化的」型態、如同野獸般的變種，此看法造成了如下的觀念：例如非洲人對艱苦勞動無動於衷，或是非裔的母親養育小孩較輕鬆，因為她們生產的過程幾乎沒有痛感。各種解釋不斷演變、莫衷一是。歐洲人仍舊以道德的角度看待深色皮膚，特別是基於聖經中「含的詛咒」。據說含目睹其父挪亞赤裸的身體，深色便被視為含所犯下罪孽的印記。不過，歐洲人也逐漸引用機械性的原理做解釋，例如長時間在陽光下曝曬。再者，西屬美洲有系統地貫徹「血統純正」的概念，為依照生理差異而建構的社會階級制度辯護。[48]

時至十七世紀晚期，博物學家們正重新思考因果關係與分類這兩個課題。波隆那的解剖學家馬賽羅・馬爾比基（Marcello Malpighi）於一六六〇年代對非洲人進行實驗性的解剖，希望能分離出造就深色皮膚的皮下元素。一六八四年，法國的博學之士法蘭索瓦・貝尼耶（François Bernier）是最早開始試圖以地理區塊和面部特徵等因素來分類人種，一邊進行「對地球的新式分類，依照棲居物種或是居住人種之差異來區別」。基於他在英國皇家學會會員的身分，史隆對奧登堡與波以耳針對旅行者設計的問題清單、威廉・佩第（William Petty）對愛爾蘭土地和人口的調查（此研究法後來稱為「政治算術」）、以及約翰・洛克呼籲的「人類的自然史」中關於道德變異的問題等，應該有所認識。博物學家約翰・伍德沃德出版給旅行者的指南也顯示出在英國奴隸貿易以及從加勒比海獲取的利潤攀升的這些年，學界對於非洲人的好奇也愈趨強烈。伍德沃德詢問非洲人的「眼睛是大是小」、「鼻子是否扁塌」、頭髮如何捲曲、「膚色是白色、棕色、茶色、橄欖色、或是黑色」；還有「當白種人移居熱帶地區時，其膚色是否轉呈棕色，反之，當黑種人移居寒帶地區時，膚色是否變淡」、黑人的孩子是否出生時膚色就是黑的，並且也關心非洲人的宇宙論、宗教、以及魔法的內容。[49]

在學界對種族差異的爭論日益劇烈的同時，種族差異在西印度群島卻是生活中既定的一部分。奴隸制度自古代文明以來便以不同形式存在，英國水手也經常在北非和地中海東部被俘虜。但大西洋奴隸制度不同，不但基於它的商業特質與工業化的規模，也因為它顯然將非洲人「種族化」。牙買加的奴隸法典，藉由合法化奴隸制度中的暴力，強化了論述的轉型：從著重「基督徒」與「異教徒」的區別，轉化為一六七〇年代「白」「黑」對立的論述。在英國人的想像中，黑人特質等同於奴隸制度，反之亦然。摩根．戈德溫於一六八〇年指出「人們已經習慣將黑人與奴隸畫上等號」，同時，丹尼爾．狄福的《魯賓遜漂流記》（*Robinson Crusoe*, 1719）再版的插圖中，也將西班牙的摩里斯科人（Morisco）形容成黑人，只因魯賓遜將他販售為奴（在視覺上，歐洲人的慣例是將摩爾人〔Moor〕描繪成穆斯林而非「黑人」）。因此，針對黑色皮膚進行生理性的研究，也促使法律的建構有了自然界的證據為基礎；換句話說，若能斷定黑人特質的根源，奴役特定人種也就有生理上的正當性。如此一來，膚色成為科學研究的當務之急，奴隸制度也同時被正常化，非洲人變成一種需靠他人描繪或解釋才能彰顯意義的奇特異國人種（英國人或是在牙買加工作的愛爾蘭籍僕傭受到完全不同的待遇，比方說，史隆在《牙買加自然史》中完全忽略不提他們）。當史隆提及「黑人」時，他似乎在陳述一個自然形成的人種，但實際上，他將來自西非和印度洋的各個族群以及在加勒比海出生的白人與黑人的混血後代（克里奧人〔Creoles〕）全數混為一談，這些人都因為社會上的奴隸制度有著相同的命運。[50]

史隆和伍德沃德等其他博物學家探討許多相同的議題。他寫道：「黑人有很多種」，從幾內亞來的「被認為是最優秀的奴隸」，來自東非的「馬達加斯加人不差，但過於挑食」並且經常因缺乏他們習慣食用的肉和魚類而死亡。島上出生的克里奧人、或是「從西班牙人處獲得的」那些奴隸由於「有經驗，被認為比其他奴隸更有價值」。多數男性奴隸穿著帆布，但經常「幾乎全裸」。有些奴隸以為死了就能回家，因此經常「割自己的喉嚨」；他們的死亡引發「極大的傷痛、悲悼以及哀號」、將「蘭姆酒以及食物拋入墳中好讓死者在另一個世界享用」。黑人很「多產」，也很「放縱性慾」、喜好「猥褻的」歌曲。深知性伴侶有安撫男性奴隸的作用，種植園主特別留意「照比例為男性奴隸購買妻子，就為了維繫農場上的秩序」。「他們的小孩剛出生時不是黑色的，反而呈現一種泛紅的棕色」，生了孩子的母親們將嬰孩背在背後，「致使他們的鼻子扁塌……這在他們眼中是美的表徵」。由於親自哺乳，母親的乳房「直直地」下垂，「像山羊的乳房一樣」。一位手持棍棒的監督人看管孩子們，「天光乍現便被海螺號角聲……叫起床工作」，但他們在每週結束時以及聖誕節得以休假。許多黑人身上雖有「紋身疤痕」（手術的傷疤），卻將之視為美的表徵。儘管他們相信人死後有來世，卻看似「缺乏宗教信仰」；他們的儀式「跟崇拜神的舉動一點關係都沒有，看來大多結合了猥褻舉止和下流行徑」。然而他們並不像傳言那樣將自己的孩子賣給陌生人；在非洲大陸上的戰爭導致受奴役的下場，與父母親的貪婪無關。他們對孩子流露「大量的愛意」，就連農場主要賣孩子他們都會反抗。儘管如此，多數奴隸「即使有能力也不願意換主人」。[51]

史隆在《牙買加自然史》中提出的這些觀察，參考了自身旅行日誌的筆記內容、從種植園主處得到的情報（也可能是奴隸直接提供的訊息）、以及在旅程和閱讀書籍得來的諮詢。這些觀察也超越了單純敘述性的自然史紀錄，並對黑人作為一個族群做出數個主觀的判斷。對於內部的差異，史隆以商業性與策略性為區分的標準，亦即不同的黑人在不同程度上如何稱得上好奴隸。接著，他提出對黑人身體與心智既私密又概括的觀察，將所有黑人形容成受自身的激情與性慾操控的個體（「猥褻又下流」），行為怪異（「哀號」）、思想特異（認為扁鼻子與傷疤是美的表徵）、在很多方面不像理性的個體反而比較像動物（孩童被海螺號角叫醒上工〔那號角原本是用來呼喚家畜的〕、被誤以為缺乏宗教觀、將非洲母親的乳房與山羊的相比擬等等）。史隆的幾個聲明隱隱流露出對觀察對象的同情，他為非洲父母的辯護便是一例。但這明顯的同情可做兩種解釋；放在〔適當的〕脈絡下來看，這樣的言論，和那些與史隆交好並在牙買加招待他的種植園主會用來威脅奴隸，比方說威脅拆散他們的至親，所傳達的訊息是一致的。史隆評論黑人的死亡觀，算是證明了他具有民族誌式的好奇心，也有自然史一般對世界人種做普世性調查的動力。這某種程度上來說是真的。然而，想了解奴隸自殺等現象背後的動機，也無非是出於種植園主最重要的經濟考量，他們不希望損失財產以及致富的源頭。史隆展現出民族誌式的好奇心，終究與他的種植園盟友的考量密不可分，後者想要為現實的問題找答案，如此才能有效鞏固奴隸制度。[52]

史隆也為黑人這個奇特的生理景觀所吸引。其中一個現象是黑人的白化症，法國評論家通常以「白子黑人」（*nègre blanc*）這般的個體來指涉。史隆得知哈德遜隊長在尼古安那的種植園上有位年輕黑人女性，她雖然有個「黑皮膚的母親」卻「全身白皙」。史隆承認「我非常好奇想去看看她」，便去了尼古安那，哈德遜先生也將她召來讓史隆觀察。史隆仔細地評鑑她的構造，用的是當時普遍用於奴隸身上的侵入性檢視法。此研究對象是個年方十二歲的「女人」，據史隆的描述是「絕對」白皙，但「不討喜，有著如黑人一般的面部構造」、寬臉扁鼻。她的髮色淺，不「像我們那樣平直稀疏」，卻毛茸茸的、如同幾內亞土著那樣的捲曲。哈德遜買下她懷孕的母親，是個「毫無疑問的黑人」，在幾內亞時就生過一個白皮膚的孩子。史隆多年來都記得這個個案。回到倫敦之後，在一六九六年某次他主持的英國皇家學會會議上，針對「黑人特性的緣由」的辯論中還提出這個案例。他對「同儕」保證「在牙買加看過一個膚色純白的女人、蓄有一頭毛躁的白髮，而且肯定是由一位在幾內亞就懷有身孕的黑人女性所生」。就史隆看來，這個個體並非異族通婚的證據，而是尚且無法解釋的膚色變異的結果：他相信「她不可能有個白種父親，若是如此她應該會像黑白混血兒那般半黑半白」。當時他在英格蘭也目睹過「伯茲先生（Mr. Birds，威吉尼亞的種植園主威廉・博德二世〔William Byrd II〕）的一位黑人僕役，身上各處、包括陰莖都佈滿了斑駁的白色斑點」，史隆對這個案例興趣盎然，還以編輯的身分，在《自然科學會報》上發表相關文章。[53]

諸如此類的案例，當它們與無法解釋的超自然奇異事件產生危險的連結時，更加深了引人好奇的程度。史隆在《牙買加自然史》中再次強調非洲人的迷信，點出一連串詮釋：在衣索比亞，黑人父母生出的白皮膚小孩被當作「神祇的後裔」來崇拜，然而在非洲其他地方，「他們卻被視為魔鬼的孩子而處死」。儘管史隆在《牙買加自然史》中強調陳述事實而願捨棄對怪異現象的討論，卻仍很難抵抗沉迷於例如白化症等非尋常現象的誘惑，此傾向與中古時期 *lusus naturae*（自然界的捉弄〔sports of nature〕）的觀念相關。也就是說，自然界的不規則性會逗弄人，其運作難以捉摸，不具有機械般的可預測性。他自己也提不出解釋。不過，很清楚地，史隆在牙買加為黑種病人放血時的確就在思考種族差異的問題；他告訴英國皇家學會，「在牙買加為治療重度瘟熱症時，曾經對好幾個黑人用瀉藥……〔並記錄此手法〕對他們的臉色絲毫沒有影響」。史隆與其遊走的博學圈向來擔心的便是人種的變異，面色的改變便是轉變一個徵兆，也暗示著種族的分類是不穩定的。幾年後，內科醫生詹姆士・楊格（James Yonge）會很憂心地告知史隆一位在普利茅斯（Plymouth）的女孩，她的皮膚「驟然變黑，像黑人一樣」，這「突來的變化」令她「既訝異又驚駭」。一六九〇年，史隆向倫敦的同事提到，「黑人」的皮膚疾病顯示出「他們的皮膚特別不同」，並稱毛躁的頭髮是「黑種人的特色」。英國皇家學會在當年稍晚的紀錄中，顯示史隆從他的私人收藏中「展示數個不同人種的顱骨」，就為了證明各人種之間有本質性的不同、而非只是「零星的」生理差異。在描繪特殊構造的〈人體目錄〉（*Humana Catalogue*）中，史隆也列出幾個皮膚的樣本，附有「黑人的皮膚」和「一位黑人手臂皮膚的一部分」等文字解說。其中更引用馬爾比基的解剖結果，這個實驗設計是探究膚色形成的根源。史隆對種族的好奇心在牙買加被激發出來，並持續數年。[54]

公然凌虐和處決奴隸的景象也引發史隆的好奇，他更以令人驚訝的詳盡手法記錄下過程：

> 奴隸通常因造反而遭火燒的方式懲處。先將他們釘在地上，用扭曲的釘子鑽入四肢，在手腳周圍點火，從四肢蔓燒到頭部，至此痛楚最烈。對較輕微罪刑的處罰，則是閹割、或是用斧頭切除一半的腳。他們經常受到此種的懲罰。若奴隸企圖逃脫，便用沉重的鐵圈栓上腳踝，或是用鐵項圈圈住脖子，此種頸環接上兩根固定的鐵條、或有一個鐵刺伸入嘴部。

至於懈怠的奴隸，則受工頭用槍木條鞭笞，直到鮮血淋漓；這些木條被打斷好幾枝，還是奴隸在磨坊中親手搓磨製成的。眾人公認用海牛皮鞭（manati straps）施刑過於殘忍，因此當地慣例禁止此種處罰。鞭打奴隸身上留下的斑痕久久不消退，而一個奴隸身上鞭痕越多，價值就貶得越低。剛受鞭刑不久傷口還新時，有些人會灑胡椒和鹽巴讓痛感更深刻；有時奴隸主人會將融化的蠟滴在他們的皮膚上，另外還有幾種極端的折磨方式。有時奴隸活該受罰，因為他們是一群很任性、不遵循常理的人。即便處罰的手段看似嚴苛，非但很少施罰，而且刑罰鮮少與犯罪的嚴重性相當，甚至比歐洲人在東印度群島管教奴隸所施行的刑罰還要輕。[55]

種植園社會中特有的暴力行徑在這段文字中徹底顯露出來，好似刻意編排的儀式性懲戒展演，用以遏阻奴隸造反。而史隆描述之生動與詳盡，顯示他親眼見證這些場景，當然他的記載也可能是結合個人觀察以及經由對話或是旅遊紀錄得來的資料。正因為文字如此血淋淋，一個世紀後的廢奴運動者，包括安東尼．本尼札特（Anthony Benezet）與湯瑪斯．克拉克森（Thomas Clarkson）等人，引用這段話作為本尼札特所謂奴隸主「駭人的殘暴」違反了「摩西律法」的明證。如同「極端折磨方式」的清單，史隆的陳述語調冷靜地令人害怕；更讓人毛骨悚然的是，他的文字非但不否認，反而承認奴隸「經常性地」忍受折磨。史隆模稜兩可的同情心再一次明顯展露。承認奴隸感受得到痛楚這點反駁了歐洲人認為「非洲人身體無感」的說詞，也有可能點出一種共享的人性。洛克已經以加拿大休倫族人「經常忍耐難以言喻的折磨」為例子，來闡述「意見的律法」之真義，亦即只要是人就會有努力被他人看重的想望。史隆與洛克的言論高度相似，也顯露出至少在措辭上看似個人化的反應，其實是受到道德哲學論述的既定框架所形塑。然而，會強調瀕死的奴隸所忍受的痛苦，正確認了奴隸主至高無上的地位，以及他們對膽敢忤逆之人施加的絕對權威。[56]

史隆也指出英國人使用暴力有其限度。「海牛皮鞭」是用海牛的皮革製成的鞭子，由於「過分殘酷」在牙買加遭禁用。禁絕「殘酷」與英國人想與嗜血的西班牙人劃清界線的希望一致。但事實上禁用不過是個策略。海牛皮鞭遭禁是因為它們在奴隸身上留下深刻的傷疤，會減低奴隸的價值、不符勞動市場的需求。史隆指出，「壞」奴隸或是那些「在種植園中叛亂的……出賣能換取很高的利潤」（包括賣給西班牙人在內），但「如果他們有很多疤痕或是傷疤，也就是被處罰的痕跡，就很難轉賣」。史隆終究還是為他所描述的凌虐辯護，而且立場甚至更為模糊。「懲罰有時是黑人應得的」的說法意味著有時懲罰的確不當。史隆很清楚刑罰的本質令人難受，承認「它們看似殘忍」，卻用一個蓋括性的黑人種族特質將之正當化——「一個非常不遵循常理的人種」。他們缺乏理性，需要靠刑罰來強迫就範，而處罰的嚴重性遠不及他們犯下的「罪行」以及其他歐洲人的暴行。雖然史隆一定聽聞過不少有關奴隸造反的紀載，他卻忽略不提，若是將奴隸造反的經過收入書中，可能更令他的讀者感到彆扭。奧倫馬在議會中談論過這個議題，史隆也參觀過發生暴動的種植園。例如一六八五到八六年，蓋夫人（Madame Guy）的種植園蓄有的一百五十位奴隸從僕人處奪得槍枝，殺害了十五個白人。史隆為奴隸制度辯護並不令人驚訝。一七〇七年《牙買加自然史》出版時，他已不僅只是個奴隸制度的觀察者。反之，史隆是個有利害關係的參與者，透過婚姻而與種植園制度結下了深厚的利害關係。[57]

儘管如此，史隆對奴隸制度的辯護未曾降低他對牙買加黑人深刻的好奇，也未消減他收集奴隸生活周遭物件的努力。他取得多樣物件，包括「一個杓子，以瓠瓜製成，用來將水從罐中舀出，由牙買加的印地安人做的」，一只「湯匙，用瓠瓜的殼做成，印地安人和黑人會使用」，另外還有一對「牙買加樂器」，是班鳩琴的前身，琴柄約莫兩英尺長。史隆指涉的「印地安人與黑人」引發一個重要的問題：印地安人指的是何群體？史隆解釋時再次引用黑色傳說，指出「印地安人不是本島的原住民，土著都被西班牙人消滅殆盡」。史隆更解釋米斯基托海岸以及佛羅里達的印地安人是「出其不意地」被帶（綁架）到牙買加、協助管理奴隸；他們「不應該在田裡勞動或是從事奴隸的工作」，但卻是「優異的獵人、漁人、和看管禽鳥之人」。雖然叛逃的黑人（即馬隆人）當中也有原住民成員，史隆卻未明白指出這一點；同時印地安人也會從美洲大陸上被送到殖民地為奴隸。史隆不斷將「印地安人與黑人」並列引述，顯示他可能略知在牙買加的非洲人與美洲印地安人之間的連結。然而，如同大多數的歐洲人，史隆可能也發覺精確地辨別這兩個群體並非易事。[58]

史隆被他收集來的班鳩琴深深吸引，之後還為《牙買加自然史》委託製作精細的版畫（圖2.3）。他也要求一位在牙買加結識的「黑人音樂家」、名為巴第斯特（Baptiste），為他記下一段非洲音樂的樣本。巴第斯特這個名字顯示他來自法屬安地列斯群島，可能是聖多明尼克（海地）。這是史隆在某晚參加一場「節慶」時所做的要求，這應該是加勒比海黑人聖誕節嘉年華的雛型，後人稱之為占庫努（Jonkonnu）（圖2.4）。這張樂譜以文字寫成，可能是美洲最早的一份非洲音樂的樣本，也因此成為非洲人口全球流散的情況下、一份珍貴的音樂文化發展的證據。這份樂譜參雜本土與外來混合語以及克里奧語，含有獨特的西非元素，稱為柯曼廷（*Koromanti*）、波波（*Papaw*）以及安哥拉，除此之外，也夾有新興的加勒比海型式。史隆對樂器的描述鉅細靡遺：包括加裝琴頸的小型葫蘆以及「繫上馬鬃或是去皮的藤蔓莖」、或是「用仿羊皮或其他皮革所包覆拋空的樹幹」。他也很為非洲舞的場面所吸引：他曾觀賞過舞者手搖波浪鼓、同時「另一位舞者與之搭配好節奏、以手拍擊葫蘆或是瓶罐的開口對應」；「他們的舞蹈非常有活力，需要強健的身體」而且「呈現特殊的風貌」。然而他的用詞依舊強化了黑人動物性激情本質的觀點。他們「將牛尾繫於臀部」，他們的歌曲也「都很猥褻」。他甚至不確定黑人發出的

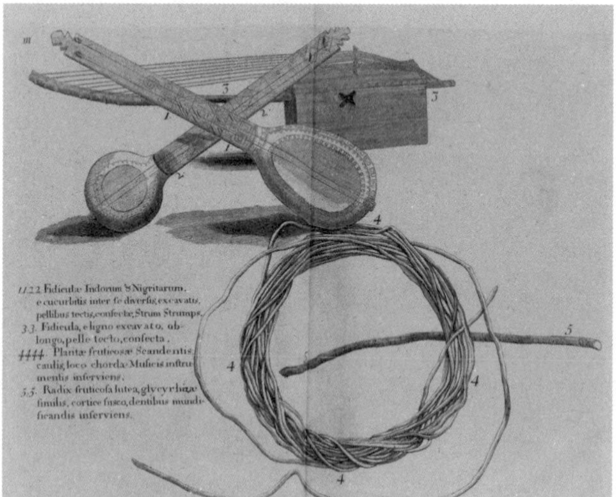

圖 2.3 ——牙買加受奴役的非洲人製作彈奏的兩把「斑鳩琴」（置中者），是史隆在島上居留時收集得來，其與相似的樂器、藤蔓、以及奴隸用來清理牙齒的「咀嚼籤」共同陳列。

「聲響」值得貼上「音樂」的標籤：他們的樂器「如果稱得上樂器的話」，充其量是「模仿笛子」，史隆這麼寫道。[59]

儘管如此，史隆對保存非洲音樂和樂器的用心仍然值得一提。他為什麼這麼做呢？答案比單純地收集物件以訕笑他們或是嘲諷他們的創作者要複雜多了。在歐洲人對殖民地進行的自然史中，已有一個既定的對美洲黑人音樂好奇的傳統。理查·利貢（Richard Ligon）曾描述巴貝多島上奴隸的音樂，荷屬東印度公司的旅行者約翰尼斯·紐荷夫（Johannes Nieuhof）也在一六八二年出版過描繪非洲人在巴西演奏瓠瓜以及鈴鼓的版畫。史隆在《牙買加自然史》中記述班鳩琴的形體特徵，加上將木製樣本的圖片與版畫並列的作法，顯示這些物件可同時為牙買加的天然材料以及工藝傳統做見證。「Curiosity」（珍奇）一字的字

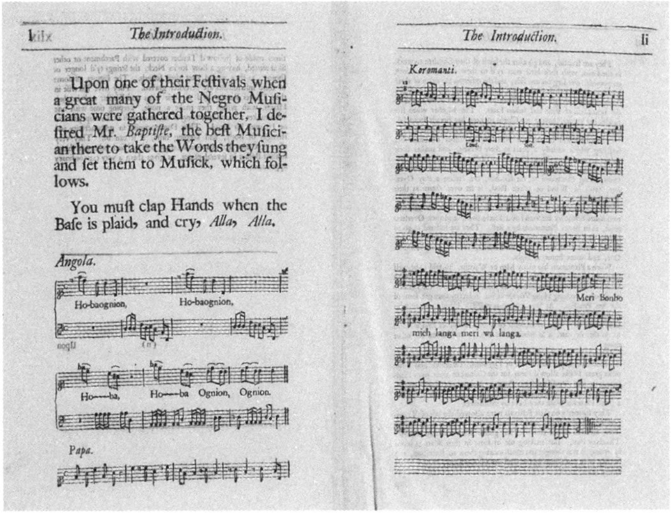
l The Introduction.

Upon one of their Festivals when a great many of the Negro Musicians were gathered together, I desired Mr. *Baptiste*, the best Musician there to take the Words they sung and set them to Musick, which follows.

You must clap Hands when the Base is plaid, and cry, *Alla, Alla.*

Angola.

Ho-baognion, Ho-baognion,

Ho——ba, Ho——ba Ognion, Ognion.

Papa.

The Introduction. li

Koromanti.

Meri Bonbo

mich langa meri wa langa.

圖 2.4 ——這可能是最早為人所知的非洲音樂的樂譜，於一六八七到八九年，由一位名為巴第斯特的人，為史隆親眼觀賞到的表演寫成，此譜收錄於《牙買加自然史》的第一冊。

根*cura*與照顧、設計與勞動三者相關；同時，史隆所標榜的培根式的自然史強調要去了解何種天然物質能被轉化成工具使用。班鳩琴與大多數奴隸擁有的進口物件不同，它是以島上原料製成，不像短彎刀、鍋子、小玩物、煙斗等，是在當地市集能購得的商品。正如有關英格蘭各郡的自然史寫作用古物來彰顯當地貴族主的血統，史隆則用奴隸擁有的班鳩琴來展示牙買加的天然資源與人工產物。此手法雖然極端的反諷、卻又有種詭異的邏輯：既然牙買加的原住民人口幾乎全數滅絕，而且英國殖民者需要的物品幾乎全靠進口，在史隆筆下，奴隸製作的樂器竟成為英屬牙買加最道地的本土產物。除了考量對當地的認識，史隆的收藏行為也有更廣泛的目的。正如紐荷夫描述非洲舞蹈，史隆則將收集到的樂器與稍晚取得的類似物件並置於圖例中：一件豎琴或是拇指琴、可能是牙買加人改造來自西非的原型（在此圖的背景），與另一把班鳩琴或是南亞的丹布拉琴（呈九十度角交叉出現在圖中）並列。因此，透過檢視世界各地人種的樂器，進行工匠技藝的比較性調查，牙買加班鳩琴取得了一席之地。[60]

從事收藏並不限於取得物品，還牽涉了建立關係的藝術，亦即交流與交易。我們已經談過史隆為什麼對這些班鳩琴有興趣，但尚未解釋樂器的創作人為何以及如何將它們脫手。樂器在新大陸的奴隸社會裡有著重要的功能，不但讓群體有自我表達的機會，它們也有助於建立新的文化風格、認同以及情誼。來自西非的不同民族因受奴役而形成一個群體，也因此創造多種新式的語言，包括音樂在內。這對殖民地政府而言是個警訊：史隆記載小喇叭與鼓在牙買加遭禁，因為「它們激起〔奴隸〕叛變的效果不小」。多虧巴第斯特的記譜，我們得以知道奴隸的音樂聽來如何，即使演奏的方式不只一種，而這些歌曲的真義也有待解讀。*比方說，*ho-*

haognion 一詞出現在標為「安哥拉」的段落，它所隱射的可能是性方面的愉悅、予人安慰、或是兒歌，也可能與歐比亞（Obeah）相關，歐比亞是流離人口結合醫療、毒物和神靈崇拜的一種行為實踐。標示為「柯曼廷」的詞源自於芬堤語（Fanti）或契維語（Twi），兩者都是通行西非的阿坎族語言，而「低音出現時擊掌，並高喊阿拉、阿拉」則透露些許伊斯蘭教的影響。[61]

至於史隆如何取得他所收藏的樂器，則是最難回答的問題。它們非常可能是以武力或是威脅施暴得來的。奴隸沒有財產權；依法，白人可以任意剝奪黑人的財產，或是以暴力脅迫、逼其就範。當牙買加當權者領會號角和鼓在奴隸叛變中起的作用後，便毫不遲疑地沒收之。招待史隆的種植園主人們為了討好總督的個人醫生，肯定積極地幫助史隆收集（相關物件）。但我們不能排除某種形式的交易。至今，學者在理解奴隸制度作為主要制度時，仍極力克服一個挑戰，亦即黑人與白人在日常生活中的交涉妥協依舊主導這個制度的運作。舉例來說，來自林肯郡的監工湯瑪斯．西索伍德在牙買加西部的濱海薩凡納工作，他在十八世紀中期留下的日記中，記載了自己規律性的對受奴役的男男女女施加侵略性的性侵犯以及人身羞辱。但西索伍德在日記中也提到他支使奴隸為種植園之間的信差、與他的非洲奴隸駕駛狄克一同狩獵、把馬借給奴隸，甚至有時送奴隸萊姆酒、食物、以及肉類為禮。奴隸也給了他物品、資訊、故事以及性享受作為回禮。正是透過此種交易，一位與西索伍德長期交好、名叫菲芭（Phibbah）的女性奴隸，得以擁有牲口、到市集販賣，甚至累積了一些個人資產。種植園主就著殘酷的自我認知而佔有優勢，

＊ 於 http://www.musicalpassage.org/#explore 可聆聽 Laurent Dubois、David Garner 和 Mary Caton Lingold 創作的音樂，二〇一六年九月讀取。

白種人受到法律保護、不會被動一根汗毛，但他們深知非洲人可以靠罷工、下毒、毀損財產、以及直接叛變來報復。對他們來說，叛逃的黑人（即馬隆人）的存在正是對脫逃與解放不無可能的提醒。[62]

另一個可能是，史隆提供醫療服務換來班鳩琴，即便黑人通常偏好同為黑人的醫者，而且如同史隆個案史紀錄所顯示，他們可能視史隆的醫療行為為逼迫，因而對其反感。但是，在奴隸感到匱乏的情況下，史隆可能以他們渴望的物品做交換，例如較好的衣物、肉類、魚類、菸草或是蘭姆酒，或是單純給予金錢，讓他們每週在奴隸召集的市集從事交易。樂器對黑人而言很珍貴，它們是慰藉和社群的泉源，但在知道將來可以再用本地材料製成新樂器的情況下，他們可能願意用樂器來交易。然而，即使史隆的確將這些樂器購買入手，如此的交易也不會是對等的，而總是在奴隸制度中既有的、持續性的暴力脅迫的前提下進行。從他所提及奴隸居住的「長方形小茅屋」中的「物品」、臥榻、器皿等等，可推測史隆曾拜訪過這些通常設在種植園附近的奴隸「住所」，他或許在此觀察到奴隸可能會想要交換的物品。至於奴隸們如何看待史隆則不易定論。不過有一點是肯定的：大多種植園主對黑人在種植園之外的生活興趣缺缺，史隆對奴隸的好奇本身必定是個令人好奇的現象。[63]

史隆生命經驗中的牙買加充滿了矛盾。儘管史隆對非洲醫者不假思索地不屑一顧，也宣稱島上的氣候和疾病與英格蘭的差異不大，然英國人急速攀升的死亡率，以及他的個案史中顯示出白人因酗酒造成許多自我毀滅，對他在種植園上的醫療事業造成重重阻礙。當然，他對西屬牙買加遺跡的觀察加深了天主教殘忍的黑色傳說的印象，他也懷有私心地點出從伊比利式的尋寶，轉型到英國種植園式農業的發展軌跡是正面的。然而，史隆一面訴說他收集來的奇異且經常令人不解的軼聞，也一面否定了他對所謂「非常奇怪但肯定是事實」的執著，以及牙買加是天意注定成為貿易之島的觀點。故事包括了：對英國人糜爛縱慾的鮮明描繪，有關無法解釋的現象的傳聞，以及與奴隸近距離接觸的經驗，還涵蓋了音樂演奏、種族退化的陰影、以及以施虐為樂的公開施暴的場景。以上便是史隆的自然史：是命定論、利潤以及野蠻行徑的混合體，同時以開化與矇騙為宗旨。這些軼事將史隆筆下的奇異島嶼再度置於英國殖民地早該脫離了的巴洛克式的恐怖經驗。儘管如此，他維繫個人獨特的紀律、專心工作，並開始進行鉅細靡遺的動植物收集工程，這些收藏將會成就他的自然史研究。

CHAPTER

3

防止物種滅絕

Keeping the Species from Being Lost

物種交錯之島

數十年來，牙買加的地景因人口遷移以及動植物的移植而改頭換面。這座島嶼曾是個戰場：英國人與西班牙人為了掌控領地與物種而起正面衝突。在重大變故突發時，整個生態系統更容易受威脅，疾病消滅了原住民人口，歐洲人意外地成為受益者。一四九四年牙買加發生飢荒，西班牙殖民者將泰諾人在幾世紀前引進的 *aon* 狗吃到滅種。西班牙人在鞏固優勢後引進了新的動物，大幅改變了島上生態，包括馬、牛、豬等，不僅提供殖民者勞動力，也當作食物，同時也將糖與可可的美洲大陸作物引進歐洲。這些轉變持續進行到十七世紀，英國人不但增加了家畜欄的數量，也建立了更大型的種植園。[1]

哥倫布大交換不只牽涉歐洲與美洲大陸之間的相互影響。在大西洋世界的環境轉型過程中，非洲大陸也是個重要的因子。奴隸因為在種植園清除與收割農耕地，轉化了加勒比海的地景，動植物則或經意或不經意地被送往美洲大陸。舉例來說，「天竺草」原本是奴隸船上天竺羊的飼料，卻因此被帶往美洲，後來在牙買加滋長，成為島上牲口的重要食物來源。非洲人為了在殖民地存活也建立了自己的植物學傳統。種植園主竭盡所能將農地投入現金作物的栽種，保留極少耕地供奴隸維生所需。因此，在西印度群島的非洲人不得已只好另外開發小塊耕地，後來被稱為「備用種植園」，或更具想像力一些的話，則稱奴隸花園。它們通常距離蔗田和奴隸的居所有段距離，才能避免多數農場主的監視。對這些遺址的歷史與考古研究皆指出，這些地方種植了多種與西非農業相關的食物，包括秋葵、玉米、幾內亞高粱（即高粱）、小米、稻米、薑、柑橘、萊姆、咖啡以及豆類。據史隆觀察，奴隸喜好「栽培他們自己的作物、自給自足，像是馬鈴薯、山藥、大蕉等。他們在農場主允許的耕地上栽種，旁邊有一條大蕉小徑，也屬於奴隸的」。[2]

個別植物在何種情況下橫跨大西洋幾乎沒有文獻的紀載。不過，幾個在南美北端的自由馬隆人（即叛逃的黑人）群體的口述傳統都講述遭奴役的女性在登上「中央航路」之前，將稻米的種子藏在頭髮中。流傳在巴西的故事則宣稱其中一個女性「由於無法阻止自己的孩子被販賣為奴，於是將稻米的種子藏在他們的頭髮中，希望到達目的地時孩子得以果腹」。這個故事是個關於新大陸農業之非洲源頭的寓言，也發出白種人可能盜取植物知識的警訊：故事的結論是商人發現了稻米種子，將之奪去。即便種子被奪走，即便非洲人與他們的後代在牙買加依法也沒有財產權可言，但許多種植園主默許奴隸將包括備用種植園以及墳地在內的小地塊代代相傳。十九世紀早期的哥德式小說家辛瑞克・威廉斯（Cynric Williams）甚至描述一位奴隸因農場主砍去他視為私產的瓠瓜樹分枝，向主人要求賠償：「這個黑人堅稱樹是他祖父種下的，旁邊有間屋子和花園，他宣稱這塊地是他繼承的遺產」。[3]

白人與黑人在牙買加島上生活與爭奪控制權的過程中，樹木扮演了吃重的角色。殖民者將奴隸綁在樹上鞭打，但樹木也是和解的所在。例如在一七三九年，由於英國人無法擊敗馬隆人（即叛逃的黑人），向風馬隆人（Windward Maroons）的領袖卡喬（Cudjoe）與英籍的詹姆斯·葛斯瑞上校（Colonel James Guthrie）在一棵棉花樹下簽訂和平協定，承認馬隆人的生存權。有些非洲人認為樹木為他們稱作「杜皮斯」（Duppies）的惡靈提供庇護，然而當被追捕時，樹木也成為避難所，更是對敵手施咒語的制高點。施行「歐比亞」的術士——也包括馬隆人稱之為「科學」的行為——將用以辟邪或是發動攻擊的符物置於特定的樹幹下。樹木也不斷出現在西非阿南西（Anansi）的傳說中，稍晚的殖民者對此有詳盡的紀載。在其中一個傳說中，一位馬隆母親無視醫者的建議、認為這純是迷信，未將一棵木瓜樹砍下以保住自己女兒的性命，結果女兒不但死去，木瓜樹也長出乾枯的果實。甫進入十九世紀之際，有些種植園主將非洲軼聞視為民間傳說，對其興趣漸增；哥德式小說家兼奴隸主馬修「僧侶」路易士（Matthew "Monk" Lewis）便收錄了一系列泛靈信仰的迷信傳說，故事中有棉花樹、可可樹以及桃花心木。[4]

對英國人來說，樹木在牙買加也佔有極重要的地位，但原因卻完全相反：他們將樹木視為商品。在近代早期，不論是西印度或東印度群島，幾乎所有歐洲人所殖民的林地都遭濫伐，這是很普遍的現象。約翰·伊夫林便在其《森林志》（*Sylva*, 1664）裡寫道：「除了刻意又不懷好意腐蝕此地如牆一般茂密的林木之外，沒有任何事……能對這片廣為人知又欣欣向榮的土地造成更大的威脅……」。伊夫林這位博學的文人大師也是個經濟學策略家。為了彌補英格蘭因重整海軍、大幅造船所導致的濫伐，此時林地重整的規劃者以及英國皇家學會的博學學家們都支持植樹的計畫。史隆提到「此前絕大部分的牙買加地表都覆蓋著林木」，但這是濫伐之前的盛況。史隆為了調查不同樹木的利用情形，他在《牙買加自然史》第二冊中收錄的現存樹木的版畫，成為對島上樹木進行編目的重要紀錄。他的編目列裡面有「用作室內壁板、製作有抽屜的小寫字台或是櫥櫃、其氣味也有驅除蟑螂和其他害蟲的功效」的杜松；「本島的天然商品之一，用作黃色染料」而且「每噸價值五十先令」的黃木；「由於其漂亮的綠棕色，可用來擦拭保養……很為歐洲覬覦」的牙買加烏木；以及有毒能防蟲的白木樹種，「砍伐之後製成木板用來包覆船隻」。

牙買加的許多樹是如此「之高」，史隆「甚至觸碰不到其葉、花或是果實」，以致無法妥當地詳盡觀察。他承認只有手腳靈活的奴隸才攀爬得上樹頂；比方說「黑人利用堅硬的木樁爬上」棉花樹，「因為〔樹幹〕光滑不適合人攀爬」。黑人對牙買加環境的掌握有政治性的涵義。馬隆人（即叛逃的黑人）藏身於東邊的藍山和西邊的鬥雞峰地區，依大地維生，並靠著劫掠種植園獲得補給品。史隆很清楚他們的危險性，因此在島上行動時小心翼翼避開馬隆人的地盤。據史隆所言，這些地區「經常住滿了逃脫的黑人，埋伏於此地、殺害靠得太近的白人」。從史隆用「埋伏」一詞便可看出他很清楚馬隆人靠偽裝存活的一套策略，俗稱「閃避」。在人類學家肯尼斯・比爾比（Kenneth Bilby）於一九七八年收集的一套口述歷史中，一位馬隆人的後代大衛・格雷（David Gray）描述領袖卡喬在一七三〇年代的第一次馬隆戰爭中、藏匿在可可樹上攻擊英軍的事蹟：「另一個〔馬隆人〕用一株很大的可可樹……蓋在卡喬的背上。卡喬就坐在這裡。他在前往水手村橋城門的路上就死了。當你來到他身亡之處，就是一棵很大的可可樹，你也會死。」據馬隆人的說法，自然界本身會抵制殖民統治：幾株英國人慣常採集果實的樹有殺害侵略者的能力。藏匿的非洲人的確是牙買加生活的主軸。在史隆目睹的一個加勒比海黑人「占庫努」慶典上，他應該見過與會狂歡者裝扮成一個叫做「補釘」（Pitchy-Patchy）的人物，在牙買加語中是縫補拼貼之意。出身於牙買加金斯頓的藝術家艾薩克・曼德斯・貝利薩里奧（Isaac Mendes Belisario）稍後在其作品《人物速寫》（*Sketches of Character*, 1837）中，將這個人物與英國民間人物綠衣傑克（Jack in the Green）相連結。不過「補釘」這號人物從盛行於西非的扮裝傳統中發展出來的可能性最大。[6]

動物也形塑了牙買加的經濟與社會生活。在工業化之前，他們是關鍵性的能量來源。舉例來說，奴隸和牛隻都被用來推動糖廠中的磨石，將剛採收的甘蔗榨汁。畫家威廉・克拉克（William Clark）的水彩畫《運糖》（*Shipping Sugar*, 1824）雖然觀點過分浪漫，而且是一個世紀後在英國殖民地安地瓜（Antigua）完成的作品，卻巧妙解析了糖業與奴隸貿易之間環環相扣的要素。其中包括牛與馬將裝滿糖的橡木桶運往海岸、奴隸將橡木桶滾到窄長的敞篷船上、然後轉運到開往歐洲的商船；遠處的風力磨坊，象徵橫跨大西洋的船隻所需的風力。種植園主將奴隸與牲口並列在財產清單與遺囑中並不令人驚訝，特別是因為白人喜歡宣稱奴隸跟動物並無二致，即便加勒比海主管當局用心地將奴隸與主要牲口分開以保障自身安全。比如說，鑒於奴隸的行動力，牙買加法律禁止奴隸騎馬，然這些禁令也有象徵性的作用，因為行動自如也是白人自由的表徵。社會階級低的白人步行而不騎馬，便得接受「行走的老闆」（黑人對白人的稱呼）這個貶抑的暱稱。能取得優質的肉類也是白人特殊地位的象徵。湯瑪斯・西索伍德在日記中記載他享用烤牛肉與聖誕布丁的饗宴，而奴隸經常只能分到剩菜剩飯：吃不到完整結實的肉塊，只能撿半腐的肉、動物的頭或腳，還有病死的屍體。飽受營養不良所苦的奴隸開始吃土壤，此行為被稱為食土癖或是嗜異癖，其實是一種心理上的痛苦造成的行為，但也是抑制因飲食缺鐵和體內蟲害而胃痛的方法。[7]

就珍貴的動物資源所提供的能量、舒適以及地位象徵而言，儘管面對著極度的不平等，黑人仍發展了屬於自己的、利用牲口的傳統。許多奴隸住在家畜圈欄附近，以便看顧白人雇主的牲口，在此他們為牲口打烙印並閹割公牛，同時號稱「豬肉幫」的一群孩童採草做為牲口的飼料。奴隸將自己的牲口圈在居處附近的院子裡，這些地區如同備用種植園一般，是種植園主經常忽略之處。史隆觀察到奴隸養豬自用，代表了他們的「微薄財富」；奴隸在週日市集交易這些「財富」，這也是西印度群島奴隸制度內部經濟的主要物資。史隆在牙買加時很可能為了搜尋樣本而參訪這些市集，博物學家經常鎖定市集、就為了目睹稀有的品種。比方說，在南亞的醫生們常探訪市集以取得草藥與藥物，約翰・芮在英格蘭則常跑魚市場。稍後，常駐牙買加的醫生亨利・巴罕也稍信給史隆，描述參訪西班牙鎮「黑人市集」的經驗。[8]

英國畫家威廉・比斯塔爾（William Beastall）的水彩畫《安地瓜黑人週日市集》（*Negroes' Sunday Market at Antigua*, 1806）以視覺方式呈現加勒比海市場的多種族與多物種交錯之特性，這在史隆的時代就已出現。如同克拉克的《運糖》，此畫雖有浪漫情懷，仍彰顯了英國人對非洲貿易商和其商品的著迷。在比斯塔爾描繪的場景裡，黑人交易物品與農產品，也包括豬、雞和蛋等牲口產品，白人也很被他們交易的稀有物種所吸引。兩位膚色黝黑、只穿著長褲的男士，彰顯了非洲人在加勒比海能獲得的動物種類。圖中央是一個身穿淺藍色長褲、身後拖曳著一隻豬的男性，最左方則是一位戴著無邊便帽與耳環的男子，以驕傲獵人的姿態，舉著一隻像是石龍子的爬蟲類供人觀賞。此畫面呈現的垂直階級劃分透露出加勒比海社會的種族階級關係，而階級區分有一大部分跟取得動物的能力相關：幾位白人騎馬入市集，同時一位背對著觀者的白人官員，頭戴高聳入天際、以羽毛裝飾的帽子，與在畫面下方由幾乎全是黑人以及黑人豢養牲口所組成的平面形成鮮明對比。只有一個黑人是直立的：便是那位高舉爬蟲類獵物的獵人，他引起了英國淑女以及黑人小男孩的好奇，表示他的獵物價值不菲。他的獵物是如史隆之流可能感興趣的物件，果然最後成為他多件石龍子收藏的囊中物。[9]

因為有接近動物、植物以及物件的便利，奴隸們在牙買加創造了他們自己的文化型式。他們用當地原料製作樂器，在類似占庫努的表演上，他們將牛尾繫在身上、戴著牛角做成的面具。馬隆人戰士將種植園主用來呼叫奴隸的牛角（*abeng*）改造成傳訊，以及戰場上的工具。黑人回收日常物件，像是他們為種植園主切甘蔗的鐵條，用它來耕種自己的土地，也把從市場上買回的歐洲人小玩意融入自己的遊戲中。他們有死亡儀式，會將死者與「陪葬品」一同埋葬。約翰·泰勒（John Taylor）這位數學家兼旅行者與史隆同時居留牙買加，他在日記中記錄黑人陪葬的各式物品，其中包括動物：「樹薯麵包、烤禽鳥、糖、蘭姆酒、菸草以及附帶火柴的菸斗」。刻板印象將奴隸和裸身做聯想，與之相反的是，加勒比海地區非洲人的自然與靈性世界裡有著豐富的民間物質文化。直至今日，馬隆人（即叛逃的黑人）仍津津樂道一個裝有神秘粉末的鍋子，它是另一個十八世紀向風馬隆人的傳奇領袖南妮用來殺害英軍的用具。其後代仍有習俗將一瓶蘭姆酒放置於阿坤鵬（Accompong）附近的伏擊洞（Ambush Cave）中，此地代表他們對抗英軍的一連串軍事勝利，該戰役最後簽署了一七三九年的條約。[10]

「歐比亞」是奴隸在牙買加運用動植物與物件的方式中最多變的一種。歐比亞一詞也可寫成歐巴（*Oba*）、歐比亞（*Obia*）、歐比（*Obi*），以及同源詞邁爾〔巫術〕（*Myal*），可能源自貝南灣操伊伯語（Ibo）的民族，*dbia* 一字有擅長或是精通的含意。在英國人眼中，這無非是種邪惡的巫術。在一份早期的報告中，一位巴貝多的軍人湯瑪斯・沃達克（Thomas Walduck）於一七一〇年左右紀載「多數西印度群島之人多好與黑人或是印地安人交談，聽從他們對夢以及預兆的解析，有些黑人好似魔術師一般」；他堅稱自己「不受迷信左右」，卻也承認曾經「目睹這些術士的特異功能」。他忍不住記錄一個黑人似乎能將鳥變不見的軼聞：「種植園的男女主人以及好幾個在場的白人看到鳥兒飛上樹梢，一個黑人要他們去找找鳥是否還在樹上……他們幾個人起身去找，鳥兒卻不見蹤跡」。他思索著：「巴貝多的種植園主堅信此地黑人所使用的自然（或邪惡的）術法，但沒人知道他們如何施展法術」；「無疑地，某個黑人能〔施法〕讓另一個受罪……對方身上多處疼痛難忍，行動不便、瘋癲、喪失言語能力」，同時四肢「雖無痛感」卻不受使喚。如沃達克一般的觀察者一方面將歐比亞叱為詐騙手段、不予理會，卻又不得不承認它著實有效果，這顯示了許多白人即便不完全了解黑人醫者的行為，仍信任他們的能力。[11]

奉行歐比亞的男男女女在與祖靈溝通時，利用植物來進入神智恍惚的境界，他們也用植物醫治白人與黑人，更用以對敵人下咒語並毒害之，從好施虐的監工，到偷盜補給場上物產的黑人，一概通用。自十八世紀末期取得的證據顯示，歐比亞的奉行者使用的材料相當廣泛。一七八九年，牙買加議會在倫敦的代表史蒂芬・富勒（Stephen Fuller），恰巧也是史隆因婚姻關係得到的繼孫，便為英國下議院細數歐比亞當中的各種元素，或是歐比亞巫師通常會掛在脖子攜帶的「神物」，在他看來就像是「材料的大雜燴」。這些物件通常放置於山羊角中空的部分，包括「血、羽毛、鸚鵡喙、狗和鱷魚的牙齒、破碎的瓶罐、來自墳地的塵土、蘭姆酒以及蛋殼」。牙買加醫生班傑明・莫斯里（Benjamin Moseley）在十八世紀的最後十年描寫過一位傳說中成功逃脫的、名為傑克・曼松（Jack Mansong）的奴隸（人稱三指捷克〔Three-Fingered Jack〕）所攜帶的「歐比亞袋」，袋中裝有灰燼、人與動物的脂肪、一隻貓腳、一隻乾掉的蟾蜍、一條豬尾，以及「一片純的小羊皮紙，上面載有血書」。歐比亞將最低賤的材料、動物身上怪異的部位，以及最平凡的物件轉化成魔法的工具，激勵了對奴隸制度的抵抗。泰奇之亂（Tacky's Rebellion）是英屬加勒比海在十八世紀最大的一場奴隸起義，是一七六〇年由操阿肯語的柯曼廷人所發起，他們也是歐比亞的奉行者。英國當局因為這次叛亂施行了一項安全措施，立法將歐比亞的原料列為違禁品。[12]

史隆如何看待這一切？他對黑人利用牙買加環境又有多少關注？當時許多英國評論家試圖談論黑人如何理解身體與靈魂的運作。約翰・泰勒（John Taylor）於一六八〇年代宣稱他曾「與許多年長但腦袋仍靈光的黑人對談」，據他們所言，他們的「*camaix*（在其語言中意指形體與神智）在人死後不久就會返鄉，在那得以永生」。數年之後，亨利・巴罕於一七一七年寫給史隆的信中，提及黑人如何使用他們稱為阿圖（Attoo）的植物來包覆病人的身體以及他們對此用法的闡釋。他們將阿圖磨成膏狀，敷在病人的頭和臉上，「如果心臟不適，有時也會敷在腹部：因為他們認為體內所有的病痛都源自心臟，在未能區別胃與心臟不適症狀的情況下，只會說他們的心臟不好」。到了一七八〇年代，史蒂芬・富勒對國會陳述歐比亞巫師用「一種以草藥（據說是一種有枝的莨菪或是茄屬的一種）汁液製成的麻醉劑，能導致神智恍惚或是一段時間深睡的狀態」，他便引用史隆為資料來源。[13]

史隆確實收集了幾種牙買加茄屬。同時，如同前一章所述，他也不斷詰問來自非洲的人關於植物的療效。不過，史隆與同時期的人些許不同的是，在《牙買加自然史》中他對歐比亞之類的習俗出奇地沉默，對黑人施行的巫術也只在少數幾處含糊帶過。和其他旅行者相比，他對奴隸具有的知識也不甚好奇。在史隆所收集的鳥類樣本目錄中，有一條簡短、更新過、但引人注意的紀錄，也是他對黑人知識不屑一顧的典型例證，他寫道：「用羽毛來嚇唬奴隸。沃德。巴貝。」這條記錄指的是在巴貝多島的沃達克隊長送來的一些羽毛，這些羽毛原是歐比亞巫師袍的一部分：牙買加種植園主同時也是歷史學家的布萊恩．愛德華茲（Bryan Edwards）後來指出，泰奇之亂其中的一個領袖曾經將「神物」加諸同黨之身，他本人則被「吊起，全身披滿了羽毛和戴滿廉價的飾品」、公開處決。看起來，史隆目錄中的一道記錄把奴隸叛亂中用來起「嚇阻」作用的工具轉化為鳥類學的一項奇珍，與數百項鳥類樣本混合共列。此外，史隆似乎對黑人如何運用他一心想要收集的牙買加植物興趣缺缺。舉例言之，他所謂的*Senae spuriae aut aspalatho affinis arbor siliqua foliis bifidis, flore pentapetalo vario*（林奈命名為裂瓣羊蹄甲〔*Bauhinia divaricata*〕，俗稱絨球蘭花樹）被指認為奴隸用來觸發迷幻經驗的植物。即便史隆知道這一點，卻沒留下文字記錄。稍後我們會看到，史隆為《牙買加自然史》寫作植物及其用途的長篇敘述，但卻幾乎不記錄黑人對植物的使用。此現象的一種解釋是，非洲的藥草學在西印度群島是歐洲醫學一個強勁的對手，史隆並不願意認可競爭對手的身體觀和宇宙觀。*相反地，將牙買加動植物製成自然史的樣本成為他的焦點。這也是我們接下來要談的主題。[14]

從種植園到標本館

一翻開史隆的兩大部對開本的《牙買加自然史》，讀者很自然地會震懾於充斥扉頁中的數百幅實體大小的版畫，其數量和細微程度都極為驚人，像是可可豆（也就是巧克力原料）的版畫（圖3.3）。就史隆看來，這些插圖不僅輔助他為植物所寫的文字敘述，圖畫更能承載最根本的關乎物種構造的科學知識，能傳達的訊息可說遠勝於文字。這些圖片也成為他最偉大的科學成就之一，不僅為視覺知識建立一個模型，也將他在加勒比海研究的成果傳達給後代的植物學家。要了解史隆如何製作這些圖片，必須要檢視一連串橫跨大西洋兩岸的過程：在牙買加時收集、保存、描述，以及繪製樣品，結合在倫敦進行的後續研究與繪圖。在當時，執行這些過程是件了不起的工程。將標本轉化為生理結構上精確的圖片本身就很艱難，更遑論要在加勒比海進行這項工作。史隆也承認「在那遙遠地方的氣候，極其炎熱又多雨，經常對工作造成阻礙」。牙買加無人居住的地區有著「許多奇特的事物，但卻不宜人、馬居住，也經常滿布蛇類與其他有毒生物」——更別提視白種人為仇讎、隨時準備偷襲奴隸。[15]

史隆的植物收集得利於前人啟動的環境移植，這是在他踏上牙買加土地許久前就開始的。

* 請見 http://www.brown.edu/Facilities/John_Carter_Brown_Library/exhibitions/sloane/index.html 以參考史隆的收藏品及其與非洲奴隸的關聯的圖解，2016年12月讀取。

比方說，可可豆應該不是島上的原生植物，而是來自美洲大陸，馬雅人和墨西哥人（指的是成立於墨西哥河谷的阿茲提克帝國的偉大子民）食用已有數百年。墨西哥人將可可豆與多種香料、玉米以及辣椒混和，製成一種他們稱為*chocolatl*的飲品，溫熱或常溫飲用皆可——在納瓦特爾語（Nahuatl）的意思便是苦汁。西班牙人在十六世紀時發現這種飲品，叫它做巧克力。不過，天主教觀察家對其在當地典禮中的儀式性用途不以為然，認為這些儀式與魔鬼崇拜並無二致。同時，基於希波克拉底學說，認為當地氣候會影響生理結構，擔憂喝下此飲品會使體液退化，導致他們的身體更接近美洲原住民的體質。儘管如此，除了西班牙所屬美洲的克里奧人，連伊比利半島上的消費者也漸漸成為巧克力飲品的愛好者，他們以不同的形式飲用，加入了糖使可可變甜。他們將可可豆帶到牙買加，使之成為島上早期利潤最高的作物之一，由奴隸來收割。據法國博物學家克盧什（D. Quélus）所言，「只有最靈巧的黑人」才有足夠的技巧從事這項工作；他們「用分叉的棍棒，一株接一株、一排接一排地將成熟的果實從樹上打落，小心翼翼地避開尚未成熟的可可豆以及〔尚未結實的〕花朵」。到了史隆居留於牙買加時，可可豆的收成仍未擺脫一六七〇年代開始的病害摧殘。然而，當時在法國、荷蘭以及英國已經流傳多種巧克力飲品，也促使了巧克力館這個新興文化的發展，是比咖啡館更難打進的社交圈。史隆為了表示他本人也涉獵這種奢侈品消費文化，稍後也收入了數個滾金邊的陶製巧克力飲用杯，杯上繪有精細的圖案，其中一只杯子顯然還有摩西從大石中取水的圖樣（彩圖2）。[16]

史隆從西班牙鎮出發進行的短程旅行，也是搜尋植物的探險旅程。儘管他對黑人的植物知識不表示興趣，但他應該很清楚其他博物學家利用奴隸來採集樣品的行為。約翰・伍德沃德在為收藏家所寫的指南提出如此建議：「採集與保存……可藉僕人之手達成，但也要在他們閒暇休憩時才行：或是在旅途中、在種植園中，或是釣魚或捕禽之時，切勿妨礙其他事務」。畢竟我們不能期望「任何一個人有閒暇得以照顧如此多的事務」。到了十七世紀末期，越來越多旅行者靠奴隸來採集。維吉尼亞的博物學家約翰·班尼斯特（John Banister）就曾向皇家非洲公司請求「賜予四或五個幾內亞黑人」。詹姆士·佩第維（James Petiver）是個定居在倫敦阿爾德門（Aldersgate）的藥劑師，他所累積與自然史相關的通信紀錄分量不僅是數一數二的，在史隆從牙買加返回倫敦後，也成為他最密切往來的友人之一。雖然佩第維在其出版的長篇標本目錄中未曾表揚過奴隸的貢獻，但他確實系統化了倚靠奴隸進行採集的行為。到了一六九〇年代，他指導通信友人如何教導奴隸採集「活體蝸牛的殼」，以及如何將昆蟲釘在藥丸盒（或是帽）裡，每採集一打植物付十二便士，每一打蒼蠅、甲蟲、蚱蜢或是飛蛾可換取半個克朗。他的僕人喬治·哈里斯於一六九八年偕同天文學家愛德華·哈雷（Edward Halley）一同搭乘皇家海軍「帕拉摩號」（*Paramour*），接到如下指示：「隨時幫我招募通信者，照指示與他們寫信，不論與何人同行，多少取得一些樣本，遠行時帶著他們的奴隸、指導他們進行採集」。[17]

史隆在《牙買加自然史》開頭便指出其內容取自「居民的」本地知識，「包括歐洲人、印地安人或是黑人」；然而，他只在極少數幾處讚揚奴隸對他取得樣本的幫助。比方說，與他騎馬前往聖安斯的同行者中，除了知識淵博的種植園主外，還有一位「很好的嚮導」，很有可能是非洲人（當然也可能是印地安人）。史隆體認到，黑人比任何人都了解這座島。史隆描述*Palma spinosa minor*（帶刺棕欖）時，指出「黑人赤腳行經樹林時，小心翼翼地避開這些植物生長之處，因為莖和葉掉落許多刺」。他〔收集〕的 *Radix fruticosa lutea*、也就是「奴隸用來清牙齒的咀嚼籤」，是用「黑人從牙買加的樹林中取得的」根莖植物製成。他在英國皇家學會《自然科學會報》發表關於牙買加胡椒（他預期其價格會超越「來自東印度群島的同類商品」）的文章中指出，「欲取得或是保存此種果實並不困難」，因為「大多靠黑人摘取；他們爬上樹，摘下長滿未成熟的青色果實的小樹枝」。諸如此類對奴隸的認可很少被表露，然而即便史隆很少提及奴隸在找尋植物過程中扮演的角色，並不代表他們的工作不重要。上述佩第維的例子便告訴我們，博物學家習慣性忽略奴隸的貢獻，正如羅伯特・波以耳等自然哲學家忽略實際上在實驗室中進行實驗的技術員，就直接接收他們的實驗成果、當成自己的來發表。且不論史隆對奴隸角色維持沉默，無庸置疑地，史隆在採集時必定依賴奴隸，因為他認為牙買加的黑人是足以連結西班牙人和泰諾人對島上物種知識的活生生關鍵。他也很清楚，由於多年來的植物移植，牙買加的環境已然轉變：他指出，西班牙人「從他們掌控的美洲大陸引入許多果樹」。他也相信西班牙人的知識也流傳了下去：「栽種」西班牙作物「的技術仍然掌握在黑人與印地安人手中」。正因如此，儘管史隆譴責非洲療法，他「也盡其所能地去了解它」、學習非洲人的醫療知識，尤其是「為了了解為何黑人首先發現祕魯樹皮有如此之高的療效」。[18]

　正因如此，史隆刻意參觀奴隸的補給場，也就是他們的「備用種植園……他們保存並繁殖家鄉才有的蔬菜，並在恰當的時機運用」。在《牙買加自然史》中，史隆描述多種奴隸的作物，並且收集標本。至今這些標本還完好無缺地保存於倫敦自然史博物館的史隆標本室。收藏於標本室的冊子是令人讚嘆的立體科學書，一頁頁貼著的乾燥的果實、葉子以及莖梗已有三百多年的年歲，包括「種植於多數的花園和補給場的大菊豆（*Phaseolus maximus perennis*），能持續生長數年」。他收入的 *Milium indicum arundinaceo caulo granis flavescentibus* 樣本則是個令人讚嘆的幾內亞高粱標本，他所收藏的秋葵可能也來自備用種植園；而他所收集的、「印地安人和黑人普遍種植並食用」的甜椒，既是藥物也是食品；另外，史隆收藏品中的 *Ceratoniae affinis siliquosa lauri folio singulari*、「柯曼廷黑人稱作比奇（Bichy）」，是經由奴隸船引進，黑人用來治療胃病的。「在牙買加，有些黑人在他們的花園和小種植園中」種米。究竟史隆收集的標本是掠奪或是交換而來，仍舊不得而知，但他確實與奴隸們談論這些樣本。在描述一株所謂的「醫豬樹」，史隆提到「一位常識豐富的黑人向我保證他曾看到一隻豬在這棵樹緩和病痛」。[19]

史隆想當然爾也和許多種植園主交談。從中他了解到西非與加勒比海如何透過植物的移植而連結。他提到比奇之所以進入牙買加，是因「種子登上了從幾內亞出發的船隻」，然後「高瑟先生在波登上校位於瓜那堡另一邊的種植園裡栽種」。*Arachidna Indiae utriusque tetraphylla* 這種堅果「搭乘出發自幾內亞的奴隸船而來，從幾內亞到牙買加的旅途中用以餵食奴隸」，史隆則目睹「哈里遜先生在他位於尼古安那的花園播下幾內亞種子」。同時他也提及來自「巴貝多島稱為蘇格蘭的地區」的蘇格蘭草（日後稱為幾內亞草），被「引進此地，現於島上河邊的溼地大量繁殖」，可以用來餵牲口。然而，若與其他旅行者的觀察相比，史隆對非洲人知識的興趣其實沒那麼大。比方說，他記述了馬鞭草與洋蔥混合後的膏藥能治療水腫、能當成熱茶飲用，或當作灌腸劑來治療腹痛，也能加入萊姆根溫熱飲用等等。他並引述歐洲相關領域的權威，包括西班牙博物學家尼古拉斯．蒙納德斯（Nicolás Monardes）與荷蘭醫生賈克伯斯．邦提厄斯（Jacobus Bontius）的記錄為證，並指出「印地安與黑人醫者都大力讚揚此方對疾病的療效」。但他的描述到此為止。相較之下，亨利．巴罕對此點就廣為延伸。在一份日後巴罕交給史隆的自然史手稿中，他描寫黑人用馬鞭草醫治那些「受歐巴（歐比亞）這種巫術之害的人」，並用以減輕腫脹、心悸和致命的體虛。巴罕與沃達克持相同觀點，兩人都將歐比亞視為一種「信仰」的把戲和「說服」之術。儘管如此，他們卻無法否認歐比亞製成的毒藥有其效用，其解藥也因此值得深究。巴罕藉由討論馬鞭草這類植物的機會評論黑人的信仰系統，史隆卻將評論拘限於他所能觀察到的事物，也就是植物的實際用途。[20]

以上就是史隆的所見所聞。一旦植物到手，後續的保存也煞費心力。雖然史隆並未記錄他所使用的保存手法，同時期的其他文字記錄可以為判斷依據。最早的標本館指的是乾燥植物的集合處，原是用以寄託虔誠信仰的物事。然而，經過文藝復興時期，博物學家如盧卡．吉尼（Luca Ghini）等人的學術工作之後，它們演變成標籤與註記充斥、記載植物學知識的中心。標本館也有許多實際上的需要。伍德沃德在他的指南中建議，若標本是大型的，取「一條約莫一吋長、帶有花朵的新鮮嫩枝」即可，至於草或蕨類等小一些的標本，則「取一整株植物、連根帶葉」。脫水是關鍵：採集者應將植物壓在兩張紙中間，將之掛在「櫥櫃上方風乾，防止腐爛」。徹底乾燥之後，將標本順過攤平、夾在一本大書或是一刀牛皮紙的兩頁之間，接著才可移置「乾燥之處」的扉頁中，並施以重量壓平，「直到轉送他處為止」。〔製作標本的〕材料是昂貴的，也只有富有的資助人才供得起。威廉．庫廷在一六八九年給即將前往加勒比海的貴格會教徒詹姆斯．瑞德（James Reed）的指示中，便估計一令紙的價格為三先令六便士。湯瑪斯．格里格

（Thomas Grigg）於一七一二年從安地瓜寫給詹姆斯．佩第維的信中提到：「我採集了數種稀奇的植物，但因為沒有牛皮紙，無法為你保留」——牛皮紙本身是從歐洲大陸進口的珍貴商品。很顯然，這對史隆而言不是問題，他幾乎每趟短程旅行都隨身攜帶數令的紙張，而且可能都是靠奴隸背負攜帶的。[21]

為標本貼標籤極為重要。伍德沃德強調，每件樣本的出處應伴隨著紙張、留下註記，並標出「當地人給植物的」名稱，「……以及當地對其在醫療上或是其他方面的用途」。芮提出了一種準確判定出處的方法：例如：他曾記下一種生於劍橋的植物長在「耶穌學院的牆上」。就這一點而言，史隆卻往往比不上這兩人。稍晚他在《牙買加自然史》中談到 *Tilia forte arbor racemose* 時寫道：「這是我在樹林中找到的，但不確定在哪」。他最常寫的一句話是「我在牙買加找到的」，卻無法從筆記或是記憶中喚起更詳細的訊息。然而，蓄奴的種植園卻在很多時候成為可靠的標示植物的定位系統。名為 *Trichomanes foliolis longioribus eleganter* 的一種蕨類生長於「黃金河（Rio d'Oro）兩岸、從石頭的裂縫冒出，鄰近菲爾帕特先生位於十六哩小徑的種植園」；*Hemiontidi affinis filix major* 繁殖於「銅河沿岸半月農場旁的柳橙小徑、一座草木濃密的山丘上」；另一種名叫 *Filix ramosa maxima scandens* 的蕨類則長在「瓜那堡與波登上校的種植園之間、沿路上的樹林中，靠近魔鬼山與射手脊」。以上記錄再度凸顯了來自牙買加種植園主的協助對史隆的採集過程至關重要，也顯示了種植園主所提供的非天然指標，成為史隆在地圖上標示島上自然資源的重要依據。[22]

史隆收集植物的主要目的是為了發表它們的圖片。博物學家認為，視覺化對生產更好的科學知識而言至為重要。約翰・威爾金斯在一六六八年出版的《試論真實性格與哲學語言》（*Essay towards a Real Character and a Philosophical Language*）中指出，語言本身需要改革，使它享有立即性，更接近圖片。他認為語意不清的文字是問題所在，而圖片則是解決問題之鑰：總之，語言應該越接近圖片越好。漸漸地，少數有財力的博物學家開始用精煉的銅版為材料來印製手繪的版畫，此技術取代了十六世紀所發明的、較粗略的木刻版畫。然而，沒有一個顯著的技術能「精準地」呈現科學研究成果：儘管視覺化的技術不斷進步，博物學家們對於呈現自然界最好的方法依舊無法達成共識。在一七三〇年代後，插畫界受林奈式的植物學影響而產生了一個趨勢，亦即結合同一種植物的數個不同標本中所呈現的生理特徵來繪圖，創造出該物種理想化的合成體形象，他們認為這些圖像比任何單一的標本更能真實地呈現某植物確切的形體。反之，史隆的最高指導原則卻是培根的學說，旨在收集各種能呈現真實現象的個體，超出標準型或是不理想的品種也不例外，以此作為自然界的最佳指南。史隆也很信任芮，採用這位好友的分類法，檢視每種植物的所有特徵、而不聚焦在某個單獨特色。秉持著上述信念，史隆製造出數量龐大且內容詳盡的標本圖片。[23]

史隆對可可豆的處理便是個鮮明的範例，顯示他如何將特定植物轉化成科學性的物種圖片。他將從牙買加收集到的可可豆標本黏貼在第五冊牙買加標本集的第五十九頁（圖3.1和3.2），可可樹棕色的葉子被壓平並用膠水黏貼（後來用膠帶補強）在頁面的右方，三個世紀以來只受到輕微的毀損和腐壞。幾朵可可樹的小花黏貼在葉子上方，也因年歲而呈現棕色，而下方則是一顆可可豆的核果，連帶原本包覆著它的豆莢外殼。在牙買加時，史隆會將剛取得的標本以伍德沃德描述的方式乾燥並重新包裝它們，等過了一段漫長的時間、回到倫敦之後，再將標本收納進裝訂成冊的對開本標本集。在此，幾位助手「黏貼並縫製」他的標本集。亨利・杭特（Henry Hunt）可能是他的助手之一，他曾在英國皇家學會協助羅伯特・虎克（Robert Hooke）進行實驗、繪圖印刷，並管理典藏庫。一旦植物安置妥當，史隆便著手寫標籤，貼在當頁的底部來標明每件樣本的名稱；史隆以之前芮在《植物誌》中的說明作為指南來辨識已知的物種，命名時盡量依照此書進行。[24]

然而，史隆從加勒比海帶回的不僅是標本。在可可豆樣本的對頁貼著一張來自牙買加的紙張，繪有活體可可樹垂下結實累累的豆莢的圖案（史隆在標籤上寫著：「一桿或一枝可可樹及其果實」）。這圖片卻不是史隆畫的。大多博物學家致力於擠入仕紳階級，希望被認可為上流社會的作者或是博學之士，他們的美術造詣不高，而且繪圖這項能力經常與社會地位低的匠人手藝相提並論。這幅活體可可樹的圖片其實是偕同史隆遊歷聖安斯的一位夥伴的作品：他是一位名叫蓋瑞特・摩爾（Garrett Moore）的牧師，具史隆所述，他是「我在此地所結識最優秀的畫家之一」，因此「我帶著他一同到各處參訪」。在產地繪製植物的圖片也是一種收藏的方式，當「欲採集的果實無法乾燥或保存時」（例如鳳梨），摩爾就為史隆素描。摩爾同時運用赤陶土蠟筆和鉛筆完成了好幾幅圖片，包括許多棵樹是「在現場依照活體大小畫的」。無疑地，摩爾從史隆處得到很好的報酬，但史隆也對他做了其他的承諾。稍後摩爾提醒史隆：「您曾積極地表示一定會與我的倫敦主教大人談談」，暗示史隆曾承諾助一臂之力，提升他在教會中的地位。摩爾也曾經向史隆索求「您囑咐我完成的作品」所需的畫布、油彩以及鉛筆，史隆也毫不猶豫地供

圖 3.1–3.2 ——可可豆標本及其速寫：史隆展示的牙買加可可豆由受奴役的非洲人所採集、蓋瑞特．摩爾牧師先在牙買加當地根據活體植物速寫畫下。十多年後在倫敦，由荷蘭繪圖師艾弗拉德斯．齊齊厄斯著墨上色。後者結合了活體植物速寫（葉子、豆莢與枝幹）以及乾燥樣本（花朵、剩餘豆莢以及核果）雙重元素完成。

應。[25]

摩爾的素描只是視覺化的最初階段：這是為數年之後才完成的第二輪插畫工程打底，要到史隆在整整十年後回到倫敦才得以進行。在牙買加的事業畫下句點後，史隆便忙著行醫、專注於他在英國皇家學會的工作以及他的收藏活動，直到一六九九到一七〇一年期間，才委託艾弗拉德斯・齊齊厄斯（Everhardus Kickius），協助完成其著作《牙買加自然史》的視覺目錄，他是當時許多身處英格蘭的荷蘭藝術家之一。齊齊厄斯的任務有二：一是繪製來自牙買加但摩爾沒有當場速寫的、已乾燥的標本（還包括像是史隆收集的吉他等物件）；二是以摩爾最初對活體植物的速寫為基礎，在觀察乾燥標本後，加上細節，繪製出能捕捉一整株開花植物各部分的合成圖。因此，史隆標本館中活體可可樹的插圖都有艾弗拉德斯・齊齊厄斯「E. K.」的屬名——但事實上，此圖是先由摩爾於牙買加完成素描，之後再由齊齊厄斯於倫敦著墨上色，過程中依史隆指示修改某些細節，或是單純地避免鉛筆素描褪色而進行。此外，他也根據史隆提供的標本，在圖上增添乾燥可可花、核果以及豆莢外殼等細節。這幅以活體素描與乾燥後的樣本兩者為主體的可可樹合成圖，成為史隆《牙買加自然史》第二冊當中一幅版畫的基礎資料（圖3.3）。隨後，由另一位荷蘭人麥可・凡・德・古奇特（Michael van der Gucht）偕同英國畫家約翰・薩維奇（John Savage）共同製作。後者也為《自然科學會報》製圖。在標本集的某處，摩爾與齊齊厄斯兩人似乎在標有兩人名字的一棵牙買加茉莉花樹的地方相會。但這樣的相遇只是假象罷了，凸顯了史隆有能力將不同藝術家的作品並列，即便他們之間有一海之遙、或是相隔十年之久的歲月。[26]

正因為如此，史隆的圖片有一種特殊藝術感的自然主義：他用人工的方式結合活體與乾燥

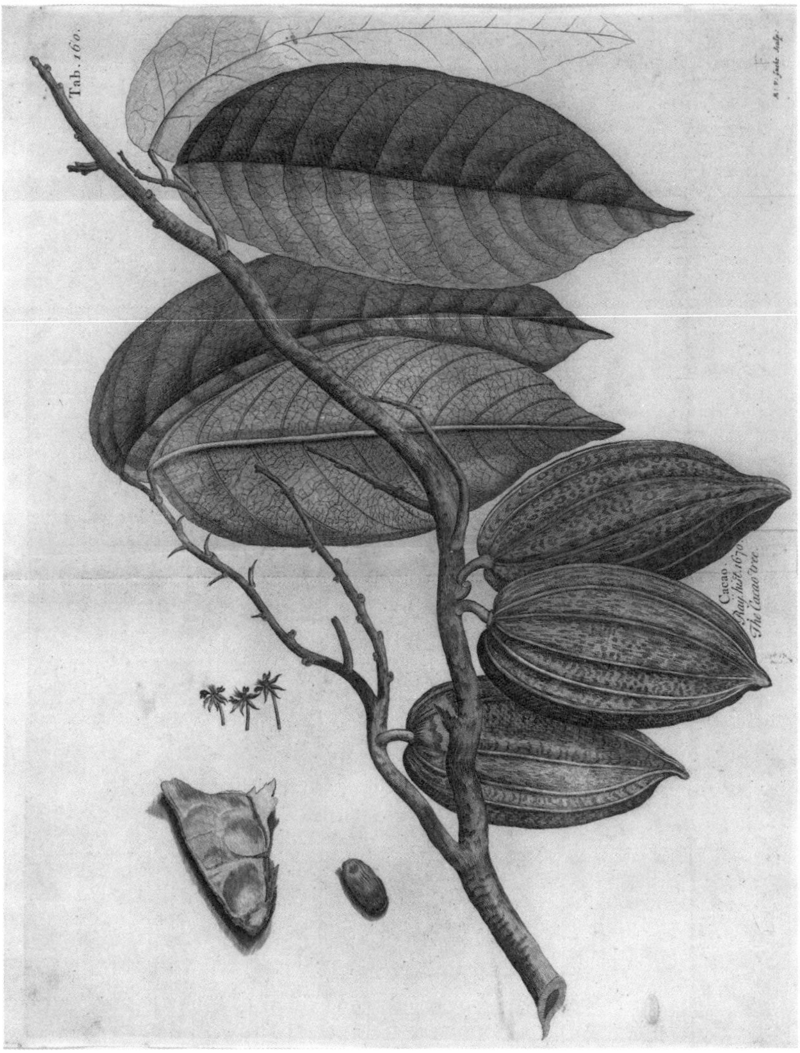

圖3.3——史隆牙買加叢書第二冊（1725）中的可可豆版畫：完工後的版畫呈現了物種的合成樣貌，根據活體素描以及乾燥後的標本繪成，以求呈現最大量的特徵，其精確性是植物學家如林奈等人大力推崇的。

圖3.4——牙買加曼密樹：此標本與素描顯示齊齊厄斯如何在同一張畫作中，結合史隆的乾燥標本以及摩爾繪製的活體果實的圖樣（果實未顯示於此）。

樣本的元素，以一致的視角來描繪一株植物的所有特徵。他為曼密樹製作的版畫正是齊齊厄斯手繪的一幅合成圖，結合了史隆的乾燥標本以及摩爾在牙買加所繪製的實體圖畫（圖3.4）。然而，史隆顯然希望他的讀者相信他們看到的標本與活體無異，故將一條垂懸在摩爾和齊齊厄斯分別所繪的曼密樹的莖所造成的直線陰影，保留在最後定案的版畫中，讓讀者有一種某植物在特定時間點被捕捉下來的錯覺。同樣地，史隆的破布子樹版畫也結合了摩爾以蠟筆所繪的果實和樹葉（畫在史隆從牙買加攜回的一張紙上，編排進他的標本集中），以及齊齊厄斯依照史隆所提供該樹種的乾燥標本、稍後補畫上的細節。每當史隆談到他的插畫，他總是說「這是我在牙買加看到的」。雖然從表面上看來，在史隆的《牙買加自然史》扉頁中看到植物是再自然不過，但事實上這是殖民式科學所產生的凝視所造就出的細緻藝術品。嚴格說來，這些圖片既不是在牙買加也不是在倫敦完成的，而是成就於英格蘭與西印度群島之間的移動與合作。[27]

如同眾多依賴他人作圖的紳士博物學家，史隆儘量對為他作畫的繪圖者嚴格控管。即便繪圖師的技巧對史隆從事的科學至關重要，博學的作者與視覺「技工」（史隆如此稱呼他們）兩者間的地位懸殊。版畫家確實會在出版品中為自己的作品屬名，但除了史隆在導言中簡短的致謝詞外，摩爾和齊齊厄斯的名字在《牙買加自然史》中完全缺席（其餘的助理，例如為史隆建立起牙買加標本集的亨利．杭特，則未曾留下任何姓名的線索）。如此的合作方式也容易導致意見不合，因為作者們會極力確保耗資聘請的繪圖藝術師能呈現出與期望完全一致的作品。史隆的標本集中即露出他曾經更正齊齊厄斯草稿的痕跡。他在一張旋花梗的素描上寫著：「葉子畫得太厚了」；在他處也指出：「將花葉與梗分開，不要畫出梗」。摩爾與齊齊厄斯兩人描繪出的細節著實超凡入勝，且例證無數。例如，齊齊厄斯費工描繪的*Lonchitis altissima*標本，折了數個折頁，收於標本集中，另外還有他令人驚豔的*Viscum cariophylloides maximum*的圖片。史隆在加勒比海遊歷的科學價值，大多是因為他有能力投資此種藝術。生性吝嗇的芮便曾經如此提點史隆：「我理解要價可能會令你卻步」，所以「你應該選擇微型畫、以小比例作畫，並在一張版上放上數種物種」。但史隆偏偏沒這麼做，最後更洋洋灑灑耗費五百英鎊、製作了一共兩百七十四張的版畫。儘管標本終將毀損敗壞，出版描繪詳盡的版畫卻讓史隆得以經由圖片這個亙久的形式、流傳令人讚嘆的收藏。而讀者不論在何處，在細細鑑賞這些圖畫之時，就彷彿也曾親身前往牙買加遊歷一般。[28]

自一七三〇年代起，瑞典博物學家卡爾・林奈（Carolus Linnaeus）開始根據性徵為植物重新分類，並沿用雙名制來命名，此舉的主要貢獻在於捨棄史隆依賴甚深但卻冗長繁瑣的多項式命名法。儘管後來史隆成為西印度群島自然史研究的參考準則，某些林奈學派的博物學家仍批評史隆的辛勤成果不精確且過時，包括愛爾蘭籍的醫生派崔克・布朗恩（Patrick Browne，他在一七五六年出版了一本有關牙買加的著作）在內。儘管如此，林奈本人在一七五三年寫作其《植物種誌》（*Species plantarum*）——至今仍是植物分類法的準繩——時，仍以史隆的《牙買加自然史》作為主要參考資料，更以其中的版畫作為物種分類的權威圖例。史隆在歐洲各地的植物學同儕（包括林奈在內）很可能無法閱讀他的植物說明，因為他為了方便本國人閱讀以英文寫作、而非博物學界的共通語言拉丁文；也正因如此，植物學家安托萬・德・朱西厄（Antoine de Jussieu）於一七一四年詢問史隆是否「願意從文本中摘錄一些圖表」送往巴黎，深為自己「對英語的無知」而懊悔、「無法閱讀您的作品以增長知識」。史隆欣然同意這項請求。同時，至少有一間倫敦的書店，也就是在格雷斯因路的湯瑪斯・奧斯本（Thomas Osborne）書店，出售史隆《牙買加自然史》的圖片，但不含文字——這顯示出圖片本身獨立的科學價值。對許多史隆的讀者而言，他的《牙買加自然史》最重要的科學價值在於其體現植物的藝術技巧，不須踏出歐洲一步便能如身臨其境一般，欣賞生長於牙買加的植物。[29]

然而，圖片終究無法完全獨立於文字。史隆依序排列含有極大量文字的圖像，結合了令人讚嘆的視覺細節以及對植物包羅萬象的說明。就十七世紀末期的植物學而言，文字敘述仍舊是最權威（價格也不高）的、囊括物種資訊的方式，芮的《植物誌》就是最經典的例子。因此，除了製作大量的圖片之外，史隆也透過對物種詳盡的文字說明來記錄視覺手法無法完全捕捉的訊息，例如顏色等等（即便他曾表示顏色是「很難描述的」），同時，如果標本在轉運中受損，重要資料也能透過文字記錄保存。文字記錄與繪圖一樣，同樣牽涉到廣泛的、橫跨大西洋兩岸的過程。史隆採集植物的當下便「立即在日誌中（為植物）做記錄」，並將筆記與標本收在一起。比方說，史隆標本集中的第三冊第六十八頁收錄的標本旁，便貼有一張史隆親筆寫下的註記，這些筆記應該是在牙買加時做的，用以標註 *Filia forte foliis subrotundis mali colonea* 的樣本並記錄其構造：本植物「有光滑的灰色表皮，底部是白色木質」，「枝幹上樹葉茂密，交錯生長」。史隆也提及該植物各部位的大小長短，以及「黃綠色」的葉子。他最信賴的還是自己的感官經驗，預期讀者會因為信任他一言九鼎的仕紳身分而接受他運用的測量方式，亦即「我用拇指」

測量植物的「數個部位；考量誤差，我估計〔拇指長〕約莫一英吋」。即便如此，史隆也承認以此種「粗略的方式」得到的測量結果並非總是令人滿意，也當然會偏好「更佳的測量法」；他也承認，許多物種的部位「非常小，不容易以肉眼觀察，而且其他植物也許會開花，但我無從觀察」。[30]

史隆再次跟隨芮的典範，選擇不收錄民俗傳統或是文獻學資料，只著重它們的物理特徵，與芮所謂的「人文學科」保持距離，此方法因包括康拉德・格斯納（Konrad Gessner）之類的文藝復興博物學家而聞名。芮在其作品《鳥類學》（*Ornithology*）中宣示：「我們完全忽略了象形文字、徽章、道德啟示、預言、預兆，或其他神學、倫理學、文法的相關領域，或任何一種人文學科；我們想呈現的……只與自然史直接相關」。於是，史隆專注於提供構造上的詳盡說明。他所觀察的可可樹有十五呎高，記下：「有著灰色且幾近光滑的樹皮，其樹幹接近人的大腿粗細」；花莖只有半吋長，「含有五片披膜的葉片，五朵歪曲的花瓣、數個雄蕊，以及一個白皙透紫色的副體」。至於果實，則有「七吋長、中央最寬處寬達二點五吋，呈黃綠色，既尖又硬」，果實成熟時「與人的拳頭一般大」；呈「深紫色」，外殼「約莫半克朗的厚度」。果實含有許多「橢圓形的」仁，與阿月渾子果實一般大小、皆為黏膜所包覆。莢內的果實「如同牛腎一般，由幾個所組成」，豆莢內的漿「嚐起來既苦又油膩」——史隆親自嚐過。[31]

米歇爾・傅柯（Michel Foucault）在分析近代早期自然史的發展時指出，十七世紀是一個關鍵的轉型期，對物種的理解從具有魔力的、充滿象徵意義的文藝復興式象徵圖飾，轉變為自然主義式的構造說明圖，物種的神奇特質被剝除、只剩下具體生物的本質，啟蒙時期林奈的植物圖示成為主流便是此種轉變的最佳說明。雖然史隆擯棄擬人化與民間傳說，但構造的陳述只佔他對可可樹總體說明的一小部分，因為他還匯集了一系列有關植物的烹調、藥性以及商業用途的筆記，稍後回到倫敦後，將這些記錄與從他著手建立的圖書館藏書裡的摘錄相互彙整。事實上，此種功利主義式的全方位精神在旅行誌作者中已有前例可循。西班牙博物學者法蘭西斯科．赫南德茲（Francisco Hernández）在一個世紀前，與居住在墨西哥城的原住民人口進行訪談，並根據訪談內容、針對一種叫做 *cacahoaquáhuitl*（巧克力飲品的一種）的飲料的醫藥用途寫下鉅細靡遺的筆記，他於一五七〇到七七年住在墨西哥城。這些筆記在赫南德茲死後以《新西班牙藥典》（*Rerum medicarum Novae Hispaniae thesaurus*, 1651）為標題出版，接著史隆便收入許多赫南德茲的拉丁文手稿，並節選翻譯了一共四十八篇的內容、收入自己的《牙買加自然史》內。自然史的作品將物種的植物學、醫藥和商業性的資訊合併紀錄是很平常的。與史隆同時期的湯瑪斯．特拉芬，最晚自一六七〇年就開始提倡以巧克力飲品作為健康食品。史隆也跟隨他的腳步，提及「此地的人無時不飲用巧克力」，並指出可可樹必須有遮蔭、避開日曬，其果實必須烘焙以徹底乾燥，然而正是果實的「油脂」賦予巧克力飲品營養價值，特別是與蛋混和後更加營養。史隆點明「最普遍的飲用法是西班牙人發明的」，早先的調製法加入包括印地安椒之類的香料，他搜刮西班牙對手留下的記載、引用較為人知的調製法，例如耶穌會士荷西．德．阿科斯塔以及赫南德斯等人的記錄。然而，英國人調製的巧克力飲品卻不同：「我們這裡的口味淡，不加香料」，而史隆稍後也收集了加蛋的「西班牙風」與加牛奶的「英國風」的巧克力食譜。他發現巧克力「使嗜飲者的糞便顏色變深……看來骯髒」，而且「喝起來令人噁心，不易消化」，因此他「希望胃不好的人不要飲用」，儘管在牙買加連嬰兒都飲用，「如同在英國，嬰兒喝牛奶是很普遍的」。不過，溫熱飲用巧克力卻特別有益。因此，史隆實驗性地將巧克力加入藥中以增加甜味。他相信巧克力能遏制血痢、提供必要的營養，甚至提升「性慾」。巧克力的利潤也很高。英國商人將奴隸作為違禁品賣給鄰近的西班牙殖民地時，經常換回大量的可可豆，然後再以超過原價百分之五十五的高價賣回英國。[32]

史隆向來為特定植物的文化功能所深深吸引。他指出，許多美洲原住民社會用可可豆作為一種貨幣形式，因此格外奇特。他也花了不少時間在其他文獻尋找此行為的證據。他引用了十六世紀的西班牙作品，包括彼得．馬蒂爾（Peter Martyr）與赫南德茲等人的記錄，兩者都以浪漫的手法，建構出歐洲人對黃金的貪婪，以此相對於美洲原住民的美德，而原住民將可可豆作為貨幣的實用行為，便是具體的美德體現。除了蒐羅大英帝國對手的自然史紀錄之外，史隆也引用英國本身的材料，例如英國旅行者約翰．契爾頓（John Chilton）就曾記載新西班牙的原住民「為國王獻上可做貢品，呈上四百個單位，每單位等同兩萬四千顆杏仁」；海盜威廉．登皮爾（William Dampier）於一六九〇年代航行地球一周，他也留下類似的記載，提到可可豆生長於「坎佩奇灣，豆子被當作貨幣使用」。整體觀之，儘管史隆竭力運用簡潔嚴肅的文字配合圖片來描寫物種的構造，事實上，他在《牙買加自然史》中卻花了較多時間描述巧克力作為貨幣的功用，而非其醫療或者商業價值。與馬蒂爾和赫南德茲不同的是，史隆對如此引人遐思的功用並未多加評論，反之，他喜歡將書中的內容當作多寶閣來展示——讓讀者一邊閱讀、一邊形成自己的看法。[33]

史隆如此費盡心力、耗時多年才匯集了如此龐大的植物目錄，得以作為《牙買加自然史》的主角。史隆在牙買加遊走大種植園之際，採集植物、勤作筆記，並留下它們的活體速寫，同時保存了標本、紀錄和圖片。回到倫敦後，他將標本轉置於裝訂成冊的標本集，並製作更多的圖片、進行更深入的研究。他製成的圖畫成為無可計數的、「如實體一般大的大型銅版」的草本，如同其書標題頁的廣告，邀請讀者觀賞其標本就與欣賞珍品無異；在未裝訂的對開版本中，這些標本的設計即是為了要橫跨兩頁而展開，頁邊寬大的留白方便註記之用。同時，史隆彙編了包羅物象的參考資料，將構造說明與醫藥、商業以及民族誌資料結合，以展現他的博學。最終的結果是邀請讀者在完成品中的圖像與文字之間游走，並同時鑽研兩者。在倫敦，史隆結合田野工作與學術研究的成果，使他的自然史不但特別有視覺性，更有濃厚的知識性，成為當時最了不起的殖民科學研究成果之一。加勒比海的殖民者以及歐洲的博物學家都是他鎖定的讀者。[34]

肉體肯定能保存

大種植園對加勒比海的地景造成許多改變。然而另外有些變化，是史隆與他同時期的人絲毫沒有警惕的，因為有些能造成劇烈變化的生物幾乎是肉眼無法察覺的。比方說，史隆在牙買加的行醫事業，還得拜嗡嗡飛的蚊子，以及容許蚊子叢生的環境因素所賜。泰諾人的畜牧文化裡有定期焚樹的習慣，因此泰諾族的滅絕導致樹林暫時的復育，但不久後，英國人就為了開闢種植園以及砍伐樹木清除了島上植被。然而，過度砍伐帶來了預想不到的後果。史隆就曾隨口提過蚊子「擾人的」嗡嗡盤旋，見過白人用紗網阻絕蚊子、而黑人和印地安人則「在鄰近他們與孩子睡覺的地方燒火」，冒出的煙「不但有助健康，也能防止蚋、蚊、蠅等的侵擾」。但他對此只是輕描淡寫，並未意識到這些生物會傳播日後被指認為黃熱病（從西非經由奴隸船傳入）以及瘧疾等疾病。他也不了解儲水池和陶罐中積留的死水，相較以往能為蚊子提供更大規模的、可孵卵的溫床；清空牙買加的林地（降低了島上以蟲維生的鳥的數量）以及在大草原圈地建造牲口圈欄（增加了牛與豬的數量、也增加蚊子得以狼吞虎嚥的血源），使情況更為加劇。就某方面來說，殖民行為對環境造成的預料之外的後果，包括蚊子擾人的嗡嗡盤旋，反而造就了史隆行醫的事業。[35]

收集動物是自然史不可或缺的一部分，但在實際執行上，也無可避免地比收集植物更大的挑戰。史隆希望能為（包括芮在內）那些彙編新物種目錄的同儕提供標本。他當時致力於集成完整的物種分類，包括魚、昆蟲以及其他旅行者所能找到的生物。〔史隆的同業〕通常聚焦於他們認為較容易累積到大數量的動物，如此他們便能依照神的造物法來重建一套完整的序列，昆蟲便是這樣的一個例子，即便他們在生理上是較脆弱的。通常歐洲的博物學家對動物發出的疑問不但與構造相關，更有商業開發利用的目的。比方說，馬、貓和乳牛能否在幾乎不飲水的情況下在此島上存活？螢火蟲死後還會發光嗎？豬的身體能適應人無法承受的、又鹹又髒的水嗎？真的有在雨後就會生長出蛆的「蛆莽原」嗎？以上是湯瑪斯．林區總督於一六七〇到七一年間、隨身攜帶到牙買加的「問題清單」所提出的問題，這些提問透露出當時動物學界最關懷的課題。同時，這些問題也透露了英國博物學者依舊欠缺關於各種不同生物基本行為的知識。最有趣的是，那些與自然發生論相關的問題確實顯示出博物學家彙編神意目錄的夢想，希望藉此能將他們的分類學帶向理性的完美境界，但他們仍懷疑在熱帶地區是否有可怕的怪獸正在墮落的環境裡等著他們。[36]

史隆之所以能收集到牙買加的動物，全仰賴當地人的協助，包括非洲裔與印地安獵人、漁夫和潛水伕。比方說，史隆曾命蓋瑞特．摩爾繪製許多鳥和魚的素描，其速寫成為大量版畫的底稿。幾乎可以肯定的是，這些生物素描的題材來自當地的獵人。即便史隆不直接承認，他仍多次表示對獵人勇猛特質的讚賞。比方說，他提到黑人和印地安人用「很多狗群」獵捕野豬，捉到獵物後，「把豬塞滿了鹽，曝曬在陽光下，他們稱作曬肉乾」，「然後帶回家獻給主人」。印地安人更是「極優秀的獵人、漁人、捕禽人」，「在這些方面技巧高超」，而非洲人捕魚很聰明，「用山茱萸樹皮毒死牠們」。史隆也與非洲裔的獵人交談，他寫道：「一位黑人獵者告訴我（醋栗）果實有毒、不能食用」，另一位則描述如何解救一位遭蛇纏繞全身、以致「無法言語」的同伴。史隆也在市場購買動物。他收集鼠蜥也將之列入圖表中，表示「其肉既肥又美味」；他很肯定表示在英國人初到牙買加時，鼠蜥「在公共市場裡通常一隻要價半個克朗」。他在市場看到鯧魚、鱵魚、魴鮄、舟鰤魚、金梭魚等，也提及「我在市場吃過從舊港（Old Harbour）捕上岸的」海產。他可能從印地安與非洲潛水伕處購得珊瑚與海膽，後者在鄰近的聖塔瑪格麗塔島的養珠場為西班牙人採珠，英國人也聘用他們打撈沉船，並在羅伊爾港從事船身保養。[37]

史隆清點表列了島上的役畜及牲口。舉例來說，在馬屬的標題下，他指出牙買加的馬原先是西班牙人引進的，牠們「小巧敏捷，線條優美」，且經常是野生的；另外，他曾經「在牙買加從死馬的體內取出數顆結石，有些重量且形狀不一」；更介紹讀者認識芮與德國博物學者艾力亞斯・布拉肯豪弗（Elias Brackenhoffer）等人先前發表過、有關四足動物的作品。但史隆做到的僅止如此，並未提供構造說明或是圖片。他對牛、鹿、豬、雞等動物的描述也不甚詳盡。史隆盡責地將這些商品列入目錄，但對牠們卻是興趣缺缺：牠們就是太普通了，一點都不「稀奇」。史隆對 *Ovis Africana*（天竺羊）感興趣只因牠來自非洲。至於 *Asinus*、也就是驢，只得到一句「牙買加有」。牛稍微有些分量，只因為「腹內的蠕動」導致牠們吐出毛球，「球體精緻、幾乎有一個拳頭般大」。史隆取得數個〔毛球〕樣本後，總算讓他找到一樣稀奇又隱含療效的物品。這些有著莫名吸引力的塊狀物蘊含鮮為人知的醫療效果：「取少許磨成粉，服用半打蘭，會有很強的收斂效果」。[38]

相反地，史隆全神貫注於歐洲人全然無知的稀奇物種。他對石龍子、也就是在牙買加稱為長蜥蜴的這種動物毫不鬆懈的好奇心就是一個鮮明的例證。史隆在解剖和檢視石龍子後，鉅細靡遺地描述其構造。*Scincus maximus fuscus* 從頭到尾、全長十一英吋、軀體中段寬六英吋，「背部堅硬，有些緊繃，腹部的構造雷同」；「其口鼻部」有兩個「圓形的 *spiracula*、或稱鼻孔」；足部與蜥蜴相近，有兩個關節、五隻腳趾。「一塊橫向的蓋皮」覆蓋其肛門，而背部則覆滿「一排排小型的褐色菱形鱗片，帶有橘色斑點」。「喉短」且「肺部缺乏完整的薄膜，心臟與其他動物相似，胃則缺乏肌肉、並非袋狀而是由數個寬的盤旋物組成，胃細胞與其他動物的大腸相近、又薄又寬」。石龍子棲身於沼澤地，以蟹為食，且「如果被咬到應該會中劇毒」：有人告訴史隆，「說有人大腿被這種動物咬傷，隔天就身亡」。事實上，這種動物無可救藥地怕人，但即便牠們「躲避人類，卻也很愛食用人類的殘羹剩菜」。史隆取得數件樣本，並在其〈四足類目錄〉（Quadrupeds Catalogue）中列出「不同顏色的石龍子」；他請人為石龍子製圖，收入《牙買加自然史》中；更將醫療用的標本收納於自己的藥櫃中。石龍子既膽小又危險，只有技術高超的獵人才捕捉得到，因此史隆很可能是在非洲人的市集中找到的。[39]

史隆對保存動物標本的方法鮮少著墨，與他對待植物標本的態度如出一轍。不過，詹姆士・佩第維透過寫給幾位友人的信件中流傳的一份名為〈簡要指南〉的印刷品，描述了當時的主要技術。佩第維指示：將所有「獸、禽、魚、蛇、蜥蜴，以及其他會腐爛的軀體」，完全浸泡於「海草、萊姆酒、白蘭地，或是其他烈酒」以及鹽水中，並於每加侖的液體加入三至四把鹽和一至二匙的明礬粉，「便肯定能保存」。至於容器，任何鍋子、瓶罐皆宜，只需配有軟木塞或塗有樹脂的蓋子即可。碰到大型的禽鳥，可保存頭、腿和翅膀；小型鳥類和昆蟲則要將完整的軀體「沉浸」於烈酒中再轉送他處。若要保存乾燥的樣本，必須先取出內臟，從翅膀下方切開，塞入混和了瀝青與焦油的ockham與短麻屑，再日曬乾燥。如前所述，脫水乾燥仍是至關緊要，才能「殺死可能在」標本中「繁殖的害蟲」。伍德沃德的指示顯示，要將脆弱的標本安全放置在以穀糠或棉花襯底的盒子中，需有靈巧的手藝才能辦到。殼、礦物以及珊瑚則「應該小心翼翼地……用一張紙單獨包裝，如此可避免在運輸過程中摩擦、碰撞，或是破裂；最後再全數移入一個盒子、衣箱或是舊桶子，從最重最堅硬的開始往上堆疊」。伍德沃德堅持「要格外注意盒子裡的標本不被翻倒，或在搬運上下船的過程中滾動或被搖晃」。庫廷的收集者詹姆士・瑞德攜帶的物品包括一打每把價值一先令六便士的剪刀；還有兩打每把四便士的刀子，價值兩先令六便士的數個魚鉤，一先令可買一百枝的針，價值六便士、一加侖的烈酒，數個價值六便士的盒子，以及兩個價值三便士的玻璃瓶。史隆無疑地也攜帶大量的類似裝備。[40]

處理昆蟲要特別謹慎。由於收集和保存昆蟲特別有挑戰性，昆蟲在博物學界成為眾所覬覦的物品，其文化價值也被徹底反轉。基督教傳統中的伊甸園裡沒有昆蟲，牠們被認為是原罪的附屬產物。因此，加勒比海的旅行者除了用「糞堆」、「尿壺」等詆毀性的俗語來形容牙買加之外，也經常提及當地的昆蟲，用生理墮落來描繪牙買加（也因此出現「蛆莽原」一詞），隱射此地對神的褻瀆。然而，自十六世紀起，人類開始對昆蟲產生如神一般的崇敬。羅伯特・虎克的《微物圖誌》（*Micrographia*, 1665）一書呈現跳蚤和蒼蠅的微觀版畫，令讀者為得以為一個超乎想像的世界而驚豔。史隆與其同代人一樣，也強調研究昆蟲有其價值、能顯示神所創造的世界中細微的結構。他如此宣示：「偉大的神是萬物的創造者和保守者，祂的力量、智慧和啟示只有在最微小的、叫做昆蟲的生物中，才得以顯現」，儘管昆蟲「身軀微小又有許多天敵：卻依舊生存、茁壯，並繁衍後代，既然我們現在已建構了昆蟲的完整歷史，我們對牠們的知識也似乎未曾流逝」。在基督教傳統下發展的自然史，便有著如此這般尋求完整知識的夢想：既然自創世以來宇宙未曾改變，博物學家便有可能為自然界的生物編撰完整的目錄。[41]

在牙買加收集昆蟲有助達到編撰普世目錄的目標。有些昆蟲很明顯地是史隆自己捕捉的、甚至可能是在他位於西班牙鎮的居所抓到的，包括居家常見的大蜘蛛「在一般住屋中很常見，甚至在天花板上爬竄」。奴隸可能也貢獻了為數不少的樣本。佩第維在信中指示收信者付錢讓奴隸去收集樣本，針對昆蟲更提供了詳盡的指示。他對一位供應商這麼說：「雇用一位黑人或是工人，讓他深入島內，或是樹林和深山裡」，並計算出一份薪級表，「各種蒼蠅、甲蟲、蚱蜢、飛蛾等等，一打支付半克朗」。史隆和佩第維一樣，並未記載他從奴隸處得到哪些物種，但他記載樣品的來源，正如他記錄植物一般。舉例來說，他在「島的北邊、賽維亞舊城附近德拉克斯隊長的種植園旁的樹林中，發現 *Limax nudus*，亦即「裸身白螺」。其他有些樣本則是禮物。史隆離開牙買加後，收到來自種植園主約翰．雷民夫人的一個包裹，內裝有木蠹蛾（*Cossus*，也就是非洲奴隸與古羅馬人都嗜食的美味），「這是〔他們〕履行的承諾……連同木蠹蛾聚居的木頭一起送達」。另外，名為 *Araneus niger minor*、褐白色的蜘蛛，史隆記載「是巴罕先生從牙買加帶給我的」。[42]

雷民夫人的蟲讓史隆如此著迷不只是因為牠們的功用，更因為牠們的本質。他在〈昆蟲目錄〉中列出數種木蠹蛾，另有「一塊內含木蠹蛾的黃花柳」。史隆解剖了幾隻，並描述解剖時自蟲的軀體滲出的水與脂肪，以及「那又黑又硬又帶毛的尖爪，用以……蛀蝕腐木」。而如胭脂蟲之類、用來製作高利潤紅色染料的昆蟲則能為帝國帶來財富：史隆隱含興奮之情地指出，某些私掠船帶了幾袋的蟲到島上，牠們「在當地繁衍」。然而如同木蠹蛾般的昆蟲也有迅速動搖帝國之本的能耐。史隆所收藏的、被蟲蛀蝕的龍骨就是最鮮明的例證：舉例言之，他略有不甘地付出一鎊六十先令，就為了取得一件具代表性的、「在西印度群島蛀蝕船隻的木蛀蟲」。史隆為《牙買加自然史》所製作的版畫，背離了多數博物學家約定成俗的、呈現標本的視角。習慣性的作法是將標本抽離脈絡、以抽象的方式呈現在白色背景上，史隆則展示此種蟲類正在鑽木的圖例。例如*Scolopendra maxima maritima*能穿透英國船隻以橡木與杉木製成的船身，即便這些木料據說都塗上了滴水不漏的樹脂。據說杜松能抵禦這種「無所不侵」的害蟲，但史隆本人強烈懷疑此說，因為他曾「目睹用這種樹木製成的龍骨被蛀蝕殆盡」。[43]

因此，史隆的昆蟲學和英國海事與帝國的經濟利益緊緊相繫，而殘害奴隸身體的蟲類也影響上述利益。史隆指出：「此處各色人等普遍受蟲侵擾，尤其是黑人與一般的僕役」。蟲會導致發燒、痙攣以及胃部疼痛，讓奴隸無法工作。入侵並生存於「皮層下肌肉的」俗稱鞋帶蠕蟲（學名為巨縱溝紐蟲）「在黑人與其他來自幾內亞的人身上都找得到」。黃金海岸的土著比安哥拉人或是甘比亞人更常受蟲害。史隆有為至少一位奴隸診斷的經驗，發現患者的「大腿」有蟲，「其尾端半吋還懸掛於體外，又扁又黑」。他「聽說此種瘟熱病唯一的療法就是將蟲（外露的部分）像膠帶或緞帶一樣、綑在一塊圓形的木頭上，每天慢慢將蟲拉出身體」，也聽說「由於蟲身又軟又長，必須細心拉取，若是蟲身的任何部分在治療時斷裂、殘留在體內，保證會導致無法治癒的潰瘍」。黑人小孩經常因吸允新鮮甘蔗而吃下蟲，會吐出「各式各樣、不同大小」的蟲，這帶給史隆使用各種瀉藥配合放血治療的靈感，但由於蟲吃穿「他們的腸子」，醫療經常無效。史隆的治療手段可說是又一次以醫療專業來維護奴隸制度的嘗試。他在〈昆蟲目錄〉中描述「一隻從一位幾內亞奴隸的腿部和其他肌肉部位一段段抽出來的鞋帶蠕蟲」，是一位南海公司的外科醫生約翰・伯內（John Burnet）寄送給他的。伯內的任務是檢查運往南美洲卡特赫納、準備販賣到西班牙殖民地的大批奴隸。[44]

儘管史隆對非洲醫者不屑一顧，他和許多在加勒比海的白人一樣，利用黑人的巧手為自己的身體驅除寄生蟲。他回想有一次「覺得一隻腳趾頭有點不舒服、有痠痛的感覺」，便找一位女性奴隸幫忙。「我召來一個黑人，她處理類似不適的能力眾所周知，她說我有chego」。具史隆說，這位女性「在故鄉是位女王」，她用一支別針刺破史隆腳趾腫脹處的皮膚，取出「腫瘤」，並將她抽過的煙管中的菸灰敷撒在傷口上。腫脹由母跳蚤下的蛋造成，「在短暫的刺痛後就痊癒了」。史隆也記載了另一個例子，顯示出此種手術細緻的程度，「有一位精緻可人的小姐腳趾上長了這樣的一個膿包，一個黑人用針取出了一部分」，但「並未取出整個膿包」。當腫脹開始潰爛，史隆拒絕提供醫療，堅稱身為內科醫生、這種症狀「不屬於他的業務範圍」，並將這位女性患者轉介給外科醫生，「敷以藥膏等等，潰爛處破裂流膿了許久，折騰了一陣子才結疤」。亨利・巴罕後來提出的一份報告引發了一個有趣的問題，那就是「哪些黑人」對這種手術最拿手。巴罕在一七一八年寫信給史隆時，描述了「歐巴或是黑人醫者」的「詐術」，有些人「在拉取〔蟲子〕時吹口哨，假裝蟲是被口哨吸引而離開人體」，卻不承認他們能成功取蟲是因為使用了鵝毛筆這項工具。這不禁令人好奇，史隆是否也曾接受某位歐比亞女醫者對他腳趾腫大的醫療行為，儘管他對其信仰之事嗤之以鼻。[45]

取得昆蟲之後，史隆面對的另一個難題是如何為其繪圖。十七世紀末期的博物學家對於昆蟲的分類標準缺乏共識，該依照發生模式或是構造差異來分類，尚無定論，也因此博物學家對於繪圖師應該捕捉昆蟲身體發展的不同階段、或是呈現軀體在某特定階段的形象，也多有爭議。由於史隆收集保存的是已死亡的樣本，而非長期畜養活體昆蟲，他請蓋瑞・摩爾描繪靜態的樣本，並呈現構造的細節。收錄於《牙買加自然史》第二冊的第兩百三十七號表格便以此手法展示包括甲蟲、蟑螂與臭蟲等多種昆蟲。與他處理植物的手法雷同，史隆為樣本標示多項式的拉丁文命名標籤，並引導讀者認識包括芮在內的、早期博物學家的作品，更提供昆蟲的英文名以及簡短說明。他在整理標本的排列時也強調美感。兩百三十六號表格依據多種混雜的生理特徵排列蝗蟲、蟋蟀和其他生物，兩百三十九號表格則以對稱的陣式展示蝴蝶，標籤也移置每頁的下方以空出頁面空間、呈現賞心悅目的和諧圖案。此種安排反映出對於自然界既存美感的信念，博物學家認為這種美來自神意。透過對昆蟲標本如此巧妙的安排，史隆不僅為自己塑造出為動物分類學貢獻的形象，更自詡為神創世之驚世美感的虔誠展覽者。[46]

從摩爾對魚類與鳥類精緻的描繪——描繪的對象看似全神貫注地、坐直供他速寫——到他對昆蟲構造的細心呈現，史隆的生物圖片再再顯示他對牙買加動物生態游刃有餘的掌握。史隆老調重彈，他堅持島上的動物與英格蘭的物種並無二致。「綠色大黃蜂在花間來回穿梭、吸吮花朵，發出的聲響和英格蘭的蜜蜂一樣，甚至更大聲」；螢火蟲「不比英格蘭的蒼蠅大」；褐白蜘蛛的蛛網跟「一般英格蘭蜘蛛釋放出的螺旋升降的蛛網類似」。多寶閣與異地遊記通常會呈現各式「怪物般」的動物，但這些生物在史隆筆下的牙買加卻缺席了。相反地，史隆闡述的願景中，有著神意安排的秩序以及豐盛的物產，全為增進人類福祉而存在。基督教文化之下「存在之鏈」（Chain of Being）的概念，將神置於天使之上、天使在人類之上，而人類——在全宇宙中唯一擁有靈與肉兩種性質的存在——在動物之上。對動物的理解則是根據複雜性，從高到低依序排列，下至卑微的軟體動物，而最終到達植物形式的生物類別。這個「存在之鏈」也是個食物鏈，使人類經由消化系統統御所有造世主所創的較低等生物。史隆堅稱牙買加不是內德．華德想像中的墮落糞堆，它其實是神造的補給站，為的是讓冒險進取的基督新教徒在世界各地豐足。他宣稱：「我不知道世界上還有哪個地方有如此豐富的淡、海水魚，這些都是神意的設計用以供給居民的」。牙買加的鳥類叫聲悠揚、羽翼豐美，但牠們「也是極佳的食物」。畢竟造物主明確地賦予人類「為保全自我而摧毀他者的工具」。若非「這些生物」有如此「充分的數量，人們早就無法支撐下去」，然而多虧了神（對牙買加）的恩賜，任何基於匱乏或是滅絕而造成的環境危機根本是無法想像的。對虔信者而言，神的訊息很清楚：創物的結果，任憑享用。47

史隆避而不談有關怪獸的傳言，但卻將異地動物轉化成新式商品，供後世學習。舉例言之，海牛是商品化的一個奇觀，牠之所以吸引人不是因為分類學或是構造上的特色，而是其營養價值與醫療效果。史隆寫道：在「島上較靜謐的海灣」能捕到這些生物，「由於獵捕的人們與獵人為數眾多」，牠們被捕捉到幾近「滅絕」的程度。史隆使用「滅絕」一詞是個有趣的選擇，顯示他的確體認到殖民主義對環境的衝擊。另外還有一些間接證據顯示他對生態環境脆弱的理解，比如在〈四足類目錄〉中有一條更新過的記錄，指出菲律賓（the Philippines）的斑鹿「瀕臨絕種」，而他也擁有一幅度度鳥的油畫，歐洲人在十七世紀結束時意識到這種鳥已絕種。即便是寫到海牛，史隆也未做出與其信念相左的結論，他仍相信神創造的世界萬物是亙久不變的，而人類能毫不慚愧地對其欲取欲求。他接著指出海牛「看來是極佳的食物」：用奶油炸過後，海牛肉是「全世界最美味的魚肉」，而「醃過之後的肉能長久（保存）、不腐壞……持久又不變質」。此外，牠們「磨成粉的結石、或應該說是骨頭，是結石或止瀉的特效良藥」。這些動物以海底的水草為食，其「顱內有結石，在燒烤成粉後對治療肝病有效」、能減輕「腎臟的疼痛」。

牠們的皮革不僅用於製造抽打奴隸的皮鞭，也用以製造優質的鞋子。這著實是份商用目錄：動物身上沒有一個部分被浪費。一位桑德勒太太後來送給史隆一份來自牙買加、相當俗媚奢華的禮物，徹底體現將動物商品化的夢想：「一隻沾有黃金的幾內亞幼鹿的腳，作為菸草塞子之用」。[48]

對史隆而言，動物為人類所馴服與動物的商品化同樣令人欣慰。他談到入夜後監工吹響海螺號角、召喚整日在樹林中覓食的豬隻「回家」：「對我而言，這絕不是無關緊要的娛樂，看著這些豬隻……邊吃邊從地面抬起頭來、豎起耳朵傾聽」，幾乎像是「受過訓練聽從命令，比我見過的任何軍隊都有紀律」。動物能調解人們在島上的互動，有時也被徵調以維持奴隸制度的運作。大黑鳥「經常在大草原邊緣的樹林中出沒，一見到人類就大聲鳴叫，驚擾周遭其他鳥類」。這種鳥散布各地固然使狩獵動物困難重重，卻也殘酷地成為阻止奴隸奔向自由的助力。「當黑人從主人處逃脫時，會被追到樹林裡，這些鳥一看見他們……就大聲鳴叫、為追捕者指出奴隸脫逃的方向，若非這些鳥，逃脫的奴隸就有可能在島上遙遠的樹林中無憂無慮地住下來」。小嘴烏鴉（或稱禿鷹）以死屍為食、包括奴隸的屍體在內，因此在監控島嶼這方面也扮演了重要的角色。這氣宇軒昂的鳥類在雙翼充分開展時寬達四英呎，有著微彎又堅硬的喙，以及令人生畏的「灰色鱗片」與「棕色鈍爪」；史隆如此寫道：「飛翔時與風箏無異」、「不嗜活體生物，但卻狂噬死屍」，其中包括在逃亡途中喪生的奴隸。他記載了有關一位無名女性的故事，她可能是名奴隸，墮下懷有的孩子後將之埋在田野中，最終還是「因為鳥食用其腐屍而被發現」。約翰．泰勒指出這些禿鷹「食用腐屍有其益處，因為腐肉會汙染空氣、生成惡臭又會傳染的瘟熱病」，牙買加政府更因此立法，對殺害禿鷹者處以五鎊罰金。[49]

此外，難以控制的野生動物也成為牙買加傳奇故事的主角。黑人間流傳著關於島上動物的軼事，透露根深蒂固的泛靈信仰，訴說著人與動物兩者對奴隸制度的反抗。稍後，湯瑪斯・西索伍德記錄一則以〈螃蟹的殼從何而來〉為標題的故事，標題所指的螃蟹在一位女性奴隸將一只瓠瓜向牠擲去時，神奇的事發生了，牠得到那特徵明顯的形體——殼。口述歷史也講述叛逃的黑人（即馬隆人）害怕山羊，因山羊會咩咩叫而洩露他們的行蹤，但他們也讚揚蟲子，因為牠們會咬噬邪惡的白人。有一首歌是這麼唱的：「剛果蟲把你吃光光（"Congo-worm a go *nyam* you"，*nyam* 是吃的意思）」。馬隆人一直都在施行一種儀式繁複的「科羅曼堤」（Kromanti），以紀念一位名為葛蘭法・維康（Granfa Welcome）、暱稱「幾內亞巴德（Guinea Bud）」的人，據說他飛回非洲，取得自由。在西非傳統的阿南西故事中，最受人傳頌的「蜘蛛人」是具有法力的英雄。此號人物的傳說與中央航路有關。凌波舞起源於奴隸船上，因為據說一位非洲人能夠「攤開四肢」穿過一道裂縫，「像蜘蛛一般」。蜘蛛人的傳說源自囚禁，基於狡猾的騙子以及公然藐視威權的民間英雄的形象，蜘蛛人也因此成為叛變的有力象徵。[50]

雖然史隆在《牙買加自然史》中不曾提及非洲動物的傳聞，但他確實重複了幾個他聽說過的、格外兇猛的野獸故事，這些動物對牙買加住民的安危構成嚴重的威脅。整座島上充斥著各種野生動物的記憶，以及謠傳神隱於世的生物。「馬隆」一詞即源自西班牙文的 *cimarrón*（野生的）一字，原指牙買加的野豬。史隆夜宿魔鬼山的星空之下時，睡夢間被「一種樹蛙的呱呱叫打斷……還有蚱蜢的鳴唱」，以及「夜行動物發出的聲響」——這句話令人聯想到無數隱蔽的生物（最後史隆也在其收藏中加入「來自牙買加的大樹蛙，夜間會發出巨大鳴聲」）。史隆聽說，猴子「在這座島上是野生的，牠們住在樹林中以果實維生」，也「聽說最初是經由沉沒的船隻來到島上」，但史隆從未親眼目睹之。在新河（Rio Nuevo）北岸時，種植園主湯瑪斯・巴拉德與史隆講述與愛爾蘭灰狗一般大的西班牙獵犬有多勇猛，當英國人在一六五五年抵達時「野性全發」。這些猛獸「在夜間搗亂」，大肆掠食家畜，也曾被西班牙人用來捕捉「可憐的印地安人」——這再次提醒人們原住民受苦受難的「黑色傳說」。[51]

史隆的自然史收藏奠基於一個對保育、完整性，以及從腐朽中重生的夢想。但他仍舊無法抗拒而重複講述如身體毀傷那樣夢魘般的故事，特別是動物吞噬人類、將人類推入遺忘深淵的傳言。而在他書頁中爬行的昆蟲，就像侵擾他身體的 chego，更是分解的預兆。雖然如蜘蛛人般的騙子傳聞在史隆講述的故事中缺席，但「黃色大木林蜘蛛」的故事不只提及其蛛網能設陷捕捉「小鳥，甚至野鴿」，更駭人的是它「強大到即便是人沾上後，也要糾纏一陣」。黑蟻則是個恐怖的威脅，具有原始的毀滅力量。史隆多次講述他所聽過關於 *Formica maxima nigra* 的故事，「據說他們咬食睡在搖籃內的西班牙小孩的眼睛、導致死亡」——迫使西班牙人撤離塞維爾的是螞蟻，而非任何敵人。史隆建議只要「把一根動物的腿骨扔到螞蟻巢中」，就能見識牠們的飢渴。床在晚上嘎吱作響甚至攤垮，也都是因為這些螞蟻咬噬接合處。史隆對螞蟻驚人的食量非常讚嘆：「在牙買加，若在飽受蟲害的房間放點糖，螞蟻會循糖而入，連帶地摧毀該蟲子」。小一點的黑蟻絲毫不比大蟻容易對付；牠們有可能成為標本，卻也吞噬標本。史隆回想道：「我試著保存蜂鳥的皮膚和羽毛，但必須與螞蟻保持距離，將它們懸吊在繩子的一端，另一端則繫在裝在天花板的滑輪上，但螞蟻還是有辦法經由天花板爬到標本上，將之侵噬。」他的〈鳥類目錄〉（Birds Catalogue）列出至少一種牙買加蜂鳥的骨架——可能就是以上標本的殘留。[52]

史隆的版畫也透露出牙買加生活的艱險。史隆製作的絕大多數圖畫展現的是將動、植物從其脈絡獨立出來的抽象標本，以白色為背景，適合視覺收藏家收藏，更適於研究與分類。然而，史隆偶爾會運用不同的體現架構，採用的並非培根式以事實為主的視角，而援用一種更古老的生產知識的模式，稱作象徵式自然史。象徵式自然史的精神不在於精確的科學目錄編纂，此種認識自然的方法，其靈感來源是宮廷裡具玩物性質的藏珍閣。貴族收藏家喜歡將不同種類的物件並陳於藏珍閣中，利用彼此之間不尋常的關係來逗弄觀賞者。史隆的《牙買加自然史》中有兩個特別突出的並陳的例子：一是一段覆滿珊瑚的桅杆以及與水母共同入畫的一枚西班牙銀幣，二是陳列於兩隻牙買加陸蟹之下、從邦斯的洞穴取得的罐子碎片（圖2.2）。在此，史隆結合自然與人為技巧，卻不將這些物件畫分至特定的類別。碎片和螃蟹將觀者的注意力引至陶罐與蟹殼在質地上的相似性，而桅杆、錢幣和水母則驅使觀者想像深邃的加勒比海，也透露西印度群島的寶藏中暗藏的危機。碎陶片將我們導回邦斯洞穴的場景（其中有著嗜殺的西班牙人、吞噬力強的螞蟻，以及行竊的非洲人），而螃蟹則腹部朝上、充滿威脅性，看起來不像毫無生氣的標本；另外，錢幣與桅杆令人回想起加勒比海中許多的沉船，還有包括水母在內（這種水母的暱稱很適切，叫做葡萄牙戰艦）、潛伏於浪潮之下的危機——更遑論鯊魚這樣冷酷無情、出沒於西印度群島水域的生物。[53]

基督教傳統下的博物學家傾向以神意理解自然界的運作，但也形成了一種難以解釋的觀點，亦即雜食性動物會相互爭奪天然資源。或許因為自笛卡兒以降所建立的科學正統經常把動物視為機器，只比機器稍有一點靈性而已，因此要承認動物有智慧是令人不安的。史隆寫到螞蟻時，興致勃勃地引用理查．利貢對巴貝多的記載：螞蟻「共享一個靈魂」；他幻想自己親眼目睹支持此說法的有力證明：「我曾見過一隻到處爬行的螞蟻在找到一隻死蟑螂時，回到蟻窩招呼一群同類到蟑螂處……牠們把蟑螂解體、一塊塊地搬走」。亨利．摩根向史隆描述蚊子形成「雲朵」一般的形狀，而聶德翰上校則回憶到蝗蟲漫佈、佔領如一艘「船」那般大的空間。此外，鯊魚是個無所不在的威脅，能夠吞食一整件物品、魚或是人。眾人皆知被鯊魚吞食的對象經常在其體內數日都不被消化，佩第維因此也指示他的通信者在捕到鯊魚時將之開腸破肚，這樣可間接、有效率地收集「各種奇特的動物」，但有時候找到的物件是再普通不過了，例如：一位在皇家海軍「協助號」服役的水手在海上遺失了一件夾克，一兩天後船員捕獲的一隻鯊魚肚裡尋得了該夾克。史隆曾進行了一項頗有趣的解剖，他打開一隻大白鯊的軀體時發現一個鯊魚胚胎，連同五隻尚未被消化的魚。史隆在《牙買加自然史》中轉述了幾則年代較久遠的、整個人被生吞的故事，其中包括法國學者皮耶．吉爾（Pierre Gilles）所流傳、捕捉到一隻「肚裡有一整個人」的鯊魚，而馬賽的漁民也曾經捕到一隻肚裡裝有整套鎖子甲的鯊魚。[54]

英屬牙買加的徽章是將一隻鱷魚置於島的頂峰，展現了官方沉浸於人類征服島上最兇猛的野獸這般幻想，這也是殖民意識形態的一部分。事實上，*Lacertus omnium maximus* 是牙買加最危險的食人動物，多數殖民者都怕牠。這些動物盤旋於海岸與河中，牠們以獵捕馬維生，有時也食人。鑒於史隆詳盡的解說，不難推測他曾親自解剖過一隻鱷魚。他寫道：這隻鱷魚有四個腺體，「兩個在下巴之下，另外兩個在肛門附近」；肺由「泡囊與血管交錯組成」，心臟小，且有一個「大胃，內部腹膜有皺褶，含有許多圓滑的結石與砂礫……以及些許骨頭」。他研究的樣本有七英呎長，但實證的記載只寫到這裡。史隆也講述了一個有關當地鱷魚的故事，如同牙買加生活中所經歷的物種之間暴力糾纏的寓言。有一隻特別狡猾的鱷魚長達十九英呎，習慣性地「每晚……造訪」羅伊爾港與航路港（Passage Fort）附近，在「此海灣附近的區域紛紛騷擾人們的牛群，循例搜尋獵物」。一位當地居民決定以大膽又聰明的方式對付鱷魚的侵擾；他「將一條長繩索的一端綁在床架上，另一端懸於窗外、繫上一塊木頭跟一隻狗」。一天夜裡鱷魚到來時，這個以狗為餌的陷阱被拉緊了：「鱷魚吞下狗和木塊，木塊卡在牠的喉嚨，這正是此設計預期的結果；鱷魚將床架拖曳到窗邊時也吵醒了在床上睡覺的人，然後就這樣捕捉到了鱷魚」。這就是牙買加：人類與動物置身在這個島上，陷入對主導權的爭奪。對此，史隆做出一個不痛不癢、中規中矩的結論：「鱷魚非常喜歡〔吃〕狗」。不過，身為一個收藏迷，他也難免透露了些許遺憾：「有人將鱷魚皮填充後，當作珍品送給我，但我沒空間放置牠，因為體積太大了」。[55]

史隆方舟

經過十五個月的行醫和採集，史隆終於在一六八九年三月離開了牙買加。奧倫馬公爵夫人決定返回英格蘭，史隆則以夫人醫生的角色伴隨她回英——但在啟程之前，史隆已在夫人的船上裝滿形形色色的貨品。公爵大人妥善密封的大體居主位，接著就是史隆所取得的各色物件，從邦斯洞穴來的碎陶片和人類遺體、到奴隸彈奏的吉他，無所不有。當然，還有數百件保存完好的動植物樣本，史隆都小心翼翼包裝在紙張、盒子與瓶罐中，也包括標本的素描和史隆的筆記，像是可可豆、糖、胡椒、珊瑚，和數種蕨類樣本，另外還有蟲子、昆蟲、蜥蜴、鳥類、魚類和貝殼。除此之外，雖然史隆早已「預見（會遭遇的）困難」，他仍舊決定攜帶「一些活體的稀有生物」。這樣的機會萬不可失。他將一條長達七英呎的黃蛇帶上船，連帶一隻鼠蜥，可能無可避免地，還有一隻鱷魚。蛇的毒牙可能致命，但史隆無法抗拒養來做寵物的念頭。他這麼寫道：「有人告訴我他親眼見到」一位住在「十六哩小徑」名叫弗斯特的人，「馴服了一條大蛇，裝在衣衫裡、帶在身邊」。蛇則「緊緊纏繞在他的手臂上，從他嘴裡飲水，一聲呼喚就跳到桌上，以木薯麵包屑為食」。所以史隆也養了一條自己的寵物蛇，「由一位印地安人所馴服，到處跟著我，就像狗跟隨主人一樣」，蓋瑞．摩爾還以畫作永久保存下這條蛇的形象。在船上時，蛇被安置在一個以木板密封的陶罐中、「飽餐」禽類與鼠類。鼠蜥可能是史隆在市場買的，活得好好的，以瓠瓜的漿為食；鱷魚則被放置於一個靠近艏艛的鹹水盆中，也特別好食禽類。若船隊能倖免於加勒比海的魚群和大西洋的風暴、也能躲過海盜與敵人，史隆就得以在倫敦炫耀其珍貴的收藏。但船隊一路上還會遭遇許多險阻。英國皇家海軍協助號的艦長勞倫斯．萊特（Lawrence Wright）在一月十七日的日誌上記載，一艘由布里斯托（Bristol）出發抵達羅伊爾港的船，捎來了「奧倫治王子率軍登陸英格蘭的消息」，而且「他們長驅直入艾克希特（Exeter）、未遭任何抵抗」。接著便傳言英王詹姆士被廢黜，連帶打斷了對牙買加在食物、奴隸和貨物各方面的供給。當公爵夫人的船隊揚帆啟程時，無人能知他們是否會回到一個再次陷入內戰的英國，坐在王位上的又會是天主教的詹姆士，還是新教的威廉。如若威廉勝出，英國必將與法國交戰，海面上就更不平靜了。[56]

船隊於三月十六日啟程。與前往牙買加時一樣，史隆將許多觀察記載於日誌中。他在佩德羅角（Point Pedro）的洞穴中聽到「大聲回音」造成「令人嫌惡的聲響」；沿著牙買加南岸往西航行時，也目睹了散布全島的許多種植園。他們繞航島最西端的內格里爾（Negril），此處是海盜常覓的避難所。一陣強風將船隊吹往北邊、帶向西北方的開曼群島其中一座較小的島嶼附近，他們「整夜搶風調向，深怕太靠近海岸」。史隆指出開曼群島有許多來自牙買加的捕龜者；據說「這些人為了治療梅毒，只以龜為食」，但史隆絲毫不以為然：「我從未見過〔任何人〕倚賴這種療法，或是任何印地安或黑人醫者吹噓過這方法」。在躲過一場颶風之後，船隊也成功避過「危險的魚群」以及「大量的海草和鯨脂」。在古巴外海，史隆記下了一位名叫莫利斯的人的證言，他是船隊的一員，曾在坎佩奇灣（Bay of Campeche）從事墨水樹貿易，後來在墨西哥被奴役、成為奴隸，但最後逃了出來。莫利斯握有高價值、從敵後搜來的戰略情報——他描述了西班牙人如何能沿著古巴北岸航行而不擱淺，又或是「墨西哥的麵包很便宜，但麵包在哈瓦那卻價值不菲」。[57]

船隻航向外海之際，船員捕捉到一隻鯊魚，史隆興致勃勃地進行解剖，發現「在卵巢中有黃色的卵，充滿了如卵黃般的物質、如小核桃一般大小」。但在外海面對的擔憂也更迫切。在此時期，船員還不知道該如何精確地測量經度，也因此無法肯定向西行已有多遠的距離。同時，已在海上航行數周的船隻也無法完全確定當下與其他國家的關係是和是戰，因此在途中收集情報至關緊要。四月七日，在出航一個月之後，載著公爵夫人的那艘船因為船板鬆脫，而在大西洋某處用槍發射了緊急訊號。船隊中的其他艦艇遣送木工支援，公爵夫人則「將她的金銀和珠寶放進她先夫公爵大人的快艇，然後轉登上一艘在外海禦敵能力較強的船隻」。此時安全毫無保障：皇家海軍協助號的指揮官說他「不願與任何船隻作戰」，這讓公爵夫人「擔心在當前政治局勢下，她有可能連人帶金銀與珠寶一同被挾持前往法國」。58

史隆的心思也為英法之間的敵對關係所籠罩。五月六日當日，出航已近兩個月，船隊進入了一片「陰濕的霧中」，此處似乎是紐芬蘭（Newfoundland）外海、加拿大沿岸，史隆親眼目睹「許多英國人和法國人在岸邊捕大鱈魚」，並與他們保持適當的距離。船隊不顧困難繼續前行，此時只渴望取得一丁點消息：「我們用盡各種辦法，只希望與其他的船隻（他們對我們避之唯恐不及）建立對話管道、多少求得些許新聞」。他們對一艘法國船隻發射訊號，其指揮官夾帶著文件被帶上船。這艘船來自法國拉羅歇爾（La Rochelle），先去波爾多載滿葡萄酒和補給品，再一路航向目的地魁北克以及西印度群島。船長懇切地解釋他們只是商人、是「可憐的貿易商」，他一邊說、「眼中還帶著淚，讓我對他的處境備感同情」。即便充滿同情，史隆仍舊不禁仔細搜索這位法國人的物事：史隆會法語，這對公爵夫人很有助益，因為他是「船隊中唯一一個能讀懂他〔法國船長〕的文件的人」。然而史隆依舊「無法經由文件或透過法國船員探知英法兩國是否正在交戰」。他們〔英船〕向法國船長買下了一個橡木桶的葡萄酒，放他下船，法船也悄悄地消失於夜幕之中。接著，船隊向東行駛了三週有餘，發現已到達夕利群島（Isles of Scilly）西方九十里格（一里格等於三英里）處。他們在此遇見了另一艘船，這回是一艘英格蘭船、隸屬一位名叫斯雷特斯的墨水樹伐木工。但「他也沒能為我們提供任何新聞」。[59]

到了五月底，家鄉總算近在咫尺。船隊於當月二十九日透過側深判定已進入淺水水域，很快地便行經一些「俗稱『主教與神職人員』的危險大石群」、指引他們前往天涯海角（Land's End），最後航向普利茅斯——也就是他們近兩年前啟程之處。最後終於進入了英吉利海峽，但即便在此，他們也無法肯定航行的進度，或是返鄉之後會是何等景象。他們依然竭力尋求「戰爭或和平的情報，若有戰事，到底與何國交戰，不希望一進入（英吉利）海峽便受擄成為戰利品」。至此，史隆這趟冒險奇航，繞了一圈又與哥倫布的旅程相連結。先前這位義大利裔的航海家透過觀察亞速群島的稀奇物品、判斷他最初西行的航線，史隆與其船隊則發現「海上漂浮著船板、箱子等物」，並據此推測「船隻必定在準備戰鬥時拋下這些物品以清空船身」。最後事實證明他們的判斷是正確的：漂浮物的確是英法兩國船隻在愛爾蘭南邊外海的班特里灣（Bantry Bay）發生小規模衝突後留下的痕跡。史隆想在登陸準備之前，確認此消息的準確性：「我乘著一條武裝大艇、被派去探查目前的政治局勢」。當史隆瞥見一艘小漁船，他便詰問「有何新聞、國王在哪裡」。漁船最初給的答案探詢意味濃厚，也讓史隆遲疑：「他問我們指的是哪一位國王」。但接下來的解釋終於給了他們想要的答案：「威廉王安穩地坐鎮白廳，詹姆士王在法國，英法兩國曾經交戰，英吉利海峽則成了劫掠船肆虐之處」。史隆回傳此消息，不久後船隊好不容易駛入普利茅斯。此際，史隆算是對他的贊助者盡了所有的責任。「奧倫馬公爵夫人攜帶著她的金銀與珠寶等物事，隨著我們大多數人下船，感謝神助她安全地循陸路抵達倫敦」。[60]

回到船上後，很遺憾地，史隆那些活體貨物卻過得不太好。他的蛇由於「厭倦關閉的狀態」，從箱子中逃了出來、蠕動著便竄進公爵夫人僕傭們的寢室，然後被射死。史隆將蛇製成標本：他的〈蛇類目錄〉收有「我馴養的一條牙買加黃蛇」這句聊表安慰的話。某日，有人看到史隆的鼠蜥「沿著船的舷緣竄跑」，由於「一名水手驚嚇了牠，便跳下船淹死了」。至於那隻鱷魚雖然幾乎全身而退，但終究臣服於命運：史隆記載其死亡日期為五月十四日，距離到達普利茅斯不到兩週。史隆很平靜地下了如此結論：「就這樣，行旅至此，我失去了所有的活體生物，這是多數人都經歷過的」。然而史隆失去的算少了，絕大多數的牙買加標本仍完好無缺：包括數百種動植物以及稀奇珍品，全都小心翼翼地標示並收藏在他厚厚的日誌裡，寫滿了關於它們在科學、醫學，以及商業上之用途的筆記。由於史隆的殖民地總督之個人醫生的特殊職位，他巧妙地善用英國以及其茁壯中的帝國所提供的資源，隨著英帝國的擴張橫跨大西洋，撐過了數月在海上的日子、熱帶危險的環境、奴隸起義的威脅等等，甚至在駛進英吉利海峽時還要擔心革命和戰爭的危險。其旅程的終曲象徵著他一心一意堅持追求個人志趣的心意，即使在最險峻的環境下為贊助者服務也不屈不撓。這般執著所換來的獎賞，則是他所累積的、為數驚人的科學珍寶；在史隆重新拾起在倫敦的生活時，這些珍寶為他歷史意義濃厚的收藏奠下了基礎。[61]

PART 2

Assembling the World

組裝全世界

CHAPTER

4

成為漢斯・史隆

Becoming Hans Sloane

提升療效的藝術

儘管史隆在革命進行中返抵倫敦，這卻是再適切不過了的返鄉時機了。大不列顛群島上的權力爭奪，歷經了一連串充滿戲劇張力的事件，進入了最艱險的階段，也就是後人所謂的光榮革命。一六八八年十二月，史隆仍在牙買加時，荷蘭聯省共和國的執政官威廉・奧倫治—拿騷（William of Orange-Nassau）在英國國會內部幾個派系的鼓勵之下，帶領兩萬荷蘭軍士佔領了倫敦。這些派系意欲終止篤信天主教的詹姆士二世的統治，視其為絕對君主專制。詹姆士於十二月二十三日橫越英吉利海峽、逃亡至法國；經過了一段無主時期後，威廉及其妻子瑪麗（她是詹姆士的新教徒女兒，令英國人感到放心）基於一六八九年二月頒布的權利宣言（Declaration of Rights）受邀繼位為國王與皇后，於同年四月在西敏寺正式登基。[1]

翌月，史隆便重返倫敦。雖然他避免張揚自己的政治派系傾向，至少自一六八〇年代起，史隆便認同惠格黨，也與在繼位危機時反對詹姆士和在一六八九年支持威廉的溫徹斯特侯爵查爾斯・波利特（Charles Paulet）交好。史隆甚至在一六八五年也受了一份威廉・奧倫治所贈、享有盛譽的科學大禮，這是「一對由荷蘭的穆森布羅克（Musschenbroock）先生製作的顯微鏡，是奧倫治王子贈送的禮物」。對英國而言，一六八八到八九年間的非暴力政權轉換非常難能可貴，然而新教徒與天主教徒之間的衝突，在史隆的故鄉愛爾蘭仍舊引發不少血腥戰事。天主教徒在阿爾斯特圍攻德里（Derry），並短暫地拿下貝爾法斯特。史隆熱切地觀察事件進展。他在一六九〇年六月告知身處阿爾發斯特的植物學家朋友亞瑟・羅頓「此地平靜無事」，當時威廉正離開倫敦，投入博因河戰役（Battle of the Boyne River）。在此戰役中，這位荷蘭人面對詹姆士及其死忠支持者時，贏得了關鍵的勝利；隔年在奧赫里姆（Aughrim）也得到同樣的結果，歷史學家強納生・巴頓（Jonathan Bardon）將此役形容為「在愛爾蘭土地上進行過最血腥的一場戰役」：死亡人數超過七千人。詹姆士黨人（Jacobites）的挫敗讓新教徒有機會掌控愛爾蘭國會，並通過刑法，還縮減天主教徒擁有財產和參與政治事務的能力，並將愛爾蘭長老教會劃歸愛爾蘭英國國教的管轄範圍。此發展對史隆而言是好消息。威廉的征服行動確保了史隆家族、他親戚漢米爾頓家族，以及他在愛爾蘭各處的友人們的前景。一六九一年，一位「史隆先生」似乎曾協助起訴地方法官，因為這些法官在詹姆士統治期間，曾判阿爾斯特地區新教徒叛國罪。這位「史隆先生」可能是啟利列的議員詹姆士・史隆（James Sloane），甚至也可能是漢斯（史隆）。[2]

威廉的勝利不僅扼殺了詹姆士以愛爾蘭作為重奪王位基地的希望，更成了英國與幾個前任對手結盟的開端，一同抵制法國號稱太陽王的路易十四的勢力擴張。在九年戰爭期間（The Nine Years' War, 1688-97），英國與荷蘭、西班牙，以及神聖羅馬帝國合作對抗他們新的頭號敵人——

法國。在西班牙王位繼承戰爭（War of the Spanish Succession, 1701-14）期間，英、荷、奧（地利）三國結盟，就為了防止路易王將整個西班牙帝國納入法國的勢力範圍。為了有效軍事動員，必須建立一個固定的、對消費品課稅的體制，如此才有經費來源，去支持行政與彈藥。軍事動員也促成了英格蘭銀行在一六九四年的成立，作為安定通貨與國債的機制；同時私人債主貸給威廉一百萬英鎊的軍款，換來了發行紙幣與債券的權利，此舉鼓勵了以債作為商品的投機交易，以及買賣公共集團，包括皇家非洲公司和南海公司（South Sea Company）所發行的股票等投機行為。[3]

國內的政局仍受制於派系鬥爭。國會議員全力擁護威廉和瑪麗，視兩人為國會立法權至上的保障。然而，因國王退位而懸空的王位不過只是個虛構的故事，巧妙粉飾了外國侵略者逼退世代相傳王室的憲政醜聞。一七〇一年通過的王位繼承法（Act of Settlement）否定天主教徒繼承王位的合法性，因而鞏固了新教徒的繼承權，也對君主的特權設下新的限制。一七〇七年的聯合法令（Act of Union）結合了英格蘭與蘇格蘭的兩個國會，在西敏寺形成一個單一的組織，然而愛爾蘭卻持續分離並保留其新教國會。此舉確保南北結合、居於同一個君主治下，也算對蘇格蘭的經濟伸出援手，挽救一場達連公司（Darien Company）所造成的財務災難。該公司試圖在巴拿馬地峽建立一個殖民地，聚集了許多蘇格蘭人的重金投資，卻於一七〇〇年垮台。儘管如此，王朝承續的路途依舊困難重重。雖然斯圖亞特王朝逃離英國，卻未放棄王位繼承權，同時，拒絕承認新王朝的分子也被貼上「拒絕宣誓者」的標籤而被排除於公職之外。此外，威廉、瑪麗，以及他們的繼承人安妮女王（Queen Anne，瑪麗的妹妹）都沒有子嗣。當安妮於一七一四年過世時，英國國會邀請漢諾威選侯喬治．路德維希到英國繼位為喬治一世（他是斯圖亞特家族的親戚，但關鍵在於他是個新教徒）。再者，惠格（因反對斯圖亞特王朝君主而成立）與托利兩黨之間的政治分歧未曾改善，而天主教徒、斯圖亞特同情者以及某些托利黨人所支持的詹姆士黨人，分別在一七一五與一七四五年發動叛變，都讓英國陷入二次內戰的危機。[4]

隨著新商機的興起，英國社會的本質也產生轉變。長久以來，英國人的財富奠基於農業生產，由領土貴族掌控。土地、宗教與政治三者間有直接的關聯性，因為一六六一和一六七三年分別制定的地方公職法與檢覈法（Corporation and Test Acts）規定，只有擁有地產的男性英國國教徒得以投票和擔任公職，成為排除天主教徒、異議新教徒、其他少數族群以及女性的法源。當小說家亨利．菲爾汀（Henry Fielding）開玩笑地將「無人」一詞定義為「全英國除了一千兩百人之外的所有人」，也不無幾分當真。十八世紀期間，英國土地的價值漲了兩倍，農業仍是利潤最高的產業，地主們也從佃戶身上收取穩定的高價地租。此時，擁有地產的鄉紳不僅是經濟現實，就文化意義而言也代表著一種理想：從政界到自然史界，只有仕紳階級有可能成為值得信賴的角色，因為他們擁有足夠的財富、沒有隱瞞真相的動機——至少人們是這麼認為的。此觀點也認定仕紳們有自制力、不受利慾薰心，因此他們能站在大眾福祉的立場思考。相反地，女性和低階級的男性被歸入附屬階級，缺乏自制能力，其判斷能力也無可避免地被衝動的情緒左右。[5]

在此社會中，財富與地位的分配極不均等。當時所作的估計固然不是系統性的，卻能為我們指點一二。一六八八年，人口分析家葛雷格里．金（Gregory King）估計，英國社會頂層百分之一點二的人口為地主、掌有全國百分之十四的財富。到了一七五九年，英國人口已超過六百萬，古物學家約瑟夫．馬西（Joseph Massie）估算，當時年收入高於八百英鎊的貴族家庭超過兩千戶，而近七十五萬戶由務農、航海、從軍、勞動以及參與製造業的男性家戶長主導的家庭，每年只賺進不到二十四英鎊。為了補償不均，地方上的慈善單位和濟貧法都為赤貧之人提供零星的救濟和援助。不過，糧食仍舊普遍低價，就業率也穩定，這兩個因素在十八世紀前半維繫了社會凝聚力。再者，政治意識基本上還是垂直性而非橫向分布：每個社會階級的人士比較關注哪些人的社會地位高過或低於自己，並未考量與自己相同社會地位的人們所持有的共同政治利益。6

儘管如此，英國的帝國經濟仍然促成社會轉型，提高了對消費物資的需求，也為新興貿易商開拓財源。一七一三年所簽訂的烏特勒支和約（Peace of Utrecht）正式終結西班牙王位繼承戰爭，也為英國在美洲殖民地開啟了一段漫長的商業擴張期，以奴隸制度和糖業為動力（還包括菸草、米、麥等其他出口作物），又由於殖民地成為被法律保護的市場，保障了英國製造品得以販售。到了十八世紀下半葉，殖民地提供天然原料、勞動力（奴隸）以及財富，支撐了英國的人口成長與工業革命，在國家的能源動力從木材轉型到煤炭之際，證明了能克服環境對經濟發展所造成的限制。然而史隆時代的英國絕非世界經濟的中心。在前工業時期，英國國內對外來奢侈品的消費需求非常高，內部生產都不足以應付，花掉的錢也抵銷了殖民地不斷增長的利潤。英國在南亞的活動並非基於人口眾多的屯墾殖民據點，而是靠著由東印度公司經營的軍事與商業駐防據點而發展，包括馬德拉斯（Madras，又稱清奈）的聖喬治堡（Fort St George）、加爾各

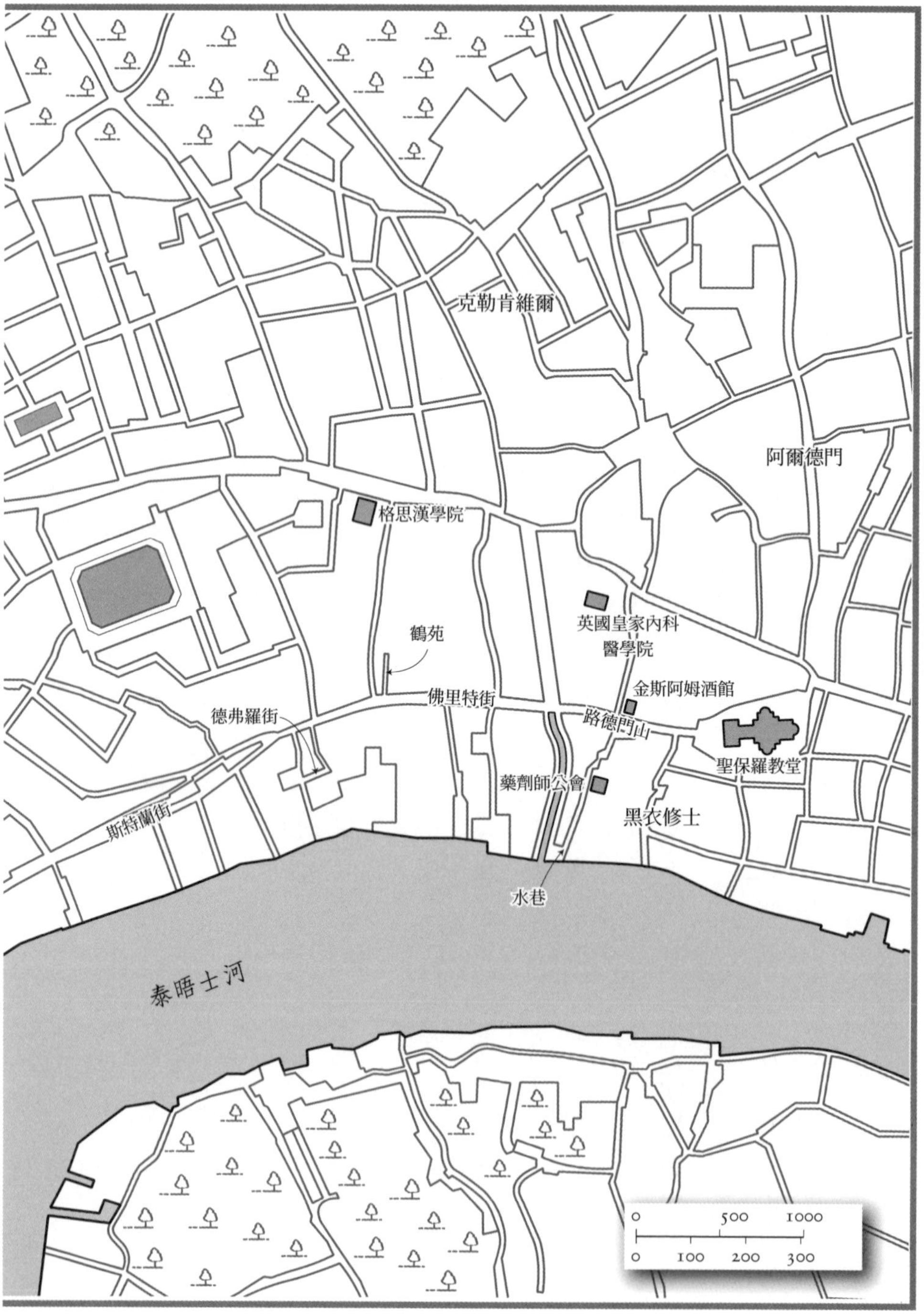
克勒肯維爾
阿爾德門
格思漢學院
英國皇家內科
醫學院
鶴苑
金斯阿姆酒館
佛里特街
德弗羅街
路德門山
聖保羅教堂
藥劑師公會
黑衣修士
斯特蘭街
水巷
泰晤士河
0
500
1000
0
100
200
300

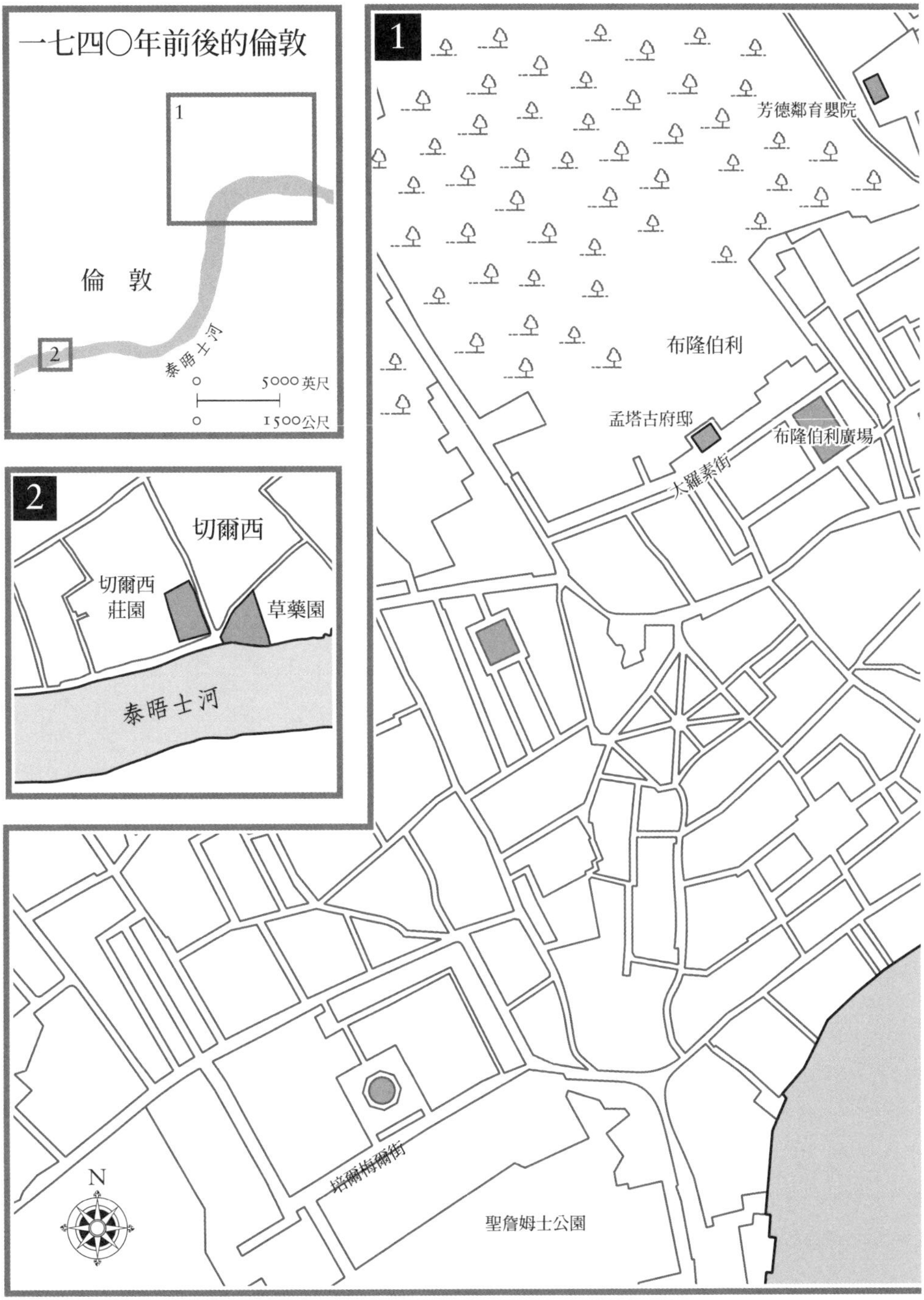
一七四〇年前後的倫敦
1
倫 敦
2
泰晤士河
5000英尺
1500公尺
2
切爾西
切爾西
莊園
草藥園
泰晤士河
1
芳德鄰育嬰院
布隆伯利
孟塔古府邸
布隆伯利廣場
大羅素街
培爾梅爾街
聖詹姆士公園
N

答以及孟買等處，他們在此區域與葡萄牙和荷蘭貿易商競爭，並採購香料、染料、絲綢、棉布、瓷器以及茶葉等商品。英國人也急於打入中國的市場，但因欠缺中國人喜愛的商品，只能眼睜睜地看著從美洲開採的寶貴銀子逕向東流、換取奢侈品。儘管英國的出口總值從一七〇〇到一七七〇年間，從六百五十萬英鎊成長至一千兩百二十萬磅，製造業的初期工業化對此多少有些幫助，但進口值總量卻以更快的速度增長，同一個時期由六百萬增為一千四百萬英鎊。[7]

英國這個不斷成長的商品帝國，讓許多因商致富的新貴有機會獲得前所未有的地位，同時也激發關於社會流動的激烈辯論。許多人稱頌其所目睹的社會變遷為商業和金融所帶來的文化貢獻。舉例言之，著名的散文家約瑟夫．艾迪生（Joseph Addison）於一七一一年，在為《旁觀者》（*Spectator*）這份新雜誌所寫的文章中讚揚英國皇家交易所（Royal Exchange），人們在交易所使盡全力地進行交易，此地也成了世界主義與宗教寬容的聖堂。外國評論家對英國的欣賞隨之而生，例如伏爾泰的作品《英國通信集》（*Letters on the English*, 1734），其中將崇尚自由主義的新教徒的商業天才，與法國積弊累累的社會與教會階級體制相對照。商人與製造商迎娶貴族家的女兒，不僅為貴族的財產打一劑強心針，商人也得以取得頭銜，以古老的特權為富貴錦上添花。另一方面，坐擁土地的王公貴族投資都市地產、股票，以及開鑿運河之類的建設計畫。一心想發跡的個人與家族找到捷徑，躋身地位高尚的紳士淑女之流，他們購買時尚的服飾和住屋、閱讀新出版的小說與雜誌。於是，一個逐漸擴大的社會中產階級興起，屬於此階級的人們少以「出身」界定自己的身分，而是以購得的商品、讀寫能力，以及在公領域的參與程度自我定位，大量湧現的咖啡屋與廉價大眾印刷品則在此公領域的形成中居先導的地位。[8]

然而，類似南海泡沫危機的難堪歷史也證明了，新財富會帶來新危機。為了降低國債並提升對經濟的信心，自一七一一年起，羅伯特．哈雷（Robert Harley）領導的托利政府煞費苦心地鼓勵投資新成立的南海公司，透過名為*asiento*的合約，將奴隸貿易拓展至西班牙殖民的美洲地區。然而，內線交易加上猖獗的投機造成該公司的股價過度膨脹，在一七二〇年夏天股價驟降，投資人紛紛拋售股票，許多人頓時一無所有。蘇格蘭外科醫生詹姆士．休斯頓（James Houstoun）稱此現象為求富之人的「黃金狂熱」，評論家對此大肆批評；此時公司的理性管理形象破滅，取而代之的是被譴責任人為親，讓投資者降格成金錢走狗。諷刺作家強納生．史威夫特（Jonathan Swift）在一七二一年寫作的一首名為〈泡沫〉（"The Bubble"）的詩中感嘆道：「是何種魔法使我們的財富遽增」，與之相呼應的是同年威廉．赫加斯（William Hogarth）於其〈象徵圖片〉（"emblematical print"）中感嘆「錢的魔力又如何」，將其作品命名為「一個為紀念〔倫敦〕被南海毀滅的……紀念碑」。[9]

為人珍視的明確社會分野也被新興富人打亂。根據約瑟夫．馬西的統計，直至一七五九年，有一萬三千戶的戶長可被歸類為「貿易商」，年收入在兩百到八百英鎊之間，較年收入相當的「紳士」戶數只少了兩千戶。另外有七千五百戶戶長為「商販」，也有相當的年收入。在這個新英國，地位的表徵可以買到，不必單靠繼承而來。此時的問題就變成，該如何分辨真正的紳士與狡猾的冒牌貨？丹尼爾．狄福出版的通俗文學（他本人就是個貿易商和投機客）誇張化這些有關財富和身分的新隱憂。例如狄福於一七二二年南海危機過後出版的《摩兒．法蘭德絲》（*Moll Flanders*）和《傑克上校》（*Colonel Jack*）兩則故事，便以信用危機、債台高築，以及災難性的破產來象徵經濟秩序中的激烈社會變動。狄福故事中的主角賺進財富和地產，卻將之揮霍殆盡，他們前往美洲做富翁夢，從窮光蛋和娼妓搖身一變成為淑女與紳士，轉瞬間卻又丟了身分，變化之速令人眼花撩亂。狄福令人印象深刻地捕捉英國社會認同中新加入的混雜型式——一邊投資貿易和金融，一邊做著老式仕紳身分的夢——就像摩兒這個角色譴責某任丈夫是個「兩棲動物，又陸又水的，叫自己做紳士商人」。這些惡名昭彰的角色逐漸為社會注入新血，這也是史隆回到英國必須重新加入、開拓前途的社會。不意外地，某些評論者後來宣稱史隆也加入了這些角色的行列。[10]

史隆在剛返回倫敦時繼續為奧倫馬公爵夫人效力，在她克勒肯維爾（Clerkenwell）的住所隨側侍奉，此處原是倫敦的一個郊區，由於是個礦泉療養勝地，成為新興又時髦的地段，同時也跟隨夫人到位於埃賽克斯的莊園。史隆不但重操行醫之業，我們還將發現，未來他將擠入倫敦最知名的醫生之列。這些成就終將是他的，但當務之急是要成家並在倫敦定居下來。他不只一次提到有人「取得」妻子；如此用字遣詞值得注意，因為寡婦現已成為有志攀登社會階梯的野心人士最熱中的選項。以風趣著名的愛爾蘭作家理查・斯蒂爾（Richard Steele）經常在《旁觀者》發表文章，他就娶了一位來自巴貝多島的富家女。吉伯特・西斯寇特（Gilbert Heathcote）身為小五金商之子，後來成為奴隸販子兼貿易商，並協助英格蘭銀行的成立，也做了同樣的伴侶選擇。史隆本人與伊莉莎白・蘭里・羅斯（Elizabeth Langley Rose）於一六九五年五月十一日舉行婚禮，將他永遠與牙買加和奴隸制度連在一起。我們對伊莉莎白所知甚少。她的父親約翰・蘭里（John

Langley）是倫敦市議員，前夫則是富爾克·羅斯。史隆曾與羅斯合作解救奧倫馬公爵的性命，也曾讚揚其位於十六哩小徑的莊園為「全島最優良、最安全的種植園之一」。羅斯是個地位崇高的議員、也為種植園主喉舌，更是牙買加的一個主要蓄奴主，被公認為一六七〇年代定期收購非洲奴隸的六位殖民者之一，動輒買入數百名。羅斯擁有三千畝地。在他於一六九四年去世時，伊莉莎白成為唯一的遺囑執行人。翌年，史隆在倫敦與伊莉莎白結婚。根據兩人的婚約條文，並依照已婚婦女之法律身分的傳統、人妻的法定身分被其夫婿「覆蓋」，史隆可由伊莉莎白處取得羅斯農場三分之一的淨收益，其餘三分之二的收入則傳給伊莉莎白與羅斯所生的兩個女兒（伊莉莎白本人也得到兩千英鎊，外加金銀、珠寶，以及家中所有的物事）。婚後那年，史隆在寫給約翰·洛克的信中開玩笑地自稱「我們種植園主」，其來有自。[11]

如此安排之後，湯瑪斯·席登漢在史隆前往牙買加前提供的贊助，便成了史隆持續發展事業的基礎。史隆的博學名聲逐漸傳開，地位也因此節節上升，這也多虧了他在英國皇家學會與皇家內科學會的會員身分，還加上他在西印度群島收藏的物品。那些聲名遠播的皇家學會會員友人們也變成史隆的病人：約翰·伊夫林、威廉·庫廷、約翰·芮、約翰·洛克，以及一六八四到八六年擔任會長的山謬·皮普斯（Samuel Pepys）。史隆寫給芮的信函雖然主要談論的是植物學，卻也經常為芮持續復發的腹瀉與腿瘦提供處方。芮於一七〇〇年對史隆私下透露「感謝神我還能繼續工作，雖然我的疼痛幾乎未曾間斷」。隔年，史隆也因洛克可能患有「糖尿病」提供諮詢，並建議在發燒時放血和使用催吐劑治療。史隆的友人不僅信任他的判斷力，更重視與他相處的時光。皮普斯於一七〇二年寫給史隆的信中說道：「我幾乎都希望〔自己〕生病，如此便有藉口請你來訪一兩個小時」。[12]

不過，事實證明，史隆財富的增長，以及倫敦最有名、遊走於上流社會的內科醫生這個名聲，關鍵還是在於贏得貴族客戶。一六九五年後，他和伊莉莎白在布隆伯利廣場（Bloomsbury Square）南邊定居，此地在一六六六年倫敦大火後，成為一個時髦的新開發區，是個位於市區東北角的高級新興郊區，居民多為貴族和富裕的律師。一七〇〇年，兩人搬家到此區的東北角，在大羅素街（Great Russell Street）買下了一棟房子，還附帶花園，更於幾年後的一七〇八年買下隔壁的房子以便史隆放置逐漸增長的收藏品。此時，我們再次清楚地看出史隆與惠格黨的關係：史隆的房東夫人瑞秋・羅賽斯雷的父親南安普敦伯爵是威廉三世的主要支持者。其他身分顯赫的鄰居包括理查・斯蒂爾爵士、與史隆同為內科醫生和收藏家的理查・米德醫生（Dr Richard Mead）、肖像畫家戈弗雷・內勒爵士、建築師克里斯多福・雷恩爵士（Sir Christopher Wren）、北安普敦伯爵，以及賈斯特菲爾德伯爵（Earl of Chesterfield）。[13]

史隆便是透過這個由朋友、同事以及熟人組織成的網絡來發展他的客源，建立一個穩固的病患群。舉例言之，里茲公爵湯瑪斯・奧斯本（Thomas Osborn）——又稱丹比伯爵（Earl of Danby），曾因涉及一六七〇年間反抗查理二世的天主教密謀（Popish Plot）而遭罷黜——的信件便很清楚地顯示史隆最常提供醫療諮詢。里茲於一七〇五年在溫布敦的家中寫信給史隆，「交代我的身體狀況」。信中指出，自從最近一次旅行返家後，他已經歷數次「嚴重的」疼痛感。痛感消退之後，他又深受「嚴重感冒」之苦，坐困自家中、足不出房門。「飯後」他感到「有點噁心」，而「不斷襲來的燥熱」使他輾轉難眠直到清晨六、七點，嚴重削弱他的體力。他猜測這是所有身體不適的根源，「因此我希望你能提供一些改善的建議」。里茲很順服地承諾「沒有您的意見」決不輕舉妄動，「我極端仰賴您的諮詢，任閣下差遣」。[14]

史隆會收到無數的類似信件。由於史隆所留下絕大多數的是收進而非寄出的信件，我們無從得知他給奧斯本開的是什麼處方。但與奧斯本這封信類似的文件至少能顯示史隆所在的醫療文化。十八世紀早期英國的醫學，並不認為直接診察病體是內科醫生工作的關鍵內容，不過醫生的確認真地觀察病患的糞便。如前所述，仔細聆聽病患對自己健康狀況的描述是醫生的義務，貴族病患特別期望社會地位較低的醫生盡力地關照他們。史隆會聽病人描述症狀、一一回覆問題，並建議結合藥物、運動和解毒的治療方法。有些醫生為了在競爭激烈的醫療市場裡出頭，便提倡新理論。舉例而言，約翰・科爾巴奇（John Colbatch）因提倡酸而非鹼的療效成名，而亞伯丁那位既肥胖又憂鬱、卻善與人交往的喬治・切納（George Cheyne），其醫療行為則依循醫學機械理論，受牛頓自然哲學的啟發，將人體視為機器。相反地，史隆則跟隨其導師席登漢的教誨：「治病為上，旁事勿理」，繼續倚賴傳統蓋倫式的放血來平衡體液，並結合草藥的復原功效進行治療。他親訪許多病患，且從奧斯本的信件即可看出，他也透過通信行醫，這都多虧了一六八〇年開始實行的一便士郵資的措施。[15]

隨著史隆名聲的上升，越來越多上層階級病患找上門，從重量級惠格黨員到皇室成員皆有。其中還包括了羅伯特・沃波爾爵士（Sir Robert Walpole），他是第一名使用首相稱號的人，其領導的政府處理了「南海泡沫」這個金融危機，另外還有沃波爾在議會裡關係密切的同僚紐卡斯爾公爵（Duke of Newcastle）、著名銀行家法蘭西斯・柴爾德爵士（Sir Francis Child）、貝德福德公爵（Duke of Bedford）、歐瑞里伯爵（Earl of Orrery），以至於安妮女王、喬治一世和喬治二世。史隆的收入很難量化，但他的淨收入肯定豐厚。他的時間就是金錢。來自法蘭克福的博學的札卡利亞·康拉德·馮·烏紛巴赫（Zacharia Konrad von Uffenback）於一七一〇年到布隆伯利拜訪史隆，據他所言，史隆一小時收費一幾尼，此收費標準在上流社會的內科醫生群中算高。此時期英國低收入的勞工階級年收入約為十英鎊，安妮女王的財政大臣紀錄顯示，女王閣下於一七〇九年因為史隆醫治其夫婿丹麥喬治王子（George of Denmark），交代支付一百英鎊的酬勞，而史隆於一七一一年治療貝德福德公爵的淨收入為四十三英鎊。史隆的年收入可能最少達到七千英鎊，和理查·米德的年收入不相上下，甚至可能更多。據史隆的傳記作者湯瑪斯·伯奇所言，史隆成為「英國當時最優秀的內科醫生之一，且因為他表現極為突出，數年來生意源源不絕，使他得以為收藏活動投入巨額資金……更在身後留下十萬英鎊的遺產」。從客觀的角度來說，十八世紀早期公認最富裕的平民吉伯特·西斯寇特是位貿易商兼銀行家，他除了從事加勒比海貿易外，更力主解除所有貿易壟斷、倡導與法國開戰，更透過軍事合約與投資致富，他於一七三三年去世時，資產總額估計約為七十萬英鎊。[16]

然而，史隆不只具有醫生的身分。一開始，除了醫術之外，熟人基於史隆識人的能力以及行事謹慎的態度便相當信任他。「如何確認他人的品格」在規範十八世紀的社會秩序中扮演至關重要的角色；在這個新型社會流動以及身份流轉快速的時代，認定何人值得信賴、何人不值也就特別重要。因此，史隆信件往來的一個頻繁主題便是要求推薦與擔保。舉例來說，一六八九年六月，史隆剛從牙買加返英不久，便收到尼可拉斯·斯塔佛斯特（是史隆在切爾西草藥園的化學老師的小兒子，與之同名）來信，詢問史隆是否願意推薦其夫人的親戚安娜・奧登（Anna Orton）在奧倫馬公爵夫人家中服侍。這不過是個開頭而已。愛爾蘭內閣大臣羅伯特・邵斯衛爵士（Sir Robert Southwell）的家族於蒙斯特（Munster）累積龐大產業，更於一六九〇到一六九五年間擔任英國皇家學會的會長，但他卻需要向史隆請教私人問題，寫道：「您在世界各地交遊廣闊，還勞煩您建議何處可為我的侄兒約翰・珀希瓦爾爵士（Sir John Percivale）尋得一位適合同遊英格蘭的夥伴」。一七〇六年，伊莉莎白・紐迪吉特（Elizabeth Newdigate）向史隆致謝，感謝他「如此善待朋友」，不只助她對抗病痛，也在一場與其父理查・紐迪吉特爵士（Sir Richard Newdigate）（沃里克郡〔Warwickshire〕的男爵兼國會議員）的艱鉅家產糾紛中伸出援手。一兩年後，史隆的醫學判斷更增添了法律的面向。他代表一位胡格諾新教徒、名叫亞伯拉罕・默爾（Abraham Meure）的校長在大法官法庭提供證詞，建立了默爾之父因年長而心智喪失的事實，建議法庭應將其事務交由其子處理。17

史隆的內科醫生專業地位節節高升，藉由浸淫於倫敦上流社會絕佳的人際網絡，匯聚了龐大的個人財富。此外，他也因醫學專業建立了良好的名聲，包括無可質疑的判斷力以及對私人事務的絕對保密。多年後，在一七二八到一七二九年間，頌德斯夫人（Lady Sondes）向史隆打聽他兒子主管達薩斯的人品，一名由天主教改信喀爾文教派的人。頌德斯尋求史隆的諮詢，寫道：「因為您向來提供中肯的意見，在我認識的所有人中，無人比您有更準確的判斷力了」。史隆向她保證，自己在為貝德福德公爵服務時結識達薩斯，無須擔憂。可是，頌德接著問道，若安排自己的女兒凱薩琳和愛德華・邵斯衛（Edward Southwell）結婚又如何？同樣地，史隆認識所有相關人士，就此個案而言，他認識羅伯特．邵斯衛的父親，他是愛爾蘭的內閣大臣。頌德斯激動地寫道：「我從未認識比您更謹慎、判斷更中立之人」。她送給史隆一個內含自己肖像的黃金鼻煙壺以表達謝意。費瑞爾斯夫人哀求史隆「同情」她「悲慘」的景況，對他透露自己從「無情」的丈夫身上染上了性病，現在丈夫不許她遠赴義大利求醫。史隆將她轉介給一位他在蒙彼里耶結識的醫生安托萬．德迪耶（Antoine Deidier）。費瑞爾斯如願成行，並贈送史隆從南法取得的一隻鳥與一條蛇的骨架做為謝禮。如此看來，即便是助人解決最私密的醫療問題，也能為史隆的收藏增添珍品。[18]

史隆以醫生身分飛黃騰達的部分原因，是英國在光榮革命後，新世代的商人與專業人士興起。而他自然史收藏的增長，反映了他從阿爾斯特土生土長的藥劑師轉變成倫敦內科醫生的過程，此轉型同時強化了他的學術、醫學以及社會地位。然而，我們接著會看到，史隆的專業地位以及他收藏品的商業特質也為他招來尖刻的批評，凸顯出他高升的基礎並非識人能力或博學知識，而是野心和錢財的赤裸蠻力。

自然科學會報

史隆從牙買加返英後就再也沒離開過英國，但他在工作上卻未曾停擺。小斯塔佛斯特於一六八九年六月寫信給史隆：「先生，今晨六、七點之間我到您住處拜訪，但您卻不在家」。史隆在公、私事務之間打轉，雖然時間總是不夠用，他卻很有效率，而且經常與病患之外的人士接觸。十七、八世紀交接之際也是社團活動鼎盛之時，特別是因為首都充滿商機。咖啡屋是言論的中心，仕紳們在此品嘗咖啡、閒聊，也辦正事。英國皇家學會會員常去位於斯特蘭街（the Strand）之南、德弗羅街（Devereux Court）的「古希臘人咖啡屋」，這裡也成了史隆個人的最愛。約翰・在史隆全力投入行醫事業之際，他也繼續收藏活動，並開始邀請友人觀賞他的收藏品。約翰・伊夫林於一六九一年在行事曆中寫道：「我去觀賞史隆醫生的珍品，是他針對牙買加天然物產的廣博收藏，採集時極為用心，藏量大又特別，足以涵蓋整座島嶼的歷史，我也鼓勵他如此進行」。史隆欣然接受伊夫林的讚揚，空閒時，便著手進行《牙買加自然史》的寫作。[19]

史隆踏出的第一步，是於一六九六年出版一本牙買加植物的拉丁文字典，名為《植物目錄》（*Catalogus plantarum*）。其中列出所有他已辨識出的植物，附上相同植物的其它名稱，並將其他已出版作品中的相關說明一並納入。芮對史隆說：「你要閱讀和比較的旅遊紀錄如此之多，我著實敬佩你的認真和耐心」。史隆此時開始累積的個人藏書則讓他在田野工作以外，得以進行深入研究，其數量最終將高達四萬五千本書，以及超過三千五百份手稿。我們之前已提過，他也探究了多種語言的出版品，包括理查・哈克魯特在伊莉莎白女王時期彙編的旅行紀錄，以及各式記載一手經歷的遊記，包括西班牙博物學家法蘭西斯科・赫南德茲和荷西・德・阿科斯塔，以及法國旅行家尚—巴第斯特・杜特（Jean-Baptiste Du Tertre）和查赫勒・德・侯旭弗（Charles de Rochefort）牧師等人的作品。史隆購置的「書輪」（book wheel）是他龐大編目工程的最佳象徵，運用此工具可以同時閱覽數本翻開的書。[20]

於是，為了充實研究材料，史隆著了迷似地開始了一段在競爭對手收藏品中獵尋手稿的過程。在《牙買加自然史》的序言中，史隆回顧他自己煞費苦心地搜尋赫南德茲親筆所寫的墨西哥植物學原始手稿，赫氏也是史隆經常引用的對象。他讚揚這位西班牙學者是「由西班牙國王派出、尋求關於墨西哥自然物產的」關鍵先行者，他所製作的圖示價值有「六萬金幣」。「在牙買加」史隆曾見過「許多他所描述過的植物」，然而他也發現赫南德茲作品的許多印刷版本，內容因修改過而「又短又隱晦」，這包括於一六一五年在墨西哥出版的版本。但赫南德茲的手稿仍有可能留存於西班牙國王位於馬德里附近的艾斯科里亞宮（Escorial）的圖書館裡，即便一六七一年的一場大火燒毀了館內許多藏書。或許是因為不少尋書失敗的前車之鑑，包括史隆在巴黎的導師約瑟夫．比東．杜何納夫在內，史隆於一六九〇年間動用關係、致信威廉三世派遣到西班牙朝廷的大使威廉．艾格里庸比（William Aglionby），請他描述赫南德茲的原稿。艾格里庸比回報「的確有人告知他手稿的存在，會有機會親眼目睹」，但即便「他多次嘗試，仍無功而返」。其他的人也同樣鎩羽而歸，因此史隆推測赫氏的手稿現應藏在那不勒斯或羅馬，然他依舊遍尋不著。最難尋得的物件總是最令人嚮往，如同前面章節所提到哥倫布的大西洋地圖一般。[21]

史隆對訪客展示其收藏品不只是為了炫耀，他同時也希望促進與博物學同僚之間的合作與交流，經常透過信差牽線而促成這些會面。舉例來說，他在一六九八年接待植物學家安德雷斯．馮．貢德爾斯海姆（Andreas von Gundelsheimer），客人捎來杜何納夫的書籍與版畫。即便在英法兩國交戰之際，史隆也能透過科學外交將六十株牙買加蕨類（複製品）送至巴黎。杜何納夫也請史隆做個人情，「請〔貢德爾斯海姆〕購買戰爭期間出版的所有植物學書籍」。史隆宣稱，杜何納夫的同事、也是最小兄弟會（Minim）修士與植物學家夏赫勒・普魯米埃（Charles Plumier）之所以前往西印度群島進行植物學之旅，靈感便是來自史隆在加勒比海的行旅，之後更在自己的《牙買加自然史》中引用普魯米埃的《美洲植物解說》（*Description des plantes de l'Amérique*, 1693）圖文書。[22]

來自阿爾斯特的朋友亞瑟・羅頓造訪史隆的意義更為重大。在牙買加時，史隆便曾注意到哈里遜隊長在尼古安那的花園「是全島種有最多歐洲花園植物的一座」。不過，拜火爐之賜、循著萊頓植物園的模式，西印度全島的植物（包括可可豆在內）全都可在英國多處花園中繁殖，包括富勒姆（Fulham）、牛津、伯明頓（Badminton），以及切爾西等地。羅頓在參觀史隆位於倫敦的標本館之後，便差遣自家的園丁詹姆士・哈洛（James Harlow）遠赴牙買加、「帶回這些植物的活體，以便種植於位在愛爾蘭莫伊拉（Moyra）的花園中」，這座花園就在史隆長大的阿爾斯特啟利列的西邊。哈洛回程的「船隻幾乎載滿了一箱箱連根帶土的樹木與草藥」——史隆因欠缺相關的園藝技術而無法進行此類工程——羅頓偕同其助理，即來自列斯特夏（Leicestershire）的植物學家威廉・舍拉德（William Sherard）將其中某些樣本送給史隆，供其研究之用。在參考同事詹姆斯・佩第維的標本收藏、以及荷屬東印度植物誌《馬拉巴花園》中收錄的圖片與說明後，史隆便可宣稱他的收藏不僅只是牙買加當地的植物誌，更是生長於英格蘭、歐洲、大加勒比海地區、西非，以及東印度群島的植物指南。他在《牙買加自然史》中對讀者說道：雖然牙買加「很遙遠」，但當地的許多物種「是外來的」，且已經「用於日常醫藥用途」。因此他的作品呈現的同時是當地也是普世的植物學：這是一部牙買加植物的指南，並與為全球植物群像進行分類的企圖交互參照。[23]

如上所述的合作型態，加上不少佔據史隆時間的事務，都大幅減緩了《牙買加自然史》的進度。直到一六九九年，史隆返鄉整整十年之後，才終於委託艾佛拉德斯・齊齊厄斯繪製他的標本，此工程歷時兩年完成。同樣地，史隆與約翰・芮的夥伴關係也至關重要，但也耗費不少時間維繫。同時與芮和杜何納夫兩人維繫友誼需要運用些手腕，因為這兩位博物學家是競爭對手：杜何納夫和芮分別與史隆談論過另一方對自己作品的批評。史隆在物種分類上仰賴芮的方法，以花瓣數為標準，至於如蕨類般不開花的植物，則以葉片數量為準。然而植物學也令兩人感受彼此的宗教虔誠。芮在寫到史隆所贈、來自馬里蘭的植物時，表示「我很為它們的美所震懾」，並主動提出要回贈自己寫的一本標題為《勸聖潔靈守的生活》的小冊子。芮的信仰也影響了史隆，後來在作品中表示，植物「在每次瞥見之時，都為我們提供造物者之偉大的證據」。芮豐富了史隆的心靈，史隆則滋養了芮的身體。史隆送鹿肉給芮做禮物，也固定供給他可能是由家族的牙買加種植園出產的糖；同時他也為芮提供醫療諮詢，特別是針對芮惱人的腿部痠痛，在芮的想像中，腿部不適是「看不見的昆蟲」所致。[24]

由於芮身體欠佳，兩人鮮少當面相見。反之，史隆差遣他人將標本遞送至芮在埃塞克斯黑諾特利村（Black Notley）的住所。兩人的關係是互惠的。史隆會贈送標本、圖片、筆記和書籍；芮則在自己的《植物誌》一書中大量引用史隆的材料進行比較與對照，史隆則在自己的《植物目錄》和《牙買加自然史》中都引用芮的著作、視之為已知物種資訊的權威（史隆也為一本芮的《植物誌》作註解，作為自己標本收藏的索引之一）。稍後，史隆提到，以往他「非常輕易地展示這些奇珍異品給所有的愛好者觀賞」，指的是他收藏中的牙買加植物。但此時此刻異國標本特別珍貴，又正值博物學家爭相發掘新物種，但史隆卻捨得將牙買加珍寶送往埃塞克斯，展現了對芮難得的信任。他要芮守口如瓶，芮也慎重地承諾：「我會謹守你的指示，不讓任何人看到你送來的物品……從未有人、也不會有任何人閱讀你送我的文件」。[25]

在轉手過程中物件中難免受損。芮向史隆坦承一顆真菌類植物「很不幸地」從信中掉落，在只以燭光點亮的房間裡被訪客「踩成碎片」。有一次芮還史隆幾本書時，也因「略有玷汙」而向史隆致歉，因為他必須在火爐邊閱讀，「部分也因為、很遺憾地，有個小孩將墨水撒在書上。」但為了汲取芮淵博的知識，一切都是值得的。在比較史隆的牙買加胡椒素描和他自己的描述後，芮向史隆確認此植物的確不同於克魯修斯發現的白荳蔻（Amomum）。然而，史隆收藏的牙買加杉木充其量不過是種大型的杜松。能親眼看到史隆收藏的植物，與閱讀他人的描述或光是檢視圖片，確有很大的差別，芮因此能夠修正他人因為見不到實物、光憑文字記載就做出的判斷。植物學研究的一個遠大目標，即是透過一個共同語言來整合科學社群——為同一種植物擁有如巴別塔一般多的名稱去蕪存菁，此過程稱為「濃縮」（reduction）的藝術。史隆如此解釋：「致力於以老舊的經典詞彙去傳達新發現」會阻礙自然史的發展，不過，新命名法著重每一個細微的結構差異，也會「嚴重阻礙關於自然事物新知識的產生」。因此他希望借重芮來辨識哪些植物已為人所知、而哪些需要標上新的多項式命名標籤。舉例來說，史隆認為他的牙買加可可樹與在生長於印度果亞和巴西的品種完全相同，而且已經「廣為人知，經常出現在說明與圖解中，尤其是在《馬拉巴花園》這樣的作品中，因此我不需要提供解說，只要在我的牙賈加植物目錄中指出相關作者的作品即可」。芮因為幫助史隆辨識哪些物種已存有說明而得到相當的回報，他得以檢視來自各處、從牙買加到麥哲倫海峽到南海等地的珍奇標本，也有機會參閱昂貴的書籍，包括史隆個人收藏的一部萊頓植物園目錄，即保羅・赫曼（Paul Hermann）所著的《巴達維亞的伊甸園》（*Paradisus Batavus*, 1698）。[26]

除了行醫與《牙買加自然史》的寫作之外，史隆從牙買加返英後的幾年也擔任了幾項公職。公益與私利交錯所帶來的財富、人脈與名氣，都給予史隆這個收藏家極大的優勢。在威廉與法國交戰之際，有效的醫療調配是必要的。史隆於一六九四年被聘任於基督公學（Christ's Hospital），這是一所專事訓練航海家、貿易商以及海軍軍官的慈善學校。當時史隆已經相當富有，因而拒絕此職位一年三十英鎊的酬庸，因為他很快地就會從自己的病患處獲取更高的收入。更重要的是，在此前一年，史隆當選英國皇家學會的秘書，該職位之後由他同為愛爾蘭人的好友羅伯特・邵斯衛爵士接任。他全心投入管理學會橫跨歐洲以及英屬美洲與亞洲殖民地等地區的通信聯絡的重要任務，並主動重整學會積弱不振的期刊《自然科學會報》，並擔任其編輯直到一七一三年為止。如此一來，史隆成為「文人共和國」的一個主要資訊掮客，可算是個科學新聞販子，或在當時的語彙中稱為「情報收集者」。在某些人眼裡，史隆擔負起這個責任非常適合，善用其天生的社交手腕。天文學家愛德蒙・哈雷（Edmond Halley）於一七〇〇年十月邀請史隆：「請不吝在同一時間移駕路德門山的金斯阿姆酒館」，盼「能與你言歡、共享一瓶美酒」。據說史隆每週會抽出一天在布隆伯利的家中宴請好友，但只喝一杯酒。後來成為史隆的館員之一的約翰・賈斯帕・餘赫澤（Johann Gaspar Scheuchzer）也稱讚史隆「能言善道，眾所周知」。不過，也有些人宣稱史隆的公開講演能力欠佳。威廉・史塔克利（William Stukeley）這位神職人員於一七二〇年提及：「他缺乏言說能力，說話也欠流暢又無說服力，特別是在一群人面前時，說起話來甚是扭捏。」[27]

如果史塔克利的觀察是精準的，史隆能勝任英國皇家學會秘書一職就更令人矚目了。史隆主持會員參與的多項討論，主題涵蓋的範圍從自然哲學到非洲奴隸的膚色、包羅萬象。他在一六九九年很引以為傲地告知當時的會長桑默斯勛爵（Lord Sommers），說「參與會議的情況踴躍」甚於以往，且學會在「國內外的通信數量增長，藝術史與自然界方面的知識也與日俱增」。史隆發表了幾篇自己的論文，顯示出他對商業與神意兩者的好奇心的融合，這也是他《牙買加自然史》研究成果的特色。其中包括一篇討論牙買加胡椒樹以及林仙根作為醫藥商品的潛力；另有一文探究智利奇特的康多鳥（康多禿鷹）以及咖啡的益處；對一六九二年幾次襲擊牙買加並摧毀羅伊爾港的地震之報導；對從牙買加流入奧克尼群島（Orkneys）的「怪豆」之敘述；對在牙買加和馬里蘭兩地尋得的化石的報導；對人稱吐根的一種藥物的記載；以及針對藉由風和海流散布全球的植物物種的探究。他更發表了大量其他旅行者的報導，內容涵蓋奇特的地區、現象與人群，包括一封喬治・登皮爾（George Dampier）——著名航海家威廉・登皮爾的兄弟——所寫、與「受瘋狂動物咬傷的療法」相關的信。另有湯瑪斯・蕭（Thomas Shaw）的地圖以及他對北非突尼斯的描述，還有博物學家愛德華・路伊德（Edward Lhwyd）的文章，探論威爾斯與蘇格蘭等地、與護身符與類似物品的相關古物和民間信仰。經由這些努力，史隆復興了《會報》並將之引領至他個人推崇的全球自然史取向，此期刊因而成為一個資訊交流站，彙整來自不列顛群島以及大英帝國各地的報導。[28]

於此期間，史隆與阿爾德門的藥劑師詹姆士．佩第維建立了關鍵性的合作關係。佩第維為一個服飾販之子，他與史隆結識於一六九〇年代，當時佩第維在聖巴索羅繆醫院（St Bartholomew's Hospital）配藥，但他也一邊與殖民地旅行者建立一個堅強的通信網，將這些人所提供的標本列入自己編撰的小冊子，美其名《佩第維博物館》（*Musei Petiveriani*）。佩第維和史隆兩人定期參與博物學社團活動、與其他博物學家在天普咖啡館聚會。史隆在慣常繁忙的某日告知佩第維「如果你最近取得什麼珍奇物件，還請早點抵達格思漢學院（Gresham college）」。史隆不僅以植物學新聞和參觀標本的機會回報佩第維，還於一六九五年助他獲得英國皇家學會會員的職位。區區一個藥劑商能加入仕紳階級的團體是無上的光榮，佩第維對此很珍視，此後在作品的標題頁便以拉丁文自稱「倫敦藥劑師」以及「皇家學會會員」。史隆也在《會報》發表了數篇佩第維的論文，其中包括〈數種幾內亞植物目錄，內含土著名稱和益處〉（'Catalogue of Some Guinea-Plants, with Their Native Names and Virtues'），此文描述一種「有療效的非洲草藥」，由約翰．史密斯（John Smyth）處得來，他是皇家非洲公司位於海岸角城堡（Cape Coast Castle）的工廠行政主管，此地也是英國在一六六〇年代奪取來的一個奴隸貿易的主要前哨站。[29]

對史隆而言，在英國皇家學會透過私人關係與機構因素所建立的網絡極為有利。通訊人員不但豐富了學院的典藏庫，也豐富了秘書史隆的個人收藏。比方說，史隆與幾位愛爾蘭統治階級的新教徒人士交好，他們贈送標本給學會、也給史隆個人。愛爾蘭內閣大臣之子愛德華．邵斯衛（Edward Southwell）贈送史隆「一條」保存於他家鄉的泥炭沼中、「由地底杉木製成的繩索」，史隆在《會報》中對此有所探究。愛德華・漢斯爵士（Sir Edward Hannes）寄送了一塊從布萊辛頓勛爵（Lord Blessington）的居所附近所取得、生黴的土壤，因為它發出奇特的光輝，史隆在顯微鏡下檢視後，發現「許多色白近半透明的小蟲」在其中蠕動。漢斯是一位內科醫生，他曾寫詩慶賀威廉戰勝愛爾蘭，而布萊辛頓勛爵本名為默若・波以爾（Murrough Boyle），不但在愛爾蘭政府任職，也是愛爾蘭內閣大臣兼天主教會愛爾蘭大主教的麥可・波以爾（Michael Boyle）之子。[30]

通訊人員對於史隆比較來自英國各殖民地物品的能力甚是褒揚，這無疑是諂媚他，然而史隆在這個擴張中的帝國之科學中心佔有的核心地位卻絕不容誇大。一六九七年，愛爾蘭陸軍醫務總長湯瑪斯・莫利納斯（Thomas Molyneux）致信史隆，問道：「愛爾蘭的大角鹿……是否就是美洲的麋鹿，我相信您在倫敦很容易地可以尋得解答」；莫利納斯認定「您或許能取得從西印度群島攜回的麋鹿角」，可與「我在愛爾蘭發現的鹿角相互比較其描述與圖示」。莫利納斯去信史隆究竟算是私人事宜還是英國皇家學會秘書的公事，界線模糊，但這卻清楚說明了一件事：史隆秘書的職位著實增進了他個人接觸稀有標本的機會。莫利納斯的兄弟威廉是位英國國教派的地主，身兼「英—愛政治」關係的理論家。隔年，他贈送史隆幾塊石頭，這些石頭是從阿爾斯特北岸城鎮科爾雷因（Coleraine）的巨人堤道（Giant’s Causeway）所取得。湯瑪斯・莫利納斯是少數最早表示這些巨石是自然界產物的人，認定並非由古愛爾蘭神祇所創。部分石頭留存在皇家學會，但有些被收入史隆的私人收藏。多年後的一七四二年，史隆將幾塊私人收藏的石頭贈予詩人亞歷山大・波普（Alexander Pope）、裝飾他在維克漢姆（Twickenham）別墅的人工洞穴（至今它們仍在那），剩下的則在大英博物館甫開放時加入陳列。[31]

最能顯示史隆蒐羅珍品的熱誠——但並非所有人都能接受——的文章，莫過史隆於一六九八到九九年、分四次發表的圖解散文，描述他所謂的「中國藏珍閣」（彩圖3）。史隆向讀者說明，此藏珍閣為愛德華・巴爾克萊（Edward Bulkley）給英國皇家學會的贈予，他是東印度公司的外科醫生，駐在印度的聖喬治堡（Fort St. George）。藏珍閣中含有防鏽刀片、銅刀、鋼刀、胃結石、鑷子、梳子、紙墨，以及各式標本。不過，「其所納入最稀奇的物件，該是用來掏出耳中異物或是用於耳內搔癢的工具，具中國人所言，使用時甚為舒坦」。此類用具以珍珠裝飾，含有一條銀線，還有「豬鬃」與龜殼握把，其中一柄「與我們歐洲一般的耳掏甚為相似」。史隆在文中收入了一張中國陶製小雕像正在「使用此種工具且表情甚為歡愉」的圖片，由威廉・庫廷所提供，同時也指出這些工具也可能會對「沉溺於掏耳的」使用者造成「不幸」。史隆可能覺得珍奇異寶多少能使人會心一笑、無傷大雅，但文章的結論卻傳達與珍寶的實際經濟價值相關的嚴肅訊息。他如此寫道：「希望其他旅行者遊歷各地時也能研究這些工具以及當地製作它們所使用的材料……雖然我們對自己超越他人的發明很滿意，但若他人的發明勝過我們，我們也該虛心仿效」。此時英國的白銀不斷東流，用以購買中國瓷以及上黑漆的日式寶閣等奢侈品，進口這些產品比國內自行生產更為廉價；在此當兒，細細審視外國工藝技巧、搜尋製作技術以及原料有絕對的必要。在史隆看來，自然史就是一門細細審視的學問：藉由這種推測性的習作，踏遍全球、搜尋第一眼瞥見看似不尋常或平凡之物，其用途或價值往往在初始不甚明顯，但最終總能發現珍貴的新原料或新商品。[32]

史隆喜歡出版敘述性強、匯集零星資訊的雜燴性文章，然而這種具有預測性質的自然史卻招來批評。甫進入十八世紀之際，「古今之爭」（Quarrel of the Ancients and the Moderns）正沸沸湯湯，爭論者激辯究竟古希臘羅馬文明與當今社會的成就相較何者為高。強納生・史威夫特於一七〇四年出版了《無稽之談》（*A Tale of a Tub*）一書，表面上諷刺宗教狂熱和盲信的謬誤，其中一個章節便名為〈書本之戰〉（"Battle of the Books"），很快地成為了「古今之爭」的代名詞。史威夫特在書中強力抨擊現代學術的膚淺。他對那些「經由細讀索引而獲得知識的人」滿懷不屑，「整本書被索引擺弄與操控，像魚那般受尾巴使喚。要想跨越學術殿堂那扇宏偉的大門，必得耗費相當的時間與養成，因此，操之過急、毫無修養之輩當然樂意走後門」。史威夫特在塑造某些角色時，心裡想的可能就是史隆這位、他所謂操之過急的學者，其作品〈論心靈的機械運作〉（"A Discourse Concerning the Mechanical Operation of the Spirit"）中一位虛構的作家就對「粗略的隨手塗鴉」這種違背學術良心的行徑感到懊悔。幾年後，沙夫茨伯里伯爵（Earl of Shaftesbury）在作品《人類、舉止、思想及時間的特性》（*Characteristcks of Men, Manners, Opinion, Times*, 1711）中，也埋怨「雜集或常識性文章若包含些許創新與普及知識，便會讓思路不清之人過度興奮」。這種文章「拼拼湊湊」、欠缺「架構」或「條理」，是「片段學識與各式零碎想法的雜燴」。對這些思路不清的「雜家」而言，「依照當代標準，在一個首尾不分、前後不明的事業中，穩固的基礎是毫無意義的」。[33]

此類批評貶抑的是當時由史隆擔任主編的英國皇家學會《會報》喜好出版的雜項文章。史隆也坦承早期的出版品的確有些問題：「我很清楚當中有許多謬誤」，由於牽涉的「題材、人物以及譯者甚多」，也因為「我需要顧及正業……無暇兼顧出版品的校訂」。承認分心或疏失甚不明智。在較為人知的文學「古今之爭」浮出檯面之前，史隆的科學性出版品便已成為史威夫特的一位友人、威廉・金恩（William King）所攻擊的對象。金恩是一系列諷刺作品《有益的往來》（*Useful Transactions*）的作者，他發表了《會報編輯》（*The Transactioneer*, 1700），以「大師」與「紳士」對話的形式，針對史隆進行人身攻擊。受傳統古典教育的金恩是個堅定的英國國教徒，也是托利黨人和英格蘭本土主義者（Little Englander），認為史隆標榜的異國自然史研究是英國學術受到商業文化腐蝕的明證。他在前言開頭便寫道：「展露頭角的人，除了急忙的性格之外一無可取，但卻因此……受人景仰」。然而，這個史隆「既無地位也無學識」；「他總是趕著寫作，卻沒時間改錯或完成文章」，又加了一句「他是四處拾荒、到處摘錄引用他書的大師，所有的資料在他腦中攪成一團」。這位不幸的雜家「應該重操叫賣的舊業，與薩蒙醫生（Dr Salmon）在拍賣場相爭，搬出一堆書來做幌子，比手畫腳的作戲」。史隆的題材「既荒謬又不討喜」，他在皇家學會的作為「膚淺又微不足道」，嚴重損害此尊貴組織的名聲。[34]

在金恩眼中，史隆和叫賣異國雜貨的街頭販子並無二致。他書中的大師角色說道：「他的智識當今無人能敵，任何事物都不敵他強烈的好奇心」。然而，儘管史隆有猛衝的好奇心，但卻沒有停下好好認真思考。比方說，當他寫下某些石頭是「一種珊瑚」究竟是什麼意思？「這與說這隻大象是顆蘋果樹有何區別？」金恩遍尋正牌的《會報》、無情地用史隆本人的詞彙嘲諷他：「當他說在威爾斯發現的石灰大理岩是珊瑚，或是，他說青金岩生長在牙買加周遭的海裡，天知道我們該如理解？」對這個英格蘭本土主義者而言，長途傳播這個觀念可笑不堪。金恩筆下的大師問道：「你自認能從牙買加帶領一艘船航向蘇格蘭或愛爾蘭嗎？」當他從友人口中得到的答覆是「不能」時，他接著說：「那你太孤陋寡聞了，殊不知我們秘書的紀錄中有四顆可笑的豆子就做得到這一點」。在金恩語出諷刺之際，也延續了一種反科學的嘲諷傳統，這是劇作家湯瑪斯・沙德威爾（Thomas Shadwell）於王室復辟時期發表的《品鑑大師》（*The Virtuoso,* 1676）所建立的傳統，因在劇中嘲諷「尼可拉斯・真快壞」(Sir Nicholas Gimcrack）＊一角色而打響名聲。同樣的嘲諷手法，稍後也出現在史威夫特的格列佛遊記（*Gulliver's Travels,* 1726），其中描寫了拉格多科學院（Academy of Lagado）裡進行的實驗。不過，金恩最鄙視的還是史隆的異國情懷，比方說，譏笑佩第維為幾內亞植物命名時使用非洲名而非拉丁文，認為佩第維的皇家學會身分和著作都是恥辱。金恩讓虛構的史隆角色平心靜氣、嚴肅地道出：「但請聽聽這位非洲醫生的說法，他用 Aclowa 來止癢，Bumbunny 煮沸後飲用會導致嘔吐，而 Affunena 煮沸後飲用則助人排泄，Mening 對頭部不適有益，Apputtasy 則用於治療口腔內的壞血病」。金恩覺得非洲語言本身就很荒謬，他也解嘲地說：「佩第維先生的醫術也不比其出身高明多少」。[35]

佩第維的出身確實是問題的癥結。光是想到給予區區一個小商人的證詞任何認可，金恩就嗤之以鼻。佩第維在《佩第維博物館》中列出了他的標本供應者以及物種的清單，用以宣揚他廣闊的人際網路，包括在印度、中國、非洲、奧圖曼土耳其、北美洲以及加勒比海等地四處行醫的外科醫生，且令人不可思議的是，他將這些人指認為「紳士」。佩第維宣揚他對技工的依

＊譯註：Gimcrack 一字有劣質、華而不實、粗製濫造之意，此譯名凸顯人名為雙關語。

賴，更使自己成為暴躁的金恩的主要攻擊目標。他攻擊「這位天普咖啡館俱樂部的要角」，諷刺他根本是史隆這位唐吉軻德的「哲學家桑丘」跟班，是個不自量力的「穆夫提」（譯註：伊斯蘭教法學專家）、丟光了供應商的臉，竟為「自己的博物館」下了這種結語：「把他好心的友人納入目錄，但絕不會有人……羨慕他們被列入清單的這種榮譽」。金恩也堅稱偉大的史隆以魯鈍的佩第維為師。他筆下的史隆坦承：「我從他那邊學到的比在奧倫治學得要多」，而決定在奧倫治學醫也不過是因為「這比在萊頓或巴都亞要快、也較省錢」。[36]

金恩對史隆最強烈的憎惡顯示於對中國藏珍閣的批評，認為其中的內容物無可反駁地證明了史隆不過是個東方主義的娼妓：

大師：先生，認為值得花費心力為此稀有之物寫論文的人少之又少，他們甚至覺得根本不值一顧。但我能向您保證，我們的大師確實是一代宗師，對此物推崇備至，並且刻意將其內容物的說明刊載於數期的會報，更有甚者，還為它們製作銅版畫。

紳士：唉呀！那這些物件中必藏有奇珍異品；這位醫生因好奇與謙卑而淪落到研究如此雞毛蒜皮小事，確實值得讚頌。

大師：先生，他連一只耳掏或一把生鏽的刀片都不放過，任何來自印度群島或中國的物件他都視如家珍；即便是塊小石頭或海扇殼，只要是從那來的，他都立即寫一篇評論，並刻上銅版做為永久記錄。

紳士：敢問您記得與刀片和剔牙棒一同刻畫於銅版之上的人物是誰？是作者本人嗎？

大師：呸！那是個中國人，代表那個民族，表現出使用那種器具（那是耳掏）舒坦的模樣……

紳士：一個人這麼站著掏耳朵確實是很暢快啊！但請問來自中國的耳掏與增長知識有何關係？

大師：最主要的目的是娛樂那位哲學家秘書。他在研究耳掏的過程中得到很多樂趣，如同中國人幫他掏耳朵一樣的舒坦。而且，我真的認為知識淵博的博學之士必須樂意地以一些我們的珍品回饋中國人。[37]

金恩筆下的史隆以對咖啡館的禮讚做為總結：「咖啡館提供各色人士社交的機會，且能增進工藝與商品發展，以及其他知識」。他要表示的是，身為一個在咖啡館的世界中談論股價和軼聞傳說的一員，史隆鎮日忙碌的結果與一般商販的閒言碎語無異；他對中國耳掏的好奇也僅代表了那可悲的、對亞洲商品盲目的推崇。輕信他人向來是新教論述攻擊天主教徒的強力論點：當芮出言誹謗耶穌會士阿塔納斯・契爾學時，說的就是「他是個輕信之人」，「喜好講述怪異又充滿奇蹟的故事來娛樂同時哄騙庸俗眾生」。然而，以投機的方式、將藝術與自然轉化為可獲利的知識已是自然史界普遍存在的現象，這也讓史隆成為以上批評的對象。金恩筆下的紳士告訴他筆下的史隆：「你有個特異功能，就是輕易相信任何說法，但請問您如何確認通訊對象的可信度？」「原由！嗟！我從不給自己找麻煩去追究聽來的每件事的原由」。[38]

在某種程度上，金恩誤判了情勢。就算史隆出版這些關於自然史奇珍的文章，並不代表他支持這些文章的內容為事實，至少史隆的支持者這麼認為。多年後的一七二四年，一位來自蘇格蘭城市丹地（Dundee）的外科醫生派崔克．布萊爾（Patrick Blair），因為《會報》中一篇關於植物生長機制的文章，與植物學家理查．布拉德雷（Richard Bradley）起爭執。當史隆站在布萊爾的反方時，植物學家約翰．馬丁（John Martyn）對這位失望的蘇格蘭人解釋，說史隆「出版你的信並不代表他同意其闡述的理論。他希望全世界都能得知你的貢獻，如果有人持反對意見，他也不介意」，但他向來無意介入、也不希望站在「爭辯的任何一方」。雖然金恩對史隆懷有滿腹怨恨，有一點他是正確的，也就是史隆無法確認或否認他所出版的眾多不同意見，他的確也只能信任其通信對象的誠意。我們在下一章會看到，史隆非常依賴雇傭或技工在世界各處收集物品，因此這些人的誠信確實是個問題。舉例言之，金恩質疑史隆如何能確認一名在尼維斯的女性奴隸產下的孩子只是一堆骨頭的傳言？偽史隆的答覆是：「我非常倚賴通信對象的誠信，如何能不相信他們」。然而，他卻以滑稽的姿態抗議道：「即使全世界都笑話他們，也無法阻擋我的通信對象繼續進行工作」。[39]

史隆對金恩的抨擊耿耿於懷，譴責後者「詆毀並中傷」同僚。但史隆並未因此放棄。他在《牙買加自然史》中寫道：「我了解，要避開忌妒又心懷惡意之士……的譴責幾乎不可能，我很肯定他們……會極力醜化每件事」，然而史隆堅稱，他會以「最強烈的鄙夷對待他們」。雖然文人共和國有既定的禮貌行為準則，在科學界中互相爭辯卻再普遍不過。史隆在其牙買加叢書中也理所當然地挑戰對手，尤其是針對瑪麗皇后的皇家植物學家與園丁，雷歐納德．普拉肯內特（Leonard Plukenet）。普拉肯內特宣稱史隆在《植物目錄》中辨識物種有誤，史隆尖銳地駁回這項指控，也批評普拉肯內特對物種的辨識與版畫，稱其作品匆匆出版、只為了趕在史隆之前問世。史隆抱怨普拉肯內特「表面上指控我盜用他的名字」，但事實上是普拉肯內特引用史隆所提供有關牙買加烏木的資料，卻「未曾提到我的名字」。史隆的朋友們也為他辯護。佩第維寫道：普拉肯內特「對所有植物學教授的態度變得焦躁又憤怒，往往先挑別人的錯誤，卻不改正自己的錯誤」。就連好脾氣的芮都指名道姓地點出普拉肯內特「是個一絲不苟的人」，缺點就是「傲慢又自視過高」。芮接著說，最理想的情況便是普拉肯內特和史隆能當面「討論並檢視對方的乾燥標本」、屏除陳見，但連芮都不得不承認，這位皇家植物學家一點退路都不留。[40]

就在行醫與編輯事業的雙軌發展過程中，史隆終於在一七〇七年發表了第一部有關牙買加的作品，第二部則於一七二五年出版。史隆向讀者解釋之所以延遲了十八年，是因為他有「眾多事業」。兩本書各將近六百頁長，每本要價四到五英鎊（約等同今日的四百英鎊），算是這類書中價格最高的。史隆在寫給安妮女王的致謝詞中，將牙買加描述為「女王陛下的種植園中最大也最重要的一座」，而《牙買加自然史》的確是令人嘆為觀止的著作：這是英國皇家學會秘書所著、對迅速成為大英帝國無可取代的殖民地之無可取代的指南。印刷內頁使用的是高級紙張、訂製成含圖解的豪華對開本；這套作品在自然史這個快速發展的奢侈品市場佔有一席之地，結合具娛樂性質的遊記、物種百科全書，以及圖片。讀者對這些作品卻褒貶參半。其中一個原因是，其定價和體積將讀者群限制於富有的紳士或是史隆贈書的對象。史隆將第一部贈送給身在牙買加的亨利・巴罕醫生，然而巴罕在某一年拜訪倫敦時，卻借用史隆自己的收藏本作為參考，因為這本書太大、不易攜帶。另外有些加勒比海地區的旅行者則提供幫助來交換書本。

一位將前往牙買加、名叫約瑟夫・布朗恩（Joseph Browne）的技工，便於一七〇七年向史隆索取一套書，並承諾帶回任何史隆要求的物件。一位維吉尼亞的種植園主威廉・博德在向史隆詢問他所贈送的吐根市價時，也「乞求」史隆送他一本書，同時因為博德建議史隆自行抽取「貨物的營收」以補貼耗費的成本，讓史隆「形同商人」，因而向史隆道歉。博德的要求實在過分了：史隆本人遺留的豐富藏書目錄中並未顯示他的行為最終得到期望中的回報。[41]

將《牙買加自然史》做為贈禮不但擴大了史隆的讀者群，也將更多收藏家納入他的通信圈。他贈書給安地瓜的貿易商華特・特立德夫（Walter Tullideph）以及費城的植物學家約翰・巴特拉姆（John Bartram），兩人也回贈標本。哈德遜灣公司的商人亨利・艾爾金（Henry Elking）送了一顆北極海象的頭到倫敦給史隆，史隆則回贈自己的書致謝。不過，並非每個人都急於擁有史隆的書，實際閱讀了之後更是如此。「這是一部壯觀的書」，喬治・伯斯敦（George Plaxton）牧師大人於一七〇七年對里茲的古物學家雷夫・索爾斯比（Ralph Thoresby）、也是史隆的友人，發出以上評論。但細讀之後，伯斯敦認為此書「意義不大」。就一本關於美洲的著作而言，這書其實挺無趣的：「我以為在其中能讀到神奇之事物」。威廉・金恩於一七一〇年再度出擊，這次他攻擊的目標是史隆在醫學專業上的造作。在其《加牙買之旅》（*A Voyage to Cajamai*）一書中（巧妙地倒轉史隆的「牙買加」之旅），金恩藐視史隆的個案史，認為這些「充其量是家庭主婦的食譜」，配不上內科醫生的看診紀錄。其中記載的僅有任何外科醫生都開得出的一般常識療方，還用毫無說服力又「造作」的構造與化學知識來點綴。金恩嚴厲譴責史隆自詡為「高人一等的天才白種醫生」，還宣稱自己「遠勝黑人醫者，就像太陽永遠比黑夜的暗沉要光亮一樣」。此外，他更讓書中虛構的史隆踐踏自己，承認牙買加醫生永遠都要備妥「方便埋葬病人的墓地」、也要「時時尋找合適的教堂後院（做為墓地）」。[42]

史隆的著作在西印度群島的接受度亦是好壞參半。此書揭示的目標，是英國殖民者能利用其作品、「了解植物的功用，不論是自然生長的或是栽植於花園中的」。史隆的繼子約翰・富勒（John Fuller）是牙買加居民，想當然耳感謝史隆贈送他如此「貴重的禮物」，並深信此書「能提升牙買加的名聲，讓人知道本島不但有益健康，也有甚好的醫療效果」。亨利・巴罕的報告就更坦白了。巴罕向史隆保證讀者將從此書中「受益良多」，也認為全島「該集體一致向你致謝」。他接著說，然而，除非作者指名道姓點出其資料來源，人性的虛榮「經常傾向在未細讀一部作品之前就先譴責之」，而「你的辛勞和有價值的歷史就面臨如此不幸的處境，十個讀過你作品的人可能只有一個會推崇它」。有些人「不滿你在描述病情時透露他們的姓名」，且抱怨「此方式既不和善又直接」。但來自牙買加最主要的抗議則是史隆「用拉丁文為許多種植物命名，這島上極少有人懂這語言……即使你用英文說明它們生長的情況（也是枉然）」。巴罕繼續寫道：「就我的觀察，美洲幾乎沒人讀得懂拉丁文的植物命名，因此他們無法正確使用你書中豐富的知識。」為一般大眾寫作是項幾不可能的艱鉅任務：史隆的英文敘述一方面讓歐洲大陸的博學之士困惑，但他使用拉丁文又惹惱了牙買加的殖民者。[43]

然而，史隆的《牙買加自然史》不只吸收了新的通訊對象，此書也讓讀者與他建立新關係。巴罕就很聰明地利用他人的批評來宣示自己的忠誠。在接下來的幾年中，他寫了大量的書信，以博得這位他希望能「敬重如父」的對象的好感。他還向史隆推銷自己植物學和醫學方面的報告。這些報告藉由與奴隸的廣泛接觸而寫成。結果推銷得很成功，史隆將他的幾篇筆記轉錄至自己的《牙買加自然史》第一版中，甚至還將其中一些內容收入第二部的附錄出版。因為有了此種後續的補充，史隆得以在離開牙買加之後繼續收藏的工作，同時也展現了作者願意接受批評和修正的謙卑態度。巴罕的兒子小亨利在一座名為美索不達米亞的小島上經營一座重要的蓄奴種植園，他延續了父親與史隆的聯繫，不過，他的讚美之詞卻不經意地傳達對史隆作品的價值褒貶參半的訊息。一七二六年他從西班牙鎮寫信給史隆，提及他把第二部遞送給年邁的父親，父親大悅，並對新出版的作品加了一句：「它極受歡迎，許多人借閱流傳、幾乎不曾待在家中，以致全島藏書不超過兩本」。[44]

相反地，對史隆在倫敦的朋友而言，《牙買加自然史》的出版讓史隆榮登博學之士之列。史隆委託藝術家製作的版畫造就了其作品的科學價值，正如我們已經討論過的，史隆極力地將版畫納入物種的全面性敘述。雖然關於科學革命的敘述經常強調真正實證性觀察的權威如何取代純文字敘述的權威，但史隆的文字仍是其作品的必要成分，儘管有許多引用自他人的文字。史隆在第二部書中便就此點清楚表明立場，並回應了批評者批評他未納入更多基於活體植物而非乾燥標本所繪製的物種圖片，在植物學家追求精確構造的敘述之時，此點是極具爭議性的議題。史隆以自己高人一等的身分為作品辯護時，將為他繪圖的藝術家貶抑為區區「工匠」，並將某些錯誤歸咎他們：「將〔我的植物〕固定於書中的人以及之後描繪這些樣本的人，加上版畫製作者，每人都犯了一些錯」。（某些早期版本的確在加勒比海地圖中明顯遺漏了瓜德勒普群島，出錯的是一位名叫哈里斯的版畫製作者，史隆也保證會在未來的版本中更正此錯誤）。他也鄭重地接著寫道：「如果圖片中有任何遺漏，只要參閱說明便可為之補償」；也就是說，如果某些版畫引人質疑，讀者尚可參考該物種的文字敘述。他更提到，無論如何，所有「在牙買加會在意這些方面的人，除了版畫，還會注意到我的文字說明和圖表，用這些資料來辨識我指認出的植物」。儘管史隆在圖片的製作上耗費不少時間和金錢，他仍然提示讀者可用文字來「觀賞」他的植物，效果不下圖片。[45]

《牙買加自然史》終究未成為科學史或旅遊文學的經典。此書艱澀且技術性濃厚，並未針對自然界的秩序提出新的理論，也不像芮出版的作品那般、就神意論的自然神學提出特別有影響力的聲明。這部作品包含詳盡的敘述式科學以及系統性的目錄，其鉅細靡遺的觀察集成並未形成一套有條理的敘述；然而，對早期英屬牙買加的生動記載卻彰顯了在熱帶地區進行科學研究的過程，特別是它與奴隸制度之間的關係。儘管如此，這部作品依然不易閱讀——這也是至今學者們仍對它鮮少研究的原因之一。史隆的版畫也因欠缺色彩而降低了本身作為科學藝術的美學價值。再者，雖然這部作品的確成為加勒比海地區旅行者和博物學家的參考資料，林奈在其一七五三年出版的《植物種誌》中為了改善分類學而引用史隆的版畫時，卻嚴重貶低了史隆作品最有價值的部分，因為他忽略史隆所有的文字敘述而只聚焦於圖片。

然而在當時，《牙買加自然史》卻是一部重要的科學作品，預告了史隆在文人共和國中的崇高地位。同時，作品中文字和圖像間的衝突，也反映了史隆想透過這部著作將自我形象公諸世人的矛盾手段。人們看到的是一位紳士博物學家、公開地浸淫在充滿貨物和商品的商業世界中，但卻自詡為中肯的博學之士；這位未受過大學教育的藥劑師營造了一座龐大的私人圖書館，依循古代大師迪奧斯科里德斯（Dioscorides）、蓋倫、普林尼等人的前例，搖身一變成為一位令人敬畏的百科全書式科學權威。芮如此評論：唯有親眼見過「一般的美洲原住民……在自己的土地種植」，並且同時曾「閱讀、思考和比較相關作品」的植物學家，才可能達到如此重大的科學成就。據伯奇所言，《牙買加自然史》這部作品「除了他個人的圖書館蒐藏之外，全世界沒有另一座圖書館能助其完工」。就史隆的支持者而言，史隆的成就並非來自捨棄過往權威而就實證性的事實，這點也與傳統「科學革命」論述相左，而是以醒目的方式展示其理性知識、以扎實的學術判斷來補強實證性事實的不足。[46]

切爾西莊園之主

十八世紀的第二個十年對史隆而言是個重要的轉捩點；個人財富增長的同時，本人也成為具重要公共地位的紳士。行醫收費不菲使他得以晉身拾利階級。當時許多紳士、包括友人理查·米德和貝德福德公爵在內，在倫敦市內外取得具終身所有權的地產，並出租之以獲得額外收入。貝德福德自一七〇〇年起，每年收取一兩千英鎊的租金。在這個都市擴張的時代，置產出租是個聰明的投資選擇，史隆亦仿效之，於一七一二年由切奈勛爵（Lord Cheyne）處買下了英王亨利八世的故居切爾西莊園。此莊園要價高達一萬七千八百英鎊，共計有十一間房舍以及莊主宅邸（切奈小徑十九到二十六號於一七五九到六五年才在此地建設）。當時切爾西尚未劃入倫敦市內，史隆經常於週末在此地停留，以避開布隆伯利，自一七三六年起，此處成為史隆姊妹的居所，而在一七四二年後，成為史隆退休後的住所與私人博物館。此莊園等同於市郊的鄉村宅第，奠定了史隆的紳士身分。他也因此獲得九十英畝的土地（莊園原本有一百六十六畝），成為終身所有權人、獲得無數的佃戶，並開始收取租金。[47]

四年後，也就是一七一六年，喬治一世封史隆為準男爵。據說此項殊榮是對史隆於一七一四年爭取漢諾威王朝繼位英國王位有功的回報。當年無子嗣的安妮女王病重，托利黨大臣博林布魯克子爵（Viscount Bolingbroke）欲將流亡在外的斯圖亞特僭王（Stuart Pretender）、即詹姆士二世的孫子邦妮王子查理（Bonnie Prince Charlie）捧上王位，史隆很可能就是那位將女王的性命延續了夠久的人，使得喬治一世能順利登基，即便缺乏確切的證據能證明這一點。不論如何，史隆準男爵的頭銜將他提升到比其他醫生同僚都高的地位，他更為自己製作了盾徽，並很適切地以一把劍、一個野豬頭以及一頭獅子的形象裝飾；也養成了乘坐自家馬車到鎮中四處遊逛、攜帶一根「上方鑲有我盾徽的龜殼手杖」（這是他姪子在那布勒斯為他製作的）的習慣，開始擺出「史隆爵士」的架子。而倫敦的報章開始稱他為「切爾西莊園之主」不無原因。他在醫學上的名聲帶來榮銜，榮銜又引來更多病患與高報酬的官職，例如在一七一六年被聘為國王的隨侍醫生以及陸軍總醫生，他並未拒絕後者高達三百英鎊的年薪。在一七一九年當選英國皇家內科醫師學院院長後，史隆更成為英國公認、數一數二的醫生。[48]

隨著史隆的地位節節上升，他也成為醫學界主要的贊助者，並成為多名年輕醫生的導師。史隆是個開明的贊助者。比方說，他協助一位愛爾蘭天主教醫生伯納・康納（Bernard Connor），後來出版了具爭議性、試圖調解神蹟與機械哲學衝突的作品。他也資助一位非主流的荷蘭醫生約翰斯・庫尼凡爾特（Joannes Groenevelt），以及約翰・柯爾巴奇（John Colbatch）。應有力客戶的要求，史隆也會審核其他醫生的個案。萊姆斯特勛爵生病時，其夫人要求史隆檢查詹姆士・基爾（James Keill）開出的療程（不過結果不了了之，因為勛爵於一七一一年過世）。一七一五年，喬治・切奈向史隆尋求治療惠格神學家吉爾伯特・博爾內（Gilbert Burnet）的建議，並於一七二〇年再次去函討論首相之女凱薩琳・沃波爾（Catherine Walpole）的個案，她在南海泡沫危機期間生病，出現「經攣」、胃口不佳、月事不順，以及切奈一體概括為「歇斯底里」的症狀。此案拖延許久又痛苦，因此切奈很積極地詢問史隆，稱後者為「您這位在上流社會走動之士」。甚至首相本人在接受切奈的建議之前也聯絡過史隆，也因為史隆的諮詢，凱薩琳從溫泉重鎮巴斯（Bath）轉移到水質不同的布里斯托，這也是當時很普遍的一種醫療手段。據切奈所述，凱薩琳返回倫敦時看起來「奇蹟似地痊癒了」，然而，她仍在一七二二年、經過一段瀉藥療程之後，不幸去世。病患喪生雖是憾事，在史隆的世界裡卻很普遍。事實上，病患死亡從復辟之後到十八世紀中期的英國醫學界是個廣泛流傳的笑話。托利黨的幽默大師山謬・葛斯（Samuel Garth）在其諷刺詩作《配藥室》（*The Dispensary*, 1699）中，便將內科醫生與藥劑師歸為「刺客」之流，兩者唯一的不同處是死於內科醫生手下的人數更多，因為他們乘坐的馬車能擴大其行醫範圍。[49]

自一七二〇年代早期起，亦是南海泡沫之後公眾信心危機期間，史隆開始接手政府的醫療事務。基於皇家內科醫師學院院長的身分，他曾為一份國會請願書背書，該請願書是為了對抗飲用琴酒的負面影響（調漲關稅並強加牌照制度的《禁酒法》分別於一七二九和一七三六年通過）；於一七二一年，更與理查・米德和約翰・阿巴斯諾特（John Arbuthnot）合作，針對是否為避免瘟疫從馬賽經海陸擴散到英國，需強制執行隔離並關閉倫敦港等重大議題，為上議院提供諮詢。疾病是政府關心的緊急重大議題，光是一七二〇年代就有十萬英國人因貧窮和人口密集而死於傳染性瘟熱病。然而，隔離是個敏感的議題，牽涉到公權力的適用範圍，特別是因為這必須暫時中止貿易活動和來自海外的商業船運。供大眾閱讀的小冊子火力十足地抨擊此方案的「專橫」，而史隆的友人也向他抱怨此方案的「嚴苛」，抗議在南海泡沫危機之後、政府信用大跌之際，使用高壓手段造成的「傷害」。然而，在史隆的支持下，《隔離法》於一七二一年成功通過，此過程也確立了史隆這位顯赫的醫學顧問的地位。[50]

天花疫苗的預防注射是此時施行的另一個爭議性政策，也凸顯了史隆不斷上升的公共影響力。接種疫苗的行為可能源自西非族群；歐洲的奴隸船船長們到了十八世紀初期也開始援用。史隆曾經聽說過預防接種在中國、幾內亞、新英格蘭和希臘實行的效果，另外尤其是奧圖曼土耳其會施行預防接種，消息來自瑪麗・沃特利・孟塔古夫人（Lady Mary Wortley Montagu）在康士坦丁堡的經驗，以及威廉・舍拉德，他當時在斯麥納（Smyrna，即伊斯密爾〔Izmir〕）的黎凡特公司擔任法律顧問。在英國，許多人認為接種預防疫苗是項危險的發明。即便如此，卡羅琳皇后（Queen Caroline）因為急於保護子女不受疾病侵擾，於一七二一年對史隆提出了不尋常的要求，希望他以六名囚禁於新門監獄的受刑犯為對象來進行疫苗實驗。由於史隆很習慣對狗進行毒物的實驗（狗是傳統的實驗對象），他監督這項少見的人體實驗並將結果記載於《自然科學會報》。新門的實驗結果是成功的，而「優於常人、謹慎又有智慧的」皇后則鼓勵史隆進一步以聖詹姆士教區（St James's Parish）的「慈善兒童」進行測試，並在史隆得到國王准許後，對她自己的孩子進行試驗。雖然成功的案例不少，但仍有幾個引人注目的死亡例子，包括桑德蘭伯爵（Earl of Sunderland）和兒子，以及南海公司的副總裁。史隆於一七二三年寫道：「許多內、外科醫生、藥劑師以及神職人員都反對」，即使依他估計每兩百例中只有一例失敗。[51]

史隆和他在英國皇家學會的同僚詹姆士．胡倫（James Jurin）醫生卻堅持不懈，稍後還援用了威廉．佩第在愛爾蘭首度施行的政治算術統計法，展示在芳德鄰育嬰院施行預防接種的可行性。此育嬰院是在史隆的贊助下、於一七三九年成立於倫敦西北端林肯因河廣場的一間慈善機構，在此強制施行預防接種。史隆充分利用他政府醫生的身分，再次動用統計方法、提倡在育嬰院以親自餵乳取代保母養育，指出「一國的國力與福祉仰賴民眾人口的數量與健康」。新門的接種試驗為皇家非洲公司和南海公司服務的醫療同行提供範例，他們另行對非洲奴隸進行實驗，希望透過減少在幾內亞海岸和中央航路的天花死亡案例能降低財務損失。與此同時，史隆進行的試驗著實為他在倫敦的名聲加分。從此他不只是一名富裕的醫生、或只是皇家內科醫師學院院長，仗著王室的許可，史隆現在能以公眾福祉的名義，一手掌握國王陛下子民——包括國王自己的子女——的生死大權。[52]

史隆欣然接受自己新獲得的聲望，但他也開始大力抨擊「庸醫之術」。不過，當時菁英階級的內科醫生仍舊為病患放血，使用晦澀神秘的療法，又經常使病患喪生，因此庸醫之術的定義也是見仁見智。史隆的許多藥櫃都保存了下來，我們能看到他當時能運用的、不論傳統或創新的醫藥資源。其中收有大量引人矚目的材料，包括山羊血、一顆佈滿飛蛾的人類顱骨、焚燒過的鹿角與象牙、鹿心裡面的骨頭、海獺的腺體、犀牛角、蠶繭、蟹腳、野牛牙齒，以及一根木乃伊的指頭。有些內容物是迪奧斯科里德斯和普林尼開出的古老藥方，而其他則有近期從殖民地進口的，像是來自維吉尼亞的「吐根」（Vomiting Roots或稱ipecacuanha）以及退燒用的祕魯樹皮。伯奇指出史隆為了看診大量投資此樹皮，用來治療「疼痛和間歇性發燒」以及神經方面的問題，還治療過坎特伯里大主教（Archbishop of Canterbury）的痛風，甚至「使自己開心地延年益壽，不過卻經常受大量吐血所苦」。[53]

這些藥櫃提醒我們史隆在藥學方面的訓練。然而，身為一位內科醫生，史隆後來與最初栽培他的圈子發展出複雜的關係。在他身處的階級關係中，內科醫生自詡為博學的紳士，身分地位都遠高於藥劑師和外科醫生，這兩者在他們眼中不過是靠著低賤的技能維生。舉例言之，史隆初到牙買加時，他堅持掌有奧倫馬船隊中藥劑師和外科醫生的管理權，同時也毫不客氣抨擊其他醫者為江湖郎中。他回到英國後，倫敦的內科醫生於一六九〇年代成立了新的藥局；據伯奇所言，內科醫生以「藥物的實際價值」販售，報價遠低於一般藥房時，史隆也站在內科醫生的那一邊。這場醫藥之戰持續了數年，最後由上議院判定藥劑師勝出才結束，挫敗了內科醫生規範競爭對手的企圖——他們認為藥劑師和其他非正統的常民醫者都屬郎中之流。上議院的貴族們裁定人們應有決定向何人購買藥品的權力，甚至更限制英國皇家內科醫師學院監管軍方醫藥補給的權限。[54]

儘管如此，史隆仍以自身的影響力（和金錢）大力支持藥劑師學會，這是他在一六七九年左右研習植物學時便加入的組織。他買下了切爾西草藥園所在的土地，以保證藥劑師們能繼續使用之，且於一七二二年開始，將草藥園租給藥劑師，只象徵性地收取每年五英鎊的租金，藥劑師們也每年贈送英國皇家學會內含五十種植物的包裹以為回報。史隆的通信對象將許多異國種子送到草藥園。一七三〇年代第一株抵達喬治亞新殖民地的棉花，可能就來自切爾西，史隆共同贊助此舉；而史隆的植物園中也充滿了其所資助的旅行者送來的種子。同時，史隆的草藥園由於被繪於當地製作的陶瓷「史隆盤」上。可以說，史隆的私人交遊圈以令人讚嘆的程度，活絡了正欣欣向榮的大英帝國之機構、草藥園以及殖民地網路。為了感謝這位盡責的贊助者，藥劑師們在草藥園的正中央豎立了一尊史隆的塑像，是法蘭德斯雕塑家楊・瑞斯布萊克（Jan Rijsbrack）的作品。基於紳士內科醫生的身分，史隆交代他人調配自己為病患開出的處方，但卻堅持自己操持的是藥劑師的誠信實證態度，在《牙買加自然史》中堅持將自己的散文風格比做「藥局裡通用的語言」，勝過內科醫生兄弟們使用的、惺惺作態的「拉丁詞彙」。或許史隆早已忘記巴罕曾報導過《牙買加自然史》裡使用拉丁文用詞的部分，也讓牙買加的讀者極為困擾。雖然不太可能，但這位富裕的上流社會內科醫生確實將謙卑藥師的道德權威據為己有。[55]

十八世紀英國的醫療文化欠缺有力又集中的管理制度，非正統療法因而得到發展的空間。然而史隆決意對他眼中的非正統醫療行為加以規範。據一位通信對象所述，史隆基於英國皇家內科醫師學院院長的身分，享有「在本國首都審核所有藥局的權力」。他於一七二一年主持《倫敦藥櫃》（*Pharmacopoeia Londinensis*）的出版，控管新藥或既有藥品的使用，不但需要認可普遍的異國藥品例如 *Contrayerva, Quinquina*（祕魯樹皮）以及祕魯皮與林仙的標準，同時也防止可能有害的藥物的販售，像是巴罕在牙買加認為是毒物的羅布麻。「我希望皇家內科醫師學院的審查員以及藥師公會的會長在檢查時能特別注意此〔最後〕一項藥物」。伯奇指出，史隆「格外地謹慎」，且鮮少開出祕魯樹皮的處方，「以免在藥局中發生開出有毒種類的憾事」。當史隆作為藥師的捍衛者、扮演國家規範者的角色時，他自身職業認同中的階級矛盾又再度凸顯。在史隆的領導下，內科醫師學院於一七二七年依據其命令進行藥局審核，修訂其官方藥局指南，以闡明「化學家與藥品批發商作業的複雜度」，並發掘「冒牌貨」、「迷信」，以及「假科學」，以建立「製藥的規範」、根據「理性和經驗」來提倡「公眾健康」。[56]

進行這項規範計畫的同時，史隆也說明了他自認行醫事業的中心思想為何。當代的內科醫生經常將醫療想像成社會重生的手段。舉例來說，史隆的導師席登漢在攝政時期（Protectorate）曾在克倫威爾麾下服務，並在英國內戰期間致力於推展共和國理念。他將醫學視作王室復辟後另一種治療「國家」這個政治組織的方法。復辟時期的評論家視清教徒重視神啟的宗教熱誠為一種心理疾病與政治狂熱的惡性融合，因此漸漸對科學產生興趣，視其為一種有助推動理性共識與國家社會團結的說理形式。湯馬士・霍布斯（Thomas Hobbes）在《利維坦》（*Leviathan*, 1651）一書中極力主張必須以極權專制政體來維持和平，提倡幾何思維是獲取有關世界運作的知識、也是無條件接受國家主導權的最佳途徑。相反地，羅伯特・波以耳在英國皇家學會進行的實驗計畫倡導的則是一種中庸與少數菁英統治式的知識階級制度——霍布斯認為這樣的立場欠缺了真理確定性，故而反對——此取向認為，對自然界運作的理解，需奠基於做實驗的集體觀察結果，然後對事實的可能性做出結論。在十七世紀接近尾聲時，英國國教的神職人員如山謬・克拉克（Samuel Clarke）和理查・班特萊（Richard Bentley）等人提倡自然神學，借重牛頓對地心引力的解釋與其《自然哲學之數學原理》所闡述的運動定律所建立的知識權威，來支持與宇宙和諧相對應的社會和諧遠景。[57]

史隆是王室復辟之後和解文化的產物，也因此他不輕易透露自己的政治和宗教立場。我們已經提過，史隆中立持平、無黨無派的形象，使得他人放心賦予他大量權威，然而他曾對朋友坦承，本著救治「所有的生命，即便是最卑下的亦然」的信念，自己做為一名內科醫生肩負沉重的公民責任。他在牙買加叢書的前言文中則更明白地表示，「自然史知識的本質是對事實的觀察，因此比其他的學科更為確實，與論理、假設、推論等方法相比，我個人的淺見是自然史較不易出錯」。基於支持觀察而非推論的立場，史隆等於站在波以耳的「或然論」這一方，而非霍布斯的理性論，他也以認同的口吻引用法國學者加布里埃爾．諾得（Gabriel Naudé）的說法，指出「他曾說過他默許教會史、懷疑社會史，但相信自然史。只要我們的感官不出錯，這便是我們可確定的事實」，此種確信也促使了對「偉大神意」的信賴，因為「神的設計」不可能是「機率的產物」。宗教信仰需要在務實層面有所配合，而所有的政治主張都值得存疑，唯一可信的只有對自然的觀察，以及，老實說，對神啟的堅信。史隆此處的口吻與英國內戰後幾十年的思想潮流相符：追求有關神所設計的外部世界的明白實證知識，可避免認識論上的謬誤以及社會動亂。雖然史隆極少在私人信件中談論社會議題，在少數幾回簡短的評論中，史隆表示他支持信仰自由。他曾寫過：「就自然與神啟的宗教信仰以及預選說而言，我只依循自己信念的指引，也不對他人做評斷」。雖然史隆是個惠格黨員，他卻對拒絕宣誓的友人頗表同情〔編註：詹姆士二世流亡後，詹姆士黨人拒絕向現任國王宣誓效忠〕，例如來自亞伯丁一個詹姆士黨人家庭的派崔克．布萊爾，史隆可能在他參與一七一五年詹姆士黨叛亂（Jacobite Rebellion）之後保他不受極刑。另外，史隆可能也以類似的方式對另一位友人施以援手，也就是拒絕宣誓的英國國教主教喬治・希克斯（George Hickes），他在叛亂被彌平後差點鋃鐺入獄。[58]

史隆雖偏自由派，卻不是個相對主義者。特別在醫學領域，志在找出在他眼中不值得尊敬或包容的思想與行為模式。他所出版的《藥櫃》中使用的語調，顯示他以「理性與經驗」對照「迷信」和「冒牌」為名，以行「透過規範醫藥使病人不致受到危險藥品傷害」的計畫之實。在此，史隆全然遵循醫生譴責大眾盲從行為的這種典範，十七世紀的博學前輩、諾福克（Norfolk）的內科醫生湯瑪斯・布朗恩（Thomas Browne）即是一例。身為貴族的布朗恩是英國國教徒，也是個保皇主義者，他經歷了英國內戰，是位與培根志同道合的學者，他在《世俗謬論》（*Pseudodoxia epidemica*, 1646）中指出一些關於自然界「廣泛流傳」的謬誤，認為需要改正。史隆似乎並未留下任何關於布朗恩的評論，然而，他於一七一一年一場拍賣中收購布朗恩的物事，明顯地透露出他對布氏的興趣，也因此成為英國最大的布朗恩收藏家。他收入的物件含有《世俗謬論》手稿的筆記，以及通信、解剖標本、布朗恩所藏法蘭西斯科・赫南德茲著作的副本，另外還有植物與珍品，包括布朗恩在研究全球葬禮習俗的《瓮葬》（*Hydriotaphia, [or] Urn-Buriall*, 1658）一書中討論的骨灰甕。[59]

我們將會看到，史隆對公共醫藥規範以及除錯兩方面的投入也推動了他的收藏行為；他以幾近醫療的方式、下定決心以收藏品來揭露並糾正他眼中的盲信行為，首要目標就是用魔術觀點來詮釋自然界的觀點。然而，醫療行為也以毫不起眼的平凡方式影響史隆的收藏工作。舉例言之，史隆收集了各式各樣的胃石，包括動物和人類消化道中石化的內容物；這些物質傳統上被認為具有類似魔法的療效，是從病患處得來的小紀念品。在〈人體目錄〉中，史隆展示了自然哲學家沃特・查爾頓（Walter Charleton）的膽囊，由著名的外科醫生同僚威廉・古柏（William Cowper，他是史隆許多解剖標本的供應者）所取出；另外也包括查理二世的織錦工匠以及德比（Derby）市長等多人的結石。也有些人將自己的遺體製成精美的禮品。喬治・希克斯牧師大人不願在活著的時候移除膽結石，但他掛念著史隆的人情，交代行刑者在他死後將膽結石取出，「裝在銀盒裡交給醫治他多年的內科醫生，與其他類似的珍品共同保存」。對史隆而言，這些結石是個人紀念品、並非具法力的物件，友人能藉著成為史隆收藏品的一部分而獲得某種程度的永生。〈人體目錄〉第七百四十九號物件便是一件特別有趣的紀念品：一條「牛肋骨，是一位女士進晚餐時和綠色蔬菜一起吞下的，她進食時鮮少咀嚼」，史隆用「鯨魚骨將一塊海綿」推入她的食道才取出這些內容物。[60]

其他的醫療相關物件則豐富了針對普遍謬誤現象的文獻記載。史隆累積了數百份他所謂的「郎中藥單」，詳盡記載非正統醫者與病患的陋習，還包括大量保護性的祈禱文以及幾世紀前流傳下來的「咒語」。史隆在《牙買加自然史》中宣告，他個人從未見過「任何以胡言亂語或其他文字形成的咒語能治癒或擊退疾病」，「不過在古代、甚至今日，有些人仍對一句箴言『*herbis, verbis, et lapidibus, inest magna vis*』——草藥、字詞和石頭有強大的威力——極為重視」。史隆的病患與同事也經常講述與醫藥有關的傳聞軼事。一位來自都柏林、名叫波比的醫生講述人們誤信「民間傳言」而吞下櫻桃核，「就為了防止果實惡作劇」。另一則軼事則講述一位女性基於類似的原因吃下大量的草莓籽，導致它們卡在體內，造成危險。一七三三年，史隆的圖書館員湯瑪斯・史戴克（Thomas Stack）告訴他，住在圖騰漢廳路（Tottenham Court Road）的伊莉莎白・布萊恩（Elizabeth Brian）以六十八歲的高齡「為她的兩個孫子哺乳」，史戴克曾親自檢查她「豐滿白皙」的乳房，請她「擠出」乳汁，竟「噴灑了……一碼之遠」。布萊恩認為她的旺盛生殖力是個「奇蹟」，史隆則基於他對「雖怪異但確鑿的事實陳述」的執著，將史戴克的陳述收入《自然科學會報》中。威廉・金恩必會趁機好好羞辱史隆一番。史隆特有的好奇心產生的矛盾在此再次顯現。許多與史隆同時期的博學之士已經不願研究怪異或無法解釋的現象，認為它們不過是散播奇聞軼事的藉口，登不上科學研究的大雅之堂，但史隆對研究怪異事物的投入卻招來輕信的指控。他相信這些故事便罷，但認為它們值得注意就令人擔憂。[61]

布萊恩所謂「奇蹟」的故事提醒我們一件事，雖然對超自然現象的信仰在十八世紀的英國社會已經邊緣化，但對許多人來說影響力仍未消滅，而且史隆認為仍需持續打壓這樣的想法。人們接受奇異現象的存在、甚至很歡迎奇異現象；但對奇特現象的解釋其接受度則完全不同。奇蹟的確是光榮革命後揮之不去的陰影，因為這不只是個政變，由於斯圖亞特王朝的統治者自認擁有神奇的醫療威力，就許多方面而言，此事件也成為醫學上的大革命。從一六六〇到一六八五年間，查理二世宣稱他透過國王的觸摸加持（Royal Touch）儀式、靠著將護身符掛在患者脖子上，治癒了九萬多名英國子民的國王之病（King's Evil，即瘰癧）。國王的觸摸加持是斯圖亞特王室標榜天賦王權的體現，而對新教支持者而言，更代表了天主教的暴政統治，即便許多重要的新教人士也宣稱有此種能力，包括愛爾蘭克倫威爾的擁護者蒙茅斯公爵（Duke of Monmouth）華倫泰・葛特瑞特斯（Valentine Greatrakes）在內。他是查理二世的嫡子，也是個新教徒，更在一六八五年發動叛變、意圖奪取王位。連安妮女王也號稱據有此特異能力。博學之士不知該如何面對一位頒布英國皇家學會憲章卻繼續以魔法師自許的君主。不但波以耳不譴責查理二世，皇家內科醫師學院更在一六九〇年代正視有關奇蹟的傳聞。醫療的政治性角力在光榮革命之後呈現精神分裂的狀態；沒人能肯定地說是否還會有人號稱具有政治權威、宗教領袖，以及神奇醫術的三合一威力。[62]

身為英國皇家學會的秘書，史隆技巧性地於一七一一年將查理二世的半身像安置於學院的會議室，同年他也負責將學院從格斯漢學院遷移至佛里特街上的鶴苑（Crane Court）。但很快地人們就會理解，光榮革命重新定義了政治、宗教與醫學之間的關係，而在醫療主導權從皇室醫者轉移至專業醫生的過程中，史隆是最經典的例子。史隆於一七〇二年收購了好友威廉・庫廷的收藏品，在納入的錢幣和勳章之中含有一枚「銀製勳章模型，用以製造金幣，發給接受國王的觸摸加持之人，上面寫著：在國王查理二世治下、榮耀獨歸上帝」。此為查理施行國王的觸摸儀式時發送的護身符之一，庫廷以三先令的價格買下。史隆對此護身符並未發表評論；由於博物館持續擴張，他可能根本沒注意到這物品。然而，他的收藏中包含此物件卻值得注意。史隆從庫廷處收購此物的同時，也將之去除了魔法的魅力。惠格黨人的新進財富使他們得以透過收藏的方式，解除傳達皇室權威的神聖工具的超自然力量、將之轉型為僅供買賣的珍品，在買賣的過程中也在本質上將君權神授的統治者打為皇家郎中。對史隆而言，查理二世的護身符與歐比亞儀式中的「符咒」或是民俗醫者口中的「胡言亂語」並無二致。在一個新的醫療秩序中，唯有像史隆一般的醫生的觸摸才有療效，君主的加持則無用。[63]

專業內科醫生做出的嚴謹判斷為解決迷信和暴政等問題帶來希望，長期以來新教徒將這兩者視為羅馬公教關於魔法的教義的一部份，包括在聖餐中發生的變體論奇蹟，以及聖物的醫療功效等等。一七二二年，惠格黨的外科醫生、也是古物學家的威廉・貝克特（William Beckett）在一篇有關國王的觸摸加持的歷史作品中，以尖酸的口吻抨擊「羅馬式」護身符的假神力；他堅稱許多人會相信神力並非因為信仰斯圖亞特的魔法，而只是想獲取護身符變換為現金。國王的觸摸不過是哄騙操弄人們「想像力」的工具，用事實上不存在的「超自然力量」使國王陛下的子民臣服其治下。貝克特等人進行的探究證明了新教徒的懷疑精神，也宣告惠格黨人開啟了「自由與詰問的時代」。另外，與法國綿延的戰事也延續了對天主教迷信的抨擊砲火。英國國教神職人員山謬・威倫費爾斯（Samuel Werenfels）於其著作《論對自然事物的迷信》（*Dissertation upon Superstition in Natural Things*, 1748）中便聲明，「在天主教的信仰體系裡，再大的謬論都不過分」。再者，貝克特將自己反魔術和反迷信的觀點在一封公開信中獻給他眼中理性醫學思想典範：「致準男爵漢斯・史隆爵士，皇家內科醫師學院院長」，是再適合不過的了。[64]

滑頭醫生

正當史隆成為英國社會中最受公眾信賴的人物之一時，他也累積了為數可觀的私人財富；據現存的數本一七一九到二七年間的帳簿顯示，其財富來源包括了史隆夫人牙買加產業的營運。為史隆管理帳冊的吉伯特・西斯寇特，後來也與史隆發展出密切的關係：西斯寇特處理史隆的財務，史隆則是他的醫生，而史隆的外甥威廉娶了西斯寇特的女兒。另外，帳務紀錄也顯示史隆於一七二〇年十二月九日為約瑟夫．斯雷茲、路易斯．隆迪斯，和威爾．莫利斯支付前往牙買加三分之一的旅費。隔年十月，他也為法蘭西斯．海恩斯、湯瑪斯．休威特和法蘭西斯．喬羅納付出將近五十七英鎊的款項。這些是雇傭工匠或是契約勞工、或是工頭及大種植園管理人。一七二三年九月五日的紀錄更列出總共十四英鎊的款項，是為了一群工人的「薪資和食膳」所支付，包括史派克斯、格拉夫納、史密斯、波普、史特林，與巴斯林頓一行人，準備前往富勒與伊斯泰德（Isted）兩個家族在牙買加經營的大種植園。史隆與伊莉莎白結婚後便與富勒與伊斯泰德兩家結為姻親：湯瑪斯．伊斯泰德（Thomas Isted）與安妮（伊莉莎白與富爾克．羅斯的女兒）結婚，約翰．富勒則與伊莉莎白在第一段婚姻所生下的、也叫伊莉莎白的女兒結婚。[65]

在十八世紀，擁有蓄奴種植園的不在地所有權是獲得鉅富的管道之一，然而如同所有遠距經營的大種植園，史隆的姻親家族擁有的產業也容易受到災難的衝擊。亨利．巴罕於一七二二年一場強烈暴風摧毀產業之後致信提醒史隆：「我不知道誰在幫您看管十六哩小徑的物業」。史隆在一七三〇年代採取較直接涉入的手法，派遣一位家族成員去處理事務。伊莉莎白．史隆第一段婚姻得到的孫子羅斯．富勒（Rose Fuller），也就是史隆的繼孫，而史隆對羅斯的贊助則顯出他在各種網絡中的影響力，從文人共和國至英國各殖民地。羅斯帶著他聲名遠播的親戚的推薦信，首先抵達巴黎和荷蘭尋求醫學上的指示。他向史隆報告參觀圖書拍賣會以及自然史收藏的經驗，也記載了到阿姆斯特丹拜訪博物學家阿爾伯特．施巴（Albertus Seba）的經過，並向史隆保證施巴的蛇類收藏「絕對比不上您的」，估計其博物館只有史隆的四十分之一大。接著，史隆將羅斯送往牙買加，交代他監看家族產業以及其他事務，這回他交代羅斯去拜訪當地的總督，羅斯也回報「他對我熱情款待，並交代我向您致意」。羅斯回航的旅程順利，並稍回有關植物的資訊，以及「一七三九年的和平條約簽訂後，叛亂的奴隸（馬隆人，即叛逃的黑人）現在負責捕抓脫逃奴隸」的好消息。[66]

史隆的帳簿透露出奴隸勞動為他帶來的經濟利益，也點出奴隸在史隆收藏過程中扮演的角色。舉例來說，一七二一年九月，帳簿記載販售六個橡木桶的糖的營收為二十五鎊十六先令一便士（一個橡木桶約裝有一千磅的糖），由忠誠查爾斯號（*Loyal Charles*）從「MP」運往倫敦，另有價值三十七鎊九先令四便士的糖從「KP」出發前往倫敦。「MP」指的是密德鎮大種植園（Middletown Plantation），「KP」則是諾爾斯大種植園（Knowles Plantation），兩者皆位於十六哩小徑。這些進入史隆帳戶的款項是牙買加淨營收的三分之一，屬於伊莉莎白，因為她是富爾克．羅斯的繼承人，史隆則以伊莉莎白丈夫的身分接收（伊斯泰德與富勒兩人則以富爾克女婿的身分取得剩餘三分之二的利潤）。史隆帳簿中也記載其他從事大西洋三角貿易的船隻因販糖而獲得類似的利潤，包括忠誠瑞秋號、史瓦露費爾德號、考伯號、珍妮號、貝克福德號、克里斯多貝拉號、鷹號、海王星號、伯黎爾、忠誠珍號、奧德費爾德號，以及倫敦號。光是一七二三年二月七日這天，史隆的帳簿便記載了數艘不同運糖船獲得的利潤，共高達近兩百二十八英鎊（以今日的幣值計將近兩萬英鎊）。我們有機會能重建其中一艘船的行程，亦即南海公司的海王星號。海王星號於一七二一年十二月駛離倫敦，船上載有三百九十五名從西非近剛果河出海口的喀丙達（Cabinda）買入的男女奴隸，之後前往牙買加，並於一七二三年四月九日返回倫敦。兩天後的四月十一日，史隆的帳本記載著海王星號從諾爾斯送來八橡木桶的糖、利潤值三十二鎊一先令，並於十二月三日記載六橡木桶的糖、利潤值二十七鎊十九先令（圖4.1）。[67]

由於缺乏史隆有生之年的所有帳簿，我們無從得知他從牙買加種植園獲得的確切金額為何，但我們可以做出多種推測。史隆的帳戶資料顯示，在一七一九年六月十六日到一七二五年二月十二日這段期間，來自糖的收入共達一千四百二十九鎊十七先令四便士。以今日的幣值計算則接近十二萬英鎊。假設史隆在一七一九到二五年間的販糖

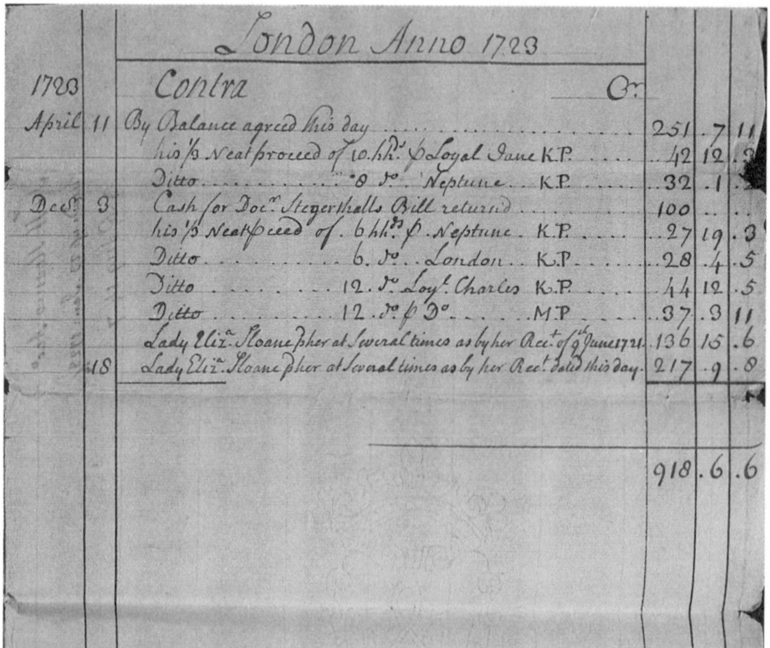

London Anno 1723

1723		Contra Cr.			
April	11	By Balance agreed this day	251	7	11
		his ⅓ Neat proceed of 10.hh.ds ℘ Loyal Jane K.P.	42	12	3
		Ditto 8 Do. Neptune K.P.	32	1	
Decr.	3	Cash for Docr. Stegerthalls Bill returned	100		
		his ⅓ Neat ℘ceed of 6 hh.ds ℘ Neptune K.P.	27	19	3
		Ditto 6. Do. London K.P.	28	4	5
		Ditto 12. Do. Loyl. Charles K.P.	44	12	5
		Ditto 12. Do. ℘ Do. M.P.	37	3	11
		Lady Eliza. Sloane ℘ her at Several times as by her Rect. of 9th June 1721	136	15	6
	18	Lady Eliza. Sloane ℘ her at Several times as by her Rect. dated this day	217	9	8
			918	6	6

收入能大致代表他從一六九五年到一七二四或二五年這三十年間的收入——史隆夫人於一七二四年去世，終止了史隆這份依法而得的收入——可推斷他從加勒比海獲利的加總應超過七千一百四十五英鎊，或是高於今日六十萬英鎊的價值。這是個不容小覷的金額，且在當時的購買力會比今日高出許多，與其他數據對比之後便會更明白：當時一名男僕的年收入約為八英鎊，而一戶中產階級家庭每年需要一百英鎊維生。不過，據說富爾克・羅斯去世前從種植園得來的年收入為四千英鎊，如果伊莉莎白每年獲得此金額的三分之一，史隆的牙買加收入總額應該更接近四萬英鎊，以今日幣值計應超過三百萬英

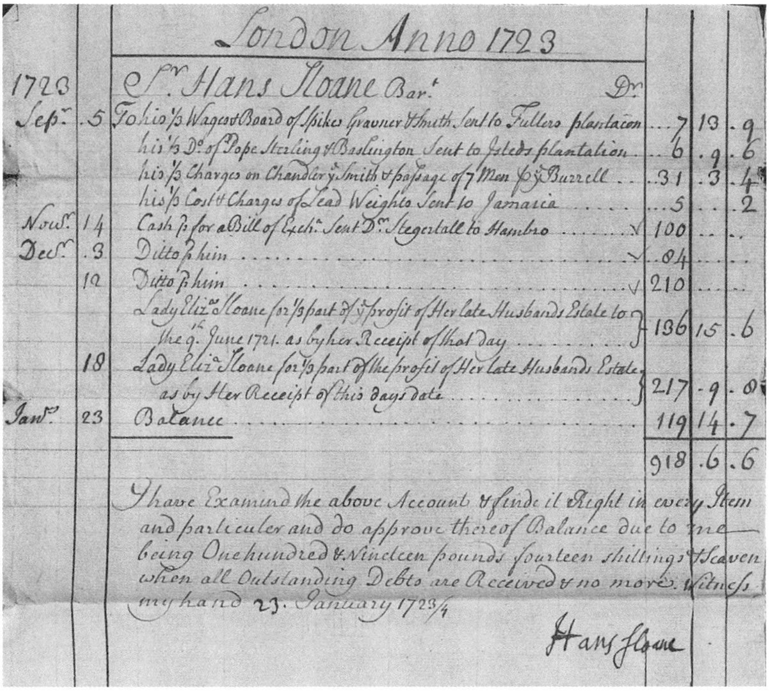
London Anno 1723

1723		Sr. Hans Sloane Bart.	Dr
Sepr.	5	To his 1/3 Wages & Board of Spikes Gravner & Smith Sent to Fullers plantacon	7.13.9
		his 1/3 Do. of Pope Sterling & Baslington Sent to Isleds plantation	6.9.6
		his 1/3 Charges on Chandlery Smith & passage of 7 Men pr J Burrell	31.3.4
		his 1/3 Cost & Charges of Lead Weights Sent to Jamaica	5..2
Novr.	14	Cash pr for a Bill of Exch. Sent Dr. Stegertall to Hambro	100
Decr.	3	Ditto pr him	84
	12	Ditto pr him	210
		Lady Eliz. Sloane for 1/3 part of ye profit of Her late Husbands Estate to the 9th June 1721. as by her Receipt of that day	136.15.6
	18	Lady Eliz. Sloane for 1/3 part of the profit of Her late Husbands Estate as by Her Receipt of this days date	217.9.0
Janr.	23	Balance	119.14.7
			918.6.6

I have Examined the above Account & finde it Right in every Item and particuler and do approve thereof Balance due to me being One hundred & Nineteen pounds fourteen shillings & Seaven when all Outstanding Debts are Received & no more. Witness my hand 23. January 1723/4

Hans Sloane

圖4.1 ——因糖與奴隸制度得利：史隆現存的一七一九到二五年間的銀行帳本，現收藏於林肯郡檔案館（Lincolnshire Archives），記載了來自牙買加、由其妻子伊莉莎白所繼承的蔗糖種植園的定期收入。

鎊。[68]

史隆的同代之人毫不懷疑販糖收入對史隆的收藏活動產生重要的影響。伯奇便指出，與伊莉莎白結婚「使他財富劇增」，而於一七四八年拜訪史隆的瑞典博物學家佩爾・卡姆（Per Kalm），也點出史隆「〔娶來的〕富有的寡婦使他得以實現自然史研究的志趣，也讓他有能力購買目前擁有的大部分自然史收藏品」。在帳冊中至少有一項紀錄顯示販糖收入直接轉換成收藏品；史隆於一七二四年八月六日付給拉特曼和雷默斯兩人共一百一十一鎊六便士、換取「奇珍異品」。伊莉莎白未曾為史隆生下可繼承產業的兒子：一兒（漢斯）一女（瑪麗）於強褓中夭折，另外兩個女兒則順利成長——莎拉（Sarah）嫁給漢普夏的喬治・史丹利（George Stanley），伊莉莎白嫁給查爾斯・卡多根（Charles Cadogan），後來成為第一位卡多根伯爵。從伊莉莎白在一七二三年的小產便可推測兩人一直到她於隔年九月二十七日過世前仍試著生兒子。儘管伊莉莎白始終無法給史隆一位他殷切盼望的男性繼承人，但毫無疑問地，她留下的遺產在史隆日後的財富與收藏活動中扮演舉足輕重的角色。[69]

史隆不只耗資於擴充收藏品以及擴建切爾西莊園的寓所，他也將來自行醫、薪俸和伊莉莎白的種植園的收入用於投資。他的投資包括切爾西的土地（從中收取租金），以及股票和其他金融商品。他的帳戶中定期有投資東印度公司不錯的股份收入，例如一七二一年十月二十八日，價值將近六百英鎊的股票每股上漲近七英鎊。史隆也投資於奴隸貿易，很聰明地在南海泡沫破裂之後，才於一七二二年五月收購南海公司價值兩百英鎊的股票。一封寫給南海公司會計師查爾斯・洛克耶（Charles Lockyer）的信中顯示，在一七二三年，史隆與湯瑪斯・伊斯泰德共同持有價值一千兩百六十英鎊的股票，每年收取股利。70

對奴隸貿易的持續投資也使史隆的觸角延伸至其他種類的經紀行為。錢多斯公爵（Duke of Chandos）在一七二一年就向他尋求建議，希望能為皇家非洲公司推薦一位派遣到幾內亞製作標本集的人。錢多斯希望史隆不久前提議派往加勒比海的那位人士也可以「順道停留非洲幾處」，而公司有能力「輕易地讓其中一艘奴隸船將他送往西印度群島」。史隆接受這項要求，並為錢多斯事後贈送的植物目錄做註，同時「基於您信中對本公司福祉表示的關切」，可獲贈來自幾內亞的樹木和膏藥等禮物。當時南海公司（業務為販賣奴隸到西班牙殖民的美洲）更請史隆評鑑董事長候選人；公司的秘書亨利・紐曼（Henry Newman）於一七二四年請求史隆「解析」路易斯・魏紳士（Lewis Way, Esquire）「的人品」。另外，很多人經常詢問史隆關於奴隸貿易的事務。尼可拉斯・馬丁尼（Nicolas Martini）於一七一七年寫到：「印象中您在牙買加擁有蔗糖和菸草種植園」；還問史隆是否能幫忙牽線，建立由俄羅斯掌控的城市里加（Riga）和西印度群島間的貿易管道。鮑街（Bow Street）的外科醫生約瑟夫・布朗恩於一七一八年啟程前往牙買加，「得知您在當地有事業、人面也廣」，他乞求史隆幫他多寫「推薦信，多多益善」。貝爾法斯特的內科醫生馬格納斯・普林斯（Magnus Prince）於一七四〇年致信史隆：「我聽說您與各貿易公司關係良好」；他希望史隆能幫助自己與東印度公司曾有往來的侄子，晉升到三副的職位。71

除此之外，旅行者也贈送史隆格外珍奇的禮物，項目都與非洲人和奴隸制度相關。其中幾項透過在幾內亞沿岸活動的貿易商轉手到史隆手中，包括來自幾內亞、安哥拉、剛果和馬達加斯加的便帽、煙管、織布、象牙手環，以及戰場用的號角。另外還有令人嘆為觀止的珍寶，例如「荷田托（Hottentot，又稱科伊科伊〔Khoikhoi〕）女性纏繞在腿上的皮帶」，以及「一片穿戴於腳踝上的神聖貝殼」（能利用其魔力抵禦敵人）。尚有其他與奴隸制度直接相關的贈品，例如劍橋大學基督學院（Christ's College）的院長約翰・柯孚（John Covel）便贈送史隆一條「海牛皮鞭，在炎熱的西印度群島種植園中鞭打奴隸」以及「責打或是教訓」所用——這是史隆在〈雜項目錄〉（Miscellanies Catalogue）中對此項目的描述，也曾在《牙買加自然史》中討論過。史隆還收藏有一條棕櫚樹製成的「北非式皮鞭、用以鞭打奴隸」。有些人贈送史隆馬隆人（叛逃的黑人）所屬物件，屬於稀有的奴隸叛變相關物品。亨利・巴罕送了一顆「牙買加逃脫奴隸使用的子彈」，而一位遊歷行醫的蘇格蘭外科醫生羅伯特・米拉爾（Robert Millar）則送來兩件「逃跑叛變、匿居森林中的黑人所穿的外套」以及「同一個野人穿著的馬褲」。史隆收入一條「蔗條製成的繩套，是圈捕獵物或用來吊死逃脫的奴隸」（來源不明），以及從一名身分不詳的商人沃克處得來的、一把國王隨身侍衛攜帶的刀，在維達（Ouidah）管理奴隸堡的非洲裔奴隸販子會攜帶這種刀。通常他人會根據史隆的興趣來決定給予何種贈品，這表示別人給了什麼就會影響史隆收藏了什麼。強納生・西默（Jonathan Symmer）是一名維吉尼亞的外科醫生，他於一七三六年贈送史隆一包嘆為觀止的物件，其中含有蛇與蟲的標本，以及「我從一名（非洲）黑人女孩的陰道取出的數顆結石」。值得注意的是，這是西默首次致信史隆，兩人未曾謀面；但他的策略奏效，史隆的確回信了。事實上，西默贈送的「結石」與史隆在《牙買加自然史》中流露對種族的好奇相呼應，史隆對這份禮甚為珍視，將這位維吉尼亞人士冗長的陳述收錄於自己的〈人體目錄〉中，其中也詳細記錄了他自己收藏的「黑人」皮膚樣本的描述。西默持續和史隆通信，並寄送了「幾片黑人小孩的顱骨，是從燒焦的部分取得」。[72]

另一位與史隆通信的對象贈送他一名自己的奴隸為禮。早在一七一〇年一月，當時接受史隆贊助的一名蘇格蘭內科實習醫生亞歷山大・斯圖亞特（Alexander Stuart）就從萊頓送給史隆一名年輕非洲男性作贈品。斯圖亞特寫道：「您與夫人若有任何需要服務之處，我將他贈與兩位、隨侍在側」；「我在咖啡館已向您描述他的基本人格特質，您若能接受他，我也高興之至」。他也補充：「若能得知這男孩的表現讓您滿意，我就更高興了，這也是我送您這份禮物的目的」。這種「禮物」並非前所未聞。從事傳教活動的人士、包含英國國外福音宣道會（Society for the Propagation of the Gospel）在內，有時會贈送居高位的友人奴隸為禮。斯圖亞特送禮的靈感可能來自當時的肖像畫，畫中滿戴珠寶的非洲人在貴族主人或富裕的商人身旁聽後差遣，這也是後者身分地位提升的表徵。不過此舉卻得到反效果。同年五月，斯圖亞特寫道：「知悉那名黑人男孩帶給您困擾，我深感不安」與羞愧。究竟發生了什麼事，我們不得而知，斯圖亞特並未明說他贈送的非洲禮物如何對史隆家造成困擾，但他發現自己無法通過「鑑賞人格」的這項重要測驗，而史隆則精通此種仕紳階級的判斷能力。「我懇求您隨意處置他，送到西印度群島或其他哪裡都好；我也祈求您原諒我贈送您這樣一個粗人的舉動」。史隆最終究竟如何處置這位頑固的非洲人則不得而知。[73]

藉著行醫、薪資以及奴隸制度所累積的大量財富，史隆得以廣泛從事慈善活動。據說他每日做的第一件事便是免費醫治窮人。伯奇所記錄的史隆的慈善行為，其實跟帳冊條目並無二致。史隆個人成為皇家內科醫師學院的債主，但向學院索取比之前低的利率，同時捐贈價值共計一百英鎊的書籍和金錢，並為學院購置幾扇「豪華的」鐵門。他也贈予英國皇家學會一百英鎊，並爭取額外的一百英鎊以資助新成立的「科普利」傑出科學研究獎章（Copley Medal），而從這筆經費所得的利息也正好讓他能製造價值五英鎊的金牌，每年頒發給最佳實驗的得主。他贈予切爾西草藥園一百六十英鎊，助其修補溫室，也贈予位於泰晤士河上的水門一百英鎊的修補經費，另外，史隆也捐贈共一百英鎊給數間自己參與主事的倫敦的醫院。[74]

然而，招搖新貴的形象卻可能削弱紳士自身的道德權威。人們認為紳士行事時以大眾福祉為考量，而非自身利益，因此在十八世紀享有道德信譽。自然哲學家享有同樣的清譽，但內科醫生則不然。醫生所累積的財富是其信譽的基礎、是專業能力和值得信任的表徵；然而，許多人也嚴重汙衊醫界菁英社會地位的急速竄升是只顧發跡卻不擇手段的結果，因此常出現庸醫和貪婪的指控。一首獻給史隆、題為〈阿斯庫勒比厄斯〉（Aesculapius，希臘神話中的醫神）的詩作，稱頌史隆在醫學這個「奧秘之術」中的成就時，便不經意地點出醫學專業聲譽中的魔法成分。《成為醫者的藝術》（*The Art of Getting into Practice in Physick*）的作者便嘲諷地建議「只有外表才有助於成事……少了它，就一事無成」。這本醫學反諷書於一七二二年、緊跟著史隆在隔離與天花兩事件中取得高度公眾地位之後出版，一名歷史學家認為這是史隆的收藏對手約翰·伍德沃德發出的人身攻擊。「儘管去大聲嚷嚷、喧嘩吵鬧，讓整個城鎮都知道……如此眾人、包括全鎮中的人都會知道有你這位內科醫生」。這本書痛斥一位名為提摩太·繁扒索（Timothy Vanbustle）的醫生，還有一名「生意興隆、聰明的『狡猾』史來門醫生」。數年後，威廉·金恩在接著出版的作品中，也同樣地以「賈斯柏·漢斯·凡·史隆伯格（Jasper Hans Van Slonenbergh）」與「『滑頭』史萊布茲（Slyboots）」醫生的身分再次影射史隆。以上流露出反荷蘭的情緒，將史隆隨興又友善的社交手腕呈現為狡猾外來者以及汲汲營營的機會主義，這種人向來只向有權有勢之人靠攏，以滿足個人的野心——就史隆而言，他靠攏的權勢之人是來自荷蘭的奧倫治的威廉，及其惠格黨同夥。[75]

在這些批評者眼裡，避談流行的醫學理論並不能證明醫學有開明的態度，或是哲學家謙虛的美德，反之，這是種狡猾的自利手段，用以獲得最大量的病患人數、關係和費用。「廣開財源」的方法就是「隨波逐流」，同時「攏絡、追隨、應和」；「與其他醫生進出相同的社交場合」至關重要，同樣地也須具有「討好與交往」、「奉承與阿諛」的能力，才能「廣泛結交朋友」。頭銜稱謂代表上流，「成堆的書籍」也很誘人。拿優質的圖書館和收藏品來拐騙蠢人再適合不過，因為很少人能看透收藏不過是一堆無用的玩意。只要有「成堆的任何東西，別人就會認為你無所不知，也就能獲得博學與機智的紳士之名聲」。就連最虛有其表的廉價物品也有能耐「令眾人聚集觀看，如同操高地德語的街頭雜耍，或是小孩到了玩具鋪一般；擺設越亂無章法，不論是天然或人工、是真是假，就越令觀眾感到神奇而著迷」。而收藏品不僅顯示出內科醫生的富有，更因為能妝點虛假的博學門面而成為醫生們致富的首要原因。收集物件有助於收治病患、錢財以及影響力。《西敏雜誌》（*Westminster Magazine*）中的一篇〈瑞格蠕動醫生，或提升療效的藝術〉（'Dr. Wriggle, or The Art of Rising in Physic'）可能就是以史隆為靈感來源，文章火力大開，發出與前面類似的長篇大論，對醫者隨著名氣而來的蠻橫勢力大肆批評：「讓大眾經常聽到你的名字；慢慢地人們就會熟悉它，跟著就會認為你是個重要人物」。[76]

儘管抨擊砲火不斷，史隆並不卻步。一六八七年，史隆啟程前往牙買加那年，也是艾薩克・牛頓的著作《自然哲學之數學原理》出版當年，此作品帶給牛頓無上的榮耀、在一七〇三年將他推上英國皇家科學會會長的寶座。然而，身為學會的秘書，史隆卻承擔了管理學會的主要業務：舉辦會議、執掌學會的通訊，並出版《會報》。他的工作內容包括支援牛頓的實驗計畫，並鼓勵牛頓的副手法蘭西斯・豪克斯比（Francis Hauksbee）和約翰・德薩古利埃（John Desaguliers）兩人探究物質的機械性能量與有效功率，研究題材涵蓋牛頓引力理論的實際應用，以及對空氣、光、電力與磁性進行的新研究。雖然此研究計畫看似與史隆本人的研究相距甚遠，但在某種程度上，自然史與自然哲學之間的區別其實是被誇大的。史隆經常鼓勵實驗測試：證明響尾蛇「誘惑」其獵物的理論不成立便是一個例子。其他實驗還包括養殖異國動物、移植異國物種，以及我們之前討論過的預防接種。他在自家花園主持異國動物的解剖，以進行構造與生理學的觀察，對象包括他與威廉・史塔克利（William Stukeley）一同於一七二〇年從東印度公司帶回英國的一頭蘇門答臘象。另外，他也見證實驗技術的創新，例如他在貝爾賽斯公園（Belsize Park）親眼目睹用來滅火的新機器，現在也有權發放皇家學會給予的專利。更有甚者，史隆也提供牛頓的跟隨者如豪克斯比等人進行實驗的材料，包括計算特定引力所需的金屬原料。[77]

儘管如此，史隆與偏重理論的同儕，如牛頓和伍德沃德等人之間的歧異卻造成皇家學會內部的分裂。史隆在一次會議中展示一塊拳頭大小的瑪瑙，伍德沃德則回應自己製造的瑪瑙可有四倍大。伍德沃德攻擊史隆是個「理解力弱」的人。在一七一〇年一場理事會上，伍德沃德以責備的口吻要求史隆「說理或是說英語」，並因為一篇有關結石的文章公開地對史隆大發惡言。

伍德沃德甚至正式針對史隆投訴，抱怨《會報》內容品質低落，並在會議中對史隆作鬼臉卻不願道歉，因此被請出理事會（在此聲明，伍德沃德指控史隆對他回敬鬼臉）。傾向避免衝突的史隆在寫給雷夫・索爾斯比的信中說道：「我別無所求，只想清靜」，但伍德沃德不為所動，堅稱秘書先生「既深沉又權謀」，更將「管理整個學會事務的大權攬在自己手裡」。據說牛頓同意此說：他是個「壞人，是個無賴」、是個決意玩弄學會以達個人目的的「狡猾傢伙」。這兩人終於在一七一三年合力逼史隆離開秘書一職。牛頓派的史塔克利同意史隆沒什麼天才，只不過「藉工業發展的強大動力，在適當的時機被造就成英雄」；「他一生的事業都建築在小心翼翼看管自身的利益，而他交朋友向來都只為了自己」。在牛頓和伍德沃德的眼中，史隆慷慨的「友善」不過是個工具，他是雙面人，一面友善慷慨，另一面冷血地追求權力。[78]

然而，史隆終於在一七二七年證明自己的清白。這時史隆繼承牛頓，成為有史以來唯一一位同時擔任皇家學會會長以及皇家內科醫師學院院長的人，但這仍招來不少爭議。學會理事會無異議票選通過史隆擔任會長，但學會成員的意見卻不一。史隆曾經贊助過的，甚至也與之合作、並交付他治療史隆夫人的責任的詹姆士・胡倫，成為反對史隆聲浪最強的一位。胡倫回顧牛頓向來持有的看法：「就養成一位哲學家的必要條件、包括最低的要求而言，光知道一隻昆蟲、一顆石頭、一株植物，或是一扇貝殼的名稱、形狀和明顯的特質是不夠的，遑論居於如此偉大又博學的組織之首所需具備的條件」。牛頓常說自然史不過是「哲學低下的婢女」；讓她（自然史）永遠別「忘了自己是誰、身分如何低下，還妄想登上寶座、擅取科學之后的頭銜」。在牛頓已攀登自然哲學界天才的頂峰之後，由史隆這個便宜雜貨的販子接其職位，真是無比的難堪。瑞士的獎牌製作家賈克・安托萬・達西耶（Jacques Antoine Dassier）於一七三三年設計了一塊同時刻有史隆與牛頓兩人的紀念金牌，附有「*Ecce Gloriae Mathematicarum et Physicarum*」：「看啊！數學和醫學的榮耀」的文字。有別於胡倫的辱罵，達西耶的金牌承認十八世紀英國的知識界一體有兩面：一面是自然哲學，另一面是醫學與自然史。如此一來，漸趨以全球性的規模來累積自然物質並對其進行評估的自然史，事實上與自然哲學佔有同等的重要性。雖然牛頓的《原理》是自然哲學的著作，它卻仿效自然史的方法、收集並評估觀察到的現象，包括由遊歷全球的雇傭收集來的潮水漲退以及鐘擺來回擺動一次的時間長度等等資料。換言之，即使史隆在全球收集資料的方法遭受言語上的譴責，也經常與高貴的理論科學形成強烈對比，卻終究也是後者的研究基礎。[79]

史隆仍舊不為所動、致力於自己的科學計畫。身為學會會長，史隆的貢獻多以財務為主，並有國際化的特質：他取消外國籍會員的年費，同時向國內的會員索求逾期未付的款項。史隆似乎是為了證明自己是光明正大地當選會長一般，直到一七四一年卸任的十四年任期內，於一七三〇年代繪製了三幅重要的個人肖像畫。其中意義最深遠的一幅展現了他不拘不撓的博物學家形象（彩圖1）。史隆於一七三六年委託史蒂芬・史勞特（Stephen Slaughter）繪製這幅令人印象深刻的油畫，畫中的史隆坐在會長大位上，左手邊是學會的權杖，學會的座右銘則明顯地展示於他座位頂端的徽章下方——「*Nullius in verba*」：不遵從任何他人之語——背景則是艾費蘇斯的黛安娜（Diana of Ephesus，自然界生殖力旺盛的象徵）以及阿斯庫勒比厄斯。史隆手持牙買加白皮樹的植物插畫——這是個刻意的選擇。白皮樹是史隆的標本冊中最令人讚嘆的立體標本之一：展開時就像一片從樹皮削下的、輕薄晶透的天然蕾絲。史隆在《牙買加自然史》中談及白皮樹，說它「就像我們的衣服似的」；印度和非洲的居民以為歐洲人的衣物「長在我們的樹上」，而據說查理二世擁有一條牙買加白皮樹製成的領巾。換句話說，白皮樹這異國材質符合統治者的身分，而史隆也很貴氣地採用此高雅之物，而他在史勞特肖像畫中穿戴的、附有精緻圖案的領巾便呼應了白皮樹天然的格狀結構。在此我們看到史隆會長選擇呈現在世人面前的形象：他是博學的大師，能掌握自然這個極致精細的藝術作品，決不是自然商品的販子。[80]

然而，公共服務與個人商業利益兩者仍舊造成史隆的科學認同的分裂。史勞特的肖像畫所呈現的史隆，是皇家學會的會長、手持一幅

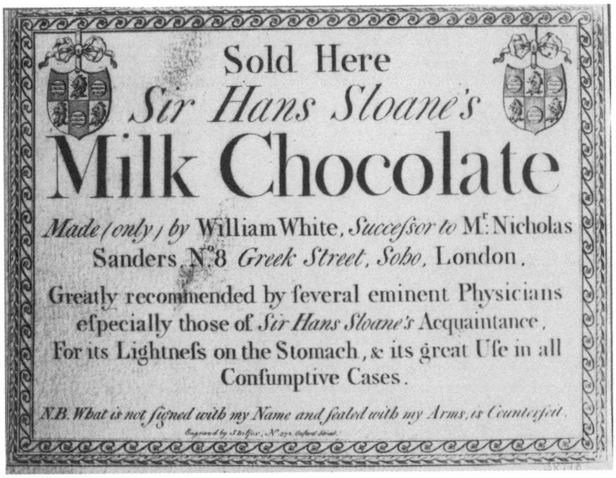

圖4.2——史隆牛奶巧克力：史隆並未發明牛奶巧克力，但卻可能是第一位擁有牛奶巧克力品牌的人，經銷商包括一七五〇年代的尼可拉斯・山德斯以及稍後的威廉・懷特。

代表個人高度商業化的自然史研究的圖片，而圖片是依照其私人收藏中的標本所繪成。史隆在一七四五年很引人注目地出版了一份治療眼睛疲勞的藥膏的配方（查理二世宣稱國王的觸摸加持可治癒此疾），該配方是從皇家內科醫生路克．魯吉利（Luke Rugeley）之處取得手寫的版本。這個向來保密的配方將蘆薈、青金石以及不純鋅華（氧化鋅）與毒蛇的油脂混和；史隆向讀者強調：「我向來很不拘束又開明，決不仿效某些道德高尚和名聲良好的內科醫生，他們經常認為掩藏某些知識是恰當的行為」。史隆動用自己的財富來壯大他的私人收藏，這些收藏之後再轉送各處——至少有時會這麼做，一方面重申他的公民意識，一方面推進他由私人醫生轉型為公眾贊助者的過程，而在此中，史隆本人也難免變成了一個商業品牌。在一七五〇年間，蘇活區（Soho）一位名叫尼可拉斯．山德斯（Nicholas Sanders）的雜貨店主開始販賣他所謂「漢斯．史隆爵士的巧克力牛奶」，宣稱是照史隆原始的配方調製而成。山德斯的說法並無佐證，史隆也肯定未曾發明巧克力牛奶：在十七世紀末的法國和英國已經出現混和巧克力與牛奶的作法。不過，時值一七七四年也有一位威廉．比爾（William Bill）販賣「漢斯．史隆爵士的藥用巧克力牛奶」，而到了十九世紀初期，威廉、愛德華，以及約翰．懷特在販賣「漢斯．史隆爵士的巧克力牛奶」時，也以「知名內科醫生、尤其是漢斯．史隆爵士的熟人大力推薦」為號召（圖4.2）。矛盾的是，史隆中立不偏袒的名聲反而變成醫藥市場中的一項珍貴商品。[81]

在史隆逐漸成為倫敦領導精英圈的中流砥柱之際，他的愛爾蘭出身幾乎可說消失無蹤。出於對威廉三世的忠誠，愛爾蘭的新教徒與英格蘭緊緊相繫，然而，即便他們仍希望與倫敦保持密切的關係，在十八世紀卻逐漸擁抱自己的愛爾蘭出身，部分原因是兩國在政治上並無正式的統合。但史隆則持續與愛爾蘭的種種保持關係：他與曾在愛爾蘭身經百戰的人士通信，並贊助提供退伍軍士福利的慈善機構；他也與家族成員、漢彌爾頓家，以及在道恩郡的友人保持聯絡，不時寄送書籍並提供醫療方面的建議。但他從未重訪故土。由於英國人認為愛爾蘭口音代表所謂外地人的粗野低俗，史隆在年輕時必定很快地就修正了自己的口音。儘管有相同的語言和宗教，愛爾蘭人在倫敦卻以揮霍和積債著稱，且「愛爾蘭的英語」在當地聽起來也不倫不類。不過，史隆因著財富和地位卻與他的同鄉大不相同。史隆的圖書館員湯瑪斯・史台克在一七二八年曾對他說：「想想愛爾蘭看到一位如此受尊崇的子民，該是何等的光榮」。然而同時期的人會直接點出史隆的出身卻非常稀罕。此時史隆已是一位富裕的準男爵，也是首都裡不可或缺的人物；他靠著特出的社交手腕、令人生畏的精練，加上無可動搖的耐心，使自己成為英國上流社會的中心人物。誠然，史隆白手起家的奮鬥歷程和英國國家形成的過程，兩者之間緊密相繫的程度，可從史隆的生命經歷如何與英國成形過程中的重要時段相呼應看出。史隆的父母於一六〇三年從亞爾夏遷居至阿爾斯特，這年英國與蘇格蘭王室合而為一；史隆生於一六六〇年，也是英國王室復辟的那年；他於一六八九年從牙買加返回英國，見證了威廉與瑪麗在光榮革命中登基；一七〇七年，他將牙買加叢書的第一冊獻給安妮女王，這也是英格蘭根據聯合法令與蘇格蘭結合的時刻。[82]

史隆在倫敦生活的核心地帶的重要地位也將他推向大英帝國的中心。這是個由人和商品建立起來的帝國，史隆更會以驚人的效果顯示，這也是個充滿奇珍異品的帝國。時至十八世紀的第二季，史隆已然聲名遠播。此時史隆會出現在倫敦人閱讀的雜誌中，成為英國接觸世界各地奇觀異品的獨特指標。他是漢斯．史隆爵士——全世界最奇特的男人。舉例來說，《每日郵報》（*Daily Post*）報導，在培爾梅爾街從早上十點到晚上八點，付費的顧客皆可觀賞一名女性，頭上長著一支十英寸長的角，報導將之描寫成「自然界奇蹟」和「當代奇觀」，且史隆也宣稱這位女性是「他所見過最稀有的〔景觀〕」。史隆向皇室家族獻上一隻來自婆羅州的稀有八哥鳥，「比鸚鵡還會說話，公認為非常特別的珍品」，史隆也獻上「在中國精心製作的貴族雕像，是高價的珍寶」。他在薩福克（Suffolk）仔細觀察一位皮膚長滿像犀牛或刺蝟般的剛硬短毛的勞工，稱他為著實的「人中奇葩」。在查令十字咖啡屋，有個「極好又令人感到驚奇的」、來自東印度群島名叫「紅毛猩猩」的動物，史隆「驗證過，證實是項珍品」、「值得一看」。一隻「會飛的巴西利斯克翼蜥（basilisk dragon）」所經之途無不焚燒，對「幾內亞沿岸的黑人社群」造成「極大的損失」，而史隆稱之為「英國最了不起的珍品」。一隻號稱「黑猩猩夫人」的母猿喜好飲茶，史隆在解剖後判定牠的生理構造本質上「與人類並無二致」。一名「出色」的年輕人能用嘴寫字，「寫得比成千號稱會用手寫字的人都要好」，他也同樣地享有「接受漢斯．史隆爵士探訪的殊榮」。有一張附插圖的傳單，宣傳來自格林蘭島外海「戴維斯海峽」的一名「野人」，是「歐洲人未曾目睹」的種類，但他已「兩次被呈給皇室成員以及漢斯．史隆爵士、接受檢視」。世界上所有的稀有物種能期盼的最高成就，就是讓看遍萬物的史隆判定為珍奇。[83]

CHAPTER 5

全世界都來到布隆伯利

The World Comes to Bloomsbury

收集收藏家

史隆匯聚的大量奇珍異品終究不是單一個人的成就，而是無數人在全球各地進行交換的結果。史隆可說是個收集收藏家的收藏家。首先，不只是財力和人脈關係，光是他的長壽就成為廣納英國國內許多好友畢生心血結晶的條件。早在一七〇二年，他就接收了「親密的至交好友」威廉．庫廷的古玩、錢幣、勳章、植物以及圖畫。對史隆而言，接收庫廷的收納櫃不僅豐富了自己的收藏，更表現了對好友的敬仰。庫廷比史隆年長近二十歲，算是史隆認識的收藏家中最重要的典範；接收他的收藏品也連帶承諾了絕不將它們釋出。釋出收藏品是收藏家共有的恐懼，因為他們藏品的完整性取決於擁有的財產和後代子嗣：他們與買入的物品以及這些物品的未來將合而為一。人與物很容易因拍賣而分離，但史隆提供了庇護所。法蘭克福的博物學家札卡利亞．康拉德．馮．烏紛巴赫於一七一〇年到訪時，提及得以欣賞史隆的「查爾頓收納櫃」(Charleton cabinet，查爾頓是庫廷的化名)，這顯示史隆可能將庫廷所有的物件合置一處，並未混入自己的收藏品中。庫廷的遺產卻非贈與，而是種互惠。原來庫廷的祖父是威廉·庫廷爵士、是最早在巴貝多島行商的人士之一，其子威廉·庫廷於一六五五年過世時負債累累，小庫廷顯然繼承了這些債務，並化名「查爾頓」以迴避債主。雖然他估計自己的收藏物價值五萬英鎊，對史隆只開價兩千五百英鎊。此種安排不僅能償還家族債務，也能確保收藏品的完整。既然史隆從不缺錢，也與庫廷是至交，便很樂意接受了。[1]

儘管女性基於性別成規不易介入收藏的世界，幾位女性仍舊對史隆的收藏作出重要貢獻。依法，為人妻子者因其已婚婦女之法律身分，不得擁有財產；而女性展現好奇心會招來敵意，其來由是聖經故事，夏娃在伊甸園中〔因好奇〕犯了罪，也因此「無知」作為女性的一種美德會給人帶來安慰。但事實絕非這麼單純。我們已經提過，史隆左右逢源，一端是史隆夫人來自牙買加的收入、對史隆的財富貢獻甚鉅，另一端則有不知名的女性奴隸為殖民地博物學家採集標本，讓他們能將之轉送給詹姆士·佩第維與史隆等贊助人。貿易商與種植者的妻子們也有所貢獻，例如雷民夫人從牙買加將木蠹蛾寄送給史隆，瑞秋·格里格（Rachel Grigg）則從安地瓜送標本給佩第維。史隆的目錄中也連名帶姓記錄幾名女性為物品供給者。夏綠塔·愛黛克蘭茲（Charlotta Adelkrantz）於一七三六年從斯德哥爾摩送來一份來自拉普蘭（Lapland，即芬蘭）的收藏，隨物附上的一份清單特別驚人，其中包括一件外套與一雙手套、一支骨頭製成的湯匙，還有一台雪橇以及麋鹿用的項圈、龍頭與韁繩，加上雪鞋、一面附有鼓槌的鼓，以及一名拉普蘭人用的袋子，「裝有一些不足為奇的小東西」。[2]

瑪麗亞·西碧拉·梅里安（Maria Sibylla Merian）的貢獻令人嘆為觀止。梅里安於一六四七年生於美茵河畔法蘭克福（Frankfurt-am-Main），在她繼父的指導下學習繪畫，並在拉巴迪教派（Labadism）這個激進的虔敬主義信仰傳統下成長，養成了她對自然世界的狂熱愛好、將之視為美好神蹟的源頭。後來她遷居阿姆斯特丹，並在與其夫婿離異後，於一六九九年橫渡大西洋造訪當時受荷屬東印度公司管理的蘇利南殖民地。在當地美洲原住民和非洲奴隸的協助下——她稱他們「我的奴隸」——她偕同女兒桃樂絲收集動植物，並繪製完成大量的圖片。值得注意的是，梅里安不僅經歷殖民地旅行的波折，也同時與「文人共和國」（文人通信社群）的階級架構周旋。一般來說，活動於社群中的藝術家，不論男女，皆鮮少出版自己的畫作，而是將作品貢獻到如史隆般紳士作家的自然史著作中。梅里安則轉賣自己收到的禮物，也販售自己的昆蟲製劑以及含有自己設計的刺繡布料；她更搭上異國科學藝術市場的順風船，以本名出版了一本讓昆蟲生殖專家極有興趣的作品：《蘇利南昆蟲變態圖譜》（*Metamorphosis insectorum Surinamensium*, 1705）。這引起史隆的注意，並在梅里安回到阿姆斯特丹之後，透過佩第維的當面到訪向她收購了六十張蘇利南畫作（彩圖4）。這對梅里安的收入和名聲以及史隆的收藏都打了一劑強心針，對於佩第維而言，也是一大鼓舞，這代表他有精準的判斷力知道誰會願意掏腰包。他對但澤的植物學家約翰・菲力普・布雷內（Johann Philipp Breyne）大肆吹噓梅里安的畫作無人能敵，且「在我的推薦之下，史隆醫生花費了兩百幾尼收購」。[3]

與丈夫離異增加了梅里安的生產力。然而史隆的其他女性收藏貢獻者則深陷家產爭奪的情況。正如史隆因收藏而遭諷刺，女性則可能面對精神失常的法律控訴。愛蓮娜・葛蘭維爾（Eleanor Glanville）（本姓古德利克〔Goodricke〕）住在英格蘭西南部的薩莫賽特，她是名富有的寡婦，致力於收集昆蟲，並認真地與佩第維通信、送他幾隻稀有的蝴蝶。葛蘭維爾再婚後，第二任丈夫提起訴訟要求掌控她的地產，看來史隆和芮兩人都曾出庭為她作出有效的佐證，然而在她於一七〇九年過世後，其子對其遺囑提出質疑，指出其母的皮膚刺癢症狀是瘋癲的證據。波福公爵夫人（Duchess of Beaufort）瑪麗·薩莫賽特（Mary Somerset）也是個執著的植物學家，也在丈夫死後得到解脫，在切爾西和伯明頓（Badminton）建立育苗埔，其中囊括從亞洲到加勒比海的品種。佩第維認為伯明頓是個「天堂般的植物園」；史隆也認定這是歐洲最佳、備有培植熱帶品種「無可匹敵的溫室」。公爵夫人很樂意打入史隆的社交圈；她承認「當我一沉浸於有關植物的故事，便深陷其中、無法自拔」。她與史隆、佩第維，以及威廉·舍拉德交換種子與植物，對於芮在作品中提其及她的植物非常興奮，也與歐洲各地的植物學家通信。史隆推薦艾弗拉德斯·齊齊厄斯為她繪圖，也舉薦舍拉德做她孫子的家庭教師，更在她與上述女性一樣跟家族爭奪亡夫留下的產業時提供道德支持。要了報答史隆，她於一七一五年將自己十二冊的標本集贈予史隆。二十年後，史隆買下她位於切爾西、離切爾西莊園不遠的「波福樓」高級宅邸。[4]

寡婦在收藏品轉手的過程中扮演關鍵的角色。有時她們純粹為了謀生才買賣收藏品。瑪麗·坎貝爾（Mary Campbell）曾致信史隆，訴說她的丈夫過世，留下了許多「我完全不懂有何價值」物件，其中包括寶石和書籍。「我將這兩樣交由您來評鑑，以您的品格，我肯定您不會低估它們的價值，更別提現在是我這可憐的寡婦持有這些珍寶」。史隆對這項要求的答覆不得而知，但在其他的案例中、特別是他與過世者相交甚篤時，可以看出他對類似情況的介入程度。芮於一七〇五年過世時仍欠有債務，他的遺孀瑪格麗特埋怨自己每年只能靠四十英鎊過活。接手芮的文件的植物學家山謬・戴爾（Samuel Dale）轉告史隆，說芮的遺孀希望後者能幫她以一百英鎊的價格變賣亡夫的藏書，能多過她得到的報價八十英鎊。史隆介入這項買賣，確實為芮夫人多賺進二十英鎊；另外也為芮夫人從芮的老贊助者威勒比家族處爭取到更多的資助。史隆的收藏行為有時近乎做善事。印花棉布商兼槍枝發明家克勞狄・德普耶斯（Claudius Dupuys）在倫敦從事珍奇商品展，他就曾乞求史隆「看在老天的份上，請救我於水火之中吧！」史隆多次借款給德普耶斯，有一回後者還向史隆要求一百英鎊、以防某些「心懷不軌之人」作弄。然而走投無路的借方也可能報以優渥的利息，史隆就從德普耶斯處得到來自中國、日本、波蘭、墨西哥，和土耳其的稀有珍品。[5]

詹姆士・佩第維是當時最積極的標本收藏家。他本身就是個訊息匯聚中心，定期寄送製作標本的說明給位於美洲、南亞和東亞的聯絡人，並經常在手冊和信件中重複這些指示。他對一位通信對象說，如果遇上對此有興趣的外科醫生，「請將此說明中他可能感興趣的部分作一份副本交給他……我會很樂意與他通信，也非常願意提供他們所需要的任何物品」。佩第維和史隆一樣，也是一位收藏收藏家的收藏家。他交代一位身在特內裡費島（Tenerife）、名叫吉德利的外科醫生雇用一名西班牙人或是島民，攜帶一個籃子和一刀紙前往該島的山頂，夾滿植物下山；他願意負擔所有費用，並指示吉德利將其說明貼在「您手術箱裡，如此您每天都看得到、不會忘了我的託付」。威廉・金恩諷刺地暱稱佩第維的名錄為「好友目錄」，是為史隆所知最大的收藏家網絡，這點也促使佩第維急著出版附有植物、動物和礦物列表及插圖的小冊子。史隆記載佩第維運用他的關係而收集了「空前大量〔的標本〕」，裡頭有許多「是之前的自然史家未曾關注的」。[6]

然而，如此積極勤奮工作是要付出代價的。佩第維就曾對他的通信對象大吼：「連六歲小孩」都懂得遵照我的指示行事；對另一個對象則大罵：「人生在世不知能有多久」。一位通信對象反駁：「收集物品比你想像的要困難又麻煩得多了」。佩第維雖優秀卻也很會製造混亂，史隆讚美他的熱誠，卻也怪罪他「拖延」牙買加叢書第二冊的出版。史隆接手其收藏後，「將他混亂的收藏品和文件整理出頭緒」很是耗時。史隆向讀者說明，儘管佩第維「極度勤奮、努力不懈地工作」，但也或許正因為如此，他「並未以同樣的努力保存」他的標本，反而「將之累積成堆，以小紙條標示，許多標本沾滿灰塵，並因昆蟲和雨水等因素而受損」。如同庫廷一般，佩第維體認到史隆是他一生志業理所當然的接管人，因此他重寫遺囑，在一七一八年去世後，史隆以四千英鎊的代價從其姊妹手中買下數千項植物和昆蟲標本。如此一來，史隆再度以收購收藏品為友誼封緘，同時一方面一舉大肆擴張其個人收藏，另一方面則承諾讓收藏品「為大眾所用，讓他流芳萬世」，且「維持我的好名聲」。[7]

時至十八世紀，收藏品不再是那些執著於宮廷地位和家族傳承的貴族獨有的玩物。拍賣會讓其他人也有機會收購物品。我們很少看到史隆當場立即拒買奇珍或稀有物品的證據，如果史隆有不收購任何物件的時候，可能是因為價格的關係。判定一名鑑賞家及其經理人的鑑識力有一個方法，便是是否有能力開出恰當的價錢。此任務對史隆的代理人造成不小的壓力，因為他們在有限的時間內代表史隆講價時，永遠不能完全確定史隆願意付出多少。荷蘭人在十七世紀首創藝術品的販賣；在王室復辟後，英國人也開始定期舉辦拍賣，尤其是在蘇富比拍賣行（Sotheby's）於一七四四年和佳士得拍賣行（Christie's）於一七六六年成立後，拍賣會便成為社會流動的重點場所，新貴人士可在轉瞬間買下上流社會的表徵。因此，拍賣會很自然成為史隆狩獵奇珍異品的所在，特別是在開始出售「自然界事物」（*naturalia*）之際，更因為拍賣會展出旅行者在大英帝國以外取得的各式稀有物品。[8]

來自尼德蘭哈勒（Halle）的植物學家保羅．赫曼（Paul Hermann）在一六九五年過世時便提供了這樣的契機。在荷屬東印度公司成功地在香料貿易戰中擊退葡萄牙和英國這兩個對手後，赫曼曾任公司的外科醫生。自一六七二年起，赫曼曾居留在荷蘭人建立的好望角殖民地，並在錫蘭（斯里蘭卡）居留多年，分別接受當地原住民科伊科伊人與僧伽羅人的協助，將植物收藏成集。赫曼聲名大噪的植物誌《巴達維亞的伊甸園》（1698）記錄並圖解種植於萊頓大學草藥園中的東印度群島植物物種。之後他回萊頓大學任教。[9]

史隆在萊頓的聯絡人是威廉．舍拉德。他認識赫曼，並於赫曼死後編輯了《巴達維亞的伊甸園》，算是幫忙赫曼夫人，使她得以靠拍賣所得維生。舍拉德致信史隆，提及雖然拍賣會上只出售將近二十罐「泡了印度動物的烈酒」，但另有數以千計的植物。然而價錢卻劇烈地波動。據說赫曼的藏書賣了高價，尤其是他的植物學叢書、以三倍的高價賣出。舍拉德告訴史隆拍賣會上出現許多「奇人異士」、搶著標下「心中奢求或有能力買下的物品」。他將數本拍賣目錄——這是遠距購物的基本工具——寄回倫敦給史隆，讓他標下想要的物品，稍後在威尼斯和羅馬為史隆分送購書目錄給當地書商時，也沿用此舉（有七百多本商品目錄仍收藏於史隆圖書館，其中許多都畫有標示）。然而，通訊速度很緩慢，而且舍拉德在史隆發出赫曼夫人「對其珍品開價過高」的評價後，不甚確定史隆願意接受多高的價位。舍拉德解釋道：「倘若您在信中曾表示願意為標出的物品出多少價錢，我就會知道該如何行事了」。但他終究得自行做決定。他收購了數冊書籍，但表示如果史隆覺得價錢過高，願意自行買下。在一七一一年的另一場赫曼拍賣會中，史隆寄給佩第維一張價值五十英鎊的信用證，並收到一本拍賣目錄，上面有佩第維註記的痕跡，其中一個項目看來是佩第維為一隻天堂鳥所下的一幾尼訂金，旁邊寫著「我希望您別想太多」。佩第維解釋說他也必須在會場上與「強勁的對手」競標。多虧舍拉德與佩第維，加上他本人與安娜・赫曼（Anna Herman）的交涉，史隆最終收購了赫曼那珍貴的好望角標本（這是少數最早由南非進入歐洲的植物收藏）、一些錫蘭的物品，以及《巴達維亞的伊甸園》的原始繪圖。[10]

長期以來史隆購買了數份此類的收藏。他收購了內科醫生克里斯多福・梅瑞特（Christopher Merrett，卒於一六九五年）的植物，以及英國皇家學會的同事內米亞・格魯（Nehemiah Grew，卒於一七一二年）的種子和果實，也從為摩爾斯菲爾茲的絲綢圖案設計圖樣的約瑟夫・丹德里奇（Joseph Dandridge，卒於一七四七年）處，收購了九十六個抽屜之多的昆蟲以及昆蟲圖冊。在倫敦，由鞋匠轉業為書商、死後葬在聖保羅大教堂墓園的約翰・巴格福特（John Bagford），不僅為史隆收購書籍，也招攬客戶；兩人有時也相偕購物。巴格福特知會一位希望販售物品的友人說「我把你的目錄給〔史隆〕看了」，在詢問價格的同時，也向他保證史隆一旦開了價絕不會食言：「我認識的人當中沒人比他更有好奇心……或出手更大方」。史隆對大批購買也很積極。他以單筆交易買下紅衣大主教菲力波・瓜爾地耶里（Cardinal Filippo Gualtieri，卒於一七二八年）

的一大筆古代銅錢和希臘羅馬古物，據說是在羅馬從伯納多．斯泰爾比尼神父（Abbé Bernardo Sterbini）處收購的，人人都說該神父缺乏誠信。史隆擁有的約三分之二的古物確實是大批購買而得，這也包括了埃及古物。他時時處於備戰狀態。當路易十四的大臣尚—巴普蒂斯特．柯爾貝爾（Jean-Baptiste Colbert，卒於一六八三年），以及格魯和羅伯特．虎克（卒於一七〇三年）等同僚，以及知名作家丹尼爾．狄福（卒於一七三一年）等人的藏書開放出售時，他第一時間搶先收購。死亡是收藏家的好朋友：不論是敵對或友好關係，都能被死亡轉化成相當的收穫。史隆的勁敵雷歐納德．普拉肯內特於一七〇六年過世後，其大量標本收藏轉手到伊里主教約翰．摩爾（John Moore）所有；摩爾在一七一四年過世後由遺孀繼承其產業，不到兩年的時間，史隆便在一場私人買賣中收購普拉肯內特原有的八千株植物以及大量的昆蟲。[11]

當然，史隆只是十八世紀早期英國眾多博學收藏家之一；巴格福特便代理庫廷、山謬．皮普斯以及約翰．伍德沃德收購物品。史隆體認到自己不可能在每個領域都是佼佼者，因此決定將重心放在自然史和醫學上。他對舍拉德說道：「由你為我購買任何旅遊誌或是古醫書，是不會出錯的」。他也與競爭對手達成協議，自己針對中古煉金術與醫學的手稿進行收購，但大多不碰歷史手稿，將它們讓給財力雄厚的兩位牛津伯爵羅伯特．哈雷（Robert Harley）和愛德華．哈雷（Edward Harley）。兩位伯爵對此舉的回報，則是將旅行與自然史類書籍拱手讓出，由史隆的圖書館員漢弗萊．沃恩雷（Hemfrey Wanley）經手這些買賣；沃恩雷也勸說史隆，若是順了兩位伯爵的意，他們會「很樂意將多種物品讓給您」。儘管如此，競爭仍舊無可避免。除了史隆外，舍拉德也為自己、庫廷、伍德沃德等人收購物品，包括彭布魯克公爵（Lord Pembroke）和白金漢公爵（Duke of Buckingham）等其他貴族在內。舍拉德是個地主之子，他的關係良好，雖不富有卻很勇於直言。他在一七〇六年告訴史隆「您的牙買加史叢書至今毫無動靜，請不要拖延出版，拖得越久，您其它的事業就會讓您益發忙碌」。舍拉德在為波福公爵夫人服務之後，轉任位於奧圖曼土耳其斯麥納的黎凡特公司法律顧問這個高收入的職位，期間他沉浸於古代文化、在小亞細亞四處遊歷。在這段離鄉遠行的時期，收集紀念碑和勳章上的刻文成了他最大的慰藉；不過，這些嗜好也讓他付出「憤怒、疲累以及金錢」等不少代價，同時也使他對自己的最愛——植物學分心，也未達成出版他自己編撰的、權威性的植物物種目錄大成的計畫。一七一七年，在居所遭人入侵、古錢幣遭竊之後，舍拉德返回英國，一面協助史隆、讓他得以接觸亞瑟·羅頓在阿爾斯特的活體牙買加植物收藏，一面與德國植物學家雅客布·迪勒紐斯（Jakob Dillenius）進行合作。[12]

然而，舍拉德和史隆的關係卻逐漸惡化。史隆與普拉肯內特和伍德沃德兩人的交往便證明了純粹的植物學研究也能令人交惡。舍拉德的怨憎經年累月地增長；他對兩人共同的朋友理查·李察遜高聲埋怨道：「〔他的〕錢多得不得了」。而在一七二〇年代，當舍拉德設法為博物學家馬克·蓋茨比（Mark Catesby）前往美洲殖民地的探險募款時，他也抱怨「〔史隆〕不願遊說他的朋友們認購贊助，這對他而言根本輕而易舉」；此舉讓人感覺史隆很虛偽，因為他當時已經擁有「大部分流進英國的物品」。此前舍拉德曾向史隆保證某一包裹的標本「不會落入普拉肯內特醫生手裡」，也表示他很高興看到史隆現在擁有普拉肯內特的植物收藏。但似乎在一七二〇年代期間，舍拉德自己攢下了一些標本（原先來自但澤的植物學家布雷內）、並未全數交給史隆，而史隆則以拒絕分享自己從佩第維和普拉肯內特處得來的植物做回應。這樣僵持的情況造成兩人關係惡化。由於史隆拒絕分享植物，影響了舍拉德出版植物物種目錄大成的計畫，而後者不久後也於一七二八年過世，野心勃勃的計畫隨之夭折。不過他倒以收藏家特有的方式進行報復。即便舍拉德多數的標本分散在史隆的蒐藏裡，他卻將絕大多數的植物（超過一千頁）與藏書贈予他曾求學之地——牛津大學。[13]

史隆收購他人收藏品的能力，當代無人能及。然而，他鯨吞他人畢生收藏的舉動多少有些同類相殘的意味；在某些人眼中，仗著財富肆無忌憚地收購物品預示了英國社會的沉淪，而新興收藏家大量收購新品也助長此種恐懼。威廉．赫加斯在《流行婚姻》（*Marriage à la Mode*, 1743）中的第四幅畫，便對暴發戶一般的英國發出尖銳的評論，以一群倫敦紈絝子弟來呈現對商品、族群，以及物品的消費行為。這群人當中有一名身著制服、手捧一盤熱巧克力的非洲男僕，以及一名身著東方服飾、頭戴包巾、把玩小雕像的小男孩，身旁置有一本充滿提示意味的打開著的拍賣目錄。熱巧克力與珍品、非洲僕人與東方玩物——都代表著由殖民地提供商品以便殖民母國累積物品的世界，也是史隆周旋其中、賺取巨富、累積收藏的世界。此類收藏品的擴張是英國商業與帝國勢力擴大的有力表徵，然而對赫加斯而言，戲劇性地呈現物品的積累既無品味也沒啟發性，反而是荒謬又腐敗。[14]

經營與東方的關係

一七四九年，史隆在《會報》發表一篇文章，檢視了聲稱有療效的「蛇頂石」與「犀牛胃石」。他對兩者的療效存疑，遍尋東方古老的醫學傳說來釋疑。其中蛇頂石的樣本據說是從一種叫*Cobra de Cabelo*的毒蛇顱內取得，但就史隆的判斷，兩個結石都來自犀牛的胃。史隆文中提到一位「精明的朋友」查爾斯・洛克耶勇闖「蠻荒又艱困」的非洲東南岸，帶回一對犀牛角送給他，由於樣本在生理構造上的確切部位不明，史隆靈機一動，拿「我的收藏品中一個很小的、有羅馬皇帝圖密善肖像的黃銅勳章」作為文章圖例的輔助。不過文章的重點還是傳說中胃石的療效。史隆本人曾向一名在東印度群島的「舊識」丹尼爾・沃多（Daniel Waldo）收購數個犀牛胃石，不過當波旁公爵差點用一百個金幣購買一個蛇頂石時，史隆卻極力勸阻公爵一擲千金，主動建議「贈送一個他自己收藏的結石」。史隆也從一位巡迴外科醫生亞歷山大・斯圖亞特處獲得數個結石，後者宣稱結石來自野牛的胃，而不是如他人所說來自蛇，至少他號稱消息來源是一位知識淵博的天主教傳教士。又據一位來自西發利亞省萊姆戈鎮、名叫恩格伯特・坎普法（Engelbert Kaempfer）的旅行家所言，眼鏡蛇頂石的確有藥性，能減緩蛇毒的症狀，但結石不是從蛇身上來的，而是「印度婆羅門祭司以祕技」所製成。[15]

以上無非是史隆最經典的表現，用自家的收藏來驗證號稱有神奇功效物質的真實性。他做出的結論固然重要，但是過程也不容忽視，特別是他如何利用自己在幾個殖民貿易公司的廣泛人脈來證明結論。沃多跟斯圖亞特皆為英屬東印度公司（EIC）服務，洛克耶同時在英屬東印度公司和南海公司工作，坎普法則為荷屬東印度公司工作。從史隆在倫敦的活動可看出，私人事務與公共事業兩者對他而言密不可分，同樣的，他也從多項國家支持的商業與軍事行動中，尋機從海外收藏各式奇珍異品。從史隆所編纂的數本詳盡記錄樣本來源的目錄中，即可窺見他在亞洲人脈之廣，從好望角和東非一直延伸到印度與中國。透過關係網所收集的珍品之多樣化也令人驚嘆，包括好望角來的斑馬，一件用棕櫚葉編織而成「馬達加斯加皇后的長袍」，來自蘇拉特（Surat）及孟買的貝殼，同樣來自蘇拉特用「印度牛尾製成，附有貝殼把手，用來清理圖畫或是瓷器的刷子」，來自烏木海岸（Coromandel Coast）的鞋子，以及印度墨水和提燈。其餘收藏包括「數位東印度王子賞賜給英國商人史翠山．麥斯特的特殊通行證」；用藤條編成、底部塗漆的印度餐盤或茶碟，從孟加拉灣來的活刺蝟，來自波斯「偉大的蒙古人沐浴用的」玫瑰香氛精油，一隻從緬甸勃固（Pegu，即Bago）來的鴿子，麻六甲來的貝殼，大崑崙（Pulo Condore，即越南南部崑崙島）來的甲蟲，「掏空棕櫚樹幹製成的毒箭管……應該來自西里伯島（即印尼蘇拉威西島〔Sulawesi〕），印尼蘇門答臘明古魯（Bencoolen，即Bengkulu）來的蝴蝶，一隻來自巴達維亞（雅加達）的紅毛猩猩，一個帛琉來的「猿人」，從占碑（Jambi，位於蘇門答臘）蘇丹處得來、置於金盒內的象腦，一隻大蘇門答臘蝙蝠，「一支號稱有一千年歷史的紅土綠漆羅紋貫耳瓷瓶，晶瑩透光」，「從中國廣東一個傍溪的小村落樊婆（Vampo）墓地取得的一座墓碑」，「一頂從東京（Tunquin，即Tonkin，越南北部）得來、屬於皇后的帽子」，一個中國羅盤，「一隻碗，一把茶壺，七個茶碟，六個茶杯，一個糖碟、蓋子、還有茶罐，全都是紙板做的，上面的圖樣是一個住在日本的荷蘭人仿中國風格繪製而成」，「一座金製的印度神祇或偶像」，還有來自亞洲的沙粒。[16]

除了來自蘇門答臘和日本的物件之外，史隆收藏的珍品也由英屬東印度公司的職員經手，目錄中所記錄的來源都是公司海外商館（貿易據點）的所在地。收藏品中絕大多數來自蒙兀兒帝國統治下的印度（1526–1857）。蒙兀兒的統治者是穆斯林，從十六到十七世紀，在巴布爾（Babur，卒於一五三〇年）和孫子阿克巴（Akbar，一五五六－一六五〇在位）等君主的相繼領導之下，征服南亞次大陸許多的印度教王朝，更發展了中央集權的官僚體制，使帝國的稅收劇增，能有效經營大量的新增領土。在阿克巴的統治境內，印度教徒為多數人口，但他對宗教信仰採取開放寬容的態度；然而繼承他的奧蘭則布（Aurangzeb）則作為保守，恢復有爭議性的政策，像是針對非穆斯林抽取「吉茲亞」丁稅，因而種下分裂的因子。在希瓦吉（Shivaji）統治下的馬拉塔（Marathas）王朝與印度教徒起干戈，和西北邊的錫克教徒交惡，同時又與其他穆斯林政權像是哥康達不和，種種衝突都削弱帝國國力。儘管面臨馬拉塔的挑戰，蒙兀兒王朝仍然是次大陸上最強勢的政權，也是十七世紀末期英國致富的關鍵因素。[17]

亞洲大量的貿易機會吸引許多歐洲國家進入這個市場。英屬東印度公司於一六〇〇年伊莉莎白一世統治時期成立，是個享有專賣權的合股公司，以便與葡萄牙和荷蘭商人爭奪香料與紡織品的商機，此時這兩種商品皆掌握在印度教與穆斯林商人手裡，貿易範圍西起紅海與波斯灣，東至中國明朝和德川時期的日本。從一六七〇年代起，英屬東印度公司搭著紡織業興盛的順風車，將位於印度烏木海岸的聖喬治堡開發為貿易據點，此地鄰近馬德拉斯（即清奈），是一個快速成長的人口聚集中心。在地方勢力深陷武力衝突的背景下，公司採取機會主義的策略，討好蒙兀兒的主要政治領袖，取得其軍事協助以抵禦區域性的競爭對手，例如經常與蒙兀兒起衝突的馬拉塔王朝。由於得到蒙兀兒霸權的支持，英屬東印度公司在印度得到良好的立足點，開啟了接下來半個世紀的商業擴張，但那也是一段和地主政權關係緊繃的時期。公司用當地的商人做為與農民和工匠交易的中介，並和交遊甚廣的商人、包括馬德拉斯有高度影響力的商人卡西．孚安納（Kasi Viranna）在內，建立良好關係。英屬東印度公司的商館管理階層都是英國商人，但其他成員卻由多元的群體組成，也代表了不同的信仰以及私人目的。英國人從馬達加斯加引進包括非洲人、葡萄牙人、波斯人以及亞美尼亞人等外國奴工在貿易據點建造堡壘，並招募傭兵和奴隸組成作戰部隊；但公司也流失員工，這些員工轉而跟隨荷蘭人或印度人做生意，有些人還改信伊斯蘭教。公司的代表使節急於鞏固地方勢力的支持，經常對蒙兀兒朝廷進貢，但卻不知該送什麼新奇的禮品才好。蒙兀兒的皇帝們無疑地對法蘭克人（南亞人都這麼稱呼歐洲人）很好奇，即使他們認定歐洲人文明低落又不值得信任。不過，蒙兀兒統治者包括賈漢吉爾（Jahangir，一六〇五—一六二七在位）已經從葡萄牙使節手中收集了大量珍品，從特殊的水果到地球儀都有，也因此對於英國人的貢品興趣缺缺。[18]

時至十八世紀初期，英屬東印度公司已致力於擴展歐洲人在亞洲貿易的疆土，但同時內部面臨組織與利益分配的分歧。此時無照交易盛行，商業關係更無忠誠度可言。英屬東印度公司與地方關係最好的營業員是公司最寶貴的資產，但也是最不忠誠的一群；檯面上為股東爭利，檯面下中飽私囊。比方說，湯瑪斯．彼特（Thomas Pitt）是個獨立貿易商，在一六七〇年代經營糖和馬的生意、獲利甚多，後因無照交易被捕罰鍰。之後很快地靠著孟加拉納瓦卜（Nawab of Bengal）的支持，在胡格利河（Hugli River）設立私人貿易據點，繼續以獨立貿易商的身份進行交

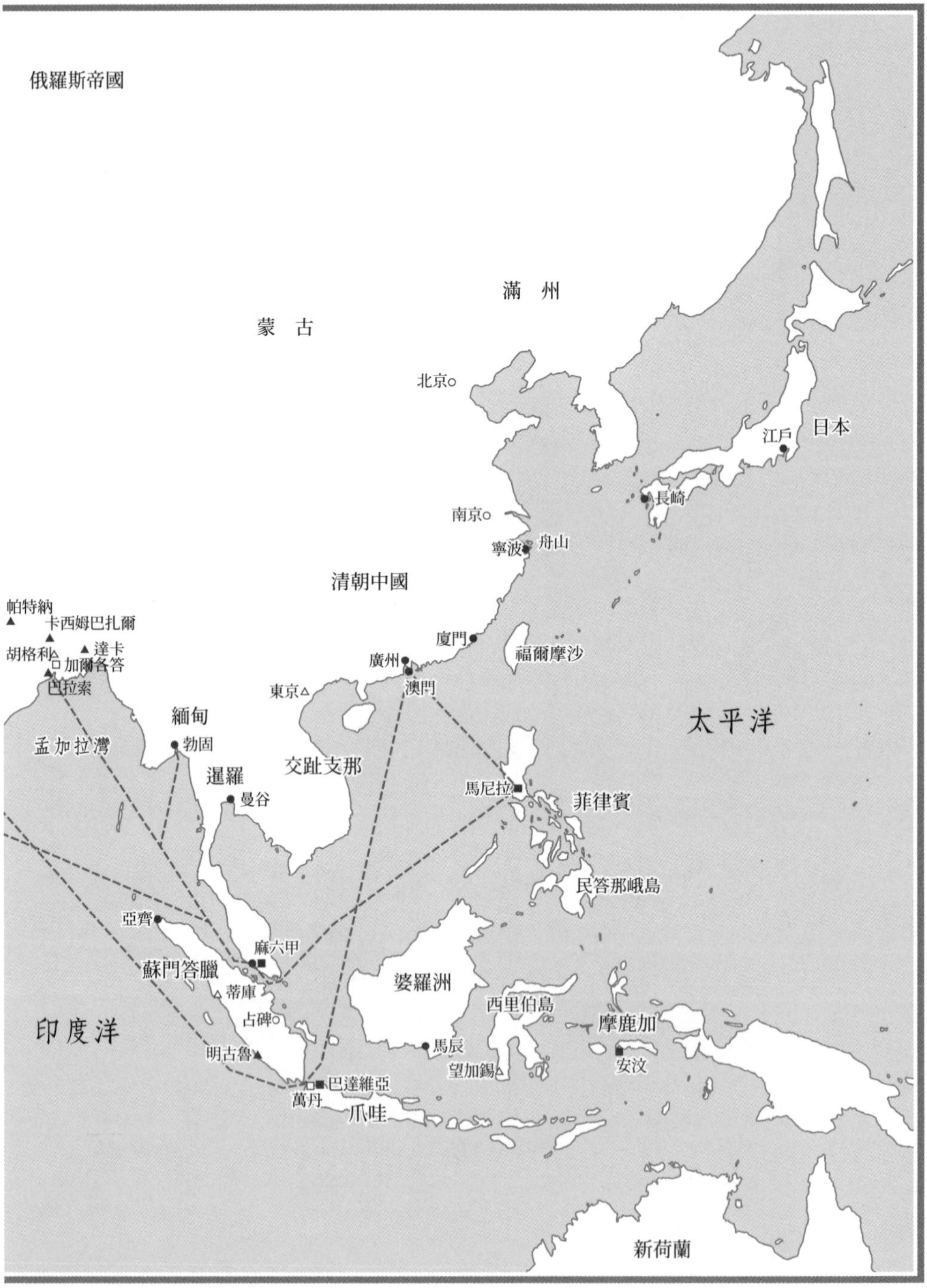
俄羅斯帝國
滿　州
蒙　古
北京
日本
江戶
長崎
南京
舟山
寧波
清朝中國
帕特納
卡西姆巴扎爾
達卡
胡格利
加爾各答
巴拉索
廈門
福爾摩沙
廣州
澳門
東京
太平洋
緬甸
勃固
孟加拉灣
暹羅
交趾支那
曼谷
馬尼拉
菲律賓
民答那峨島
亞齊
麻六甲
蘇門答臘
蒂庫
婆羅洲
西里伯島
摩鹿加
占碑
印度洋
馬辰
明古魯
望加錫
安汶
巴達維亞
萬丹
爪哇
新荷蘭

英屬東印度公司在南亞和東亞的據點（1660–1760）

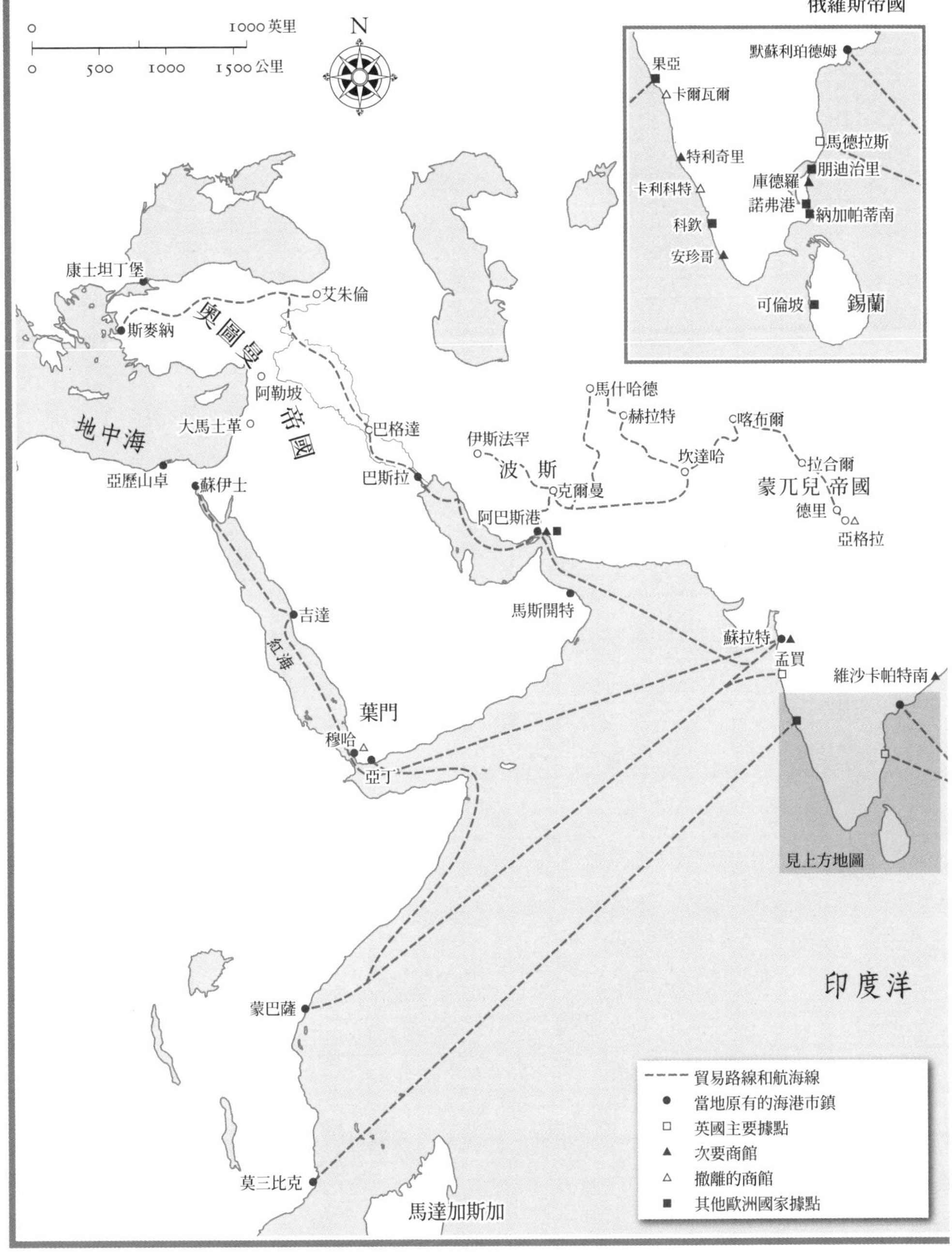

易，最後成為聖喬治堡的總督，還選上國會議員。鑑於投機性牟取暴利的猖獗，英屬東印度公司召回與彼特或是馬德拉斯商館總理史翠山・麥斯特有類似行徑的人等，但麥斯特後來仍然受封騎士爵位。英王詹姆士二世是英屬東印度公司主要的贊助者之一，當他於一六八八年流亡國外之後，政府在公司營運中扮演的角色再度引發爭議。對很多人來說，英屬東印度公司在貿易上的獨裁壟斷應該終止，包括史隆的銀行家朋友吉伯特・西斯寇特、還有孟加拉商館總督尼可拉斯・維特爵士（Sir Nicholas Waite）在內，於一六九八年成立了「新公司」（New Company），野心勃勃地想挑戰英屬東印度公司對市場的獨佔。接下來的十年，「新」「舊」公司互相爭利，競爭關係延續到一七〇九兩者合併為止。[19]

史隆之所以能得到來自亞洲的珍品，是靠著精心培養的人際網絡；他不只經營與英屬東印度公司高階管理人的關係，也和公司的競爭對手關係良好。伊利胡・耶魯（Elihu Yale）就是一個例子。耶魯是彼特的朋友，也是個貪婪的獨立貿易商，他很闊氣地用引人側目的禮品討好地方領袖，從事鑽石貿易獲取暴利，更繼承了史翠山・麥斯成為馬德拉斯商館的總督，但後來因牟取暴利被召回英國。耶魯收藏精緻的亞洲傢俱，也對寶石情有獨鍾。他的收藏品中有一顆蒙兀兒式包頭巾的鈕扣，藍寶石的鈕扣周圍鑲以金、石英、翡翠、跟紅寶環繞，該物件從史隆處得來。耶魯回贈史隆「一面大盾牌……以象皮或犀牛皮所製成」。耶魯因著史隆的牽線成為英國皇家學會的會員，最終更因資助在美國康乃狄克殖民地成立一間新的學院而留名青史。史隆收藏品中包括曾被「偉大的蒙古人」（指的是蒙兀兒皇帝）用過的沐浴香氛精，是尼可拉斯・維特爵士從孟買取得，他還贈送史隆「又大又堅韌」的印度紙張。史隆擁有的那隻活刺蝟，是吉伯特・西斯寇特從孟加拉灣送來的禮物，他把刺蝟養在自己的花園好幾年，只餵牠吃新鮮的胡蘿蔔。南非斑馬來自英屬東印度公司的財務長查爾斯・杜布瓦（Charles DuBois），中國羅盤、印尼吹箭管，以及數把劍與矛都是約翰・西斯寇特（John Heathcote）所贈，他是吉伯特的兒子、也是英屬東印度公司董事。會計師查爾斯・洛克耶是英屬東印度公司員工，同時也管理史隆在南海公司的投資，更是一七一一年出版的《印度貿易紀》（*Account of the Trade in India*）的作者；他給了史隆犀牛角、紅毛猩猩，還有來自樊婆的墓碑。連史翠山・麥斯特用來與印度商人進行私下交易的「某種特別通行證」，都被坎特伯里大主教當作禮物送到了史隆手裡。至於大主教這份禮從何而來，就不得而知了。[20]

諸如麥斯特的特別通行證等種種大有來頭的紀念品，顯然對史隆來說價值連城。但史隆還有更多收藏品，是經由英屬東印度公司較低階員工之手、特別是雇傭行醫的外科醫生處取得的。這些收藏品還得靠與次大陸住民長久培養的人際關係得來。比方說，以馬德拉斯為基地的外科醫生山繆・布朗恩（Samuel Browne）在聖喬治堡主管一座由奴隸整理維護的植物園，並將此地當作公司的診所，同時布朗恩也是個成功的外交談判人員。在一六九〇年代，一位蒙兀兒將軍卡新・汗（Qasim Khan）利用布朗恩提供的服務，鼓勵後者協調公司與蒙兀兒在南印泰米爾納德（Tamil Nadu）卡納蒂克區（Carnatic）的納瓦卜屬臣之間的關係。布朗恩的行為讓公司既振奮又憤怒；一方面公司樂於取得關於蒙兀兒策略的情報，但另方面也擔心布朗恩變節。布朗恩觀察在蒙兀兒宮廷以及軍營施行的醫學傳統，發現該傳統結合了古希臘、阿拉伯、與阿育吠陀尤納尼（Ayurvedic Unani），並從當地市集購得標有泰盧古文（Telugu）的標牌以及來自波斯的植物樣本，然後寄送給佩第維。不只是文藝復興時期的歐洲人有建草藥園的傳統，亞洲的印度教徒和穆斯林也對印度當地的植物所知甚深，因此歐洲人當時對製作物種分類目錄的規畫並不是特例；印度植物學家在馬德拉斯等地早就試驗過來自南亞、東亞、歐洲，以及美洲的各種植物。史隆在佩第維過世後接收布朗恩歷年所贈的樣本，至今仍收藏在史隆植物標本館。史隆也建議英屬東印度公司保存標本，並將從英屬東印度公司取得的種子所種植採收的水果，贈予英國皇家學會。[21]

史隆最精彩的收穫經常由最隱晦的人物所提供，而且是以商業交易而非禮物的形式取得。丹尼爾・沃多於一七〇〇年代早期在印度西北海岸蘇拉特的海港城古吉拉特（Gujurati）擔任公司的外科醫生。蘇拉特向來是蒙兀兒和馬拉塔兩王朝發生衝突的地點，其地位已漸被鄰近的孟買超越，但在區域性貿易中仍佔樞紐地位。沃多送給史隆清瓷器用的「刷子」、千年瓶子、各式各樣的亞洲油類、「偶像」和護身符、一把竹藤製成的梳子、一把嵌有紅寶石的匕首，以及礦物和寶石。他還送了一個包裹（可能是一七〇四到〇五年間送的），其中包含了一隻填充的鳥、一只裝有一隻中國田螺的盒子、一塊大貝殼、紅豆，以及一瓶硫磺油。但沃多可不是單人作業，他在市集向印度貿易商收購商品，還透過住在倫敦的姊妹送給史隆一只寫作盒，另外也請一位名叫洛克的信差送達基列香脂。史隆花了一鎊六先令買下刷子、七先令六便士買下寫作盒，以及兩鎊兩便士買下匕首。[22]

史隆與亞歷山大・斯圖亞特初次相遇，是這位蘇格蘭年輕人以公司外科醫生的身分前往亞洲之時，也是許多蘇格蘭人以致富的心態前往亞洲之際。斯圖亞特於十八世紀初寫給史隆的一封短箋上說道：「對於昨夜未依承諾等待您現身，我感到抱歉」，並承諾「明早九點我會到府上，或是晚間七點會到咖啡館恭候您大駕，我保證交給您的物件會令您滿意」。接著他送史隆一些芒果以表誠意，這是一份很招搖的異國禮物，並保證會送上人脈網絡已經在亞洲收集的寶物；此外史隆是否會對「稀有但很一般的」冰有興趣？斯圖亞特因為再次爽約而做了更多的承諾：史隆想要任何來自中國、巴達維亞、婆羅洲或他處的任何東西都可以。芒果傳達的訊息，即是儘管如斯圖亞特般的旅行者需要史隆的贊助，史隆也同樣需要他們來豐富自己的收藏。史隆終究沒有失望。多年後斯圖亞特贈送的非洲裔僕人雖然不太重用，但在那之前他已經從黎凡特送回許多植物，另有豐富的亞洲珍寶，其中包括墨水、一只用貝殼製成的杯子、有藥效的珠子、一份青金石樣本、羚羊角製成的馬來西亞匕首，以及一本包粗布書皮、內含馬拉巴文（坦米爾語〔Tamil〕）筆記的小記事本。史隆的回報則是幫助斯圖亞特成為內科醫生和作家，在《自然科學會報》中發表他對一座印度教廟宇的記載，也聯合其他贊助者資助他在萊頓的學業，更引介他與知名解剖學家赫爾曼·布爾哈夫（Hermann Boerhaave）認識。後來斯圖亞特成為英國皇室的醫生，更成為英國皇家學會以及皇家內科醫師學院兩者的會員，更因對肌肉構造的研究獲得皇家學會的「科普立」傑出科學研究獎章。他的竄升很驚人卻也命運多舛，這種大起大落在當時很平常。一七二〇年南海泡沫危機讓斯圖亞特散盡家財，過世時負債累累。[23]

英屬東印度公司的活動範圍不僅限於印度，同時也積極擴張，企圖在中國及其周遭建立勢力，雖然結果並不成功。之所以稱之「中國」或是「中央國度」（Middle Kingdom），是因為此地居民相信他們居於文明世界的中心，其帝王則是塵世與天界之間溝通的樞紐，因此外國人在他們眼中皆為未受文明薰陶的野人。雖然中國曾經深入印度洋探索並試圖建立貿易網絡，而中國商人也在東南亞多處扎根，自一四三三年後卻以穩定北疆、對抗蒙古人為優先考量而縮減海上活動。此後海上貿易不見發展，中國轉而依賴肥沃的土壤以及深厚的農業傳統來餵飽人口，以米為主要作物，並廣泛運用運河系統為運米的主要管道。一六四四年，清朝推翻了衰敗的明朝後，大肆從事帝國性質的擴張，展開一連串勇猛的軍事行動，征服中亞地區，並擴展西邊疆界至西藏與東土耳其斯坦，更穩定了蒙古邊界。來自北方的滿洲人建立了清朝，由於他們是少數民族，人口比主流漢人少很多，為了鞏固政權，便根據中國悠久又繁複的「滿大人」中央集權式官僚系統以及精英領導的文官系統來建立王朝。他們力求融入中國文化，藉由學校系統提倡儒家價值並鼓勵臣民服從的精神。再者，清朝統治者進行大規模的調查，以了解其統治的土地與人民，將之編撰成冊。比方說《百苗圖》便描繪了中國五十五個官方承認的少數民族，用以協助地方行政官員統治。康熙皇帝於一六八一年平定三藩之亂後，清朝成為一個統一的強權，是中亞最強的勢力。然而，即便清朝對耶穌會傳教士引進的科學新知表示歡迎，仍舊非常忌憚外人對中國的企圖。24

英國人企圖打入中央國度及其市場的努力，就貿易而言成績好壞參半，但對史隆來說卻有激勵的作用。他與另一位服務於萊頓大學的蘇格蘭友人詹姆士・康寧漢（James Cuninghame）之間的交誼，帶給他最多的收穫。史隆標本收藏與康寧漢相遇是個很特別的體驗，康寧漢的收藏包括了從世界各地採集的植物，涵蓋了阿森松島、加納利群島、好望角、巴達維亞；中國的鱷魚島（即馬祖）、阿默（Emuy或Amoy，即廈門）、鼓浪嶼和舟山島；麻六甲海峽、交趾支那（即南越），以及更南邊的崑崙島。這些是最早從東亞進入歐洲的一些標本，康寧漢帶回了六百多種植物以及近八百幅中國當地畫匠繪成的水彩畫，與史隆的牙買加收藏數量不相上下。康寧漢與許多贊助者保持良好關係，包括山謬・杜迪（Samuel Doody）與羅伯特・烏維戴爾（Robert Uvedale）等草藥園園主，以及佩第維、普拉肯內特、杜布瓦、西斯寇特等主要金主。芮和伍德沃德也採用康寧漢的標本，但在史隆收購佩第維與普拉肯內特的收藏後，康寧漢的植物大多也落入史隆之手。[25]

康寧漢共前往亞洲三次。第一次是一六九六年，在短暫的行程後帶回一些稀有樣本，這也是他首次引起史隆的注意。接著於一六九七年搭乘「托斯坎人號」，這艘船擅闖各海域，其主人既非東印度公司也非新公司，而是私人貿易商亨利・古（Henry Gough）。康寧漢當年寫在植物學家大衛・克瑞格（David Krieg）的友誼紀念冊中的打油詩透露了他此行的目的：「精力充沛的商人乘風航向遠在天邊的印度群島／為逃離貧窮穿越海洋、穿越巨石、穿越火焰」。托斯坎人號的船員甫登陸加納利群島的帕馬（La Palma）就被西班牙有關單位逮捕，同時更試圖追捕一群叛逃者。這只是一連串波折的開端而已。不過，康寧漢被捕後不到十天就被釋放，而托斯坎人號也繼續前往廈門，這位蘇格蘭人在當地收集動植物，最終於一六九九年返回倫敦。基於對他的欣賞，史隆在同年也為他爭取到英國皇家學會會員的職位。數月後，康寧漢再度啟航前往亞洲，這回他的身分是英屬東印度公司伊頓號（*Eaton*）的外科醫生，他可能很高興這次能為正式的公司服務，史隆在這方面也很可能助了他一臂之力。抵達亞洲後，他便在舟山島的公司商館擔任醫生職。[26]

康寧漢致信史隆，解釋舟山是中國東部沿岸的一個小島，康熙皇帝和「中國人准許我們在此建立居所，並准予貿易的權利」，這封信稍後刊出於《會報》。從某個角度來看，舟山島不只是個通商口岸，也是座監獄；當局將歐洲商人的活動侷限於此，以防他們侵入中國本土市場。如同南亞的政治勢力，中國商人對歐洲商人確實好奇，但終究對他們不以為意，雖然有些困擾，但能勉強接受，當能侷限外來者的行動範圍時，便滿足了（稍後更將歐洲商人移至廣州）。與此同時，英國在商業上對中國的忌妒之心也導致了反中情結：康寧漢抱怨舟山的居民跟「乞丐沒兩樣」，且當地沒有重要商人。他迫不及待希望目睹皇帝造訪蒲台群島的「迷信參拜之旅」，但行程卻在「朝臣……告誡他當地的雷擊非常危險」後取消。缺乏行動自由更令他沮喪：「甚至在島上我們也沒有到處行走的自由」。不過他卻得以收集物品，更寄送茶葉、籃子、帽子以及一個羅盤給史隆。儘管如此，環境依舊險惡，貨物也經常遺失。有一回他詢問史隆是否收到他從好望角寄送的植物。他在當地還與佩第維的一名通訊對象約翰・斯達倫伯格（John Starrenburgh）相見。但通訊卻很緩慢，例如有一個包裹過了三年才送達倫敦。康寧漢說：「我希望能滿足您深切的期望」。[27]

到了一七〇三年，康寧漢已經搬到公司在崑崙島（又稱崑山島）上的新商館，此為交趾支那南邊的一個獨立貿易島，商館是受不久前才從占人（Cham）和馬來居民手中取得自主權的阮氏政權之邀而入島。英國籍的私人貿易商（包括伊利胡・耶魯在內）不顧來自倫敦的警告，經常徵用英屬東印度公司的船隻，搶在荷蘭人和法國人之前自行建立貿易據點。但事實證明此舉很冒險，且在與當地政權缺乏穩定關係的情況下，情勢很容易會突然逆轉。舉例來說，時至一六八八年，歐洲貿易商已被驅離暹羅（即泰國）、被迫繞道。對阮氏而言，能和英國結盟不但確保關稅收入，也有建立軍事同盟、協助抗衡柬埔寨以及北邊的鄭氏王朝等敵對勢力的前景。起初康寧漢的新據點代表了收集珍寶的誘人前景，他寄給史隆植物、甲蟲，甚至還有精緻的乾燥海膽；他提及將從澳門、暹羅、柬埔寨和廣州收到的商品，也保證附上一份拜訪阮氏宮廷的紀錄。[28]

然而，有個事件讓康寧漢差一點就從世界上消失，這也顯示英國在東亞活動極不穩定的本質。一七〇五年，阮氏戰士與望加錫傭兵聯手將東印度公司員工強制驅逐出境。望加錫人對公司的不滿達到沸點，因為後者違背服務滿三年便解約的約定，而阮氏對眾多英國「海盜」在附近駐留也頗為忌憚。英屬東印度公司的商館理事會雖然與阮氏宮廷交換過外交禮品，但卻未曾派遣使節晉見，也忽略了他們與柬埔寨貿易的企圖可能招來阮氏的敵意。商館內多數人在此事件中身亡。很神奇地，康寧漢活了下來，還能述說事情經過，不過他也受了兩年牢獄之災。他在一七〇七年被釋放後，想辦法到了婆羅洲的馬辰，並取得另一個商館的職務；然而在中國人極欲保護自身貿易優勢的情況下，當地人被慫恿排外，康寧漢也再度轉移陣地。他在巴達維亞以堅毅的口吻告知史隆：「我還活著，決不向逆境低頭」。直到一七〇九年離開加爾各答返回倫敦為止，他持續寄送動植物給史隆。不過他卻沒能順利返鄉：即便歷經大風大浪都活了下來，他卻因船隻在大海中迷途而身亡。[29]

除了誓言擴展英國的貿易之外，如康寧漢這般的短期雇傭也能幫助英國皇家學會增長對亞洲的認識、追趕上其他的歐洲競爭對手。自十六世紀以來，來自義大利、葡萄牙，以及歐洲他處的機智耶穌會傳教士首開先例，與中國明朝建立關係。早在英國皇家學會和巴黎的法蘭西自然科學院組職自身的全球通訊網絡之前，耶穌會士，其作為天主教回應新教衝擊的對抗改革（Counter-Reformation）之中的一個環節，早已歐遊世界各地、尋求皈依者並收集資訊。自一五八三年起，在義大利籍的利瑪竇的帶領之下，中國境內的耶穌會士已經利用引人注目的新式時鐘，以及其他機械與天文儀器吸引地主國的注意，也因此得到信任。到了十七世紀，義大利與法國籍的耶穌會士皆與中國學者合作，製作世界地圖並對天朝領土進行地籍測量。耶穌會士最後宣稱這些活動導致數萬中國人歸信天主教，他們也將資訊、物品以及標本寄送給身在羅馬學院的阿塔納斯．契爾學。但耶穌會與中國的關係卻在十八世紀惡化。康熙皇帝曾跟隨耶穌會士湯若望研習科學，卻漸漸對教宗宣稱掌控中國子民性靈方面的權威感到不滿；康熙認為同時遵循基督教與儒家傳統儀式的中國子民欠缺忠誠，故最終將耶穌會士驅逐出境。從康寧漢送給史隆的一本中文的公禱書就可看出耶穌會在文化上滲透的程度，此書包括主禱文以及十戒的中文譯文，不過康寧漢很樂觀地表示「耶穌會在北京的地位已經式微」。[30]

新舊教勢力的互相抗衡並不妨礙彼此間非正式的合作。雖然史隆在其《牙買加自然史》中傳播有關西班牙「殘酷手段」的言論，要從天主教徒身上汲取資源時卻採取非常實際的作法，特別是因為收集有關東亞的資訊能增進英國的商業利益，同時累積新知。舉例來說，喬治．卡梅里（George Camelli）神父是一名西班牙耶穌會教士，是最早轉送菲律賓植物到歐洲的人士之一。身在印度馬德拉斯的山謬．布朗恩與愛德華．巴爾克萊兩人都曾將從卡梅里處收到的樣本轉送給佩第維，同時也希望卡梅里能幫他們與其他耶穌會傳教士牽線。佩第維則寄送自然史作品給卡梅里以為回報，兩人也合作在《會報》上發表文章。佩第維更在自己的標本目錄中指名感謝卡梅里，以此宣傳自己與異國貨供給者的良好關係。史隆收購佩第維的收藏之後，對其中物品曲折的來歷做了謹慎的文字說明，其中一隻周遊各地的蝴蝶便是「丹德里奇先生從佩第維先生處得來，最初是卡梅里神父從菲律賓列島送來的」。[31]

史隆與在中國傳教的法國籍耶穌會天文學家洪若翰（Jan de Fontaney）來往非常頻繁。史隆幫洪若翰取得數份登上英屬東印度公司船隻的護照——由無所不在的吉伯特・西斯寇特經手——以便耶穌會士們前往中國。為了回報史隆的協助，洪若翰贈送史隆一整箱展現中國精彩發明的奇珍異寶：一把竹尺、滲了香水的蠟燭、一支裝火藥的牛角、一支「小鞭炮」、一只「暖手爐……在冷天填滿炭灰以暖手」，以及「中國來的茶葉，可治感冒」。洪若翰也幫助史隆解開一個關於亞洲的獨特謎團。一六九七年，一名自稱喬治・撒瑪納札（George Psalmanazar）來到倫敦，他宣稱來自福爾摩沙島（即台灣）。但不是每個人都相信他的來歷。當時亞洲訪客在西歐非常罕見；一六九七年，約翰・洛克很興奮地請史隆前往公司位於利德賀街（Leadenhall Street）的總部東印度大樓與一名剛到的日本人見面，因為「我們與日本的商業往來甚少，從該國來訪的人士就更稀有了」。撒瑪納札從福爾摩沙帶來的禮物令他在倫敦的主人非常讚嘆，其中包括地圖、手稿，以及對各地區的說明紀錄，他並於一七〇四年將收藏集結起來，以自然史的形式出版，此間更獲得牛津大學的教職。史隆辦理皇家學會接待他的事務，當時會員們對這位引人注目的訪客都非常好奇。[32]

但這中間有一個問題：這位膚色白皙的撒瑪納札是個冒牌貨嗎？由於歐洲人對福爾摩沙一

無所悉，因此無從查證。此時的歐洲人尚未以種族的觀點認定為亞洲人就有「黃」皮膚，黃皮膚是十八、十九世紀才有的想法，因此撒瑪納札的膚色並不立即否定他的身分。此時開始出現對立的陣營。彭布魯克公爵為撒瑪納札辯護，但天文學家艾德蒙・哈雷則以地圖舉出反證。史隆很熱心地舉辦一場晚餐會，藉機進一步調查此事。他逗著洛克說：有了這事件「作為調劑，能讓您非常開心」。儘管如此，外來人士的可信度仍舊是亟待解決的問題。在這個旅行、殖民、探索的時代，誰能提供歐洲之外可信賴的報導，是個既棘手又至關重要的議題；強納生・史威夫特為逗弄讀者，在《格列佛遊記》中將小人國這般的假想島嶼與如日本那樣真實的島嶼並陳，不是沒有原因的。史隆的信譽曾因威廉・金恩在《會報編輯》中的大肆抨擊而大打折扣，其中特別指出史隆的中國耳掏是沒價值的小玩意。因此史隆要求洪若翰向其耶穌會士同僚查證撒瑪納札陳述的細節。洪若翰接受請求：撒瑪納札宣稱曾造訪亞維儂（Avignon），但洪在當地的熟人沒有一個見過此人。再者，撒瑪納札欠缺亞洲語言能力也很奇怪。彭布魯克公爵相信這個神祕的亞洲人，他既食生肉又大肆宣揚天主教徒同類相食的行為；史隆卻信任洪若翰，得出這位「福爾摩沙人士」是冒牌貨的結論。即使有這些爭論，撒瑪納札仍舊在倫敦住下，後來還成為山謬・詹森（Samuel Johnson）的酒友，後者還稱讚他是此生所見最虔誠的人。[33]

培養與外國人士的關係的確提供了機會建立英國以外的人際網絡。史隆因為財富、長壽以及人際關係，得以穿越時間的侷限，就像他有辦法從日本取得一份精彩的收藏品。在中古時期，日本因敵對的封建領主與專事戰鬥的武士之間的紛爭而動盪不安；到了十六世紀，日本社會更因為熱衷傳教的葡萄牙傳教士的到來，而陷入更深刻的動亂。然而，到了十七世紀，傳教士或被驅離、或遭處決，同時德川幕府（統治期間一六〇〇—一八六八）也開始以軍事統治來削弱敵對陣營的勢力。德川於所謂的江戶時期（以當時日本宮廷所在地江戶、即今日的東京為名）施行鎖國政策，就是為了防止外國勢力再次入侵。不過，執政者破例與荷屬東印度公司維持商業往來，但仍舊格外謹慎。在幕府大臣勉強同意的情況下，允許公司的一百多名商人每年在長崎港的出島駐留幾個月，但必須接受嚴格的監視以及駐衛警的看守。因此，英國與德川治下的日本毫無貿易關係可言，而就查爾斯・洛克耶所言，「荷蘭人狡詐，阻止我們介入利潤更高的貿易活動」。這使得史隆與其友人未曾進入日本——但日本物件卻仍有辦法找上史隆。在種類繁多的標本、地圖與手稿之外，史隆還獲得了一套魚皮製成的外科手術器材、墨水與墨水瓶、面部彩繪漆、藥粉與藥丸、皮與絲製成的女鞋、針灸用的大小金銀針、菸斗、數個可攜帶的佛教「偶像」、鑲金的犀牛角、「金屬聚光鏡」，以及「一顆多彩的球，扔到火盆裡可使滿室芳香」。[34]

這些物品的來源既非日本也非荷蘭，而是個德國人。史隆於一七二三年從一名在漢諾威地區的醫生朋友約翰・史戴格陶（Johann Steigertahl）——他曾為英王喬治一世的親戚漢諾威選侯的婚事出力——處得到消息，史戴格陶巧遇約翰・赫曼・坎普法（Johann Hermann Kaempfer）。這位落魄的醫生曾於一六九一到九二年間在出島為荷屬東印度公司服務，也是恩格伯特・坎普法的侄兒。約翰雖然經濟拮据，但卻擁有他伯父所收藏的日本珍品，並寄了一本目錄到倫敦給史隆。由於當時歐洲人對日本所知無幾，目錄內容之豐富令人目不暇給，而史隆也速戰速決。約翰・赫曼・坎普法認知到其伯父的收藏價值連城，也充分利用史隆對這些物件的興趣；開出高價外，他還要求全數翻譯其伯父對日本的文字描述，此外，給自己在外省安排一個內科醫生的職位想想也不為過。史隆瞬間成為這名窮困小醫生計謀中的一個棋子，這些要求對偉大的史隆來說根本不算什麼。史戴格陶轉達坎普法的要求，史隆則同意買下其收藏品，也同意將《今日日本》從德文翻譯成英文。他委託學者飛力普・亨利・左曼（Philip Henry Zollman）進行這筆交易，並贈予坎普法皇家學會會員的職位。然事實證明坎普法是個狡猾的顧客。他刻意拖延，只賣收藏品的一部份給史隆，並透露在德意志地區的畢勒費爾德，有一位名叫洛特的人對他的佛教神龕特別有興趣，其中供奉著包括象徵慈悲與純淨的觀音菩薩神像（彩圖5）。這個策略果然得逞。史隆願意付雙倍的價錢收購坎普法剩餘的收藏，金額高達兩百五十英鎊，同時透過認購來募集費用以資助翻譯的計畫。左曼因故請辭時，史隆另聘瑞士博物學家約翰・雅客布・餘赫澤（Johann Jakob Scheuchzer）之子約翰・賈斯帕・餘赫澤以及他的一位標本館員來接手完成這項任務。其成果便是一七二七年出版的一套兩冊、含圖例的《日本史》。這是歐洲日本學的指標作品，其中充滿了對日本習俗與社會的觀察敘述。[35]

史隆與這位漢諾威人士交涉亞洲珍寶的過程中還有其他更多的中間人。約翰的伯父恩格伯特是位很有魅力、充滿自信的人。他於科寧斯堡（Königsberg）〔大學〕研習後到瑞典工作，並在十七世紀後期以荷屬東印度公司員工的身分南下遊歷黎凡特、波斯與印度，也因此成為著名的醫者，更獲允許進入波斯王在德黑蘭南邊、位於伊斯法罕的後宮（傳說如此）。如同康寧漢在舟山的作為一般，他在出島時，也因行動受限而表示惱怒。荷蘭人唯有進行臣服的儀式，否認與任何傳教活動的關係、把聖經丟在地上踐踏，才被准許接待訪客、進行貿易活動或是出遊。

年度到江戶的參勤交代便是一例。他們向幕府呈上絲綢、異國動物以及標本等禮物，並應召表演各式各樣的「雜耍」以娛樂幕府大人；為了拓展貿易，這些他們都願意做。坎普法不僅跳舞，還唱了對遠在歐洲家鄉的「愛人」忠貞如故的小調，無視於日本「宮廷華而不實的享樂」那種富異國情調的誘惑。他堅稱此類經歷都是「鬧劇」，日本人問的也都是「毫無意義的問題」，但這些問題卻仍舊透漏了當時日本人對歐洲的好奇。比方說，一名荷蘭船長就被問道：「荷蘭離巴達維亞多遠？」「巴達維亞又離長崎多遠？」坎普法被問：「哪種疾病最危險，而他又如何治療之？他是否找尋過「中國醫生尋求長生不老仙丹……而歐洲的醫生們有無任何斬獲？」當被要求指出哪種歐洲藥物最有效，坎普法提到「某種烈酒」，因為知道日本人認為名字越長越有「價值」，便稱之為「西爾維氏丙酸揮發鹽」。問他是否能分一些嚐嚐，他含糊其辭地說「當然可以，但現在沒有」，幕府接著「要求下一次進貨時送一些來」。坎普法在《今日日本》中對日本表示輕蔑，把日本描繪成一個由獨裁君主與蠢蛋組成的特立獨行的社會，如他這般頭腦冷靜的騙子就能輕易應付，宮廷中儀式性的問答根本難不倒他。儘管如此，他也略帶遺憾地承認，荷蘭人為了利潤做什麼都願意，確實讓日本人認為他們的客人「不可能是真誠的」。[36]

坎普法一邊在幕府面前精進他廷臣的角色，一邊也操弄日本人的忠誠以達到收藏之實。派給他的翻譯員在此過程中大有助益，這是一位名叫今村源右衛門的年輕人，後人稱他為英生。當英生的身分終於在二十世紀揭穿時，引發爭議，因為他幫助坎普法繪製被禁的地圖（巧妙地以阿拉伯文註記，坎普法認為如此一來幕府將無法讀懂），並在江戶參勤交代途中採集標本。雖然法律嚴格禁止傳遞資訊給外國人，英生卻冒著生命危險協助坎普法。坎普法在《今日日本》中雖然沒有指名道姓，卻很熱切地向他致意。坎普法坦承他倚賴「一名博學青年」的協助，「他提供了我所有想得知的有關日本的豐富資訊」。他接著說，英生「精通日文與中文書寫，熟知科學，同時積極學習……醫學相關知識」。坎普法「教導這位聰明青年荷蘭文文法……如此他的口語比任何在他之前被指派來的口譯員都好得多」，更教導他「生理構造與醫學」。「每次讓他回家前我都會給一些通關銀錢，外加酬謝他進行危險任務的特別獎勵」。坎普法的收藏品因此出現了一種至關重要的對稱性。由於英生嚮往歐洲之學，坎普法才得以增進有關日本的知識，這也預示了日本社會整體對蘭學的著迷——這是由荷蘭人引進的新機械科技和知識取向，與當地「心學」的傳統形成強烈又具異國情調的對比。[37]

約翰・史戴格陶、約翰・坎普法、恩格伯特・坎普法，以及今村源右衛門在數十年間結成了一條跨大陸的中間人鎖鏈，史隆因此得以匯聚出當時歐洲最令人嘆為觀止的日本收藏。這條鏈子顯示出收藏這個活動是個包含眾多交換的過程，而其中的管道多取決於當時的條件，也非常地偶然。將收藏品呈現於史隆面前的這些網絡並非是以固定的國籍來區別，而是不斷變動的，流動性強又多變，滿是外來闖入者不斷評估何時該為自己著想、何時該轉換效忠對象以求自保或私利。史隆日本收藏品的中心本質，同時包含了英生對歐洲的好奇以及歐洲人對亞洲的好奇。英生的確形塑了坎普法對日本的所有知識。比方說，林奈在一七七一年將 *Ginkgo biloba*（銀杏）納入其植物分類系統時，引用的資料來源便是坎普法，但事實上坎普法的來源是英生。如此看來，威廉・金恩一直都是對的：史隆收藏的累積建立在層層的信任上，依賴的是通訊人員提供的資訊，而這些通訊人員也依賴他們自己的訊息提供者。但反向的信任亦然：隨著史隆名聲的增長，他本人完全不需要往日本前進就能成為歐洲最精彩的日本收藏品的主人，因為其他人希望能與他建立關係，他們需要他的鑑識力，也需要他荷包的幫忙。至此史隆已不再只是單獨的個人，他已然成為一個運作系統：當全世界都找上門時，他的智慧顯示於他如何回應的能力；至少在這個例子中，他的智慧顯示於將新收藏品招搖地公諸於世的能力。一七二七年，史隆出版了由餘赫澤翻譯的坎普法的著作，其中收入慶賀英王喬治二世登基之年的致謝詞；史隆給予正式出版許可的落款是「Praes. Soc. Reg.」（皇家學會會長），藉機大肆宣揚他於同年晉升英國皇家學會會長一職。坎普法以高超的手段，終於對耶穌會士壟斷亞洲情報的局勢做出回應，可算為史隆的知識帝國及其世界性的眼光做了最輝煌的廣告。儘管英國欠缺傳教的粉飾，他們用不懈的協商來彌補。正因如此，這位來自阿爾斯特的藥劑師，現在更多了一個全球情報經紀高手的形象來妝點其名聲。[38]

來自我們美洲通信人員的消息

與亞洲不同的是，在一五〇〇年後，由於數百萬的原住民人口慘死於疾病、數百萬的非洲人口因受奴役而移入，以及歐洲人的後代克里奧美洲人（Creole American）大量繁衍等因素，美洲經歷了劇烈的人口變遷。這歷史潮流一來一往造成了巨大的衝擊，全部體現於史隆在一七三〇年收藏的令人驚豔的阿肯鼓（彩圖6）。該鼓現存於大英博物館；史隆將之收入的詳情不得而知，只知道一位克勒克先生從維吉尼亞取得、然後送到倫敦給史隆。史隆誤將它編目為一只

「印地安鼓，掏空樹幹後雕刻製成，頂部邊緣綴釘有一圈皮條，底部則留空」，鼓面的材料則是美洲印地安人定期與殖民者交易的鹿皮，印有「來自維吉尼亞之鼓」等字樣。然而，對此鼓木頭架構的科學分析卻顯示，鼓身是由破布木（*Cordia*）及紫木（*Baphia*）兩種木材所製成，是西非的原生植物，並非北美。因此史隆的「印地安鼓」本身就是個跨越大西洋的旅者：此為奴隸船船長們在幾內亞沿岸取得的多種樂器之一，帶樂器上船是為了「鼓勵奴隸跳舞」，在中央航路上有最低限度的健身機會，並在到達美洲後帶著鼓、面對枷鎖纏身的生活。[39]

英國人在北美洲的殖民經驗與打入亞洲的過程大相逕庭。即便他們斷斷續續地試著與北美原住民達成和平協定，威廉・佩恩（William Penn）向賓夕法尼亞的萊納佩族人（Lenni Lenape）購買土地便是一例，但多數的殖民者仍採侵略性的領土擴張政策，從麻薩諸塞灣延伸到卡羅萊納。南方殖民地複製了西印度群島的殖民模式，靠著種植園式的農業生產以及奴隸制度種植菸草、米和麥。對土地的渴望導致接連不斷的血腥衝突，其中包括維吉尼亞的「培根起義」。在此事件中契約勞工推翻當地政府，並掠奪切薩皮克灣（Chesapeake Bay）附近說阿爾剛昆語（Algonquian）的包哈坦印地安部落（Powhatan Confederacy）的土地；同時在新英格蘭爆發了「菲力普國王之戰」，萬帕諾亞格（Wampanoag）族人與其盟友企圖擊退清教徒的侵犯（但以失敗作結）。北美的商人和種植園主跟他們在加勒比海的同儕一樣，經由殖民地議會發展出地方自主自治的傳統，以此與倫敦抗衡、維護自身的利益，但同時也自詡為「生而自由的英國人」、與母國同心對抗法國與西班牙等共同敵人。即便商業擴張使英屬北美殖民地在一七一三年的「烏特列支合約」後財富激增，殖民地的生活仍舊極不穩定，不僅只靠武力維繫，還非常倚賴外交斡旋。

一七一五年，由於印地安人反抗英國人索求鹿皮和奴隸，爆發了雅馬西戰爭（Yamasee War），最後卡羅萊納殖民當局平息了原住民的起義，因為他們意識到如果曾為貿易夥伴的原住民轉而與佛羅里達的西班牙勢力或路易斯安那的法國勢力結盟，勝利豈非得不償失。即便印地安人遭受疾病與奴隸制度的摧殘，也不論北美殖民地已經為英國帶來多少利益，這塊大陸仍舊是一個多個帝國與民族交會的邊境地帶，沒有誰能佔上風。[40]

殖民地一邊在北美擴展，史隆也一邊收集許多美洲印地安族群的珍品。舉例來說，多虧變節的法國貿易商與英國人結盟發展北方的毛皮貿易，哈德遜灣公司於一六七二年後在副北極帶（後來為加拿大所據）建立了勢力；皮埃爾．瑞迪遜（Pierre Radisson）便是其中一名貿易商，史隆收有他的旅行日誌。哈德遜灣公司與當地的克里族印地安人合作，連同位於阿西尼伯因的鄰近部族供給英國人高利潤的皮毛，以換取槍枝、毯子、工具等得以增強自身實力來對抗包括阿齊納等族的地區性競爭對手。史隆與許多公司職員建立關係，他們會送他包括釣魚器材、雪鞋以及小孩搖籃等新奇的因紐特物件。以一顆海象頭與史隆交換一套《牙買加自然史》的那位亨利．艾爾金，再於一七二〇年代後期寄送一頂因紐特遮陽帽，並附上「您認為這些格陵蘭小玩意有價值頗令我訝異」的評論。然而並不只有史隆對「小玩意」有興趣。一位名叫亞歷山大．萊特（Alexander Light）的商人將一個因紐特娃娃、甚至還有一隻狼獾送到史隆在倫敦的草藥園，而且狼獾送達時還活著。這些都是他於一七三八年在哈德遜海峽上的商船中與因紐特人交易得來的。史隆讚嘆萊特只用刀子和鈕扣就能換到象牙這類物品；萊特在一份滿滿三十五行的清單中描述因紐特人對象牙的極多種用途，這驚人的表單也列出了「用來纏繞釣魚線」的鯨魚叉、「掛

蘇格蘭
愛丁堡
阿爾斯特
英格蘭
利物浦
愛爾蘭
倫敦
阿姆斯特丹
神聖羅馬帝國
巴黎
法國
蒙彼里耶
奧圖曼帝國
康士坦丁堡
羅馬
馬德里
葡萄牙
西班牙
里斯本
亞速爾群島
賽維爾
丹吉爾
阿爾及爾
突尼斯
摩洛哥
馬德拉群島
班加西
的黎波里
奧圖曼帝國
埃及
加納利群島
邦杜
塞內加爾河
尼日河
維德角群島
甘比亞河
柯曼茲
貝南
維達
舊卡拉巴
海岸角城堡
邦尼
剛果王國
葡屬安哥拉

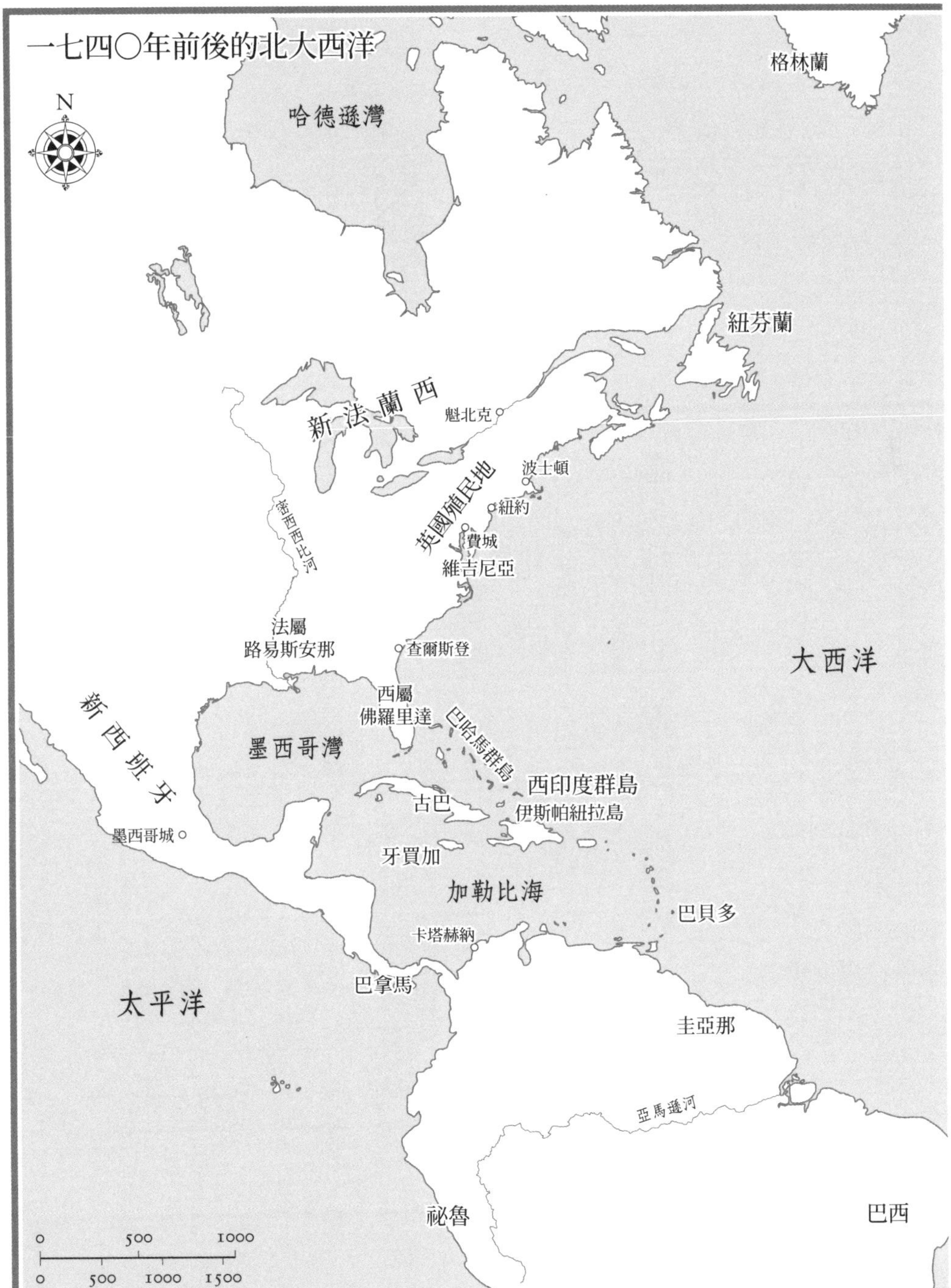
N
格林蘭
哈德遜灣
紐芬蘭
新法蘭西
魁北克
波士頓
紐約
英國殖民地
費城
維吉尼亞
密西西比河
法屬
路易斯安那
查爾斯登
大西洋
新西班牙
西屬
佛羅里達
巴哈馬群島
墨西哥灣
西印度群島
古巴
伊斯帕紐拉島
墨西哥城
牙買加
加勒比海
巴貝多
卡塔赫納
巴拿馬
太平洋
圭亞那
亞馬遜河
祕魯
巴西
0 500 1000
0 500 1000 1500

一七四〇年前後的北大西洋

在胸前的」裝飾品、梳子、煙管、婦女將孩子背在胸前的裝備、鑽頭、鼻飾、娃娃、長矛和玩具。萊特滿懷羨慕地觀望這片地景，告訴史隆這是片「美好的土地」，有「高度開發的潛力」。[41]

原住民領袖帶著各式各樣稀奇的外交禮品前往倫敦商談條約。居住在長屋的人們（Haudenosaunee，或稱易洛魁聯盟〔Six Nations of the Iroquois〕）於一七一〇年組成使節團拜訪安妮女王，商談結盟對抗法屬魁北克事宜。雖然這些使節被稱為「四位印地安王」，他們並非酋長或部族首領，而是由北美洲的總督以及主張瓦解法屬加拿大勢力的托利黨人精心選出的，藉此讓安妮女王信服當地確有勇猛又時刻備戰的盟友。訪客參見了女王，參訪格林威治的碼頭以及海軍總部，也接受了「具教化作用的」禮物，包括火藥、刀片、梳子以及手槍；他們更觀賞了幻燈表演，並且坐在一場《馬克白》演出的舞台上一面觀看、一面也被倫敦的觀眾觀賞。英國的確於一七〇九到一一年間進攻加拿大，卻鎩羽而歸。就某些人的說法，英國這次至少得到了一個重要的教訓。約瑟夫・艾迪生在《旁觀者》雜誌中發表了一篇語帶狂喜的文章，其中聲稱他尾隨這些印地安領袖穿越倫敦的街道，透過他們的眼睛觀察到「所有新鮮又不尋常的事物」，這種對多元文化的覺醒是值得慶賀的。據艾迪生所言，易洛魁與倫敦人都覺得彼此間的差異很是荒謬，此發現讓雙方體認到不應以「狹隘的眼光看待事物」。對史隆而言，他從訪客處獲得數項奇珍異品，其中包括一把醫療用的木製壓舌棒，可伸進喉嚨催吐，以及一條以麻和豪豬鬃製成、用來將袋子背起來的「頭帶」。不過，史隆的眼光不似艾迪生般開闊。對印地安人野蠻的刻板印象顯然左右了史隆的觀點，他誤解了背物帶，以為是印地安人用來「綑綁階下囚」用的。[42]

有時候史隆直接從殖民地官員處獲得珍品。南卡羅來納總督法蘭西斯・尼科森爵士（Sir

Francis Nicholson）因貪汙罪於一七二五年返回英國。尼科森是名軍人也是行政官員，並支持入侵加拿大的計畫。同時他與史隆也在同一個圈子裡贊助各式自然史研究計畫，不但資助旅行者，也捐書給英國皇家學會和英國國外福音宣道會。他以總督的身分和契羅基族（Cherokee）進行邊境協商期間，累積了不少原住民物件。這些他都帶回了倫敦，也送給史隆數件，其中包括一個「大型的卡羅萊納籃子，是印地安人用藤條編製而成」、一根「大煙管、或稱和平煙管」、一支「沙鈴或是瓠瓜、葫蘆之類的樂器，裝有發出嘎嘎響聲的內容物，以及一條附有五到六支白頭鷹羽毛的細繩」，以及數支箭與小斧頭。他還給了史隆「一張描繪活動於南卡羅來納和密西西比河之間印地安部族的地圖」。這是一張稀有圖表的副本，是原住民畫在鹿皮上、串聯數個美洲印地安族群的地圖；長久以來，研究者認為這幅地圖來自卡道巴族（Catawba），但也可能是契羅基族，現藏於大英圖書館。史隆與「英國國外福音宣道會」和「基督教知識促進會」的關係更為他帶來大量的珍寶。一七二〇年代中期，他從大衛・史坦迪什的夫人伊莉莎白・史坦迪什（Elizabeth Standish）處獲得了一把「黑人鼓」，史坦迪什是英國國教傳教士，在南海泡沫危機後遠赴南卡羅來納試圖彌補喪失的錢財。[43]

機會主義經常是獲得這些物件的通道。一七三四年，由年邁的托摩奇奇（Tomochichi）所帶領的亞馬科洛（Yamacraw）使節團抵達倫敦，目的是為了商討喬治亞殖民的問題。此行由史隆的好友、軍人出身的慈善家詹姆士・奧格爾索普將軍牽線，由荷蘭畫家威廉・韋爾斯特（William Verelst）的大幅團體肖像畫紀念這系列的談判。韋爾斯特描繪數名穿著原住民服飾並在身上塗漆的亞馬科洛人，而畫像中的其他人物皆著歐洲服飾，其中包括托摩奇奇的副手以及他的侄兒圖阿那豪伊（Tooanahowi），後者在畫像中與奧格爾索普握手（彩圖7）。此次的文化易裝是單方面的：原住民裝扮成歐洲人，顯示出歐洲人希望他們歸信基督教的渴求。然而，依據外交禮節，雙方該收下對方的物品。英國人贈予金錶和手槍，亞馬科洛人則送上貝殼串珠與毛皮，外加他們攜帶的活生生的老鷹和熊，這些都出現在韋爾斯特的畫布上。亞馬科洛使節團的參訪行程和易洛魁聯盟使節團無異，彷彿這是個固定的行程：從格林威治到聖保羅，然後觀看幻燈秀，倫敦人宣稱這表演驚嚇了托摩奇奇。不論受驚與否，托摩奇奇並未簽屬任何條約。參訪團面見喬治二世時的確穿著英式服裝，但並未歸信基度教；返回美洲後，托摩奇奇也未間斷與西班牙人之間的交涉。史隆不在韋爾斯特畫中，但他在檯面下的活動卻很熱絡。他為托摩奇奇的表親辛貴提（Hinguithi）治療天花（卻未能保住他的性命），也設法取得「從喬治亞來的禿鷹皮……由印地安首領托摩奇奇送上」，更在亞馬科洛人帶來的熊「猝死」之後，取得牠的腎臟。其實此中的過程頗為曲折，因為這些動物原本是送給坎伯蘭公爵（Duke of Cumberland）的禮物，後來轉送給史隆。因此，史隆的美洲珍品並非是高超外交手段運作下的耀眼成果，而是一般性交流的副產品，而且一般性的交流通常在帝國間的競賽中沒有贏面。[44]

由於拜訪倫敦的外交任務不常發生，史隆對前往美洲邊境地區的旅行者特別感興趣，而對這些旅者而言，史隆的贊助雖不算是救贖、卻至少承諾了優勢及財富。野心勃勃的約翰．博爾內（John Burnet）是一位四處遊歷的蘇格蘭人，從多方面來說他是史隆最理想的通訊對象。他在十八世紀早期成為南海公司的員工（可能就靠史隆牽線），被派遣到南美的新格瑞那達（Nueva Granada，即今哥倫比亞）北岸的卡塔赫納，是英國讓奴隸登陸西班牙所屬美洲（Spanish American）

之處。博爾內的任務是監督一船船由維達出發、滿載被擄為奴的阿肯族和阿維族人以及來自牙買加的非法奴隸，同時他利用自己的職位寄送稀有物品給史隆。在他一七二二年四月送給史隆的數個包裹的其中之一，就包含了一張以烈酒保存的樹獺皮，並附上「這樣您就知道我不會辜負您的託付」之語。然而博爾內痛恨他在卡塔赫納的生活，因此他做了一件史隆在亞洲的通訊對象幾乎從未做過的事：他向史隆求助。他抱怨著說：「認真地做個黑人的外科或內科醫生真困難，比其他商館人員的任務都要艱困多了」。有時他得救活「一整個貨船中七八百個奄奄一息的奴隸」，使他感到很挫折。不過他的收入卻少得可憐。他積極要求史隆為他向公司的董事們寫信，顯然是要求加薪，史隆也照做了。為了報答史隆，博爾內寄給史隆更多的植物、貝殼、動物，以及在構造上令人驚豔的稀有生物，例如「一個幾乎發育完全的、黑人墮下的胎兒」、「從兩名黑人心臟中取得的息肉」，以及一隻「從幾內亞黑人腿部和其他肌肉發達的部位、一段段拔出來的長蟲」。[45]

不過博爾內認為制度不公，埋怨一直未能從一個卑微的外科醫生職位升職。卡塔赫納附近的西班牙殖民地近在咫尺，他也切身體會到英國商人靠走私致富的經過。他乞求史隆「對你的朋友們施些壓力」；他「生來就注定要成為商人，這是我該得的」。當董事們反駁他缺乏相應的「出身」，他抗議道：「這麼說來，如果一個人在馬廄出生，就該一輩子當馬嗎？」在歷經一段學徒期後他發現，經商根本就沒有所謂的專業：「我學到關於經商的所有秘訣不過就是賤買貴賣，要懂得何時信任哪個人」，還有「與所有人交好，特別是行政長官」。他求史隆助他成為英國皇家學會和南海公司的「使者」，如此他便可到波托貝洛（Portobelo，即巴拿馬）、利馬、波多西以及布宜諾斯艾利斯收集物品。隨著時間過去，博爾持續在該地一面盡責地寄送珍品，一面目睹戰爭與和平的交替。他於一七二七年從牙買加致信史隆時仍繼續求史隆幫他「在英國重新開始，好在歐洲度過餘生」。此後他就突然消失。兩年後再度出現時，他從馬德里寫信給史隆，這回他的身分是宮廷內科醫生，而且是在西班牙國王麾下服務。原來博爾內當時真的是受夠了：藉著充當口譯時學來的些許西班牙文，他變節轉而提供西班牙關於南海公司走私的情報；走私者的世界中，誰富誰貧全無標準，死亡永遠只有一步之遙，也無所謂永久的忠誠。史隆對此發展也以實用的態度看待，他現在在馬德里有層關係了。至於博爾內則非常開心能收到史隆從倫敦寄來最新的《自然科學會報》。拿運奴船來換取參與「文人共和國」的機會真算是美夢成真了。[46]

四處遊歷的收藏家動向很難預料。但幸好對史隆而言，他們幾乎隨時可被取代。另外兩位蘇格蘭籍的行旅外科醫生威廉．休斯頓（William Houstoun）和羅伯特．米拉爾便在博爾內消失後崛起。休斯頓也在萊頓學醫，他為南海公司服務，並於一七二九到一七三三年間從牙買加、古巴，以及墨西哥東岸的韋拉克魯斯（Vera Cruz，另一個新西班牙登陸的奴隸口岸）等地寄送樣本。他非常認真，雇用美洲印地安人在韋拉克魯斯附近幫他收集物品，同時也提供史隆他採收來的胭脂蟲素描。另外，他將在坎佩奇灣收集到的 *contrayerva*（蛇咬的解藥）以及大量的種子送到切爾西草藥園，後來在溫室裡種植。但休斯頓好景不常，一七三二年他倖免於一場船難，卻死於一七三三年。史隆提到：「我最後一次得到他的消息時，他因為發燒滯留在波托貝洛，痊癒無望」。[47]

至於羅伯特．米拉爾，史隆表示米拉爾得以四處遊歷，是靠著「許多上流人士的大力資助」，包括他自己在內。史隆也特別留意這位新進的供應者。史隆告知他的植物園管理者約翰．阿曼（Johann Amman）說「我們已經跟他又續了一年的約」，並讚許米拉爾從卡塔赫納、巴拿馬以及波托貝洛等地送來的樣本「令人十分滿意」。米拉爾將樣本分送給許多贊助者，除了史隆之外還包括貴格會商人兼植物學家彼得．克林遜（Peter Collinson）、切爾西的園丁菲力普．米勒（Philip Miller），以及喬治亞新成立的植物園。米拉爾對植物學的前景興奮不已。一七三五年，他從牙買加致信史隆，寫道：「一位來自巴拿馬商館、名叫樂捷安特的男士行經此處，說他擁有真正的祕魯樹皮的種子」。然而米拉爾收集的進展卻因病以及未能適時前往坎佩奇、墨西哥以及更遠處而中斷。他因發燒而滯留牙買加，基於希波克拉底醫學傳統深信有冷空氣的環境適於人居，他便前往山區。即便一七三〇年代馬隆人（即叛逃的黑人）地帶戰亂紛擾，他也深入當地，拜訪一個叫做曼切里亞爾的新聚落，「以及有名的南妮鎮，是叛變的黑人久佔之處」。他寫下「我在這兩個鎮上尋得之物幾乎沒有罕見或不為人知的，而且我在此地的健康狀況一直很差」。雖然他沒尋得新的植物，卻提供史隆一些來自馬隆人地區特別稀有的物品，包括幾件馬隆人的衣物，這是史隆本人在半個世紀前遊歷時都避而不去的地區。米拉爾渴望返回英國、成為一個富有的不在地地主，殷殷祈求史隆幫他在西印度群島置產，如同那些「家鄉的紳士，有地位又坐擁財富」。他求史隆向「里奇蒙公爵發揮一些影響」，因為他擁有「能左右」當時的內閣大臣「紐卡斯爾公爵閣下」的能力。正如他之前的博爾內，米拉爾對於加勒比海地區鉅富和痛苦的生活環境並存的現象惱怒不已，已到了絕望的地步。不過，與博爾內不同的是，米拉爾死時仍鬱鬱寡歡。史隆於一七四二年舉薦他爭取格拉斯哥大學的植物學與解剖學教職，然而聘書來得太遲，米拉爾已於同年過世。[48]

除了他與皇家非洲、南海以及哈德遜灣等公司的交往之外，史隆也與獨立的美洲種植園主、貿易商和旅行者建立重要的關係。維吉尼亞的威廉・博德二世上尉繼承其父的產業——建立在奴隸制度、菸草，以及與美洲原住民間的貿易之上——他曾在埃塞克斯的費爾斯泰德寄宿學校接受過良善的菁英教育。他於一七〇九年成為英國皇家學會的會員以及維吉尼亞議會的議長。他與史隆有私交，曾於一六九七年參與學會針對非洲人膚色的討論會，更藉機炫耀自己響尾蛇與負鼠的標本。他以維吉尼亞議會代理人的身分來回大西洋兩岸，一直在尋找機會，卻都不成功。然而，由於在財務方面處理不善，博德一直有現金週轉的問題，也抱怨在美洲缺乏有學問的同伴。他在一七〇六年告訴史隆「自然對我們投以如此豐富的知識，卻無人予以回應」，他希望維吉尼亞當地能有某種「傳教哲學家」，來教導殖民者「目前我們所擁有卻不知何以為用」的知識。再不濟，博德至少能與史隆通信。他定期寄樣本給史隆，例如有療效的吐根——如同康寧漢與米拉爾，寄送的分量足夠到讓史隆記得他。[49]

儘管如此，博德也期望同儕予以回報。他在一七〇八年詢問史隆是否可以回贈一些礦物，幫助他用來與維吉尼亞的樣本進行比對。他希望能複製史隆和芮在英國進行的知識性對話，與史隆比較並辨認樣本。但事不從人願，史隆同意博德對吐根能獲利的想法，一磅或許能要價三十先令。他向博德確認收到了一盒的樣本，但也點出盒中漏了博德所說該有的豚草。另外，博德也問史隆一種叫做「poke」的根類植物為何，史隆說這不是瀉根，而是芮所謂的 *Solanum* *racemosum americanum*的根。博德提到的一種莓子，其所釋出的顏色在新英格蘭已經是一種普遍的染料，而他所贈送的曼羅陀花則是惡名昭彰的牙買加毒藥。但他希望博德能繼續寄送種子，好「在此普遍繁殖」。至於博德要求的礦物樣本，史隆明確讓他知道自己的斤兩，寫道「礦物種類繁多，幾乎不可能都寄給你，由你送樣本給我予以辨識較可行，我也會盡力給你滿意的答覆」。地理位置是博德的要害，畢竟科學新知的累積與判斷的特權，都與史隆一起待在倫敦。多年後博德埋怨道：「我想您的秘書們把我跟已故之人歸為一類，就因為我身在遠方」；這句話指的是他的名字從英國皇家學會會員名單上消失一事，「但請告知他們我還健在」。直到一七三八年史隆已然七十八歲時，博德還在抱怨，堅稱美洲人蔘和（史隆曾見過的）韃靼利亞（Tartary）種類不同。不過他至少頗有幽默感：「您看，即便您與您最忠誠的侍者相隔四千英里遠，這距離也不足以斷絕我對您的騷擾」。[50]

然而，在亟欲將系統性的科學研究引入殖民地的博物學圈子裡，博德仍是一個重要的連線。雖然史隆在其中扮演主要的贊助角色，他的涉入卻也導致科學研究分工上的衝突。一七一二年，博德邀請正要在美洲展開探索之旅的馬克．蓋茲比（Mark Catesby）作客。然而蓋茲比絕非一般人。據威廉．舍拉德的描述，蓋茲比是「一位小有財富的紳士」，他受過良好教育，父親為一位來自埃塞克斯的律師兼紳士農莊主，曾受教於芮靡下。他一心想成為名作家、從不斷擴張的「圖說的自然史」書市中大賺一筆。遊歷維吉尼亞和牙買加之後，他於一七一九年返回英國，帶回讓史隆與舍拉德兩人都驚嘆的標本，並說服兩人為他募款，支持他前往幾乎無人探索過的地區進行調查，包括加利福尼亞、佛羅里達以及巴哈馬群島，於一七二二到一七二六年間完成此行。蓋茲比的《自然史》便是此行的成果，分別於一七二九與一七四七年出版，是為兩冊大部滾金邊的叢書。這部精彩的作品依循史隆牙買加著作的傳統，但擴大其規模、納入新大陸品種的詳細圖示目錄，雖然其圖片寫實性較低，但卻超越史隆所附上的圖片數量，總共高達兩百二十幅彩色動植物版畫，一套要價二十幾尼，儼然是一部提供有錢讀者享用的叢書。[51]

如同史隆主導翻譯坎普法著作的案例，蓋茲比的自然史也涉及多重中間人的交涉，包括向原住民索取資訊和在歐洲協商出版事宜等等。也一如多數的美洲自然史研究計畫，蓋茲比著作的基礎，在於要去與受奴役的非洲人以及美洲原住民進行交流。舉例來說，他與博德兩人第一次的行程訪問「包哈坦」印地安部落的原始部族之一的帕芒基族（Pamunkey），並於行旅期間收集樣本。蓋茲比雇用一名印地安人背負他的顏料與樣本，並於一七一五年後訪問摩爾堡的原住民族群。摩爾堡鄰近薩凡納鎮（Savannah Town）這個貿易據點，可以以之作為探索南卡羅來納偏遠地區的前哨站。他買下了一個「黑人男孩」，並與史隆如出一轍，訪查了奴隸的補給地。不過，由於「雅馬西戰爭」於該年爆發，暴力衝突為他的進程罩上一層陰影。蓋茲比在書中感謝「友善的印地安人」的功勞，他們的「熱情款待與協助」讓他得以完成作品，而他也必定在印地安人的幫助之下認識了不少動植物。他對印地安人的人數劇減感到惋惜，並怪罪歐洲人把酒和天花帶給他們，並對土著與非洲植物知識深感謝意，更指責博德只是為了「自身利益」而改善其手下奴隸的飲食。儘管如此，他所顯示的同情並未妨礙他表達對美洲大陸懷有的帝國主義遠景。儘管美洲原住民有與生俱來的「洞察力」——這個詞有負面含意，隱射動物性的狡猾而非理性的理解力——就蓋茲比看來他們對文學毫無所知，甚至嗜食腐敗的植物，這點令人不解。在寄給史隆一條用野生桑樹皮製成的「印地安圍裙」以及一個「藤條」製成的籃子時，他指出這兩者算是「印地安人值得一提的技術」。在《自然史》的文字敘述中，他把美洲大地想像成毫無章法的世界，這個觀點可能受到邊區長期戰亂的影響，然而他的水彩畫卻如同精美的宣傳手冊一般，傳達美洲豐饒的浪漫印象，也為移植美洲物種到英國花園的設計提供靈感。[52]

史隆雖然支持蓋茲比的工作，但也威脅要全數吞噬其成果。贊助他的蒐藏之旅就表示能擁有他辛苦得來的收穫嗎？史隆提供蓋茲比收集標本用的盒子與瓶子，蓋茲比則送史隆來自卡羅萊納的烏龜、維吉尼亞來的鳥類，以及數種植物以為回報，但這些物品能安全抵達目的地也算是個小奇蹟。蓋茲比於一七二三年從南卡羅來納的查爾斯頓（Charleston）致信史隆，寫道「這批貨物不幸遭海盜奪去，我希望您收到倖存的植物、鳥類、貝殼等等」。不過，依照慣例，史隆不是蓋茲比唯一的贊助者。由於英國政府不支持科學性的探索之旅，舍拉德竭盡全力組成一個卓越出眾的私人贊助團，其中包括山謬．戴爾、草藥園管理員湯瑪斯．費爾柴爾（Thomas Fairchild）、英屬東印度公司的財務長查爾斯．杜布瓦、理查．米德醫生、法蘭西斯．尼科森爵士、錢多斯公爵，以及彼得．克林遜，並提供蓋茲比珍貴的免息貸款。舍拉德知道，若能先得到史隆的贊助，其他贊助人就會願意跟隨：這些年史隆是英國殖民地科學研究的關鍵贊助者，他也比任何人都積極地訂閱數本蓋茲比的作品。但誰最後會得到何種報償則無定論。蓋茲比小心翼翼地詢問舍拉德，是否可以將送給史隆和杜布瓦的物品裝在同一個包裹寄出、而非分別寄出兩份「獨立的收藏」。史隆抱怨過蓋茲比早期幾批貨的品質，而蓋茲比也對史隆要求提供原版藝術作品感到厭煩。他在一七二四年以堅決的口吻對史隆說道：「我從未預期會贈送植物、特別是其素描給每一位訂閱者」；他最終的目標是「保持素描收藏的完整性，將它們製成版畫，以製成鳥類和其他動物的自然通史，將素描分送給單獨的個人是反其道而行」。因此，他找到了聰明的解決之道，他將圖片的副本送給史隆，自己則保留原稿。正如瑪麗亞・西碧拉・梅里安，他成功地靠自己的才華獲利，甚至得以參考史隆在布隆伯利廣場的收藏品、以艾佛拉德斯・齊齊厄斯的美洲野牛素描為底，在其花園繪製實體動物。同時也可能是在史隆處觀賞梅里安的畫作之後，學習將動植物盡可能並置在同一幅圖片中。[53]

雖然蓋茲比對史隆保有戒心，其他人則認為與這位偉大的收藏家交好有百益而無一害。賓夕法尼亞的貴格會教徒約翰・巴特拉姆靠務農以及提供英國贊助者標本維生，其中包括同為貴格會教徒、身在倫敦的彼得・克林遜。克林遜以五幾尼收購一百個標本，在一七三五到一七六〇年期間，每年約收到二十箱。克林遜把自己的一些樣本送給史隆，這讓巴特拉姆很高興，因為他在紐澤西總督路易斯・莫里斯（Lewis Morris）位於特倫頓的家中曾見過史隆的《牙買加自然史》。當克林遜向巴特拉姆保證他很快就會從英國皇家學會會長本人手中收到屬於他自己的一套叢書，後者樂不可支，並於一七四一年告訴克林遜：「感謝您好心在漢斯・史隆爵士面前盡力幫我美言」。隔年當史隆的兩部書如期送達時，這位植物獵人非常欣喜能與倫敦知識界搭上線，以及由此帶來的榮耀感。巴特拉姆贈送史隆源源不絕的奇珍異品，且收到包括「一盒昆蟲（盒上明顯地標示您的大名）」在內的回禮。他的卑微出身讓他對自己當前的榮耀備感欣喜。他跟美洲的友人說，史隆「特別需要我的協助」，讓他們別忘了史隆「在艾薩克・牛頓爵士過世後繼任英國皇家學會的會長一職」。一七六五年，英王喬治三世以每年五十英鎊的報酬請巴特拉姆為王室進行收藏，這位貴格會教徒日後驕傲地自稱「國王的植物學家」，雖然他從未正式領受這個職位。[54]

巴特拉姆的出身卑微，未曾受過正式教育，卻深知如何把史隆這個人變成收藏品、又知道如何展示這項收藏。在閱讀史隆的「珍品收藏的曠世巨作」後，他對自己的新贊助人阿諛諂媚：「要為您收集任何新鮮事物是很難的」。這位地位低微的貴格會教徒就很擅諂媚之道，然後將許多美洲原住民的物件送往大西洋的彼岸，其中一個謎樣的「印地安人工具」給他絕佳的機會去向史隆獻媚：「對於此物由什麼材料製成、又為何所用，我想您可能比我清楚」。巴特拉姆和博德不同，他全權讓史隆來鑑識物品。關於一隻從一位美洲印地安人的墳墓取出的煙管，他寫道：「我只希望您能親眼見到它，並將之據為己有」。他堅持自己不求回報，這純粹是份禮物，代表「我的至誠」。不過，巴特拉姆也確保史隆用行動證明同等的誠意。他的收藏中最珍貴的一樣物品，是一只刻有「漢斯．史隆爵士贈與好友約翰．巴特拉姆，一七三四年」字樣的銀杯——對這位殖民地的博物學家來說，英國皇家學會會長的禮物代表特殊的敬意（彩圖8）。然而這銀杯另有蹊蹺；其實是由巴特拉姆委製的，不是史隆。巴特拉姆問克林遜是否能用史隆原本向他購買標本的五幾尼，收購一只銀杯當做禮物；他致信克林遜問道：「我希望您能寄給我一只銀罐或銀杯，用五幾尼所能買到最大的，越大越好；我希望自己或家人在宴客時能用它，以紀念我崇高的贊助者」。稍後巴特拉姆向史隆為「您好心送的禮物」道謝，並欣喜地說「您的名字明顯地刻在上面，我的朋友們飲酒時都看得到我的贊助者為何人」。如此，這位偉大的收藏家便成為了值得珍藏的物品。55

史隆與巴特拉姆的交換行為與他和蓋茲比一樣，深植於複雜綿密的人際關係中，讓他得以接觸原住民的珍品。威廉・佩恩建立的、透過原住民涉外人員的和平交涉模式，在佩恩一七一八年死後已然式微。巴特拉姆的父親被塔斯卡羅拉族（Tuscarora）殺害身亡，在他心中種下對印地安人的恐懼與怨恨。不過，他仍於一七四三年與維吉尼亞的康拉德・韋澤（Conrad Weiser）以及奧耐達族（Oneida）酋長謝克拉米（Shickellamy）一同前往安大略湖南邊的奧農達加（Onondaga），由於一群維吉尼亞人於一年前殺害了數名勢力強大的易洛魁聯盟下屬的奧農達加族人，此行目的在於爭取和平。殖民者攜帶了價值一百英鎊的禮物，奧農達加族的代表坎納沙特高（Canasatego）則回敬一頓玉米和乾鰻魚大餐，雙方為了表示誠意，更一同吸了一管裝有費城菸草的煙。巴特拉姆一邊旅行一邊惦記著史隆，在奧農達加四處為史隆採集植物，其中許多保存在史隆標本館，包括一種「印地安人用來治療響尾蛇咬」的植物。他詢問長屋居民（易洛魁聯盟）此物的確切用途，並將送給史隆的標本如此註記：「印地安人說他們用這根類植物……催吐」。但他仍對所謂的「迷信又無知的印地安人」有所忌憚。於一七一五年出版、描述其行旅的《觀察報告》一書中，他提到一名戴面具的「野蠻人」在充滿「嚎叫聲」的舞蹈中「發出像驢子一樣的鳴叫」，嚇到他了。巴特拉姆對印地安人的敵意清楚表露在他的植物標示中：送給史隆的木蘭標記著「於五族領地的駭人荒野中尋得」——「荒野」這詞，透露殖民者對美洲樹林的想像，那是被無神又無信仰之人佔據的邪惡之地。如同史隆在牙買加以及萊特在加拿大的評論，他期望殖民者將樹林剷平、以便種樹供將來伐木之用。目前他只能以送給贊助者一樣諷刺的紀念品自娛——那就是camulet（和平煙管），一個來自充滿戰亂的世界、象徵和平的煙管。[56]

由此可見，亞洲與美洲的奇珍異品透過各式各樣的管道抵達史隆面前。史隆確實從英屬東印度公司有錢有勢的官員手中收到不少禮物，但他收藏的大多數亞洲珍品是從公司低階的外科醫生處購得，而這些人身處險惡環境，經常以窮困潦倒或死亡作結。在美洲方面，他從南海公司和哈德遜灣公司的代辦處買得物品，同時也由在大西洋穿梭的軍官手中接受禮物，例如首位海軍大臣查爾斯．韋杰（Charles Wager）就贈與史隆一個從德利安地峽（Isthmus of Darien）得來的銀製跨下防護罩。然而，英國帝國主義在不同地區以不同方式呈現。在亞洲，英國人大多透過貿易口岸佔有一席之地，而在美洲的克里奧族群已然永久定居，其結果就是居領導地位的殖民者為了提升個人在當地的優勢，利用美洲珍品與史隆建立關係。不論是在自己眼中或是在其友人眼中，博德與巴特拉姆等人都亟欲被認可為擴張中的大英帝國的知識界人士。哈佛學院（Harvard College）的約翰．溫斯羅普（John Winthrop）於一七三四年贈與史隆和英國皇家學會近八百種來自新英格蘭的礦物樣本，據他所言「為英國」預示了「豐富的礦藏」，而他要求的報償則是「在您的典藏庫中佔有一席之地」的榮譽。[57]

史隆的亞洲藏品透露英國對當地統治者的依賴，而其美洲收藏則彰顯英國的強大勢力、是透過傳染病和對非洲人群的奴役達成的。此一差異反映在英國人對南亞和東亞人們的態度及其對美洲原住民與黑人觀點之間的對比。他們認為前者的「東方」文化值得尊敬，卻認為後者在體質上較弱且缺乏一般文明應具有的傳統成就。然而，正如與托摩奇奇同行的鷹和熊所顯示，美洲珍品也可能代表帝國夢的破裂，不見得就成全其帝國之夢。這些物件非但不是戰利品，卻經常是全球性的帝國相爭之際、商品與禮品流動之下的意外收穫。儘管如此，史隆人際網絡之廣仍舊特別出奇，不但涵蓋了持續擴張的大英帝國，我們也會看到它時而超出此範圍。[58]

持續推進

珍品的地理學可說是「超越」的地理學。以愛德華・斯萊尼（Edward Slaney）一六七八年的地圖為例，牙買加的馬隆人（即叛逃的黑人）地區在早期的地圖上被標示為*ne plus ultra*：在此止步。這在加勒比海的殖民過程中被視為禁地，由非洲人而非歐洲人統治，連史隆也不敢前往。但如此設限完全違背好奇的態度：畢竟培根以*plus ultra*〔持續推進〕敦促人們探索未知的世界。因此任何與一般貿易或殖民圈子以外的接觸，不論有多短暫，都是價值連城的。從牙買加返回英國後，史隆就沒再登上任何船隻。但他卻因為響亮的名氣而吸引全世界到自己面前，所有珍品逕自落入他手中。他在長達半世紀的收藏活動中，有三個交流經驗特別顯眼，顯示出除了直接買賣之外——買賣當然佔了很大部分——其博物館的成形建立在繁複的人際關係之上，而物品與人的地位同時在此種關係中周旋和起落。[59]

懸掛於史隆居所各處牆上的各式朋友與歷史名人的肖像畫中，有一幅畫的主角冷眼直視、特別顯眼。此人未戴假髮、長髮披肩，不屬紳士階級。這幅肖像由史隆委託湯瑪斯・莫瑞（Thomas Murray）所畫，說明了主角身分是個出人意料的組合：「海盜兼海道測量員」（現存放於倫敦國家肖像藝廊）。這名科學界的海盜手持一本高雅的書籍，呈現出博學風雅的樣子。此人名叫威廉・登皮爾（William Dampier），手上拿的則是自己於一六九七年出版的《新環球航海》。登皮爾海軍出身，曾參與英荷之戰，靠騷擾加勒比海的西班牙船隻起家。雖然海盜有著「法外人」這種浪漫的形象，他們卻經常成為國家政策的代理執行者，尤其是在西印度群島，像是沃特・雷利及亨利・摩根等所謂的私掠船長都得到攻擊外國船隻的授權，而他們的事蹟也透過文學作品被大肆宣揚，雷利的《偉大、富裕、美麗的幾內亞帝國之探索》（*Discoverie of the Large, Rich and Bewtiful Empyre of Guiana*, 1596）便是一例。登皮爾不僅仿效這些範例，還更加超越之；其著作的全名顯示出他令人讚嘆的繞行世界之旅：《美洲地狹；西印度群島海岸和島嶼；維德角群島；穿越火地島以及南美的智利、祕魯和墨西哥沿岸；關島；拉德隆尼斯島；民答那峨島；菲律賓群島以及柬埔寨、中國、福爾摩莎、南康暗沙、西里伯島附近之島嶼；新荷蘭；蘇門答臘；尼科巴群島；好望角；以及聖赫列納島之探索》。由於他的行程包括鮮為人知的南海，導致每個好奇的倫敦人都想認識他；而他的《新環球航海》充滿了海事和民族誌情報，也幾乎成為達利安公司（Darien Company）殖民巴拿馬的規畫手冊。[60]

史隆與登皮爾初見面時，他仍在發展醫療事業，同時經營《自然科學會報》並寫作《牙買加自然史》。但他沒忽略登皮爾所代表的機會，也向他買下貝殼與其他物品，包括一支以六先令買下的巴拿馬小斧頭。在登皮爾事業發展的這個早期階段，雖然蒐集能力還很有限，但收藏家對其卻仍有很高的期待。皮普斯、伍德沃德、伊夫林以及羅伯特・邵斯衛都想與他交好，好望角的植物學家斯達倫伯格確認登皮爾「很好相處」。這位海盜大多數的動植物收藏最終落腳牛津，但史隆還是得到了登皮爾珍貴的日誌，那是登皮爾暢銷書的原型。史隆也收集並展示登皮爾本人，莫瑞畫的肖像就是史隆委託繪製的。登皮爾這名海盜還在邁向成為風度翩翩的紳士作家的過程中，史隆卻已經開始積極地炫耀自己與這位名人的關係。如果登皮爾為充滿異國艱險的華麗世界開了一扇窗，與史隆及其圈子建立關係則帶來了財富和聲望。登皮爾的《新環球航海》對這位海盜從勇猛無懼的暴力形象轉型為風度翩翩的博學之士很有助益；他描述各地的外國人（從巴拿馬到澳洲）也是轉型過程的一環（登皮爾是第一名描述澳洲的英國旅行者）。他日誌原稿中的描述大多是正面的，且不帶價值判斷。我們不清楚是誰編輯了日誌內容（史隆可能有些許參與），不論編輯是誰，那人顯然將讀者偏見與銷售考慮在內，特別凸顯歐洲的文明性與外國野蠻性格之間的對比。舉例來說，史隆為登皮爾的小斧頭編目時，就收錄了《新環球航海》中的一段說明，指出巴拿馬「聰明的」原住民如何用小斧頭將棉樹挖成獨木舟，不過他對原住民技藝任何隱晦的欣賞都不及登皮爾點出這些「野蠻的印地安人」欠缺鐵製工具的效果——對歐洲人而言這是科技發展低落的典型指標。至少在印刷品中，這位海盜強調了與他交流的人們的野蠻，以證明他的翩翩風度。[61]

登皮爾靠著未經雕琢的天分在充滿暴力的海盜生涯中茁壯，再加上他對觀察和收集的喜好，不但使他聲名遠播到倫敦，也戲劇化了社會邊緣分子充滿險峻的致富方式。登皮爾同時也收集人類。他從菲律賓的民答那峨島帶回一名受奴役的島民，稱他為「塗漆王子」喬立。喬立有些嚇人：全身佈滿刺青，而登皮爾正想靠把他當奇珍異品展示來賺錢，不過一到倫敦就丟失了他，再也不見蹤跡。他也帶回一名遠離家鄉的蘇格蘭人：這位亞歷山大·賽爾科克曾受困於太平洋上的胡安・費爾南德斯島（Juan Fernández Island），據說他的故事可能是丹尼爾・狄福《魯賓遜漂流記》（1719）一書的靈感來源。此類不幸的遭遇對史隆有無法抗拒的吸引力，他曾對友人尚—保羅・比尼翁神父（Abbé Jean-Paul Bigno，法王路易十四的圖書館員）吹噓說賽爾科克「曾在智利外海的胡安・費爾南德斯島獨自居住四年半」。登皮爾在其《新環球航海》書中詳盡描述一同航行的夥伴萊諾・威佛（Lionel Wafer）也曾受困於巴拿馬庫納印地安人所居之地，史隆後來也獲得了威佛的筆記。然而，正如許多提供史隆物品和資訊的旅人，登皮爾終究為了在夾縫中求生存而付出代價。他在一六九九年升格為船長，卻因大副不服他的資格而起強烈衝突。登皮爾被大副的質疑激怒，下令鞭笞他，回到倫敦後自己還因此接受軍法審判。即使此後他仍完成其他旅程，終究於一七一五年負債纍纍死去。登皮爾的確遊歷全世界，也與知識界和英國海軍指揮階級平起平坐。不過，正如他在旅途中收集的人們，他自己也是個到處格格不入的奇特物品。62

年輕的班傑明・富蘭克林（Benjamin Franklin）與登皮爾一樣在「水」這方面很有天分，但與這位成功的航海家截然不同的地方，是他懂得如何將自身的邊緣性轉為優勢。富蘭克林出身於波士頓，不顧父親對他成為牧師的期許，反而在費城開啟了印刷工的生涯。一七二五年他十九歲，這位年輕的學徒橫渡大西洋到倫敦謀生。他有許多與眾不同之處，並宣稱自己的體力之所以出類拔萃，是因為他喝水、不喝啤酒，也因此他在倫敦的朋友都稱他為「喝水的美洲人」（Water-American）。有一回當他乘船沿著泰晤士河向東行，突然間把衣服脫了、跳入河中游泳，從切爾西一路游到黑衣修士區，「期間還在水面和水底展示了多種體能技巧」。同時富蘭克林也對自然與社會兩者的運作求知若渴；他的野心以及對哲學性自由思考的嚮往引領他到了大英帝國的首都，更在一七二五年出版了自己的浪子宣言《論自由、需求、歡樂和痛苦》（*A Dissertation on Liberty and Necessity, Pleasure and Pain*）。在齊普賽街上的「號角啤酒館」，富蘭克林與伯納德．曼德維爾（Bernard de Mandeville）相識，特別令他興奮。曼德維爾是《蜜蜂的寓言》（*The Fable of the Bees*, 1714）的作者，此書因推崇個人惡習、貶抑公眾美德而惡名昭彰。富蘭克林最急切盼望能認識的人是艾薩克．牛頓，然而願望終未達成，不過他卻認識了史隆。[63]

在和史隆初見面的將近半世紀後，富蘭克林在一七七一年出版的自傳中提及兩人相遇的情形：「當時我帶了幾樣珍品，其中最主要的是一只用石棉做成的手提包，是用火萃取而成的。漢斯．史隆爵士聽說有這件物品便前來拜訪，還邀請我到他布隆伯利廣場的住所讓我參觀他的所有珍藏，他更說服我協助擴大其收藏，更予我豐富的報酬」。不過，富蘭克林一七二五年呈給史隆的原始介紹信——也是富蘭克林現存手書的信件中最早的一封——講述的卻是頗為不同的故事。

您好，近來因在北美洲居留，我從當地帶來了一只用石棉製成的手提包，另有其原料當中的一塊石頭和一塊木頭，而其襯皮較厚的部分的材料，則來自當地住民稱為石棉絨的物質。眾人皆知您對珍品的喜愛，我也曾向您提及這些物件；若您有意收購或觀賞，請不吝捎信至小不列顛（Little Britain）的金扇（the Golden Fan），本人必當恭候大駕……附：兩三天後我有遠行計畫，還請您及早回覆。

數十年後，當富蘭克林在美國革命期間出版自傳時，他已將自己的生涯塑造成新美利堅共和國的青年皆應效法的、自立自強的典範，但發生於一七二五年的事，其實卻是富蘭克林這位殖民地的人士找上史隆這位大師，與他自傳所述恰恰相反。富蘭克林用遠行要脅史隆與他見面，還自我吹捧要史隆買下他的物件。[64]

富蘭克林與史隆的相識表面上看似兩個極端的交集：前者是殖民地的學徒，後者則是國際化的鑑識大師。事實上，兩人間的對比並不這麼強烈，這或許是因為史隆在這位美洲年輕人的身上看到了些許的自己。畢竟史隆的年少生涯跟富蘭克林一樣是在殖民地的情境下度過，從阿爾斯特到橫跨大西洋前往牙買加都是如此；他的養成過程也有很高的實用技藝成分，比方說在切爾西與蒙彼里耶接受藥師和藥草園管理者的指導；而在富蘭克林出售手提包的過程中，也隱約讓我們想起史隆曾經使用來自法國稀有的磷樣本吸引化學家勒莫利的過往。史隆與富蘭克林兩人都了解有志之士在攏絡贊助者以及盟友之時，「珍品」這種商品扮演多麼重要的角色；更有甚者，兩人也都理解事業蒸蒸日上之士相對於社會地位更高的人有時佔有優勢。就某種程度而言，富蘭克林與史隆這位偉大的收藏家見面不會有任何損失，但對史隆這種大師來說，如富蘭克林般的雇工是他的招牌資源，也因此非謹慎應對不可。收藏家對旅行者的依賴不亞於旅行者對他們的需要。富蘭克林的石棉手提包表面看來並不起眼——他同時賣給史隆的「來自新英格蘭用來泡茶的花」也不希罕——但珍品的買賣卻是種預測的遊戲，陌生又新奇的物品的價值往往需要時間來證明。同樣地，與富蘭克林這般旅人的長久關係的價值，一時三刻也無法斷定。當然，史隆不可能預期富蘭克林有一天會成為反抗英國革命的領導人之一，此發展也驅使史隆改寫兩人相識的片刻，把這短暫的交流寫成美洲英雄養成之路上無可避免的一環。總之，富蘭克林重寫往事，凸顯了關於收藏的故事可以有許多大相逕庭的版本，取決於誰來陳述、何時被陳述，以及為何陳述。[65]

將近十年後的一七三三年，另外一位特出的旅行者同樣與史隆建立關係，儘管我們缺乏他那方面的記載，但兩人的相遇卻值得我們探討一段單一的交流經驗中的多重意義。這位旅者名叫阿尤巴・蘇萊曼・迪亞羅（Ayuba Suleiman Diallo），來自西非，因為大西洋奴隸貿易而落腳倫敦。他與多年前被亞歷山大・斯圖亞特當禮物贈送給史隆的那位叛逆年輕非洲人很不同，至少觀察者這麼堅稱。所有見過迪亞羅的人都讚他彬彬有禮。基督教福音教派的湯瑪斯・布魯特（Thomas Bluett）在回憶錄中寫著：「就他的行為舉止和高尚氣質看來，我們判斷他不是一般的奴隸」，這本書也透露了許多迪亞羅的故事。有人提到他「精瘦又虛弱」，但帶著嚴肅自若的面容；而一位名叫韓德森的牧師則說「他展現出一名信仰虔誠又博學人士的特質」。史隆則認為他「敏感有禮」，其學者風範令人欣賞。大英博物館中藏有兩人相遇最實質的紀錄：許多十七、八世紀的波斯護身符，上面載有以阿拉伯文寫成的什葉派可蘭經文，迪亞羅為史隆翻譯了幾段。至於他如何會參與這項工作，我們就要來講講與史隆收藏品中最奇特的故事。[66]

在倫敦認識迪亞羅的人對他有不同的稱呼，其中以約伯・班・所羅門（Job ben Solomon）最為普遍。布魯特則宣稱迪亞羅親自要求他為自己寫下紀錄，且「基於約伯所提供的資訊」，稱他為「胡由巴，布・所羅門，布・亞伯拉罕（Hyuba, Boon Salumena, Boon Ibrahema）」，亦即所羅門與亞伯拉罕之子約伯，並確認其姓氏為「亞羅（Jallo）」。迪亞羅為富拉族人（Fula），其父親為地位崇高的穆斯林教士，他本人也是邦杜（Bundu，即塞內加爾）王國的伊瑪目（即穆斯林宗教領袖），富拉族人在十八世紀初期將王國轉型為伊斯蘭社會。他本人也是奴隸販子。然而在一七三一年的某一天，他在甘比亞河邊被敵對的曼丁哥族商人捕捉，販賣為奴、被送到大西洋彼岸的馬里蘭。身在美洲期間，迪亞羅普通的體能以及他每日固定的祈禱習慣招來周圍許多人的注意；而他也想辦法取得寫作所需的材料，用阿拉伯文給父親寫了一封信，要求他立即籌錢贖回自己兒子的自由。這封信終究沒能寄達目的地，但卻流落到詹姆士．奧格爾索普將軍手中。當時奧格爾索普負責在喬治亞的殖民，並即將於倫敦接待亞馬科洛使節團。但在約瑟夫．亞默斯（Joseph Ames）這位貿易商兼古物學家的安排之下，奧格爾索普讀到迪亞羅家書的翻譯本，深為信件作者的遭遇所動，因此安排將迪亞羅接往倫敦。博學的迪亞羅在前往目的地的路上學了一些英文，抵達之後很快地成為倫敦社交界的新寵，他與史隆交流、參與斯伯丁學會（Spalding Gentlemen's Society）的活動、與蒙塔古公爵交流，甚至，顯然是拜史隆之賜，覲見了喬治二世。[67]

儘管英國旅行者在波斯與南亞各處都碰過穆斯林，他們通常無法分辨這些地區複雜又繁多的族群以及信仰。因此，他們對穆斯林的印象往往建立在從十字軍東征時期流傳下來的亙久記憶，或是基於在北非與海盜的衝突經驗，以及奧圖曼帝國震懾人心的軍力。儘管如此，從伊莉莎白一世以降，英國與地中海世界的穆斯林勢力也有一段外交關係和商業往來的重要歷史，英國商人以槍枝、木材、毛料和菸草交換茶葉、咖啡、棉布和地毯。換句話說，英國對伊斯蘭世界的敵意絕非一致或不變的；即便有敵意，他們也不排除對雙方都有利的關係。到了一七三〇年代左右，由於土耳其部隊於一六八三年被逐出維也納，來自奧圖曼的軍事威脅式微，雙方也於此後建立了對彼此在知識層面持續的好奇態度。迪亞羅抵達倫敦時，慈善行為已然成為基督徒與穆斯林之間修好的一個層面，而據布魯特所言，他的長途跋涉得到「豐富禮物」的資助，超過了五百英鎊，這份大禮意在使他與他的族人接受教育。他也收到一只金錶以及農業器具，以幫助改善「這些〔非洲人〕工作的環境」；另外，蒙塔古公爵也指示傭人為迪亞羅示範如何使用「耕地所需的工具」。迪亞羅果然是個聰明的學生：「他只看過解體的犁、麵粉廠，還有時鐘一次，就有辦法把這些東西組裝回去」。英國人送的另一個禮物是性靈上的提升，迪亞羅收到了新約聖經的阿拉伯譯本。與對待亞馬科洛人的態度如出一轍，英國人希望策略夥伴也能歸信基督教，結成有利的外交關係。[68]

就連委託來自英國巴斯的藝術家威廉・豪爾（William Hoare）所畫的迪亞羅肖像，也都將他與特定物品連結：他的脖子上掛著一本如同護身符般的可蘭經（彩圖9）。我們不清楚豪爾的構圖是受了誰的左右。再者，雖然迪亞羅已習慣穿著英式服飾，他卻可能在史隆的慫恿之下穿著「自己國家的服飾」。我們無從得知迪亞羅對用可蘭經來強調他穆斯林的身分，同時以護身符的形式戴在身上、如符咒一般地傳達有保護性質的魔力做何感想。基於許多穆斯林不喜以圖像表達意義，迪亞羅應該表達過抗議。據布魯特所言，迪亞羅很特別，因為他「比起其他的穆斯林」、那些持有「一個感官天堂」的「荒謬不實」想法的人在宗教信仰的表達上來說較為溫和；然而他仍舊「堅持」自己的信仰，「很難讓他接受三位一體的觀念」，而且他對畫像基本上非常反感。布魯特更強調「我們向他保證我們從未敬拜任何的畫像」。但當豪爾表示他因為未曾見過迪亞羅的傳統服飾、而無法畫出身著本國服飾的肖像時，他記下迪亞羅的反應，迪亞羅說：

「如果你畫不出從未見過的服飾，那為什麼你們有些畫家敢畫神的模樣？沒有人見過神啊」。布魯特最後說道，迪亞羅「對任何崇拜偶像的蛛絲馬跡甚為反感」，「對任何畫像也是如此」。最初迪亞羅的確拒絕成為肖像的主角，即使答應了「也甚為勉強」。然而，將可蘭經置入豪爾的肖像中也可能表示迪亞羅即便受到奴役、也堅持對信仰的虔誠。在可蘭經裡，穆斯林對基督徒表示友好，視他們同為「有經人」，兩教同樣承襲了自亞伯拉罕以來一脈相傳的、透過神啟和預言所寫下的經文的傳統。儘管如此，穆斯林仍認為基督徒改變他人信仰的行為過於積極。[69]

基於迪亞羅的一項特殊才能，重新定義了他與史隆之間的關係：他是當時英國少數有能力將阿拉伯文翻譯成英文的人。史隆早已收入為數不少附有可蘭經文的波斯護身符，因為他對醫藥方面的迷信很著迷，也為此於一七三四年雇用了喬治．塞爾（George Sale），他是手稿收藏家，曾經翻譯全世界第二本英文可蘭經，另外史隆也聘用過敘利亞裔的卡洛魯斯．達地奇（Carolus Dadichi）以及亞美尼亞裔的梅爾基奧．德．賈斯帕斯（Melchior de Jaspas）進行翻譯。然而翻譯是少見的專長，對史隆而言迪亞羅則是不可錯失的良機。身為階下囚和從事翻譯工作兩者密切相關，這在近代早期的世界是很普遍的現象：迪亞羅的奴隸身分顯然也讓他學會足夠的英文，因而在語言上對史隆有助益。史隆在《牙買加自然史》中完全未提及任何來自非洲人的植物學知識，但在〈刻有阿拉伯文與波斯文的珠寶及寶石目錄〉（Catalogue of Gems and Stones Containing Arabic and Persian Inscriptions）中卻仔細地記錄迪亞羅為他翻譯的經文章節。比方說，目錄中的第一樣護身符，便是一顆橢圓形的鑲金橘色紅玉髓，鑲嵌於綠色軟玉之上，附有「呼叫體現萬物的真神，祂會保守你度過任何困境，所有擔憂和悲傷也都將因先知穆罕默德，以及你與真神的情誼而一掃而空，噢，真神，噢，真神，噢，真神」的文字（彩圖10）。目錄中的這一條目（由史隆的一位謄寫員所寫）含有阿拉伯文原文的抄本、拉丁文翻譯、物件的素描，以及一段護身符原有功用「防止受邪惡之眼誘惑」的註記。此條文將迪亞羅具名為翻譯，寫道：「人稱約伯、非洲邦杜王國的穆罕默德教士所譯，一七三三年」，此後的數條項目以縮寫「譯者約伯」代稱。70

然而，由於兩人可能都對護身符這種東西不以為意，這項翻譯工作便格外諷刺。史隆無疑地認可護身符稀有珠寶的價值及其美感，有些時候只有在對著光源觀察時才顯得出繁複又透明的質地。但作為附有祈禱文、意在護身的小飾品，它們反而更加證明了篤信魔術之力的荒謬，讓人想起國王觸摸所加持的護身符、天主教還願時所用的物品、以及加勒比海地區用於歐比亞的物件。全世界的物件中，史隆嘲諷最甚的就是護身符。他在一份目錄中，以看似中立的態度描述道：「紅玉髓製成的一條手鍊，鑲嵌於軟玉之上，刻有一句可蘭經文，波斯和土耳其人當作護身符攜帶，以防惡魔」。但他對護身符的鄙視在他處就很明顯。史隆在與迪亞羅相識短短幾年前出版了《牙買加自然史》的第二部，其中便指出「人們認為脾臟石（即玉）對結石與經常擔心自己生病的態度有所助益」，這「說法我認為與土耳其人和穆斯林將可蘭經的阿拉伯文經文穿戴在身上的迷信習俗有關，他們好將經文刻於紅玉髓上，並將其嵌入軟滑的寶石戴在脖子或膀子上，以防惡魔、疾病等力量的侵擾」。迪亞羅是否知曉史隆這種輕蔑的態度我們不得而知，但一個甚為可信的推測是，基於他本人對各式偶像崇拜的反感，很可能與史隆持相同立場。在迪亞羅為史隆服務的整段期間他也必定非常清楚，為主人進行的每項翻譯工作都是與手持解鎖之鑰的人進行的合作，這能讓自己與自由解脫的那一天愈發接近。71

經由奧格爾索普、史隆，以及皇家非洲公司幾位慈善家的斡旋之下，迪亞羅果然在倫敦待了數個月之後贖回自由。他於一七三四年重返出身地邦杜，也很快地寄送禮物給自己的新朋友。史隆收到了一份菸草樣本、兩根煙管，以及一支「來自甘比亞河的毒箭」（至於解藥，迪亞羅說很快就會送出）。同年他在信中對史隆說：「您待我如父，此地的穆斯林都誠心敬愛您，也為您祈禱」。同時，史隆也向同僚大肆讚揚迪亞羅翻譯的功力，對某人吹噓自己有些「錢幣是由一名來自非洲內陸的黑人穆斯林教士所翻譯的，他的古代拉丁文和當代阿拉伯文造詣皆很突出」，而他〔贈送〕的毒藥則「一有機會就會以狗來試驗」。這樣的禮尚往來已超越表達個人謝意的程度。史隆對著英國皇家學會的會員們朗讀迪亞羅的書信，其中描述他迪亞羅以皇家非洲公司代理人的新身分返回甘比亞的經過。迪亞羅的信傳達他「將盡全力」協助英國突破法國人在當地對開採金礦與樹膠貿易的壟斷。於是，基督教的慈善家跟他們以往的被監護人已然成為合作夥伴。迪亞羅轉回從事奴隸貿易（他變賣那份金錶禮物，以其收入買下了一個奴隸），也幫助身在西非的英國代理人，直到法國勢力意識到迪亞羅造成的威脅，雙方產生分歧，迪亞羅才被法方逮捕入獄。幾年之後，他似乎與倫敦完全斷了聯絡，數十年後的一七七三年，他身亡的消息才輾轉傳到英國。[72]

迪亞羅深知自己在世界上的處境、也了解該如何回復自己的地位，但今天我們卻很難定位他。從西非的穆斯林到被賣往美洲的奴隸，在倫敦重拾自由，卻以皇家非洲公司代理人的身分重返邦杜，他可說是史隆遇見過最複雜的一名人士，如今在歷史論述中的各個領域也都找得到歸宿，包括：大西洋奴隸貿易和非洲人口全球離散的歷史、美洲殖民史、十八世紀的英國、啟蒙運動包容主義的歷史、以及伊斯蘭史。由於豪爾為迪亞羅繪製的肖像於二十一世紀初期現身，釐清迪亞羅歷史定位的需要也就愈發急迫。卡達博物館管理局（Qatar Museums Authority）買下此畫像，但卻始終出借英國展示，與海盜登皮爾的畫像一同展示於國家肖像藝廊。為了收藏迪亞羅所付出的代價確實不小。他被稱為「同時身為穆斯林和『被解放的奴隸』的非洲黑人在英國的第一幅肖像」；爭取將其肖像保留在英國的人士在二〇一〇年稱頌他為啟蒙運動世界主義傳統的明證，卻略而不提迪亞羅作為奴隸販子與英國殖民代理人的事業。如此這般選擇性地投射啟蒙運動特色的歐洲人作為有其長遠的歷史。在一七三〇年代，各個帝國不僅爭奪領土，也爭取道德正統性，史隆的圈子把迪亞羅嵌入自己想像中的英國：一個以基督新教價值指導的良善社會。福音教派的布魯特將狄亞羅的出現描寫成基督教「善待陌生人」以及「一連串驚人神啟」的巔峰——一個不求任何回報的「極致」禮物，希望迪亞羅的範例能「流傳世界各處、為眾人所知」。他說迪亞羅為自身受奴役的經驗而感謝上帝，畢竟他因此而前往英國、不再與法國人以及天主教「由教宗領導的信仰」接觸。因此，迪亞羅體現出一個慈善的基督教國度——英國，即便這個國家利用殖民和征服的手段，野心勃勃地追求自身利益。[73]

史隆最難能可貴的，便是他收集他人收藏品的獨特能力：在家鄉靠朋友（有時也靠敵人），在外就靠在歐洲以外、在世界各處遊走的旅行者。有了迪亞羅這般四處遊走之士的這層關係，世界有多大，史隆的收藏看起來就有多廣。然而史隆不可能單純地伸手任意索取他喜歡的物件；他所涉入的這個擅闖者世界通常迫使他接受他人提供的任何物品。而實際上，他的珍品踩踏過的路徑並非遍布地球，而是英國的海外殖民據點，從西非的奴隸碉堡延伸到北美的殖民聚落，從加勒比海延伸到東印度公司散佈在南亞與東亞的商館。事實的真相是，史隆鮮少從英國未殖民的地區取得收藏品，像是：澳大利亞、北美洲西部、中南美洲、奧圖曼帝國、薩非（Safavid）王朝治下的波斯、中亞，以及非洲內陸。他取得的土耳其人、波斯人以及印地安人身著傳統服飾的圖片集只提供了這些地區的皮毛資訊。多虧了登皮爾的航行或迪亞羅的不幸遭遇，史隆才偶爾擴展自己收藏的範圍，這樣的機會可遇不可求、稍縱即逝。因此，史隆得以累積如此這般的收藏，在在證明了他的積極、財富和堅定的意志。至於他眾多珍寶最終的意義為何，則是最後兩章探討的主題。[74]

CHAPTER

6

將全世界編目

Putting the World in Order

收破爛大師

威廉金恩曾消遣史隆為「只收破爛的大師」，但最後事實證明這稱呼格外恰當。累積收藏品是一回事；整理、紀錄，並透過資訊管理來掌控收藏品則完全是另一回事。金恩沒預料到的，是「收破爛大師」完美地捕捉了史隆益臻精進的編目技術；他的收藏量之大，整理的工作絕對無法由單人獨自進行，因此史隆雇用了許多博學的助理，他們在語言、植物學、圖書館學方面知識淵博，也深諳編目的藝術。助理群中有漢弗萊．沃恩雷，他是古物學及古地理學家，於一七〇一到〇三年協助史隆編撰藏書目錄；皇家學會的助理秘書奧本．湯瑪斯（Alban Thomas）於一七一〇年代為史隆管理藏書；史隆「收養」並留作家中房客的約翰．賈斯帕．餘赫澤，在一七二二到二九年間協助史隆修改其手稿目錄，同時也助其整理書籍，並完成恩格伯特．坎普法《日本史》一書的翻譯。同時有瑞士和俄羅斯籍的植物學家約翰．阿曼，在前往聖彼得堡的科學院任職前，針對史隆的植物做過研究；湯瑪斯．史台克是內科醫生兼翻譯，於一七二九至一七四一年之間受史隆聘用協助重新為藏書編目；另外在一七三〇年間，身兼內科醫生與英國皇家學會秘書、整理史隆蝴蝶收藏的克倫威爾．莫蒂默，也在史隆的圖書館工作並為收藏進行導覽。最後一位也很重要的助理是詹姆士．燕卜蓀（James Empson），他的母親是史隆的管家。燕卜蓀於一七四一到一七五三年間擔任史隆的首席收藏管理員，不但為史隆個人的《牙買加自然史》版本撰寫註記（包括經口述後謄寫），也成為史隆在收藏方面最信賴的人。[1]

史隆很執著於為每件收藏保留文獻紀錄，這也建構了一個理性的文書迷宮、意在解說每一項物品（彩圖12）。自然史本質上是一門標註的學問；而收藏的本身名符其實地就是賦予物件意義、為每項物品貼上號碼標籤，而每個號碼則指向五十四本手寫目錄中的某項說明。史隆博物館中最不起眼的大功臣就是這些卑微的紙片；它們遠渡重洋，若無這些標籤提供辨識，史隆的奇珍異品就毫無價值。然而，這是個私人的收藏體系，並非為了大眾使用而設計的，且多少依賴記憶來運作。史隆和他的助理們無法輕易地隨時調出一項物品，因為他們製作的目錄不是按字母順序的索引，而是採登記清冊的形式，以便在增添新物品時能無限擴展目錄。不過，史隆能做的是，手持一件物品時，用它的號碼查詢目錄中的說明；或是透過瀏覽目錄，可以找到某特定物品，因為目錄號碼通常也代表館藏地代號。如此一來，他便將自己的收藏轉化成一整套巨大的數字系統，同時與自家公寓的實體空間相對應。史隆著實為此注入了極大的心血。他在一七四二年退休時移居到切爾西莊園長期居住，同時也將整個博物館一同遷移。基督教知識促進會的亨利．紐曼在史隆退休不久後前往探訪，極為訝異地表示，史隆的動物標本「與在布隆伯利廣場用以標示的編碼完全相同」，且數百箱的瓶罐和書籍毫髮無傷、一件都不少。不過，並非所有的觀察都是正面的，比方說，里茲的古物學家雷夫・索爾斯比便於一七二三年指出：「我相信連他都不知道自己收藏了多少東西」。[2]

身為一名作者，史隆對後代最重大的影響既非《自然哲學會報》也非百科全書般的《牙買加自然史》，而是他的標籤和目錄。他自己也認為「我對科學發展最主要的貢獻是收藏並正確地排列管理這些奇珍異品」。史隆與他的助理們每年寫出數千張標籤以及目錄項目，因此清單（而非散文）才是他最經典的書寫模式。史隆在一七五三年過世後，他的遺囑執行人基於史隆收藏品的分類編目出版了一份清單，這份紀錄——投入收藏一輩子的成果——也是史隆最終極的列表。

史隆並未留下為何如此分類的書面紀錄。然而，整體來說，這些類別符合文藝復興時代百科全書式的收集模式，即根據物品的類型來組織一個世界的縮影，從山謬・奎奇柏格（Samuel Quiccheberg）的《題銘》（*Inscriptiones*, 1565）起一脈相傳。以天然或人工等基本類別區別物件的慣例隨後為許多收藏家沿用或精緻化，例如丹麥物理學家奧洛斯・沃爾密烏斯（Olaus Wormius）在十七世紀中期有關分類系統的作品，即處理礦物、金屬、蔬菜和動物等類別（一六四三年）。史隆藏有此書的手稿。史隆針對自己絕大多數的收藏品鮮少做出詮釋性的書面評論，部份原因是他缺乏從古物學到礦物學等種種專門知識，在目錄中也僅提供簡短的說明。這種學術上的謹慎態度似乎與性格有關，而且史隆無疑地忙於行醫、主持各種典禮、通信，和製作目錄，因而無暇進行大規模的研究。不過，他的少言亦是出自哲學性的原則。羅馬學院博學的耶穌會士阿塔納斯・契爾學就企圖對奧秘之術提出大膽地詮釋，以解開他認為是世界最隱晦深奧的密碼、

圖書館	約莫三百四十七套繪圖冊與含圖例的書籍；三千五百一十六冊手稿與印刷品集，總計約莫五萬冊
勳章與錢幣	約三萬兩千枚
古董	一千一百二十五件
印章	兩百六十八件
浮雕珠寶飾品與凹紋印花	約七百件
珍貴寶石、瑪瑙和碧玉	兩千兩百五十六件
瑪瑙與碧玉器皿	五百四十二件
水晶與晶石	一千八百六十四件
化石、火石和其他石頭	一千兩百七十五件
金屬、礦物、礦石	兩千七百二十五件
土壤、沙礫、鹽	一千零三十五件
瀝青、硫磺、琥珀	三百九十九件
滑石與雲母	三百八十八件
有殼動物與貝殼	五千八百四十三隻
珊瑚與海綿	一千四百二十一件
海膽	六百五十九顆
海星、班螺、貝殼	兩百四十一隻
有殼類或螃蟹	三百六十三隻
海星	一百七十三隻
魚	一千五百五十五隻
鳥、蛋、鳥巢	一千一百七十二件
蝮蛇與蛇	五百二十一隻
四足類	一千八百八十六隻
昆蟲	五千四百三十九隻
人類	七百五十六件
植物性物質	一萬兩千五百零六件
標本集	三百三十四冊
雜項	兩千零九十八件
裱框的圖片和手繪圖	三百一十幅
數學工具	五十五件[3]

也是巴洛克時期最大的謎團；而且，他時而方針大亂，誤譯埃及象形文字便是一個例子。這兩位收藏家迥異的風格在對比之下特別有意義。史隆與契爾學完全相反：他是個謹慎、嚴肅，又全無想像力的基督新教實用主義者，這些也是史隆本人認為一位科學人應有的美德。他以法蘭西斯・培根為準則，我們之前已提過，培根提倡藉由旅遊、實驗以及收集實物來奠立知識的基石，並以此重振英國之富強。因此，史隆樂於收集而非論理，至少這是他研究的起頭，後續的理論性發展則要靠芮和林奈等專家來建構新的、基於「屬」和「種」的動植物分類學。於此同時，史隆也認為自己的工作屬於基礎研究：詮釋自然秩序最基本的構成要素便是靠收集數千樣物品進行拼湊，如此巨大的拼圖必得要高度的耐心才能完成。他的收藏無法立即呈現一個世界的新樣貌——且理當如是。[4]

從史隆花在撰寫目錄內容的時間之多，即可看出他對單調的目錄編撰投入之深。此編目過程在他於一六八〇年代、從阿爾斯特遷居倫敦不久後，開始建立圖書收藏時就啟動。他最初登錄他所收藏的印刷書，便記錄了作者、書名、外貌及價格的描述（可能在史隆的財務狀況還不穩定時，留下記錄以便轉售），用煉金符號作為價格與收購日期的代碼。在一六九八年之前買入的書籍很明顯地多為個人使用，與皮普斯和洛克等友人的藏書量相當（高達數千冊），且為數眾多的書籍用於寫作《牙買加自然史》之用。不過，一六九八年後，由於行醫收入大幅提高，加上自己豐盈的薪俸以及妻子大種植園的收入，史隆開始刻意以收藏為目的而擴大購書的規模，最後藏書量達到四十五萬冊。除了他用做索引無數拉丁文醫學書籍、由喬治・馬克林（Georg Mercklin）所編撰的《新黃蜂》（*Lindenius renovatus*, 1686）以外，史隆並未依照主題編目，而是以英文字母來表示不同大小尺寸的書冊。起初，他將書籍和手稿一起編目，卻於一六九四年後將兩者分開，並開始為印刷書籍依作者名建立索引以便查詢。一七〇〇年後，沃恩雷、湯瑪斯、餘赫澤、史台克和莫蒂默接連負起圖書管理的大部分責任，並逐漸引進改良的方式，結果產生了幾份東方手稿的清單，以及複製品和微型畫的圖片清單。但直到一七四一年，在藏書目錄中都還看得到史隆年邁的筆跡。[5]

整理收藏品的過程大多呈現在史隆的目錄中。他與助理們開啟通信人員送來裝有物件和標本的盒子，閱讀信件，然後結合供應者提供的資訊以及彼此的專長，為每件物品製作標籤和目錄條目。撰寫目錄條目的過程經常缺乏標準流程：許多條目帶有問號，且留下空白處供日後補充資料用；而有時標籤的內容也極簡略。舉例來說，史隆的〈雜項目錄〉第五五三到五五八條為某些中國銅製砝碼的說明，接著只寫下「另一個較小的」、「另一個」、「另一個」、「另一個」、「另一個」。有些條目完全不含任何資訊——只標有一個號碼以便載入目錄，即便史隆可能不知道該物品是什麼。然而他處卻有資訊過剩的現象，從醫學資訊到奇聞異事都有。〈植物性物質〉第八一一九條記載：「Piper Æthopic。Sassinah是一種藤蔓，並會產出一種與印度胡椒外型和質性相似的小型黑胡椒。在阿布拉巴克、芬亭、安固爾尼亞（Angurnia [?]）等島國以及安徒等地皆可取得，但分量不多。其果實與其他藥材混和後，內服外用皆宜，而藤蔓本身在熬煮成湯汁後可治喉嚨痛。錢多斯公爵於幾內亞取得。」此胡椒樣本（及其說明）是錢多斯公爵贈送的禮物，以報答史隆為皇家非洲公司提供的諮詢。〈植物性物質〉第六〇七條則講述費瑞爾斯夫人贈送的神秘禮物，史隆曾將她轉介到蒙彼里耶就醫。此為一不明動物的骨架，「在蒙彼里耶附近的蒙配隆拼湊而成……浸在前述水中五、六個小時，〔期間〕這些動物的肉體完全被腐蝕，是因為水中含有能達到此種效果的〔物質〕，此物質在當地亦甚為稀奇。」[6]

史隆的〈植物性物質〉可謂他在編目上最嘔心瀝血的表現。這套收藏中含有超過一萬兩千個密封箱子，由眾多通訊人員寄達，收有乾燥種子、果實以及乾果，其中大約三分之二保存至今，依序編號存放於倫敦自然史博物館的將近九十個展示櫃中（彩圖13）。舉例來說，第十二號櫃收有編號一一二一四—二〇的標籤，排成一列，可看出史隆排序的目的是為了方便日後搜尋。這些標本也成為自然史高度視覺性文化的明證：它們保存於小玻璃盒中，方便以肉眼觀察細微的生理細節，並供人辨識特殊物種，多數盒子外頭再以雲石紋紙密封。許多盒子上貼有標籤紙，寫著內容物的目錄編號、各種名稱，以及其他相關資訊。史隆親手標示非常多的標籤，這顯示他親自檢視這些物品並進行編目——親自保證每樣標本都有一個特定名稱。不過我們也可在這些盒中看到不同意見的交會。在許多情況下，史隆（更有可能是他的多名助理之一）直接從通訊人員的信中剪下關於某物種的資訊、貼在盒上（或將該資訊轉寫到標籤上），如此一來資訊與標本便分不開了（彩圖14）。[7]

史隆各式目錄中載有的資訊包羅萬象，從簡單的辨識及外觀描述，到供應者姓名、來源地、購買金額、用途、趣聞軼事，甚至偶爾會提及出版物中的相關記載。舉例來說，在〈雜項〉的中國木管樂器、筷子、封印、算盤和藥用膠等條目旁，史隆都記下了在兩本書中出現的頁碼，分別是《中華帝國全志》（*Description de la Chine*, 1736）和《耶穌會士書簡集》（*Lettres édifiantes et curieuses*, 1702–76，共三十四冊），兩者都是尚—巴第斯特・杜赫德（Jean-Baptiste Du Halde）參考耶穌會傳教士的記載，並抄襲十六世紀中國內科醫生李時珍的醫藥大全《本草綱目》（1596）等資料編撰而成；其中交互參照了著名博物學家烏利賽．阿爾德羅萬迪和卡羅盧斯．克魯修斯，以及古物權威貝納德．孟菲空（Bernard de Montfaucon）等人的著作。然而，史隆大多數的異國物品的交互索引，都連結到知名旅行作者的著作，包括尚－巴第斯特．拉巴（Jean-Baptiste Labat）、安德烈．塞維特（André Thevet）、安東尼奧．皮加費塔（Antonio Pigafetta）、理查．哈克魯特、來諾．威佛，以及威廉．登皮爾等人。從這些索引可看出史隆如何將自己的收藏品與藏書連結在一起。不過，相對而言，目錄中的交互索引仍屬少數，依此可看出不論史隆是否有進行全面性註記的計畫，他的規畫都因為有限的時間、知識和資源而無法完成。另外還有一系列以書法撰寫的紅色標籤，顯然是為了系統性地標示圖片收藏而設計，但沒有使用過的證據。這些努力再再顯示建構一個完整的資料系統的規劃——一個具有全球性規模、將物品、文字和影像互相連結與整合的系統，但未曾實現。[8]

將收藏中的每件物品編號並置入目錄中確實至關重要，但光為每件物品貼標籤就是一大挑戰。史隆與其助理們用極為嫻熟的手法，先將標籤纏繞在標本細緻的突出部上，並看看物件是否有中空處，若有，就塞入，例如男性性器官的套子。他們直接在貝殼、骨頭、樹葉、樹皮和其他物品的表面書寫號碼與文字，包括阿肯鼓、啟發史隆關於大西洋潮流理論的牙買加的繭，甚至是一份來自斯里蘭卡、寫於脆弱的棕櫚樹皮上的手稿，史隆在其上只寫了「Zeylon」（錫蘭）一字。此類標籤中最引人注意的，就是史隆寫在一支來自麻薩諸塞的湯匙柄頂端的文字，轉載了約翰．溫斯羅普的一封信，日期為一七〇二年：「由一位名為帕皮諾（Papenau）的印地安人取企鵝的胸骨所製成的湯匙，他的女人雙腿自膝蓋以下都因生了壞疽（而截肢）並腐爛，當浸泡在新英格蘭溫特羅普律師先生調製的醋水中之後，便痊癒了。他調製此方的方式是取來兩個牛膀胱，其中裝滿溫熱的特製醋水，並將截肢之處伸入膀胱袋中，其中的液體與血液的溫度相當，如此浸泡數天後，壞疽便會痊癒」。這支湯匙顯示史隆如何評斷各類資訊的重要性，就以上述湯匙為例，他重視的是物品的成分，以及溫特羅普醫治一名美洲原住民引人入勝（但有些自吹自擂意味）的故事。雖然湯匙上寫滿了文字，卻絲毫未提溫特羅普如何從帕皮諾這位印地安人處得到它，這點令人失望。正如史隆收藏的牙買加班鳩琴，這類的故事都被遺漏了。對史隆之流的收藏家而言，記載稀有物品的出處很重要，因為來源能提升珍品的價值。但述說關於令人存疑、如何取得物品的故事則做不到這點。[9]

將物品編目完成後，它們就一一在史隆的博物館中找到去處，但顯然連這項看似簡單的工作也都不一定如想像中的順利。史隆喜歡集結同類的物品、越多越好，以便記載同類中的多樣性，他也希望在展示時能依這些類別在目錄中出現的順序來排列，結果就是植物、樂器和鞋子分別放置於特定組別中的現象（彩圖16）。會如此排列的蛛絲馬跡可以在史隆目錄的頁邊空白處看到。許多以鉛筆標示的註記看起來像是館藏地代號，可能是史隆於一七四二年從布隆伯利遷居切爾西時，用以追蹤其收藏時所記下的。比方說，館藏地「二四五」號標示在許多樂器收藏的旁邊：阿肯鼓、史坦迪什的「黑人」鼓、三支來自拉普蘭的鼓、牙買加班鳩琴、一支孟加拉鼓、兩支中國樂器，以及來自挪威、剛果、日本和中國的小喇叭、八把不同的排蕭等等。同樣地，史隆也有許多法國藝術家尼可拉斯．羅伯特（Nicholas Robert）不分類別的畫作（在收購威廉・庫廷的收藏品時一併納入的），他將畫作依照類別重新排列，並依珊瑚、昆蟲、蛇類、猴子、人類、怪獸等題材重新裝訂成冊。史隆的排列與牛津的皮特河博物館（Pitt Rivers）、倫敦的霍尼曼博物館（Horniman）以及紐約的美國自然史博物館等十九和二十世紀的博物館藏不同，他不依照地理位置、政治疆界、文化或種族區別，甚或是歷史年代（演化或其他紀年法）來整理收藏品。而他對非洲人身體的好奇反映出對收集生理證據以凸顯種族差異的長久興趣；我們也將會看到，史隆完全接受當時對非基督徒人群「野蠻性」的普遍偏見。不過他的收藏品並不是立基於這些看法。事實上，史隆為了清點「神之創造物」的美好多樣性，反而虔誠地將收藏品依類型妥善整理。[10]

即便如此，史隆原本希望清楚分門別類的組別卻一直被推往「雜項」的方向。現在回顧其編目過程，可見這並不比想像中的有條理。舉例言之，除了樂器外，館藏地「二四五」號似乎也收有與抽菸相關的物件，其中包括超過五十支煙管。當收進新物品時，史隆可能僅僅只是先將它們放置於過於擁擠的博物館中有空位的地方，但卻不是它們該有的歸屬。他的目錄也不完全依照年代順序排列，而且編目的程序可能是先找到空位放一下，之後再編目，因此過程中經常不是按照應有的分類次序進行。物品該如何分類不一定有明確的答案，而當珍品的價值完全取決於其多重意義時，更是如此。史隆將被珊瑚包覆的珍品同時列在珊瑚與雜項兩份目錄中；他把牙買加的骨灰甕歸為古董而非雜項；海牛皮鞭同時列於四足類動物與雜項；更在人類目錄中收入了「一顆烏龜的心臟」。隨著時間過去，他似乎也將海牛標本移至藥材收藏中。史隆在〈雜項目錄〉中列出大多數的民族誌物件，此目錄的全名顯示出編目過程中視情況而調整的特質：「與前目錄皆不符合的雜項物件，包括了天然物與人工物」。儘管他費盡心力將牙買加骨灰甕保存在剛發現時的模樣，卻整頓了兩把玉製的牙買加小手斧外觀，以特別強調其美感上的特質。這就是收藏家高度的自我斟酌的能力：不只是記載其收藏，更主動地塑造它們的外觀及意義。[11]

史隆的目的既是對天然物與人工物品進行普世全面的調查，收入的物品越多越有價值，即便史隆並不全然接受或保存所有送到他面前的物品。比方說，他似乎就拒絕了荷蘭解剖學家菲德里・勒伊斯（Fredrik Ruysch）為他準備的人體解剖圖，可能是因為這些圖片在風格上屬於靜物畫；他也將重複的藏書捐贈給牛津的博德利圖書館（Bodleian Library）。不過，史隆擁有的越多，他就越發積極比較和學習，為此他不斷汲取新知。他個人的《牙買加自然史》便得以讓我們一窺史隆如何利用自己多樣的收藏品，也能看出在手寫文書紀錄的時代，整合如百科全書般的資訊有多麼的耗時。其個人的版本中許多頁面列有植物同義詞的欄位，也有從他的〈植物目錄〉剪下貼入的材料，都是為了竭盡所能提供各物種的相關資訊。除了剪貼之外，許多頁面的邊緣空白處也充滿了手寫的註記、節錄以及對其他作品的引述。有一個例子是，史隆書中討論世界各地各式各樣極為多元的飲食習慣的段落一旁，便出現他的圖書管理員詹姆士・燕卜蓀（自己屬名「J.E.」）改述尼可拉斯・德爾・泰科（Nicolaus del Techo）的《巴拉圭省歷史》（1673）的內容（此書位於史隆圖書館裡），指出巴拉圭的居民以食蝗蟲維生，且尚・巴柏（Jean Barbot）說幾內亞的居民以象肉、鱷魚和木材為食。燕卜蓀頁邊筆記的下方還有更多史隆的筆跡，引述他在書中提到的作品的段落，主題涵蓋法羅群島（Faroe Islands）的飲食，以及如何製作鯨魚肉培根。[12]

史隆不僅利用自己的藏書來豐富《牙買加自然史》的內容，他也將一直以來從加勒比海通訊人員處稍來的信件內容納入書中。華特．特立德夫就不斷地出現於這些附錄中。他是住在安地瓜的商人，經常送史隆植物標本，史隆也贈送他一套《牙買加自然史》。但牙買加的內科醫生亨利．巴罕卻占了書中最大的篇幅。書中夾著許多顯然是出自燕卜蓀之手的紙片，皆是由巴罕所著自然史手稿的內容所轉寫，這些內容在巴罕死後以《美洲植物誌》（*Hortus Americanus*, 1794）為題出版。這些添加的文字富含對植物與文化的觀察，其中包括關於可可樹的記載；據巴罕解釋，祕魯的印地安人當它做有法術的護身物使用，也用做魚餌。史隆在牙買加叢書的第二部收入許多巴罕的記載，例如巴罕描述奴隸在身上敷著阿圖（Attoo）製成的藥膏以減輕疼痛，史隆將此資訊收入*Loti arboris folio angustissimo*這一植物條目的附錄，並註記其與祕魯樹皮的相似性及其解熱的功效。他對巴罕大表贊同地說：「〔巴罕〕從一名奴隸處取得一株，對方對其功效保密」。[13]

史隆對累積與記載收藏品的積極態度，為不得不為的文書工作賦予哲學性的意義。雖然他並未留下反思自己博物館意義的詳細記錄，詹姆士．燕卜蓀對史隆表達的情誼卻可為史隆的態度佐證。在史隆生命的最後十年中，他與燕卜蓀合作密切，兩人似乎也建立起深厚的情誼，因此燕卜蓀的見證特別值得參考。史隆指定燕卜蓀為遺囑執行者之一；他死後，燕卜蓀扮演重要的角色，重新整理史隆收藏品以便其轉型為大英博物館。在與新博物館理事的討論中，燕卜蓀記錄了以下回憶，說道：「已逝的漢斯爵士向來不贊成」在某一類別或組別中只展示一件物品，這會讓人以為類似的標本只是「複製品」、因此互相等同。燕卜蓀繼續說道，相反地，史隆認為「萬物皆有差異，不論是顏色、形狀、身上的印記或特徵、透明或混濁、軟或硬、內部或表面上的混雜、原生地、還有許多其他的特徵等方面的不同，自然所創造的各式各樣成果絕不可能一樣，也不能只用一個樣本來呈現，『即便有個通用的名稱，其中也包含許多不同的種類』」。史隆本人在一封未註明日期、致巴黎博物學家安托萬·德·朱西厄的信件中，也曾不經意地提出同樣的觀點：「要找到兩顆在色澤、形狀和紋路完全一樣的瑪瑙雖然不無可能，卻極端困難」。[14]

從以上紀錄即可看出，雖然史隆依循科學界的禮數、與同儕交換重複的標本，他卻似乎與好友約翰·洛克同樣支持一種稱為物種懷疑論的看法。此種懷疑論的主旨在於，即便我們有能力、也必須分辨特定類別的物品，分類的結果多少有隨機的成分。類別不一定能真實反映自然界的秩序，因為人類的知識仍無法完全參透神造物時對萬物本質的安排。當時仍無確切概念可以描述自然界為一歷史性存在，在其中物種可能會演化或滅絕——此觀念直到喬治·居維業（Georges Cuvier）發表了《論地球史》（*Essay on the History of the Earth*, 1813），用「災難性」地質學的角度提出具權威性的解釋後才出現——史隆通常將世界的特質描繪成一成不變。在《牙買加自然史》中，史隆自己說明他筆下的物種「自創世起在任何情況下直到世界末日為止，都維持我們目前看到的狀況」，這都要感謝「全能的神的恩惠」。也可能基於此原因，史隆有一回語出驚人，對同為收藏家的荷蘭商人萊文內斯·文森特（Levinus Vincent）說「我幾乎不缺什麼」。就史隆看來，神的全能致使其創造物永恆不變，同時其慈善造就了一個人類理性足以理解的世界，因此收藏一系列的物種確實可行。然而，從燕卜蓀的證詞可看出，在這般有限觀的框架之下，萬物在生理上的獨特性也表示完全不會有兩樣相同的東西，其結果就是史隆可以開心地不斷收集同一物種的各種類型。換句話說，宇宙裡的萬物是固定且有限的，但卻有無限的種類。這也就是為什麼會有枯燥又不斷重複的目錄項目的原因了。史隆一一寫下「另一個」、「另一個」、「另一個」，顯示出的其實是一位虔誠收藏家對神造萬物那無所不可簡化的獨特性的執著。[15]

珍品中的珍寶

湯瑪斯・伯奇在為史隆所寫的個人回憶錄中，讚頌好友「遺留給國家的寶藏」。「寶藏」這個觀念在史隆的年代已算普遍。早在上古時代便有建藏寶屋的慣例，例如埃及法老王們建設金字塔將自己與財富同葬，希臘城邦也建設 *thesauri* 作為市民對神祇的奉獻。中古歐洲的教堂收集金銀祭壇飾品（有時會為了募款而出售之）等寶物，更有鑲滿珠寶的華麗聖物箱。到了十八世紀，或許由於貴重金屬漸漸不再是衡量國家財富的唯一標準，「寶藏」便成為一種頗具彈性、陳述不同形式價值的比喻。巴黎的植物學家杜何納夫便於一六九〇年致信史隆詢問「您從牙買加攜回寶藏」之事，而史隆在英國皇家學會的同事內米亞・格魯也於一七〇九年問到可否欣賞史隆的「牙買加寶藏」。不過史隆的收藏品究竟是何種寶藏？而它們實質的價值又是什麼呢？[16]

史隆收藏品以三百三十四冊的標本集為核心，他期望內容能成為研究植物學與醫學的主要材料，也能用於研究世界各社會的工藝技巧。由於史隆的收藏含跨藝術與科學兩領域，算是比著名的十八世紀各式百科全書出現的時間還要早，這些出版品包括埃萊姆．錢伯斯（Ephraim Chambers）的《百科全書，或藝術與科學通用字典》以及德尼．狄德羅（Denis Diderot）與讓．達朗貝爾（Jean d'Alembert）的《百科全書》。與這些作品的宗旨無異，史隆也致力達成將實用知識推廣於大眾的理想，然而他與以上幾位作者之間也有顯著的差異。錢伯斯、狄德羅以及達朗貝爾都強調需要出版關於機械的科技新知，但其呈現資訊的風格與史隆那種前工業時代對雙手巧藝的著迷非常不同。再者，《百科全書》發表的辯論文章是伏爾泰時代極端反教會的作家所撰寫，富含自由思想的反基督教精神。相反的，史隆宣稱其收藏品有種嚴肅的宗教目的，認為它們「在許多方面是為了展現神的榮耀，也反駁了無神論及其影響」；這與羅伯特．波以耳在十八世紀初設計的「波以耳講座」主旨相同，意在一個逐漸講究理性的時代中壓抑反信仰的威脅。儘管如此，史隆眼中的基督教精髓仍是理性精神，有一回甚至推薦一位雨格諾教派的同事閱讀約翰．托蘭德（John Toland）的《基督教並不神秘》（*Christianity Not Mysterious*, 1696），他是位提倡自由思想、物質主義與共和主義的作家。[17]

然而，史隆的收藏品在其有生之年如何被運用卻很難記載，《牙買加自然史》最能看出這一點，雖然在許多方面它是特例。史隆在書中對植物、動物、珍品，以及西印度群島居民的記載，都充分顯示他對分類、醫藥配方、人種差異，以及資源商業化的興趣。此種興趣無疑地也是其〈植物性性質〉以及動物標本收藏的基礎，然而我們卻得不到這些收藏如何被運用的證據。我們幾乎看不到史隆使用其錢幣、動章或古物收藏來研究社會或政治史的證據，除了他在目錄中的簡短描述之外，也幾乎無從得知史隆是否使用其〈雜項目錄〉來闡釋自己對其他社會科技發展的評斷。事實上，我們從現存的資料中也只能偶爾窺見他如何運用自己的收藏品；比方說，他利用收集的圖密善皇帝勳章作為視覺證據，去斷定犀牛角在構造上的正確位置，他也在《牙買加自然史》中，將自己收藏的一把牙買加斑鳩琴與非洲和亞洲的樂器並陳。史隆擁有至少兩個不同的星象盤（這是天文學與占星學都使用的儀器），而且很可能將兩者擺放在一起：一個是十三世紀英格蘭的儀器，另一個是十八世紀早期的儀器專家阿布杜·阿里·伊本·拉菲·居西（Abd 'Alī ibn Muhammad Rafī' al-Juzi）為薩非王朝最後一個國王忽辛王（Shah Soltan-Hosayn）所製作。然而，如果史隆曾針對這兩個儀器在手藝、宇宙觀或美學上進行過任何精細的比較，我們也不得而知。[18]

史隆的藏書呈現匯編的特色。他收集各式各樣稀奇主題的手稿，從「風趣機智之語」和「女性的皺紋」到十四世紀的「尿液之書」，無所不包。不過，他最豐富的收藏仍是醫學作品，接著是自然史、旅行與商業，另有許多歷史、神學與哲學的作品。他收集各類博物學家、旅行者、內科醫生，以及自然哲學家的作品，年代上至中古，下至當代，地理範圍涵蓋世界各地，主題則包羅萬象，從他蔑視的法術傳統到他褒揚的當代醫學與植物學皆有。其所收集的作者則包括化學家內科醫生佩洛塞蘇斯和約翰那斯·巴提斯塔·凡·海爾蒙特；他在英國皇家學會的同事羅伯特·虎克；與《秘義集成》（Hermetic Corpus）齊名的神秘人物赫爾莫斯·特立莫吉斯特；血液循環解剖學家威廉·哈維（William Harvey）；旅行者威廉·登皮爾和皮埃爾·瑞迪遜；十八世紀身為穆斯林的阿拉伯煉金術士賈比爾·伊本·哈楊（蓋伯）；博物學家羅伯特·布萊特；博學之士湯瑪斯·布朗恩爵士；伊沙克·伊本·蘇萊曼·伊斯瑞里（Ishák ibn Sulaimán al-Israili）；

一名位於開羅安（Kairouan，即 al-Qayrawan）的突尼斯宮廷醫生；蓋倫作品的阿拉伯文翻譯；阿威森那評論；以及多位英國內科醫生記載自己行醫經驗的筆記。史隆收集的印刷出版著作也反映一貫的興趣。所收藏的四萬五千冊書中，約有三分之一與醫學有關。此外，他也收集了許多地圖與地圖集；中古彩繪書籍；包括第二版的喬叟《坎特伯里故事》（*Canterbury Tales*, 1484）在內的歷史與文學作品；搖籃期版本（於一五〇一年前印刷出版的書籍）以及與印刷史相關的文物；更有眾多外文書籍，其中包含大量日文作品，約翰・賈斯帕・餘赫澤在其替史隆翻譯的坎普法《日本史》一書中有詳盡列出。[19]

史隆對歐洲以外的科學與醫學發展的興趣，從其稀有之手稿便可一窺究竟，那些手稿常不清楚其作者為誰，也不清楚其版本流轉。所謂的葛尼藥經（Gurney herbal）是一份令人驚嘆的文件，它在落入史隆手中之前，為一位在亞洲行商、名叫約翰・葛尼的獨立商人所有，由英屬東印度公司的一名外科醫生愛德華・懷泰吉（Edward Whiteinge）於一六四〇年代編撰而成。其中包含來自占碑（蘇門答臘）、爪哇、麻六甲、南海列島、孟加拉、蒙兀兒領地，以及烏木海岸等王國的動植物（包括蛇類與弄蛇人）與醫藥的說明和圖解。文中引用的權威上至上古時代的普林尼、蓋倫和阿威森那，下至九世紀波斯的穆斯林博學之士穆罕默德・伊本・札克里亞・拉齊（Muhammad ibn Zakariyā Rāzī）；也記載了英文、馬來文（爪哇語）、中文、葡萄牙文、阿拉伯文、印度斯坦語、塔米爾語，以及泰魯古文等語言的資料。正如山謬・布朗恩從馬德拉斯寄送的植物收藏一般，葛尼藥經亦從南亞與東亞各類人群之間的互動而產生，其中也包括受奴役的女性（藥經富含關於女性的重要醫學知識）。我們不知道史隆如何又於何時取得藥經，也無從得知他對藥經的感想，或是任何運用藥經的企圖。他缺乏相應的語言能力、無法理解其內容，不過他卻至少認可其價值，因此納入收藏。由此看來，藥經這個例子充分顯示史隆願意收藏的題材可能超越自己理解能力的程度，同樣令人讚嘆的，是直到今日這些內容仍舊無人知曉。針對此藥經進行的首份學術研究出於薩維特里・普利塔・奈爾（Savithri Preetha Nair），遲至二〇一二年才出版。史隆收藏中還有更多項目——文本、物件，可能以圖片為最——在三個世紀後的現在還等著被妥善地研究，例如十六世紀英國一名服划船刑的囚犯湯瑪斯・摩根在康士坦丁堡繪製的一幅「雄偉殿堂」的精緻水彩畫，這還只是眾多例子之一。我們不該輕易地假設公共博物館是既實用又容易使用的機構，只要想想連史隆這麼著名的收藏的大部分至今都鮮少為人所用，便知道以上的假設並非正確。[20]

一個值得重複的重點是，史隆認為保存與記載比自己的研究更重要。他為自己設下的目標是收集越多稀有物件越好——越稀有越好，例如令人驚艷的「在紐芬蘭找到的樹皮製成的書」，以及他從世界各地收集成冊的紙張樣本。收集葛尼藥經之類物品的最終希望，是總有一天會有能解讀的人來賦予它們價值。於此同時，僅僅整理如此龐大的收藏便是一項全職的任務，需要重新為書籍編目、重新裝訂圖冊，並重新為標本編號。儘管如此，史隆當然也會把握時機，善用自己的收藏。舉例來說，他在《牙買加自然史》中將水母與被珊瑚覆蓋的晶石和錢幣並陳，這可說是收藏者的意外收穫：事實上，這隻葡萄牙僧帽水母（又稱「葡萄牙戰艦」）是早在整整一個世紀前的一五八〇年代，由英國旅行者約翰・懷特（John White）在羅阿諾克島（Roanoke Island）外海繪製的水彩畫的副本，後來成為史隆的收藏。史隆在篩選物件、圖片與文本這方面顯露出有點強迫的性格。有一回他告訴洛克：「我承認我熱愛閱讀這些短文，我已翻閱它們幾千遍，也因此它們應被更為妥善的利用」。也正因為史隆廣泛翻閱醫藥配方和食譜，才發現了路克·魯吉利治療眼痛的藥膏，並於一七四五年出版研究內容。[21]

史隆收藏中的每項物件都有自身獨特的邏輯，且很少會把不同物件共用援引。不過，偶爾史隆也會集結不同種類的材料，用以發表詮釋性的文章，例如他於一七二八年發表於《自然科學會報》關於「從地底發掘的象牙與象骨」文章。史隆也曾於藥劑師兼古物學家約翰·康尼爾斯（John Conyers）處獲得一支古代的小斧頭；這支斧頭最初是在一六七九年挖掘格雷斯因路一處碎石坑時，與「大象牙齒化石」一同發現的。困難在於為這些動物殘骸定年，並解釋為何在英國的土地中會發現它們，因為大象已不在倫敦的街上行走。定年的方法也很有限。基督教正統信仰主張地球在公元前四〇〇四年被創造，挪亞於公元前二五〇〇到二〇〇〇年因大洪水而造方舟，且所有在羅馬帝國於公元前四十三年征服不列顛之前的事件都可以採用聖經的架構來紀年。然而，在格雷斯因路的殘骸竟出土於比普遍認為是古羅馬時期還要更深的土壤層，這點與羅馬人把象類動物引入不列顛的看法有所矛盾，也因此引發了此生物可能存活於聖經時期或更久遠時代的想法。[22]

艾薩克·拉佩耶（Isaac La Peyrère）於其作品《前亞當時代》（*Prae-Adamitae*, 1655）指出，在亞當出現之前有許多不同的造人過程（即所謂的人種多元發生理論），因而挑戰了基督教一神造人的正統信仰，引起一陣譁然；史隆可能有鑑於此，而不願闡釋這把手斧在人類深歷史中可能代表的意義。然而他的確對「象牙化石」進行探究。他比較了自己收藏中從北漢普敦到西伯利亞的動物標本的測量結果，也委託人進行大象解剖，同時遍覽有關西西里、德國、俄羅斯以及中國發現的類似遺骸的著作。史隆得出這些並非古代巨獸遺骸的結論，與阿塔納斯・契爾學的判斷顯然不同，也不是獨角獸或獨角鯨的長牙，更非俄羅斯農民深信的、某種深藏於地表之下的「地底野獸」的遺跡。反之，史隆解釋道，此為前羅馬時期動物的殘骸碎片，必定是由於無法承受聖經中的大洪水所導致的寒冷氣候而死亡。如此一來，史隆雖維持了聖經的架構，卻也與羅伯特・虎克、尼古拉斯・斯塔諾（Nicolas Steno），以及湯瑪斯・莫利納斯等博物學家抱持相同的非正統觀點，提出與莫利納斯所言「與大洪水相關的重大真相」及「在這水與陸組成的地球表面可能發生過的變化」相近的看法。因此，儘管史隆不斷陳述神創世亙久不變的特質，也儘管他未曾篤定反對過上述物種永恆存在的論點，至少在此處，史隆認同物種有可能基於前所未有的氣候變遷而從地球上消失的可能性。[23]

在私人用途以外，史隆也將自己的收藏對可信任的好友與學者同僚開放。有時物件會離開史隆的居所，例如他寄送給芮的植物，以及出借給古物學家約翰・厄里（John Urry）、湯瑪斯・希爾納（Thomas Hearne），和湯瑪斯・譚納（Thomas Tanner）的書籍與手稿。借用是友誼的一項福利。山謬・皮普斯便於一七〇二年充滿歉意地說道：「我深知向您借用珠寶為時已久，深怕您不願原諒此舉。然而，不僅我本人因經常展示之而深感欣慰，許多友人也都大為欣賞……以致我不得不承認（反駁）自己不知該如何放手」。不過，基於安全與便利的考量，若需要利用收藏中的物件（例如艾弗拉德斯・齊齊厄斯所繪的牙買加標本），則於史隆的居所進行。這些活動大多為充滿視覺經驗的，運用史隆的標本收藏，以及藏有近一百多本圖畫書的巨大「文書博物館」，其中包含將近六萬多幅手繪本、複製本，以及圖畫。史隆允許蘇珊娜・利斯特（Susanna Lister）和安娜・利斯特（Anna Lister）利用自己的收藏為兩人的父親馬丁・利斯特（Martin Lister）的《貝類研究》一書繪製貝殼，而史隆收藏中為數不少的魚類和猴子則成為理查・布拉德雷之作品《自然界運作的哲學性論述》中版畫的主角。史隆允許喬治・愛德華茲（George Edwards）與馬克・蓋茨比（Mark Catesby）等藝術家與博物學家複製圖片，並描繪在自家花園中四處遊蕩的動物。伊莉莎白・布萊克威爾（Elizabeth Blackwell）是亞伯丁一位商人的女兒，丈夫因積債入獄後，為了自己和孩子的生計而開始繪製植物插圖。其作品《珍奇草藥志》（*Curious Herbal*, 1737–9）收有種在切爾西草藥園的珍奇植物以及史隆博物館中的物件（包括稀有珊瑚），也有比較活體樣本與史隆收藏品結果的紀錄，以及獻給史隆的插圖，以感謝其「慷慨之助」。餘赫澤為翻譯坎普法的《日本史》而大量使用史隆的藏書，他稱史隆的收藏為「全歐洲最完整的此類館藏」，他也依據坎普法的原始素描親自畫出許多插圖（不僅修正了自己和坎普法的畫作，也在過程中修改了不知名日本畫家的圖片），更直接以史隆所收藏的日本物件、複製本和手繪本為範例繪圖。如此一來，史隆的住所在某種程度上成為一個集體研究中心。甚至強納生・史威夫特都有可能在出版《格列佛遊記》之前見到史隆收藏中的坎普法資料，然後受其關於日本描述的影響，而在書的第三部想像了利慕伊勒・格列佛（Lemuel Gulliver）前往該島的情節。[24]

史隆的收藏不僅用於科學和醫學研究，更蘊含了高度美學價值，至於它們展現哪一種美，則見仁見智。對偏好新古典主義美學的評論者而言，異國風味和美麗之間的關係（甚或是缺乏關係）是個關鍵的課題。沙夫茨伯里伯爵在《人類、舉止、思想以及時間的特性》一書中，便尖銳地批評中國和印度藝術過於重視感官，腐敗、「扭曲」又「野蠻」，即便歐洲人普遍對亞洲建築的技術性成就甚為欣賞。同樣地，約翰・伍德沃德也譴責古埃及人的美感。史隆在芮的影響之下沉浸於科學之美——也就是芮所謂的「自然美善之功」——將之視為「神與創世者無限智慧與至善」的展現。儘管如此，究竟史隆是否認為包括自己的牙買加班鳩琴或因紐特遮陽帽在內的物品具有美感，則無關緊要。他的首要考量並非評斷美學上的成就，記載材料與匠藝才是重點。史隆所收藏的珠寶、浮雕珠寶飾品，以及貴重寶石的確炫目，但它們同時也是石頭和礦物的樣本。就史隆收集到的視覺藝術而言，當中只有少數漢斯・霍爾班（Hans Holbein）和阿爾布雷希特・杜勒（Albrecht Dürer）的畫作會在今日被認為有特殊的藝術價值。然而對史隆而言，科學價值高於一切。不過，他應該會與同時期的強納生・李察遜（Jonathan Richardson）持同樣的觀點，亦即藝術的「教導」與「娛樂」功能同等重要；李察遜在一七一九年曾為牛津大學繪製史隆肖像並出版「鑑賞科學」的規範。因此，史隆很可能認為自己擁有的富有華麗繪飾的手稿之價值，在於為色彩與視覺風格提供樣本，同時也有歷史和神學的重要性。此觀點與他對繪圖、染色和金工相關論文在技術層面的興趣相符，沃恩雷等助理都抄寫過其中的段落。[25]

由於欠缺員工以及固定使用的專屬空間，在史隆有生之年，其收藏被運用的程度令人難以置信地稀少，同時也很少開放作為研究材料。這反映出在十八世紀早期，人們並沒有意識到需要使大眾皆有接觸收藏的管道，同時也反映出治學與學術研究等領域仍被認定為紳士階級的活動。不論史隆對友人多慷慨，這些人畢竟是極少數。其他的收藏家會為了提高自己的聲望而廣為流傳自己的目錄，公告其收藏內容，或是在希望出售時做廣告。史隆卻不這麼做，他太忙，名氣也太大。唯一稍微例外的情況是愛德華・伯納（Edward Bernard）在一六九七年出版的《英格蘭與愛爾蘭圖書手稿目錄》（*Catalogi librorum manuscriptorum Angliae et Hiberniae*），其中列出史隆早期的手稿收藏。史隆的居所或許如同威廉・舍拉德所言，是一個「所有物件聚集的中心」，但這說法只對少數社會菁英成立。就從舍拉德與史隆的衝突以及隨後舍拉德失去接觸史隆收藏品的後果即可看出，欲使用史隆的收藏完全要靠他的核准。切爾西莊園之主能給予，就能收回。由於當時幾乎沒有人像史隆一樣既有材料，又有一個發表機制，能將私人收藏轉化為公開發表的文章，因此史隆能在《自然科學會報》發表的文章中運用自己的收藏也就格外引人注目。[26]

在史隆的寫作中鮮少看到鮮明的個人意見；他的準則向來是謹慎、施展持平的對外手腕，甚至在衡量自己的許多珍寶的終極價值以及當時的科學理論時，也持審慎的不可知論。儘管如此，「魔法」這個主題卻是一個顯著的例外。史隆這位上層社會的醫生，對自己收藏的遠景便是要公開展示廣為流傳的「迷信」或崇拜聖物的「愚蠢行為」，也就是以為物質含有魔力（史隆在〈雜項目錄〉中列出一顆來自幾內亞的「聖物貝殼」時便使用這個字眼）。史隆從化學等領域的實作經驗，認為自然運作起來應該是依循機械性的法則，此觀念強調用「移動中」的物質來解釋自然，遠較任何教條主張物質具有內在的意圖或是可以被遠距操作，更為可信。任何主張物質能在另一處造成行動的觀念，皆被贊助史隆的波以耳那般的機械性哲學家堅決打成「奧秘之道」，透過耳濡目染，史隆也對煉金術與占星術等活動深刻地反感。於此同時，史隆的內科醫生事業也讓他從專業的角度對魔法醫療充滿敵意，對象包括牙買加的歐比亞術士以及持續在英國招攬生意的非正統醫者，因為他們讓人想起念咒施法的行為。[27]

史隆對魔法最強烈的譴責，出現在一七四〇年寫給身在巴黎的同僚比農神父（Abbé Bignon）的一篇長篇回憶錄中。這是史隆親手書寫的文件中，最露骨的一篇。在回憶錄中，史隆對神父娓娓道來對博物學家兼收藏家好友、但於十多年前過世的約翰·博蒙特（John Beaumont）的記憶。博蒙特是一名薩莫賽特的國會議員，有時會送史隆一些化石和礦物，「好杯中物」，是一位「正直又誠懇的人，信奉天主教」。他同時也相信小精靈的存在。史隆描述博蒙特曾宣稱「小精靈每晚來訪，並與他相談」，會面過後他都會嘔吐且腹瀉。他對這些超凡訪客的忠告極為正視：當小精靈「建議他追求斯貝考特上校（Colonel Speccot）的單身姊妹……他便照做，後來娶了這位女士」。史隆評論道博蒙特「對精靈信以為真，其實只是想像，或是對夢境的深刻記憶」，儘管博蒙特表示抗議說「他所見、所聽、所觸、所嗅必定是真實的」。好客的史隆覺得這整件事好笑至極，便準備了一場晚宴來深入詰問博蒙特一番——這與他為假扮福爾摩沙人的撒瑪納札所設下的晚宴異曲同工。白金漢公爵問道，他是否像那些好奇的旅行者那般，詢問精靈有關家鄉的風俗習慣？博蒙特慚愧地承認自己並沒有這麼問。史隆則寫到博蒙特「並未使用咒語召喚精靈出現（如果他確實這麼做，我深深懷疑他們是否〔這些精靈〕會聽從他的指揮）」。[28]

史隆接著對比農訴說一些荒謬的尋找神奇寶物的故事。其中一則聽起來像個冷笑話的開頭：「一位天主教神父、一位長老會牧師，和一名破產的檢察官，三人荷包空空，卻對神秘事物深信不疑」，一同在克勒肯維爾租了一間屋子。當房東在屋中四處搜尋他們積欠的房租時，發現一本出版於一五七二年關於魔法、名為 *Clavicula Salomonis*（即「所羅門之鑰」，史隆後來也收入一本）的書，而三人運用此書中「收有針對世界各地各個不同的精靈所念的祈禱文」來呼喚「其名，以召喚他們現身於」藏寶地點。房間中央放置著一張桌子，地上則鋪了一張畫有同心圓圖樣的白子緞子，「上面以多種語言（主要是東方語言）書寫神的名諱」以抵禦惡靈。雖然房東沒找到房租，卻變賣了房客的家具得到七英鎊。第二個故事則牽涉「幾位地位崇高的人士」，他們收到「藏於」泰晤士河南岸南華克區（Southwark）「幾棟老建築底下埋有寶藏的消息」。但當他們正要挖寶時，卻受到驚嚇，「被一隻守在現場看護地表的大狗攻擊，害他們差點被撕成碎片」。史隆講述的最後一個故事，是十七世紀的占星學家威廉・禮尼（William Lilly）「收到消息，說有寶藏埋在西敏寺的修院之中」。禮尼與其夥伴隨之進行挖寶，卻僅發現幾具「裝有屍體的棺材」，更被一股暴風雨襲擊而逃，差點把自己給埋在寺院底下。史隆冷冷地表示，「他們想像碰到這樣的情況，是因為自己事前未做完煙燻清理現場的工作。此種方式與「擲骰子〔碰運氣〕」並無二致，但此種荒謬的行徑卻也驅使史隆去收集禮尼的親筆手稿。甚至連擔任伊莉莎白一世女王的宮廷天文學家與政務委員的約翰・迪伊，史隆尊為「了不起的人」，也都相信「自己與鬼魂有美好又真切的交流」，這都是透過其助理愛德華・凱利（Edward Kelley）的「召喚」進行，後者還「得到輕聲的回覆（亦即鬼魂的回應，只有凱利一人聽得懂）」。自一六九〇年代起，史隆已累積了相當龐大的與迪伊相關的收藏：他告訴比農「就我所知，與此相關的原始手稿或至少是可靠的複製本，都藏於我的圖書館中」。他也收入迪伊的「磨刀石」和「神之封章」（彩圖17）。[29]

此種愚行並非任何一個文化的專利。史隆也對比農講述在一六八二年，查理二世在位時的摩洛哥大使穆罕默德・伊本・哈杜（Muhammad ibn Haddu）在倫敦接受煉金術士伊萊亞斯・

阿什莫爾的接待。當時阿什莫爾在藍貝斯區（Lambeth）的居所曾為天文學家西門・福曼（Simon Forman）所有，「是為奧秘之術大家」，他曾「被視為神諭，廣受諮詢，客戶中包括伊莉莎白女王的幾位國務大臣」。受到強烈的好奇心驅使，史隆積極地投注時間與金錢，想要揭露這一切，他記錄福曼的活動：「我收購他的好幾本書，但只有一本尚未入手，在我看來是與通靈術有關，且為了了解當中含有何種瘋狂觀點，此書值得收藏」。阿什莫爾曾向伊本・哈杜展示「幾株來自西印度群島和其他國家的樹木，恰巧是極稀有的品種」（該樹木後來為約翰・查德賽特接手種植，他還接手了藍貝斯的房子和花園，之後還創建了人稱查德賽特方舟〔Tradescant's Ark〕的博物館），也展示了「迪伊大師和愛德華・凱利先生兩人與鬼魂交流時使用的器具與書籍」。至此，「大使先生要求阿什莫爾先生召喚出這些鬼魂，如此他便能與其談論當時發生在自己國家的事件」，但阿什莫爾婉拒了，「表示為了避免鬼魂可能會造成的驚擾」。接著伊本・哈杜「表示若阿什莫爾先生可以讓鬼魂現身，他願意偕同幾位國人歸信基督教，且再也不與自己的國家有重大商業往來」。但最後被阿什莫爾拒絕了。[30]

史隆對這些把戲所作的結論遠超過啟蒙之士對一般小花招的嘲弄。這些愚人真是瘋了。在此，史隆跟隨湯瑪斯・布朗恩爵士所建立的傳統，自詡為來自貴族階級的裁判，為糾正當代普遍流傳的謬誤而進行收藏。很肯定的是，此種迷信很可笑，但不可憎——而且應施以治療而非迫害。史隆大可將類似的案例當玩笑看待，但他的確認為「下猛藥」是對付以上案例的良方。一七三〇年代，也就是史隆致信比農之前的那十年間，有一群法籍詹辛主義者（Jansenists），他們號稱是聖梅達的痙攣狂熱分子（Saint-Médard Convulsionnaires），便當著旁觀者面前抽搐，令人驚愕不已，這也導致了首次認真地以醫學角度診斷宗教狂熱為瘋狂的一種形式。我們不清楚史隆對痙攣狂熱分子有多關注，但史隆絕對知道他們的存在。對於對超自然力量信以為真，史隆將之診斷為瘋癲的一種，要醫治唯有下猛藥。他告知比農：「我曾診療過數種不同的心智或腦部失常問題，我相信有些人患病是因為他們醒時作夢（*somniant*）：〔處於這種狀態時〕有必要將他們帶回常態，且必須用非常劇烈、強力且猛烈的驅淨劑，一般的擾動是無效的。」[31]

他接著說道，有些像是 *Solanum* 的植物「為馬約卡島以及巴塞隆納鄰近地區的術士所使用」，有「引人進入某種稱作狂喜的狀態」。甚至如菸草那般的普通雜草也能「讓人沉睡，在此狀態中想像自己是醒著的」，給他們「一種強烈感受或是夢到自己參與女巫的狂歡聚會」，卻令人感傷地「將這些經驗……信以為真」，也因此被以擾亂的名義送上地方官員的絞刑架上。就這一點，史隆同意解剖學家愛德華．泰森（Edward Tyson）提出的說法，亦即「狂人的腦對比於心智健全之人的腦，解剖能發掘的只有些微的差異」，「最極致的天才以及全然喪失心智之人之間的差異確實很小」。史隆偏好的療法包括放血以及強效的催吐劑，其效用在於引發「大量生理上的不適」。這些「超級瀉藥」的效用必須強，且「經常重複使用」，他更堅稱用在治療「做白日夢」上「鮮少失敗」。[32]

史隆針對魔法滔滔不絕的抨擊為我們提供了一些關鍵資訊，有助於了解他如何看待自己收藏的目的。舉例來說，他擁有許多稀奇的混和物件，亦即部分天然、部分人工造成的物品：來自牙買加、被珊瑚包覆的晶石；他在目錄中註記過數個經過修飾的化石，狀似心臟、陰莖、睪丸，以及身體的其他部位；他那條被橡樹枝一分為二的牛脊椎（彩圖18）；殼上顯出聖經場景的鸚鵡螺，以巴洛克式的浮誇將仙童滿滿的刻於其上；以及一株「韃靼的植物羔羊」（實際上是一種蕨類），傳說與中亞地區有植物會生出活體羔羊的信仰有關。這些物品令人想起多數十八世紀的收藏者（例如英國皇家學會的典藏庫）會迴避、而早期近代藏珍閣會陳列的怪異奇蹟（mirabilia），因為十八世紀的學者重新將焦點放在自然界的規律性，而非其特異性。在其同僚眼中，史隆擁有這些物品想必看似落伍。我們已經看過史隆在視覺上將水母和晶石並置的方式，這令人想起較不以事實為主的自然史研究取向，鑑賞家追求的是在不同的物品之間尋求令人費解的相似處，並且找出假貨，還要搜尋出隱含的模式。史隆在一七二〇年代加入所謂的卡巴拉會社（Cabala Club），某些英國皇家學會的成員私下聚集於此，談論魔法、神蹟以及無法解釋的現象（或許因為他們不敢在其他會員面前談論），然而他們肯定是受充滿懷疑的好奇心驅使，而非對這些談論的現象信以為真。但對皇家學會的其他成員來說，史隆的奇珍物搜計畫顯得有點那麼令人無法認可而想敬而遠之。那些走牛頓路線的同僚對於湯瑪斯·史台克在《自然科學會報》中有關六旬婦人伊麗莎白·布萊恩親自哺乳的記載必定難以接受，他們肯定也不喜歡看到院長的名字在倫敦的許多報紙上公開地與如此之多的商業「珍奇秀」相提並論。再者，若是他們仔細檢閱過史隆的目錄，他們也不可能認為下列條目有什麼科學價值，例如「一條被一名強壯男性截斷的繩子」——在遊樂場中得來的珍品，或這項列入〈人類目錄〉的物品：「一個七月大的胚胎，看起來像在表演雜耍的一隻穿著斗篷的猴子」。[33]

基於史隆對魔法的深惡痛絕，我們可清楚地看出他對此類珍品的興趣是出於揭露迷信。破解輕信盲從是貴族式啟蒙心態的行動表現，史隆為了糾正錯誤而保存了大量的贗品收藏。他的

「植物羔羊」事實上是一種中國蕨類根莖（現稱為 *Cibotium barometz*），刻意被塑造成某種形狀來取笑虛構的動物，且史隆堅決否認其絨毛有如某些人宣稱的止血功效。同樣地，他對自己收入的一只中國鉛銅陰莖環也抱持懷疑：在目錄的條目中他僅說明此物「在閉合的狀態，號稱能使陰莖持續勃起」。一七三六年，他使用顯微鏡觀察一顆奇形怪狀的玉米粒，為的就是顯示這是「造作」，並非自然的產物。他告訴啟莫主教（Bishop of Kilmore）「我將此物與其他假造的昆蟲樣本收放在一起，都是為了讓人們感到疑惑但也有娛樂性」；「如果假造這些物品的人能將機智和巧藝用在有用的地方，他們便可能成為社會中極有貢獻之人」。相反地，他將這些人比為搶匪和闖空門的不速之客：他們的才華被導入歧途。[34]

史隆的收藏品中充斥著和魔法相關的愚蠢行為表徵，其中包括來自許多不同文化的護身符，像是阿尤巴．蘇萊曼．迪亞羅翻譯的波斯護身符；被國王觸摸加持治癒的瘰癧患者獲得的徽章；能抵禦疾病的護身符或祈禱文；福曼和阿什莫爾等施咒者的手稿；迪伊的寶石和辟邪物；甚至連信仰基督新教的蒙茅斯公爵都攜帶的、「用以抵禦危險」的「聖物」；「一支小精靈用的箭頭或是雷石，嵌在銀中，作為避雷的護身符」；在新西班牙的礦坑中「穿戴以防止打雷的一只皮製手袋」；以及一只鷩為天人的「拉普蘭鼓」，由斯堪地那維亞副北極帶的薩米人（Sami）人用松木和馴鹿皮製成，繪有在靈界狩獵的圖樣，一直為薩滿所用，直到十七世紀被基督徒迫害時才被沒收。儘管史隆很有可能翻遍自己收藏中與煉金和魔法相關的手稿以尋求有用的內容，他卻對薩米人的思想體系大肆抨擊。就史隆的思路而言，波斯煉金術士賈比爾（Geber）之類的煉金術作品能補足自己收集到的「庸醫廣告」以及奇特的醫學軼聞，包括瑪麗．塔夫茲（Mary Tofts）

於一七二六年所謂「在床上生下一窩兔子」的故事，另外還有其他記載，像是吞食天仙子屬植物會導致「神智不清」，以及他所發表的「關於響尾蛇誘惑或使人著迷之能力的臆測」，其中詳述以狗作餌進行實驗來反駁響尾蛇會「引誘、施法並誘惑人」、使人癱瘓的理論。[35]

史隆的「反盲從輕信」運動激發了一連串對外國族群充滿偏見又帶本質主義的言論。他將許多來自亞洲和美洲的聖物列入「偶像」之流——代表著假神，更是崇拜偶像之罪的證據，有些被他特別標為「異教」，帶有多神信仰、野蠻特性的含意——包括坎普法從日本帶來的佛教神龕。史隆從哈德遜灣公司的貿易商處取得的一隻雪鞋和麋鹿毛皮製成的手袋，則被他描述為「加拿大的休倫野人所製」。在寫給位於巴黎的化學家克勞德・約瑟夫・喬弗勞（Claude-Joseph Geoffroy）的信中，史隆將南亞貝殼的話題轉移到印度宗教上。他以不屑的口吻對喬弗勞講述：「我們無須深究這幾位古代和現代哲學家的探討，他們耗費精力為我們介紹老舊的印度思想或神秘信仰，而其神學與信仰內涵之愚蠢和迷信舉目皆是」。如此不屑一顧的態度在史隆的圈子中稀鬆平常。牛津出身的湯瑪斯・蕭於一七二〇至一七三二年間，於位於巴巴里（Barbary，即北非）阿爾及爾的英國商館擔任牧師，並廣泛遊歷埃及、西奈、塞浦勒斯、聖地（Holy Land）、突尼斯、迦太基、的黎波里以及摩洛哥。他在一七二九年後開始與史隆聯絡，並寄送阿爾及爾和突尼斯的地圖給史隆（史隆接著也很盡責地將之出版於《會報》），也附上有關班加西（Benghazi）南部拉斯山（Ras Sem）一地「假造的」石化作用的奇聞軼事記載。史隆寫道，這些石化物件包括人類遺骸、麵包和橄欖，而幸好有不斷吹拂的熱風，以上物件「轉化成某種乾燥皮質，如同我從匈牙利收集到的某些物品」。在其〈人類目錄〉中，他列下「一段男性的小腿骨，來自巴巴里沙漠中一座鄰近的黎波里的石化小鎮」。然而蕭向史隆保證這些石化物絕非以為的是上述物件；所謂的「橄欖」其實是*lapides Judaici*（寶石），看似麵包的條狀物是石化的小孩，而本以為是小孩破碎殘骸的化石則是大理石雕像。蕭堅稱這些物件並非「如阿拉伯人謊稱是風化的結果」，因為他們只想販售假古物給外國人，他轉而談論「阿拉伯文化傳統的無知和不穩定」，將之歸因於他們「狂野又虛誇的腦袋」。他的結論是阿拉伯人「都是騙子」，且宣稱當地所有的石化作用都必定是「大洪水」的遺跡，但卻沒有提出任何佐證的證據。[36]

羅馬天主教發出的尖銳批評亦不間斷。史隆的植物藏品管理員約翰．阿曼從聖彼得堡回報，說道蒙古的「卡爾梅克人」（Callmucks即Kalmyks）學習一種自己不懂的祈禱用語言，正如「羅馬天主教徒使用拉丁文，遵循同樣的規範，至少背後的理由是完全一樣的，就為了使一般信眾無法理解他們向自己的神祈禱時在說些什麼怪異又荒謬不經的名堂」。史隆使用的論調和基督新教的批評一致，後者抨擊天主教為騙局，用神怪魔法的老生常談來哄騙心智脆弱之人，其中以聖餐禮中實體變換的神蹟為最，據說餅與酒會變質為基督的肉體和血液。史隆在收藏中納入他所謂的「幾樣天主教小玩意，有耶穌像的十字架，以及念珠」；「一個類似銅製手錶、上面附有耶穌像十字架的天主教玩意，另有幾件來自耶路撒冷的陶器」；將耶穌呈現為天主羔羊（*agnus Dei*）的圖樣；一件以「聖母瑪利亞圖像」裝飾「以防雷劈」的緊身束帶；以及一只含有聖母瑪利亞形象的「聖器」，「在進行彌撒時用一條短繩掛在船桅上」。他將這些物件視作某種怪異奇特宗派中的稀奇聖物，將之歸類於〈雜項〉，而「玩意」一詞也顯露出史隆認為這些物品一文不值。此種態度令人聯想到威廉．貝克特和山謬．威倫費爾斯的嚴厲抨擊，他們將國王的觸摸加持、占星學，以及天主教混為一談，皆視為用魔法來哄騙大眾的手段。正如威倫費爾斯所言，「沒有比天主教信仰更荒唐的謬事了」。[37]

事實上，史隆鮮少用長篇大論闡述其宗教偏見和以民族為中心的偏見。一方面他缺乏專業訓練和心性，無法像阿塔納斯．契爾學那般，對其他文化在語言、神學、歷史或建築方面進行深入研究，後者從嚴肅的印度學角度檢視亞洲的偶像崇拜，將之視為普世宗教歷史之比較研究的一個單元。再次，我們看到，史隆的收藏有賴後世學者的使用。舉例言之，十八世紀時，有一股逐漸增長、將南亞與東亞納入普世文化史的企圖，德尼．狄德羅就在《百科全書》中引用坎普法《日本史》第一章對暹羅的記載，來支持古埃及為東亞宗教之源頭的論點。狄德羅未曾讀過史隆所收藏的坎普法手稿，但餘赫澤的翻譯使得其內容得以流傳，也成為之後啟蒙運動大肆推廣的東方主義的原始材料。史隆的譯本收藏證明了此種東方主義源自語言研究。英屬東印度公司的員工長久以來都希望能多學習異國字彙，一方面促進貿易，一方面為基督教收攬信眾（這即是波以耳贊助聖經阿拉伯文譯本的目的）。史隆收入各式語言的手稿，包括土耳其文、阿拉伯文、波斯文、中文、日文以及馬來文等，也為了達到類似的目標，收集了其他題材，涵蓋醫學、法律、宗教，還包含了一位荷蘭人於一六七〇年代以拼音馬來文所寫的基督教聖歌及讚美詩，另外尚有數本可蘭經。[38]

在歐洲人的想像中，「東方」是個很模糊的名詞，涵蓋地中海以東的廣大地區：奧圖曼帝國、黎凡特、波斯、印度，和中國。用來呈現這些地區的社會與文化時，此詞也經常指涉神祕的異國，既專制且迷信，儘管這些文化也激發了對充沛商機的憧憬。十八世紀下半，英國在七年戰爭（一七五六—六三）擊敗法國後，鞏固了自身在南亞的地位，東方主義者對此地也漸趨重視，他們將印度文明描繪成其上古榮光殘留的糜爛遺跡，深陷傳統的泥沼無法自拔。不過，史隆的東方主義針對的是花園與工作坊，而非手稿、廟宇或遺跡；他的收藏則反映博物學家的取向而非古物或文獻學家的興趣。史隆的收藏物與英國皇家學會所鼓勵的民族誌式的偵查，以及洛克所倡導的「人類的自然史」走向一致；他從奧圖曼與薩非兩帝國收集東方民族的圖片集，其中許多是他本人透過威廉・庫廷從洛克處收入的（彩圖11）。史隆偶爾會在《會報》中刊登以東方主義為題材的論文。其中一篇簡短但引人注目的文章是亞歷山大・斯圖亞特對位於沙爾塞特島（Salsette Island）的可內里（Cannara，即 Kanheri）發現的「異教神廟」和洞穴的描述。此地位於印度西岸，鄰近孟買，葡萄牙人在此殖民；其敘述還包含關於「供奉祭品之地」和「無法辨識的文字」（直到稍晚歐洲人才了解可內里是個古老的佛教中心）等引人遐想的記載。然而，當史隆發表自己對東方的論述，他著重的題材更多是植物、礦物或牛黃，而非神祇、種族或語言，他在一七四九年探討所謂有療效的胃石便是一例。此外，對史隆而言，人工製成的物品和天然樣本一般吸引其興趣。舉例來說，他認為自己所擁有的一座以滑石刻成的佛教神明關帝（Guandi）像，除了其宗教價值外，也可視為一項中國工藝以及自然資源的表徵，並在目錄中仔細說明此類物品的原料。若自然樣本能彰顯異國社會文化的運作——例如美洲印地安人以可可豆作為貨幣，文物則記錄了世界上豐沛的天然資源。[39]

史隆也希望自己的收藏能為英國在十八世紀面對的商業挑戰指出經濟性的解決方案。他於一六九〇年代以英國皇家學會秘書的身分，號召國內「仿效」優越的外國「工具與材料」，將其視為推動工藝和貿易通史編纂計畫的一環。儘管博學的評論家經常輕視亞洲美學，但由於消費者偏好昂貴又漸趨流行的中國風，英國的白銀便不斷流入亞洲。取得外國的製造技術有助於推動進口替代品並把白銀留在國內，因此便能確保相當的經濟收益。史隆收藏中的中國物品便彰顯了這些考量。他收入的羅盤和火藥象徵歐洲人長久以來對天朝上國科技發明的好奇，而他收藏的陶瓷和「塗漆的」藏珍閣，則顯示英國人急切希望能以更低廉的成本製造這些要價不菲的進口奢侈品。從史隆對自己收藏的一套仿中國茶具組的描述，便可看出他知曉歐洲人模仿中國工藝的努力。他寫道，這一組茶具由「一位居住於日本的荷蘭人模仿中國器皿在紙板和紙張上繪製而成」。最後，他收藏中有兩個吹玻璃花瓶，出自效力於康熙皇帝麾下的耶穌會士在北京運作的工作坊，這也代表了他許多的考量最終具體顯現在這件物品（彩圖19）。史隆並未對這些花瓶留下評論，但他很可能深刻地了解這些花瓶是模仿雄黃（四硫化四砷）吹製而成，據稱道教煉金術士相信此物質能助人長生不老。一方面，中國醫學的改革者（例如李時珍）長久以來都抨擊這些道士為郎中術士，這些花瓶確實點出了亞洲的迷信。另一方面，這些花瓶是中國與耶穌會士之間的合作結果，因此成為經濟對手（亞洲與歐洲對手兩者）製造業實力的象徵，也是英國人欣羨不已的對象。[40]

史隆收藏的絕大多數寶石與礦物在不同文化中向來都與魔法相關的傳說有關。但對他而言，它們的價值在於其天然成分的機械性質、其物質上的益處，以及潛在的商業利益。金錢的確能使這個世界更容易理解。史隆在一篇有關大象化石的論文中說道，有常識的人都知道，長毛象牙不可能如同某些人宣稱是刻意被埋在地底下，因為「沒有人會荒謬到將世界各地都要價不菲的象牙埋在地底下，這從未發生過」。人們經常以金錢來衡量史隆收藏品的價值。文藝復興時期的義大利宮廷收藏家迴避公然談錢，但他們在荷蘭和英國的後代繼承者則毫不忌諱地大談基爾德和先令。札卡利亞．康拉德．馮．烏紛巴赫報導他於一七一〇年參觀史隆收藏品的經驗，說到史隆拒絕威尼斯駐英大使開價一萬五千英鎊收購其博物館的提議，然而卻「每日漲價」、「開出天價」，「價位令人咋舌」。小報也以金錢衡量史隆的鑑賞力。《週刊》便於一七一七年報導，「我們的大醫師（有著豐富的珍品收藏）出價六十鎊購買最近工人們在布萊德維爾（Bridewel）拆牆時發現的金戒指」。這便是啟蒙的自然史鑑賞力的最佳表現：知道該怎麼出價是判斷力的關鍵指標。《審查者》雜誌的一位意見專欄作家寫道，唯有「那些優雅的紳士的腦中才具有設想規範的特定細胞，也才懂得這些高尚物品」，隨之評論他所謂的「奇珍異寶」。托比亞斯．斯摩萊特（Tobias Smollett）在其小說《皮克歷險記》（*Adventures of Peregrine Pickle*, 1751）透過與自己同名的主角，誇張說道「歐洲沒有任何一個私人收藏比得上漢斯．史隆爵士，除贈禮之外，其收藏價值十萬英鎊」。光是史隆那出名的收藏價值就足夠體現英國崛起成為全球強權的事實。[41]

對鑑賞家而言，收藏品的價值絕對超過它們的收購價。史隆的孫子查爾斯．卡多根（Charles Cadogan）於一七二〇年大言不慚地吹捧其祖父，對祖父說他剛去參觀過的收藏「與您的根本無法相提並論，雖然有許多值得一看的物件，它們只不過是昂貴，卻不罕見」。同時，對史隆的批評者來說，他那龐大又昂貴的博物館卻是學術淪喪、品味變質，以及名聲敗壞的表徵。一七一三年，一位名叫「提摩太．海扇殼（Timothy Cockleshell）」的人致信史隆，表示願意捐贈一幅某位「古代墨西哥國王」的肖像，但那只不過是他的幼稚行為，故意嘲諷史隆專門「收集無用小玩意」。威廉・舍拉德於一七二二年不耐地以「在錢堆打滾」描繪曾是朋友的史隆。對史隆的抨擊者而言，他的收藏品不超乎一架製造個人名聲的自利機器罷了。他們更將這位博物館的幕後人物描寫成一位熱情充斥的陰柔角色，真正愛的是流行和知名度，而非學問。詩人愛德華・楊（Edward Young）針對史隆的批評便是最好的例子。他的作品《名慕集》（*Love of Fame, the Universal Passion*, 1728）書名取得再適切不過了，其中便將史隆簡化為「當代居首的玩具販子」，聲稱他追求啟蒙的野心只是為了家族增光；楊寫道：「他一心追求稀奇珍寶，而他的女兒將得到豐厚遺產。」即便是與史隆相識且讚譽他「深具人文素養與學問」之士的亞歷山大・波普，也在其《致伯靈頓之書信，論財富之用》中將史隆和蝴蝶這種曇花一現又最虛榮的奇珍相比擬：「罕見的修院手稿之於希爾納，正如書籍之於米德，以及蝴蝶之於史隆。」[42]

一位捐贈者乞求史隆：「我只求您在展示時，告知友人展示品來自何處。」不過，記載奇珍異品的來由本來就是史隆在編目上最積極的習慣之一，因為來源能提升物品的價值。舉例來說，傳統上，聖物會與特定聖人和基督的一生息息相關，大使們互相交換外交贈禮以強化國家間的友好關係，而顯赫的前收藏家能提升藝術品的價值。珍品亦然；收藏家重視它們，有部分原因是它們曾為國王、皇后，或知名歷史人物所擁有。因此，史隆刻意在目錄中記載自己收藏中的一隻巴西天牛，來自「瑞德夫人，由其祖父、也是奧立佛・克倫威爾的私人內科醫生，萊茲醫生的個人收藏得來」。史隆不尋常之處在於，他有大量的收藏品將他與歐洲以外的知名人士連上關係。他於《牙買加自然史》中提及，那位幫他從腳上去除chego的非洲奴隸原為家鄉的女王，同時目錄中的條目屢屢顯示就連他列出的天然樣本都與社會地位有所關連。他記載著自己收入的孟買沐浴油是蒙兀兒皇帝用的那種；他收藏的老鷹頭皮來自亞馬科洛的領導者托摩奇奇；且他擁有「馬達加斯加皇后的長袍」，以及安南皇后和「中國領導者」的帽子。這便是透過與異國物件的連結而取得的世界主義者地位：稀罕的人物才會擁有稀罕的物品。[43]

然而，聲名大噪的珍品會招來質疑。在這個貿易和帝國的時代，正是此種對商品的執迷導致英國開始出版所謂的「物品自己說故事」，即以第一人稱的觀點來講述物品周遊全世界的故事。當然，事實上物品不可能訴說自己的故事，因此要由人來代言。儘管如此，並非所有人都相信收藏家的片面之詞。懷疑之士便反駁，人們經常發現周遊世界的物品的故事根本是出自本土的謊言。一位虛構的評論家艾薩克・畢克斯達夫於一七〇九年在《閒談者》雜誌中大發譴責，對象是其文章中的詹姆士・索特的前任男僕，與史隆同為收藏家：「他向你展示一頂草帽，我知道那是距離貝德福德三英里內的『美姬・佩斯卡德』製作的，但卻宣稱這是『本丟・比拉多』的妻子的女傭的姊妹的帽子」。諸如此類的伎倆完全無視大師級的人物在公告物品令人心嚮往之的出處後投以的尊崇。愛德華・楊肯定完全不相信史隆的說詞，並在《名慕集》中以諷刺的口吻說道：「他每逢節日便出示一只曾別在伊莉莎白女王的輪狀皺領上、觸碰她下巴的別針」：「他的眼睛緊緊地打量……滿心崇敬那件約瑟夫從未穿過的彩繪大衣」。[44]

然史隆卻不因此卻步。外交官查爾斯・漢璧禮・威廉斯（Charles Hanbury Williams）雖然對史隆提供的醫療服務滿心感激，卻對報答他而需盡的義務悔恨不已。他將自己在一七三二年所寫的諷刺頌歌提名為〈致於我有救命之恩的漢斯・史隆爵士〉，「期望他能寄送所有在旅途中收集到的各式珍稀」。漢壁禮堅稱自己絕無誇大。史隆利用全世界如同漢壁禮這樣的人來滿足自己對珍品的渴求，他發下「寄給我各式珍品」的命令。從這個觀點來看，史隆商品化了自己的人際關係，只為滿足「收集無用小玩意」的無限慾望。支持女性主義的女學者伊莉莎白・孟塔古（Elizabeth Montagu）本身也是收藏家，她於一七四二年也同樣表示不為其收藏所動：「我剛離開漢斯・史隆爵士的住所，我曾見過比他本人（的收藏）更怪異的物品，但卻沒見過如此零散不一致的收藏：但我不願多加批評，畢竟他給了我許多小玩意，讓我納入自己的收藏」。就她看來，理查・米德所擁有的珍品比起史隆的每件收藏都「有質感多了」。[45]

愛爾蘭詩人拉提蒂・皮爾金頓（Laetitia Pilkington）對史隆的批評可說是最尖銳的。一七四八年的某日，皮爾金頓在備忘錄中記載自己在切爾西莊園等候兩個小時才與史隆談到話，她「終於獲准進入其至高尊貴的居所」，並以（史隆的）反天主教的言論反諷之：「連身著全套禮服的教宗都不如史隆一半的傲慢」（有些史隆的訪客的確親吻他的手）。她還寫道，史隆「就像一尊供奉在一個莊嚴殿堂的神像，旅行者為殿堂富麗堂皇的外表所吸引，想在其中找到一名值得愛戴的神祇」；然而，一旦進入此殿堂，只找到「一隻荒謬的猴子」。皮爾金頓更提到，史隆對自己深愛的手稿之重視遠超過對他身邊任何人的興趣，直到「一名行乞的女人帶著一個眼睛痛的孩子進來」，他才施猛藥予以醫治，導致那可憐的小女孩昏迷。然後他還給了皮爾金頓（她帶著一封米德的推薦信）半克郎，以為她是來「討施捨的」，很是羞辱。這位了不起的人士果然如同教宗一般啊（如果她不是真的需要錢的話，早就把那半克郎朝史隆臉上丟去）。最後她大聲咆嘯地說，這位偉大的收藏家根本是個「自大、荒謬又專橫的老頭」，他那鑑賞和樂施的名聲不過是由鉅富堆積出來的罷了。[46]

他人也發出與皮爾金頓相同的評論。直至今日，一座由建築師英尼格・瓊斯（Inigo Jones）所設計、令人讚嘆的多利克式拱門仍矗立於倫敦西邊的奇斯威克（Chiswick）、柏林頓伯爵（Earl of Burlington）的帕拉底別墅（Palladian villa）中。此拱門來自波福樓，即湯瑪斯・摩爾爵士在切爾西的故居，隨後成為史隆好友波福公爵夫人的居所。史隆於一七三八年左右買下波福樓，但決定將其夷為平地、取其建材。然後，他將拱門轉賣給伯爵、而非贈予，且委託貴格會教徒愛特蒙・霍華德（Edmund Howard）拆除樓房。霍華德認為史隆「很友善」，但自己認識很多在才華上「比他更傑出的人」，而兩人也為了霍華德在史隆切爾西的地產上向賃戶收租應得到多少報酬的意見不合而鬧翻，霍華德因拆除堂皇的波福樓的任務備感壓力，他說「收錢對漢斯・史隆爵士來說比花錢要開心得多了」。儘管如此，他依舊為史隆效力，而即便對史隆仍有批評，還是在一七四二年監管史隆收藏品從布隆伯利遷移至切爾西的工程。他判斷史隆許多的珍奇物品不過是「粗製濫造的小玩意」，另外有人則點出他雇主的真愛——錢與精緻的物品：「他擁有許多金神與銀神」。[47]

娛樂史隆

史隆的收藏品鮮少為人研究也鮮少被運用，在他有生之年從未對外公開，一般人也無從接觸。多虧為數眾多的私人參訪，他的收藏品仍舊聲名大噪。參訪史隆博物館的請求為數可觀。比方說，一七〇九年，基督教知識促進會的特使羅伯特・海爾斯（Robert Hales），致信史隆詢問「崇高的外國人希望於下週三、四或六參觀您的藏珍閣」，包括勒卡克先生，「是位名人」，是德拉芙斯公爵夫人的兄弟；哈普先生（Monsieur Hop），是荷蘭財政總長之子；努華耶先生阿姆斯特丹舉足輕重的商人；張伯倫（Chamberlyne）先生；以及黑爾梅特先生，他是格雷勛爵的連襟。史隆的同僚也會提出請求。牛津的植物學家雅克布・伯巴特於一七一六年致信道：「我家鄉的一位貴族希望能一窺您的藏珍閣，若您准許，我將無限感激，尚請告知您何時方便」。波特蘭公爵威廉・本廷克（William Bentinck）詢問他是否能於週二偕同妻子與兩位姊妹，以及另一位男士一起參觀。源源不絕的公開告示，加上口耳相傳，使這些收藏品成為話題。《每日郵報》於一七四二年流出消息，說「上週有數位外國大臣前往參觀漢斯・史隆爵士特出的自然與人工珍奇收藏」；一七二八年，卡羅琳皇后偕同幾位皇室成員一同參訪；一七三五年，《倫敦晚報》報導奧倫治王子以及「數位名人」對史隆「著名的珍品收藏大為欣喜」，「對漢斯爵士很是滿意」。因此，得以親眼見識收藏品在倫敦上流社會已然成為名人的表徵。[48]

收藏品的名聲不但吸引訪客，更因此得到擴張收藏量的機會。尼可拉斯・加勒德爵士的夫人、也是倫敦富商之後的西西莉亞・加勒德（Cecilia Garrard），於一七三四年拜訪史隆之後，立即贈送了一隻「在一棵蘋果樹的腐枝上找到的昆蟲」。「我以一便士郵資將此寄出，希望樣本寄到時還活著」。阿姆斯特丹的貿易商迪德瑞克・史密斯（Diederick Smith）於一七三七年致信史隆，感謝對方讓自己一窺他的珍品。為了回報大收藏家，他也有件珍品相贈：他捉弄似地刻意不說是什麼，但卻「對此物能躋身您無盡收藏品之中感到驕傲」。加勒比海的博物學家格里菲斯·修斯（Griffith Hughes）則於一七四三年說道：「您得知我在等待您邀請我參觀您的珍品，心中欣喜」，自認對方願意給他「與幾位身分高貴的女士一同前往」的好處。他諂媚地解釋，希望自己能「為您呈上價值更高或至少更稀罕的物品」，「但因為您已在全球為人所知之地遍蒐珍品，我如何贈送您任何新奇物品呢？」他勉強討來幾罐巴貝多島的蟲子和爬蟲類，這些肯定被納入史隆的架上：「若您接受我的〔贈予〕，我將極為感激」。還有人更想以贈送收藏品的方式來得其門而入。一位名叫凱薩琳·拜德（Katharine Byde）的女士不認識史隆，便贈送他一份禮，並於隨附的信中詢問她和夫婿能否前往參觀。[49]

對這位全世界好奇心最重的人而言，沒有任何稀有物品是奇怪的。強納生·派粹吉（Jonathan Partridge）稱史隆為「各類物種最佳的鑑別家」，他於一七一三年送給史隆一些被老鼠部份消化過的奇怪物質。一七二九年，「在承受極度痛苦和艱難才發現蟲類的本性後」，約翰·紹索爾（John Southall）告知史隆「我已完成一篇關於這些令人作嘔的毒物的短論文，希望能盡快出版」，而「閣下您眾所公認的鑑識能力與好奇心無人能敵，〔應是〕本文最佳的評斷者」。英吉利海峽耿西島的彼得·凱利（Peter Carey）於一七三五年從南海送來一株祕魯冷杉樹，要求史隆確認此植物的名稱。芬蘭奧博大學（Åbo University）的約翰·威林（Johan Welin）於一七四一年以誇耀的口吻說道：「您對深入自然界搜尋、孜孜不倦的熱忱，在全歐洲無一處不被人談論」。他寫了一篇文章希望史隆審查，其中講述芬蘭農民辨識新鮮蛋和腐壞蛋的方法，辨識的方法即是在耳邊搖晃雞蛋、聆聽聲響（新鮮的蛋不會發聲，腐壞的蛋則有聲響），並以舌頭測量蛋的溫度（蛋的尾端溫度應較高）。多年後，瑞典神祕主義者艾曼紐・史威登堡（Emanuel Swedenborg）描述自己見到的幻象，其中他聽到史隆與馬丁・福克斯（Martin Folkes，他在史隆之後繼任皇家學會會長一職）「在靈魂的世界中談論種子和蛋之存在的問題」，探討兩者是源自「自然界」或是「神的創造」。「為了使辯論能有結論，一隻美麗的鳥出現在漢斯・史隆爵士面前，對方要求史隆檢視此鳥，看看是否與世上另一種類似的鳥在最細微的層面有任何差異。史隆將鳥捧在手中細細觀察，最後宣告其中並無差異」。史隆儼然成為鑑別珍奇事物的標竿。[50]

參觀史隆收藏品的經驗的最佳證據，來自在布隆伯利和切爾西看過展覽的學者，他們可能在參展時做了筆記。參訪收藏品是個歷史悠久的傳統。在歐洲中古時期，裝有聖人遺骸、真十字架碎片，以及醫療用的聖物等物品的聖骨匣，往往也同時扮演朝聖地點的角色，並有提供給旅行者的導覽手冊。文藝復興時期王公貴族的藏珍閣也仿效此種精心設計的物品朝聖的文化。藏珍閣有高度的戲劇效果，不但呈現各式珍稀、以其耀眼奪目的多樣性令觀賞者震懾，同時也成為由宮廷禮儀常規和目錄、旅遊指南，與行為指南共同形成的巡迴參訪行程的一部分。由於展示品缺乏書寫的解釋性說明，口頭交談和在知識上有禮貌的較勁則成為此種參訪行程的重點。同時，由於收藏家經常是貴族或顯赫之士，一般來說，他們會期望訪客稱讚其收藏之富麗，這不僅是對其財富和權勢的推崇，也是對其辨識力的肯定，即便學者和紳士的確對物品本身的辨識與其意義兩方面有不同的見解。這些訪問經常是團體活動，因此也是一種社交場合。對主客兩方而言，此種遊覽行程都是戲劇表演的機會。文藝復興時期的收藏家稱自己的博物館為*theatrum mundi*——世界劇場，其來有自。[51]

針對遊覽史隆收藏品最早的詳盡記載出現於一七一〇年：法蘭克福的博學之士烏紛巴赫（Uffenbach）到布隆伯利參訪（不過他的記載直至一七五三年才以德文出版）。烏紛巴赫非常欣賞史隆，指史隆以「至高的禮數」接待他和友人，「與自大過度的伍德沃德醫生大相逕庭」。史隆以法語和他們交談；而如此世界主義的風範，「就英國人而言很了不起」，因為多數英國人「寧可看似愚蠢，也不願以外語和外國人交談」。史隆帶領客人進入一間大小適中的房間，其中擺滿成行成列的書籍和收有「甚為珍奇又有價值的物件」的收納箱。此行的亮點之一則是與史隆的談話：比方說，烏紛巴赫記下了史隆講述婉拒威尼斯大使出價收購其藏品的故事。或許由於史隆的收藏過於龐大，且參觀行程相對短暫，烏紛巴赫無可避免地，僅僅列出了他看到的事物：收於瓶罐中的動物、魚、礦物、形狀特殊的珍貴寶石、昆蟲、貝殼、海膽、珊瑚、瑪瑙，還有鳥類，全都「令人讚嘆」且為「上選」，還包括「印地安人等怪異的服飾」。此時烏紛巴赫對參訪其他在倫敦和牛津的收藏品仍記憶猶新，將之與此次展覽相比較。史隆不但比愛發牢騷的伍德沃德更平易近人，他的昆蟲收藏也比約瑟夫·丹德里奇（Joseph Dandridge）的更精采，部分原因是史隆對「昂貴」的、人稱白雲母的透明雲母薄膜投入巨資，那是種觀察昆蟲的裝置（彩圖15）。烏紛巴赫也特別讚賞收藏品的稀罕程度。他對「一種所謂長在樹上的布料」——史隆收有、如蕾絲般的牙買加白皮樹——多所讚譽，而史隆的*Cochlea terrestris*（一種蝸牛）也值得一提，不是因為其優雅，而是因為牠「很奇特地為卵生，這是在其他收藏中看不到的」。[52]

烏紛巴赫的記載顯示，史隆將其收藏開放參觀展現了對訪客高度的信任，讓他們觸碰、把玩，甚至品嚐他的物件。此般信任的確是種殊榮：由於目錄和複製品不公開，要體驗這些收藏完全倚賴私人邀請。史隆於一七〇一年評論有些訪客對他的植物「甚為好奇，以致奢望私下攜帶一部分回家，因此破壞了剩下的收藏」——指的可能是一七〇〇年發生的事。當時有兩位名叫約翰・戴維斯（John Davis）和菲力普・維克（Phillip Wake）的竊賊，由於無法侵入史隆「門禁森嚴」的居所，便計畫在內部到處縱火，假伸出援手之名行偷竊之實。當然也可能發生意外。有個耳熟能詳的故事，與多年後喬治・弗雷德里克・韓德爾（George Frideric Handel）的造訪有關。這位偉大的宮廷作曲家將一塊塗有奶油的鬆糕放在史隆的手稿上，造成損毀（據說韓德爾說「這讓那可憐的書蟲不知如何是好」）。但也有人對收藏品的感官體驗不甚滿意。一七一二年，卡萊爾主教尼克森（Bishop Nicolson of Carlisle）在日記中提到，史隆的亞洲「軟玉」精緻亮滑，「但摸起來油膩膩的」。相反的，烏紛巴赫則珍惜每一個得以鑑賞的機會。他描述「拿著一顆蛋就著光看，可看到內部藏有的甲殼」；史隆收有「結構甚為奇特」的鳥巢，並「告訴我們這些鳥巢可當珍饈食用」，鼓勵他們以娛樂的心態嚐嚐看，其實是為了測試訪客的知識。烏紛巴赫說，「從味道、外觀和觸感，我判斷這是橡膠樹脂」。而對美學的鑑識也是參訪的一環。史隆有一份關於西印度群島的葡萄牙文手稿，其中含有「優美的圖畫」，然而烏紛巴赫指出其蝴蝶則「不如阿姆斯特丹的文森所收藏的那般美麗」。[53]

烏紛巴赫對史隆的錢幣與勳章收藏很是著迷，很懊悔「時間不夠，無法一一仔細觀賞」。看展並不是研究行程，比方說，當林奈於一七三六年來參觀時，他沒有時間細細鑽研史隆的標本集，但稍後卻在自己的《植物種誌》（1753）中大量運用出版於史隆《牙買加自然史》中的版畫。烏紛巴赫的參訪行程即將結束時，史隆請訪客們進入「另一間房，大家坐在桌前，一邊飲用咖啡，一邊看史隆出示的各式稀奇書籍」：收有異國的動植物合輯，包括瑪麗亞．西碧拉．梅里安的畫冊，另有「頂級藝術家」製作的「各國服飾畫冊」，「每一頁都以不菲之資從世界各處收集而來」。訪客們也翻閱手稿，大多與醫學相關。儘管烏紛巴赫備受禮遇，也對收藏品極為讚賞，他更對史隆的財富特別激賞。他認為能夠從下午兩點半直到晚間七點遍覽收藏品實為「殊榮」，但也以自己受到的禮遇來估測史隆在此期間賺取的收入：「據說他每小時賺取一幾尼」。烏紛巴赫稱讚他那「周遊列國」又「深受愛戴」的收藏主，但隱隱挖苦地恭維史隆特別對「德國人以及對其收藏品略知一二的訪客」特別友善。就這一點，烏紛巴赫也往自己臉上貼金。「我為他獻上一顆 *hystero lythibus*（子宮結石），他從未見過，很高興地收下了」，也因此史隆「對我們比對其他人更為禮遇」。[54]

烏紛巴赫對收藏品的概述既清晰又具學術性，也自視甚高。其他的訪客最多只列出展覽的精華。比方說，一七一二年卡萊爾主教在日記中特別記錄了中國和維吉尼亞的土壤顏色之差異、英格蘭格羅斯特郡的鐵礦、史隆那被珊瑚包覆的罐子、來自牙買加的蟻窩、乾燥的中國植物、一隻像龍的蠑螈、一隻「怪物般的海熊」、以及兩隻在籠中進食的紅嘴烏鴉。另外更有些訪客的想像力過於豐富，把史隆的博物館幻想成神聚集萬物而形成的微型世界。一位抒情的訪客由於深受感動，於一七一二年寫作〈觀賞史隆醫生博物館有感〉的詩文抒發感想。作者講述「一個基於大師眼光收集出的……世界」，他正如亞當轉世，是為「天堂中的第一個人類」，聆聽史隆講解時，想像自己身處伊甸園：「審視此般擁擠世界……您大名於各個謐境聲聲入耳，於此讚賞造物者與收藏家之巧藝」。這便是史隆博物館呈現出的雙重奇觀：一方面是神造物的偉大，一方面是史隆收藏品的震撼。「若世上真有天堂，非此莫屬」；在此「拉普蘭熊與帛琉的動物相遇」，另有「印地安女英雄」、「波斯大篷車」，以及「非洲野蠻黑人」中的仙女——以上種種皆以「了不起的複製版本」的世界呈現，「回朔其燦爛的源頭」。史隆已經擁有所有值得收藏的物品：「珍品商人」的確不需再「要索莫名高價的異國罕見珍稀」。[55]

對史隆收藏最詳細的記載現身於一七四八年五月，此時瑞典博物學家佩爾・卡姆偕同數位紳士拜訪切爾西莊園。當時史隆已有八十八歲高齡，但每天仍抽出一兩個小時接待少數特定訪客。卡姆記載史隆的助理們一一打開收藏櫃，展示一千多顆美麗絕倫的石塊，「或稍事磨亮、或經過人工處理」以彰顯展示的效果：寶石、瑪瑙、浮雕珠寶飾品、茶杯、茶碟，以及胃石，「有些如拳頭般大」。其中一塊碧玉上附有「兩位站立的女性喋喋不休交談的圖像」，至少介紹人是這麼說的，因為卡姆委婉地表達遲疑之意，說道：「要靠想像力才看得出來」。另有浮雕珠寶飾品以及統治者或神祇的面容，例如用條紋瑪瑙石製成的亞歷山大大帝和戰神，這些人臉凝視著訪客們，其他石塊則狀似「腫大的眼睛」或各個身體部位。許多盒子在打開後發現它們裝飾之華麗不下其中收藏的寶石。卡姆和烏紛巴赫一樣對其美感與價格同感讚嘆；其中一個盒子以透明的碧玉所製成，另有一個則附有碧玉鎖。另有一個櫃子收納了最昂貴的寶石，收有一系列互相咬合的抽屜，貌似「一塊立於墳墓上的紀念碑，或是頂著義大利式屋頂的房子」。各式鼻煙壺也在展示品之列。其中一個以礫岩製成，有著類似聖誕布丁多疙瘩的質地，據史隆的助理所言，一位英國商人曾在中國大量出售此種鼻煙壺，利潤高達百分之一千兩百——「生意很好」。一組以貴重寶石裝飾的茶杯與茶碟組要價五十五幾尼：「據說」光是一個櫃子就收藏了「一千三百種之多的各式珍貴石料」。[56]

訪客繼續參觀行程，欣賞了一組光芒四射的戒指，其中一只鑲有一顆「摩卡」石（據說史隆花了一百英鎊買下），也鑲有一顆相傳曾用於裝飾蒙兀兒皇帝頭飾的綠柱石。欣賞「至為貴重的寶石」後，一行人接著前往觀看各式各樣令人驚豔的珍品。所見珍稀首先是一隻中國女性的鞋子，「不比瑞典兩三歲小娃穿的鞋子大」；一種「東印度群島的女性用來抓背的」以象骨製成的工具；木製髮梳，以及能裝入口袋的珍珠和偶像；更有亞洲舞者穿著的「叮噹作響的物事」。隔壁展廳的牆上則掛滿了史隆收藏的圖畫，包括芮、庫廷、威廉．登皮爾，以及英國國王與皇后的肖像。讓卡姆印象格外深刻的，是一幅難以解釋、畫有六位「身體扭曲成各式不同的姿勢……的赤裸的女性」，她們顯然是為了排出史隆的名字：因此「其中一位向前彎下，形成字母S」。接著是一間狹窄的陳列室，有一百英尺長，擺滿了物品。沿著陳列室的兩旁放滿了裝有樣本的櫃子，珍品懸掛於牆上，兩面牆壁也排滿了史隆的藏書。對此卡姆只能列出所見物品的清單：滿是高腳杯的壁櫥；大量的珊瑚；磁性甚強的磁鐵；「沉浸於海底許久」、為珊瑚包覆的瓶子；如「冰一般透明的」水晶；羽毛和鳥蛋；一名西印度群島國王飾有紅色羽毛的頭飾，以及一把西印度群島手斧；魚標本；一隻獨角獸的角；樂器；煙管；來自愛爾蘭的木頭（可能是愛德華．邵斯衛送給史隆的地下冷杉）；來自世界各地的鞋子；一個裝著超過一萬盒乾燥種子（植物性物質）的櫥櫃；以及「如同麻料或紙張……據說可用做皺褶的」lagetto纖維。[57]

種子和昆蟲不下數千種，其中包括許多精美的蝴蝶，一隻隻裝在標有號碼的盒裡，而這些幾乎完全相同的盒子則整齊地收納於超過一百多個抽屜中，每個盒子都與手掌心一般大。此時，收納的本身也成了一種景觀，炫耀著保存的藝術在美學與技術兩方面的極致成就。如此這般的種種精緻細節都令卡姆心神嚮往：「有些盒子的盒蓋與底部是以如水晶般剔透的玻璃製成，有些只有透明的玻璃蓋。在玻璃蓋與盒身接觸的部分，則以紙張密封，如此才能保持密閉，更不容許飛蛾或其他昆蟲進入致使內容物受損」。一行人繼續前進到另一個展廳，內有從史隆標本集中處取下的大型對開本標本冊，打開展示世界各地的植物。史隆的書輪放置在附近，「在需要同時閱讀數本書時」可方便閱覽，同時也用於展示：「輪子轉動時，所有的架子也同時旋轉」。在此，訪客跨越浩瀚的書海：二十四冊法國國王贈與史隆的「昂貴」稀有書籍；一冊來自中國、內含「極美圖畫」的文件；還有五千三百冊有關醫學、旅行、自然史和許多其他題材的手稿，全都「以精美的封皮裝訂成冊」。參訪行程至此還未結束。另有八間展廳，從地面到天花板，每面牆都放滿了書籍和無以計數的珍品。鯨魚脊椎骨上乾燥的軟骨，充滿了空隙如浮石一般；一個擺放海膽和其他海洋生物的櫃子；一副犰狳的骨架；來自哈德遜灣的豪豬標本（原先放置於史隆的花園）；以龜殼製成的茶杯；人類骨架和一個埃及木乃伊；上古文物；數千種浸泡烈酒保存於瓶中的大大小小動物；世界各地的人群所穿過的服飾；一個來自好望角有條紋的驢的標本；以及來自西印度群島的木船。[58]

參訪行程接近尾聲時，卡姆進行一項贊助人林奈交代的學術任務，也是他此行的目的：計算 *Cobra de Cabelo* 的鱗片與腹甲的數量。他很後悔進行這項任務，抱怨道：「我多希望自己沒有進行這項任務」，因為「別人到處觀賞各式收藏時……我卻將精力投注在數鱗片上，這是非常困難的工作」。這可說是倍增了藏珍閣的難題，意在以完全失控的收藏量讓訪客自覺無法負荷——萬花筒一般的多樣性因參訪時間的短暫愈發讓人眼花撩亂。史隆的博物館就是打賭訪客不記得自己看了什麼。偶爾致信史隆談論「某些有斑點的菱形肌」的博物學家彼得·克林遜，就曾在這方面有過英雄式的作為。他試著分析一些讓多數訪客沮喪不堪、幾乎不可能注意到的枝微末節：「如果沒記錯的話，我記得在走進展示木乃伊的房間時，看到您放置在左手邊的櫥櫃中好幾項不同的物件都有複製品」。卡姆認命地完成任務，記下*Cobra*有一百八十三片腹甲、六十到六十一片鱗。此時參訪行程已結束，他與同伴走出博物館進入花園，一行人的最後一站是到一棟附屬建築物中，靜靜對著一顆號稱有九十英尺長的鯨魚頭思索——作為一段史詩規模的參訪行程的高潮終結，再適合不過了。[59]

即便卡姆對史隆收藏品的記載生動鮮明，其歷史價值卻不是最高的。最有歷史意義的紀錄，要算是第二篇寫於一七四八年對切爾西莊園的記載：這篇是該年六月威爾斯王子夫婦蒞臨拜訪的產物，也是揭開本書序幕的那段故事。這份記載是首度為史隆收藏的價值提出有力論述的文章，且用英文以平易近人的手法寫作發表，也很可能是史隆考慮到收藏品在自己身後的去向，希望從公眾議題的角度鼓勵探討此問題，因而刻意採取的策略。在這篇記載刊登於《紳士雜誌》、廣為閱覽之前，幾乎沒有類似的出版品對史隆的收藏進行詳盡的紀錄。《紳士雜誌》於一七三一年才創刊，這顯示英國社會中產階級的印刷品文化確實在此時正值萌芽。此文的作者是克倫威爾·莫蒂默，他是內科醫生、博物學家，也是在英國皇家學會協理史隆事務的秘書，更在切爾西莊園接待過王子和王妃。莫蒂默以大肆宣揚史隆及其收藏品為文章起頭：據他描述，「王子親自表達對〔史隆〕的崇高敬意與重視，表示知識界應向史隆致謝，表彰他建立如此龐大的珍稀書籍的收藏，也該感謝史隆的無窮寶藏，這些對了解自然界的運作與藝術的發展都極有價值和教育意義」。王子如此公開地褒揚史隆，很可能不無私心，史隆和莫蒂默兩人也應該明瞭，因為王子當時很認真地建立自己的地位和影響力，因此以非常醒目的手法大肆贊助文化活動。舉例來說，他為愛國詩文〈統治吧！不列顛尼亞〉（Rule, Britannia）譜曲，之後這首歌曲成為新興大英帝國的國族主義最重要的一首頌歌。英國在十八世紀中期正往全球霸權的地位邁進，而文化評論家也越來越熱中探討國家自我認同的議題，此時，史隆的收藏品很可能與一整個國家的野心產生共鳴，那就是想擁有不只是世界的「副本」而已。[60]

莫蒂默的記載和其他對史隆收藏的描述不同之處，在於後者通常以遍覽所有的收藏品為目標，莫蒂默則描述關鍵物品以對讀者傳達愛國情懷。他先以短暫訪問行程的形式，一一列出史隆的貴重寶石、珍品，以及「過繁不及備載」的物件；「五十五冊的對開本毫不足以容納此龐大博物館的內容物，總館藏超過二十萬件」。他既不吹噓收藏品的價值，也不多談其學術用途。反之，他強調收藏品一種崇高但較抽象的價值：這些物品應放在上自上古暴君、下至殺人不眨眼的天主教徒種種專制的背景下來檢視，發出一種以大英帝國立國的自由精神和軍事強權為主調的愛國論述。在能熟練利用錢幣學知識宣傳的背景下，史隆的勳章收藏便佔有極重要的地位。其中包括含有亞歷山大大帝形象的錢幣，他「被野心沖昏了頭，入侵鄰國、橫行肆虐」；凱撒「這個人奴役整個國家，只為了維護自尊」；教宗葛雷格里十三世（Pope Gregory XIII）和法王查爾斯九世（Charles IX）兩人「被宗教狂熱蒙蔽了眼」，導致「屠殺法國境內的新教徒」；代表法國和西班牙的人物「爭先對英國表示順服」；在荷蘭，「當領導者壓制過度時，有人以民間憤怒的方式表達不滿」;「威廉王的到來讓英國順利度過難關」;馬爾博羅公爵約翰・邱吉爾(John Churchill)在西班牙繼承戰爭中是最受人稱頌的軍事將領,他「光榮的英勇事蹟」也在陳列之中;還有「當前顯赫的皇室」於一七一四年「順利抵達本國」。[61]

史隆的收藏也激起以虔誠基督教傳統出發的反思。莫蒂默指出,「大洪水發生前的遺跡令人想起這重大災難的可怕」,而「各式各樣的動物展現神所創造的各種美好事物」。他毫不羞愧地諂媚威爾斯王子,將其描繪成一名貨真價實、無與倫比的鑑賞家:「每當欣賞一件他未曾見過的物品,他立即憶起在某處讀過;而觀賞各地與當代勳章之際,他發出明智的評論,儼然是精通歷史與時序的大師」。如此阿諛諂媚是有目的的:史隆的珍寶能配得上王子的尊貴,因此英國應該以國家之光的角度看待之,不能令其流落在外、落入外國人手裡。莫蒂默接著說:王子「表示能在英國觀賞如此精彩的收藏,令他無比歡欣」,「將之尊為國家門面的裝飾」。王子殿下更表示:「如果能向大眾開放此收藏,以利後代,該會增長多少知識、為英國增添多少榮光」。莫蒂默利用威爾斯王子的參訪,為「將史隆的貢獻視為緊急國家大事的必要性」提供了最好的理由。短短五年之內,史隆收藏品的去向果然如史隆所願、成為公開辯論的議題。然而,將私人博物館轉型為公共博物館卻史無前例。史隆的收藏品何去何從還不得而知。[62]

CHAPTER

7

建立大眾的博物館

Creating the Public's Museum

目的在推動所有人的進步、知識和資訊

一七五三年一月十一日，史隆在切爾西莊園離開人世，離他九十三歲生日只有三個月。長壽不但是他自律的最佳明證，且如同我們之前談到的，對他的收藏事業也至關重要。史隆的告別式「甚為隆重」，於切爾西教區教堂中的家族墓室舉行，史隆夫人也安葬於此。班戈主教（Lord Bishop of Bangor）札克利．皮爾斯（Zachary Pearce）當著「擁擠的群眾」致悼文。他誦讀〈詩篇〉第九十篇，解釋其主題為「人生中的不確定性，以及美好生命的益處」。他說史隆生命終了時未受苦楚折磨，「對談話的享受」也絲毫未減。史隆虔誠表現了基督徒的行善特質，在行醫時拯救「眾多生命」，而身為知識界最「勤奮的自然研究者」之一，他在國內外都備受尊崇，「君主與平民對他的崇敬都不可磨滅」。皮爾斯強調史隆交遊之廣闊，出人意料地橫跨社會各階級，這是他的特點：「從王座到店鋪，不論各個階級與各色人等，史隆得到的尊敬與愛戴皆可謂實至名歸」。他的普世交誼是普世收藏的基礎，「綜觀古今、國內國外，全世界幾乎沒有一處出現過近乎普世的

收藏，包括稀有與珍奇、古代與現代、自然或人工物件，來自各個時代、各種氣候」。[1]

主教大人為史隆對後世的影響賦予嚴肅的宗教意義。他說道：史隆對這一點很執著，即「自然界偉大造物者之智慧與良善，以如此龐大的收藏品的形式聚集一地、呈現於人們眼前，一目瞭然」。他呼應威爾斯王子的感想，略過收藏品對外開放有限的情況不談，以愛國的口吻強調這些物品因對公眾有所貢獻而「為國爭光」。史隆的珍寶是種當代特有的勝利，古代收藏的規模相形見絀，甚至普林尼筆下的羅馬帝國寶藏都相形失色：「普林尼……意想不到人類才智膽敢做到的事，我們卻做到了；得知這樣的成就出現在自己的國家，每個英國人內心必定澎湃洶湧」。主教大人繼續呼應王子的話，一邊褒揚收藏品國寶級的價值，一邊強調史隆的個人榮光：「切爾西的收藏顯示出的決心，也是所有高尚之士為了後代而顯示出的相當決心，並使漢斯・史隆爵士名留千古。此等珍寶前所未有，無庸置疑：全球能號稱珍寶的收藏都相形失色，也很難想世界何處還能再出現類似的收藏，除非其他幾近奇蹟的條件再次出現。」[2]

史隆過世後不出幾天，倫敦的小報雜誌便開始流傳有關史隆遺囑和收藏品去處的謠言。其中一篇報導指出史隆的遺產價值五萬英鎊，但可能折價以兩萬英鎊售予喬治二世；另一家報紙估計史隆的遺產價值二十萬英鎊，還提到「國王陛下所屬的兩架有篷馬車」將價值較高的物品運送至英格蘭銀行存放，予以妥善保存。「（史隆）雄偉的心胸及其龐大又稀罕的收藏品，在此完整地展現」，而這「可能是世上最完整也最珍奇的陳列了」；或許「能大膽地宣示這是世上空前絕後的私人（也可能是公開的）收藏」。正如班戈主教大人，報章作家也凸顯收藏品的公眾價值；「儘管史隆以私人錢財獲取這些珍寶，但卻不只為個人欣賞所用」，因為「收藏品對人類整體有所助益」。史隆的英國人身分，儘管有些模稜兩可，也令人引以為傲。據說他的「家鄉」以「身為其出生地為傲」。但這指的是愛爾蘭嗎？《倫敦晚報》的確點出史隆的愛爾蘭出身，但那只是為了衡量一個外省孩子能達到多少成就才提的。「他雖出身於愛爾蘭王國道恩郡的啟利列」，但「求知的渴望驅使他少時離鄉背井，尋求開闊的空間、一展長才。」[3]

捐出收藏品、成立公共博物館是個既新穎又複雜的主張，特別是當時「公共」這個概念還未成形。在十八世紀初期的英國，與這個詞彙相關的概念是國家、國家機構以及政府官員，而不是「公眾」或更廣大的民眾。然而「民意」作為獨立且為人認可的政治實體這個觀念，即便其起源難以追溯，卻在當時獲得新的動力。對某些評論家而言，民意來自「人民」，至於人民應被視為國家的道德基石還是無理性的暴民，則仍莫衷一是。統治階級對民意有所警惕，因為他們認為這可能動搖政治與經濟生活的穩定性。儘管約翰．洛克於光榮革命期間支持叛亂的權利，他仍於一六八九年寫道：「最危險、最不可靠、也最可能引人誤入歧途的就是大眾了，因為大眾對真理和知識的掌握，遠不如謬誤和錯誤產生的影響」。從這個角度來看，政府不應跟隨民意，反而應該塑造民意，知名作家如丹尼爾．狄福等人偶爾為政府效力，透過巧妙的宣傳手法來塑造民意。然而，當代哲學家尤爾根．哈伯瑪斯（Jürgen Habermas）卻認為，十八世紀的頭幾十年，多虧咖啡屋和印刷文化的興盛，「公共領域」已然興起，是個有別於政府、也批評政府的辯論場域。[4]

公共博物館的觀念有前例可循——端看如何定義「公共」和「博物館」。遠在古代的亞歷山大城便有此類的機構。有別於無數貴族與皇室的珍藏，中古歐洲教堂的寶庫定期將聖物與其他物品展示於整個信眾之前，也是一種形式。再者，歐洲有許多公共收藏品，因為它們為國家所有，或是保存於公有的宮殿裡。直至十七世紀，波隆那的自然史收藏經常保存並陳列於市政建築中；位於羅馬卡比托利歐山的卡比托利博物館（Capitoline Museum）也展示藝術和古代收藏，於一七三四年開放。俄羅斯的彼得大帝積極推動公開展覽，儘管那是一種開明專制的表現；他在一七〇四和一七一八年分別下詔，要求將所有「怪胎」送到聖彼得堡科學院，於此教育農民，助其了解此為自然現象而非魔鬼的徵兆。巴黎的盧森堡宮（Luxembourg Palace）也於一七五〇年起，在某幾個夜間對外開放其展覽廳，以慶祝國王的藝術品收藏，並藉其塑造全民對繪畫的品味。[5]

在英國，一六四九年查理一世被處決後，皇室財產徹底重新分配，平民在拍賣場中迅速收買斷頭國王的藝術作品，以為共和國籌措經費，但在王室復辟後，許多藝術品也歸還王室。影響較深遠的發展則是一六八三年在牛津開放的阿什莫倫博物館，展品中包括查德賽特家族收藏的物品。阿什莫倫開放給所有給付入場費的訪客，不受社會地位或私人邀請的限制。阿什莫倫因此成為歐洲最開放的收藏之一，即便對某些人而言，此種入場政策形同將紳士階級參訪博物館的規則商業化了。札卡利亞．康拉德．馮．烏紛巴赫在一七一〇年就對展館中平民人滿為患的景象甚為不滿：「今天是市集日，所有的鄉巴佬不分男女，全都來了……人群擁擠，我們什麼都看不到，只好下樓改日再來」。他滿懷怨恨地說：「只要付得出六便士，連女人都可以進來」；而在牛津的博德利圖書館，「農民和女眷……盯著藏書看，就像牛在新鬧門邊眼巴巴地盯著一樣，噪音加上腳步聲，對人多所干擾。」參觀收藏品的一般大眾冒犯了烏紛巴赫標榜的學者風度，一個由學問、階級和性別所共同界定的神聖殿堂似乎就被骯髒的大眾玷汙了。[6]

一七〇〇年在倫敦，約翰・科頓爵士（Sir John Cotton）身後將其手稿收藏捐贈給國會，但數十年來並未妥善保管，於一七三一年在阿什本漢樓（Ashburnham House）一場大火中差點付之一炬。英國皇家學會的典藏庫在早期曾由傑出的博物學家內米亞・格魯管理，但到了十八世紀卻衰圮不堪。史隆繼任會長後曾嘗試復興典藏庫，但他私人的博物館反而變成專業管理的典範，典藏庫反而屈居末座——一群會員於一七三三年到布隆伯利拜訪他，為的就是「更深入了解典藏庫中該增添什麼」。與此同時，市場上，稀有珍品的買賣商卻於此時帶頭開創了商業性的珍品展。開創者包括窮困的克勞狄・德普耶斯，他不但賣稀有物品給史隆，也靠展覽賺錢。史隆的切爾西的僕人約翰・薩爾特（James Salter）後來經營了藏珍閣節目，該節目後來成為倫敦在十八世紀最受歡迎的活動，據說史隆本人在退休後還定期去觀賞。為了吸引訪客，薩爾特幫自己改了更有異國風味的名字，並將展場命名為唐・薩爾特羅咖啡屋（Don Saltero's Coffee House），其中一塊區域則被劃為「珍品咖啡小室」。顧客可在此享用飲料、抽菸，並付費觀賞他的奇珍異品。到處湊一咖的烏紛巴赫讚嘆道：「四周牆壁以及天花板上都掛滿了異國動物，例如鱷魚和烏龜，更有印地安人和其他怪異的服飾與武器」。對他而言，薩爾特羅咖啡屋的展場是個貨真價實的博物館，提供有關怪異新世界的知識。[7]

其他人則不以為然。艾薩克・畢克史塔夫（Isaac Bickerstaff）在《閒談者》中抱怨道：「我實在無法接受他逕自……為自己的收藏品命名」，並質疑薩爾特對自己的物品既無知識也無誠信，無法真實呈現它們。一方面來說，薩爾特的許多物品來源無庸置疑，有些是從史隆般的大師級人物之處得來，其中一件還是史隆的海牛皮鞭——被禁用的牙買加奴隸鞭。薩爾特羅甚至還出版了一本刷過好幾版的目錄，用博物學家的形式來大肆宣揚自己的收藏。另一方面，他愛開低俗的玩笑，顯示其收藏的某些部分的確不過是玩笑罷了。他的目錄列出一隻「餓死的貓，數年前發現於西敏寺牆壁的間隙中」，而且他柿子也挑軟的吃，開玩笑反諷天主教，例如對聖物的說明是「教宗那不可能會犯錯的蠟燭」。唐．薩爾特羅的展覽館與阿什莫倫博物館的名聲同樣毀譽參半，這顯示出在十八世紀前半葉，珍奇收藏的名聲穩穩地站在異國博物館學和商業性胡鬧行為之間，成敗參半。不論如何，不論在英國或歐陸，當時仍沒有一份收藏是屬於任何國家的財產，在原則上提供民眾免費自由參觀的權利。[8]

史隆為自己的收藏品規劃的公共博物館似乎也經歷了一段過程。直到一七〇〇年為止，史隆已經開始為了收藏的目的而收購書籍，而非為了個人所需；到了一七〇七年，他也已開始考量後代的需要而整理自己的信件（這可不是個簡單的工程：一份數據估計史隆的書信往來共有一千七百九十三封）。同年，他讚頌將英國皇家學會的收藏與「科頓和皇家圖書館」（Cotton and Royal Library collections）的館藏結合的計畫，當時全國幾乎沒有一個國家機構負責結合各種私人收藏的工作。同時期的人也同樣地把史隆的私人博物館視為一個典藏庫。那位培爾梅爾街長角的女士的角終於在一七二五年脫落，同時《倫敦雜誌》宣布該刊物將被送到史隆的博物館「與其他的珍品一同存放」，儼然是非常符合時代潮流的事情。當里茲的古物學家雷夫．索爾斯比於該年過世時，湯瑪斯．希爾納立即敦促兩人共同的好友里查．李察遜，讓索爾斯比的物事「由有能力的人接管」——「我認為能納入漢斯．史隆爵士的收藏最為妥當」——無疑地，他記得史隆已經收納庫廷、佩第維以及其他多人的收藏品。時至一七二五年，史隆也開始以一名公共收藏者自詡，說明他希望納入佩第維的樣本能確保「為公眾利益而保存並公開」這些物件。歷年來史隆博物館的幾位訪客也曾為他的收藏貢獻物品。透過以上種種方式，史隆的收藏漸漸取得公共性的地位。[9]

儘管如此，直到一七三八到三九年間，由於史隆的健康狀況日趨惡劣，他才開始積極思考自己對後世的影響。他在七十八歲時寫道：「〔我〕開始對自己的後事有不同以往的想法」。他既非貴族出身，也沒有子嗣。這表示他不受貴族繼承傳統的桎梏，特別是為了延續家族姓氏，力求將所有物件傳給子嗣的習慣；然而，無疑地是基於時代的偏見，史隆也因為自己兩個女兒莎拉和伊莉莎白無法成為他博物館恰當的守護者而煩惱。如果他有能力阻止的話，他更不希望將自己的收藏交到皇室或英國某個學院或學術組織的手中（皇家學會典藏庫的差劣狀況可能讓史隆退避三舍），不過這些選項都在他的面前。這倒讓他產生了一個新穎的想法：建立一座公共博物館。在一七三九年飽受疾病折磨之後，史隆開始認真思索，著手草擬遺囑，在精心擬定的條件之下，將自己的收藏捐贈給國家。[10]

詹姆士．燕卜蓀是與史隆最親近的館藏助理之一，他的證言顯示出公共博物館的計畫與史隆個人對不朽的渴望如何交織在一起。文藝復興時期就有些大言不慚的收藏家，以希臘神話中愛上自己倒影的青年納西瑟斯為榜樣。批評史隆的人士並不那麼介意他愛惜名聲，事實上，這在社會生活中有其必要性。十八世紀的評論家將知名度（celebrity）定義為稍縱即逝的名聲，無法在身後延續，然而名聲（fame；拉丁文作*fama*）就不一樣了。名聲則是種尊貴又足以匹配偉大功業的獎勵，通常用以表揚彪炳戰功或文學成就，以激勵後代仿效其美德。將史隆的所有收藏集結於一處的想法也具高度的個人意義，因為收藏家非常擔心自己的收藏品可能會分散四處、自己的努力付之一炬，使得個人記憶無法流傳後世。因此，維持收藏品的完整對延續收藏家本人的記憶至關重要。燕卜蓀在史隆死後接續其事業。他在一七五六年以遺囑執行人的身分指出：為了「不負他身後的記憶」，遺囑執行人的「職責」便是要避免其收藏的任何一部分與「整套」分離，並確保「完整並有計畫地保存並維持〔收藏之〕完整」。他回憶道：「我陪伴他直到最後一口氣，因此我能肯定地表示，他會如此處置自己廣泛又龐大的收藏，很大的一個動機是希望自己收藏家的名聲能流傳後世；他從不願因為收藏與其他物件混雜，或因為納入其他物件而掩蓋了自己的名聲」。史隆成立涵蓋所有創造物的普世博物館的這項公開又大膽的舉動，其中深深嵌入的是他這位來自阿爾斯特的外省人士冀求留名千古的個人野心。[11]

此一讓公共與私人名聲都永垂不朽的設計並不偏離史隆的想法，反倒是其事業的合理延伸；其事業進展的每一步，幾乎都踏在公眾與私人利益的交叉點，以及個人生涯與機構發展兩者綿密交錯的關係中。托比亞斯．斯摩萊特（Tobias Smollett）的小說《克林克探險記》（*The Expedition of Humphry Clinker*, 1771）中的一名虛構的角色馬修．布蘭伯先生便聲明：「我參觀過大英博物館，其收藏甚為高尚、甚至令人非常驚訝，想想這是個一般個人的私人收藏，他不過一邊賺錢維生、一邊收藏的內科醫生」。然而，稱史隆為「一般個人」並未考量到他身為內科醫生或博物學家的職涯其實有高度的公共性，也未考慮他之所以能致富並進行收藏非常倚靠他的種種關係，特別是他在這個鞏固國家發展以及帝國擴張的時代，與公眾人物、與公共機構建立的密切關係。史隆很清楚自己在英國公眾生活中的領導地位。舉例來說，他在一七三七年致信比農神父時，便稱讚法國政府做了「明智」的決定，支持前往祕魯和北極測量地球形狀的科學探索計畫，這麼說多是感嘆英國政府不支持諸如馬克・蓋茲比的美洲探險計畫，而落於「貴族和有想法之士」責任——包括他自己在內。就此類計畫而言，史隆及其夥伴就代表了英國政府。史隆收藏的內容便支持此觀點，例如，他的文件近似政府公文而非私人文書，其中包含法律和獄政改革、保險方案、勞動濟貧所，以及主要道路與港口的修整等計畫的說明。為史隆處理銀行事務的吉伯特・西斯寇特以私人財富贊助光榮革命並協助創立英格蘭銀行，同樣地，史隆也意在利用自己的龐大私人收藏，催生一座公共博物館。[12]

史隆的遺囑於他過世的一七五三年公諸於世。從他對內文以及附錄字句琢磨之仔細，便可看出多年前目睹漢米爾頓家族因爭奪阿爾斯特產業對他留下深刻的烙印。由於史隆曾經鯨吞他人的收藏品，他很了解一輩子事業有多容易就付之一炬，也因此深知如何避免同樣的狀況：不得拍賣、不得變賣，也不得與其他收藏品結合。史隆首先聲明自己的博物館「彰顯神之榮耀」，因此應用於「反駁無神論及其影響」，而遺囑草稿最終版的重點則要求博物館依照以下條件對外開放：「本人於此聲明，依照本人之意願和意圖，該博物館或收藏品應……對所有希望欣賞或參觀之人開放……〔同時〕應盡量為人所用，並且用於滿足好奇心，亦推動所有人的進步、增長知識和資訊」。為了「服務大眾」，保存其收藏品的博物館應位於「倫敦市內或附近，我在這些地區納入了許多產業，建在人群聚集處才能對最多人產生助益」。史隆使用「所有人」一詞，指的的確是普世開放：任何想觀賞收藏品的人都應該能欣賞。不過，他也用了「好奇之士」這個在十八世紀算是模稜兩可的詞彙。「好奇之士」指涉博學且接受過良好教育、富裕又有地位的紳士（和淑女），但到了十八世紀中期，此詞也可用於指涉尋求奇珍異品之人：也就是付錢到酒館和咖啡屋見識不尋常或令人不太能相信的現象的人。另一個與此相關的模糊之處，便是史隆經常提到的「觀看與欣賞」收藏以及「讓收藏發揮作用」兩者間的差別。不同的活動會使他建議的博物館有很不同的功能，同時也暗示對公眾的不同定義，這也大開辯論之門，探討為觀眾展示陳列以及鼓勵學者進行研究兩者之間的平衡。[13]

史隆提出明確界定的條件。首先，與一般的認知不同，他並未將自己的收藏贈送給國家，而是以兩萬英鎊的價格售出。他宣稱這個金額是實際價值八萬英鎊的四分之一而已。出售的收益將由兩位女兒接收。其次，由於他不能肯定政黨立場鮮明的國會是否會合作並接受他的條件，同時他可能也很清楚國會疏於管理科頓的收藏品，因此他設計了以下應急方案。如果國會在十二個月之內尚未買下其收藏品，則會依序向位於聖彼得堡、巴黎、柏林，和馬德里的科學研究院尋求其他的買家，每位買家都有一年的時間考慮是否收購（史隆遺囑的較早版本還包括了英國皇家學會、牛津大學，以及愛丁堡內科醫學會，但之後排除了這些對象）。唯有在完全沒有買家這種極異常的情況下，才會訴諸拍賣收藏品。這一步很險。威脅要將收藏品送出國可能只是策略性手段，但史隆不可能肯定自己能否成功逼迫國會做出行動。事實上，把收藏品送出國可能真的是較好的結果，這一點也顯示出它們的尷尬地位：到底是毫無疑問地首要屬於英國的珍寶，或屬於「文人共和國」和國際學術社群？史隆究竟是個愛國者還是個世界主義者？遺囑中列出的每一個可能接收其藏品的外國科學院，他都是成員之一，這表示他著實很嚴肅地考慮要將自己的收藏移出英國（直到一七五二年他都持續接受外國頭銜，比方說，他以九十二歲的高齡成為哥廷根科學院的院士）。他的確是在前任館藏管理員約翰·阿曼保證俄國博物館的設施完備之後，將聖彼得堡移到名單之首，而的確也有人將藏品賣給俄國人，例如，彼得大帝於一七一六年收購了荷蘭博物學家阿爾伯特·施巴的收藏。史隆的首選是倫敦，但保全自己收藏和遺產的完整性在某些方面也同等重要。[14]

打從過世的那一刻起，史隆對遺產的安排便照著他精心規劃的路徑前行，更集結了一群不起的朋友為自己執行身後事。他列了一份葬禮的賓客名單，並贈送每位參加葬禮的客人一枚價值二十先令的紀念戒指。他還指定四位主要遺囑執行人，由自己的孫子卡多根勛爵帶頭，其餘三人為詹姆士·燕卜蓀，以及自己的兩位姪子威廉·史隆（William Sloane）和史隆·埃爾斯米爾（Sloane Elsmere）；另外更指定一群信託人，在他死後不久便聚集於切爾西莊園開會。信託人共有六十三位，包括上流社會的重要人物、家族成員、好友，以及皇家學會的會員——此為史隆一度縱橫的上流菁英公領域的橫剖面。其中包括吉伯特·西斯寇特的兒子約翰·西斯寇特，是為東印度公司和英格蘭銀行的董事以及芳德鄰會會長；南海公司的一名董事詹姆士·勞瑟（James Lowther），是軍械庫保管員兼芳德鄰會副會長；建立喬治亞殖民地的軍人詹姆士·奧格爾索普將軍；蘇格蘭軍事補給官約瑟夫·亞默斯；民事訴訟法院的法官湯瑪斯·博爾內（Thomas Burnet）；代表摩拉維亞教會租賃史隆在切爾西的土地的尼古勞斯·新生鐸夫伯爵（Count Nicolaus Zinzendorf）；樞密院成員諾森伯蘭公爵（Duke of Northumberland），另有其他政府官員，例如愛爾蘭國務大臣愛德華·紹斯衛、身為前任財務大臣也是海軍大臣和內閣大臣的保羅·梅休因爵士（Sir Paul Methuen）、卡萊爾主教，以及身為作家也是內閣總理之子的霍洛斯・渥波爾（Horace Walpole）。[15]

渥波爾是當中最有趣的一名人物，因為他其實對史隆的收藏非常質疑，而此種懷疑的態度體現了英國文化中自然史和藝術收藏之間的重大分歧。他在一七五三年寫信給同是好友、外交官，也是信託人之一的賀拉斯・曼（Horace Mann），提及其他的信託人時說道：「我們是吸引人又有智慧的一群，全都是哲學家、植物學家、古物學家和數學家」、「您絕對猜不到我的時間都用在哪裡，目前我的主要任務是看管胚胎和海扇殼……（史隆估計價值）約八萬左右；而任何人喜愛河馬、獨耳鯊魚，還有如鵝一般大的蜘蛛，都可以這麼打發時間！這是租金，用來將胎兒保存在烈酒裡用的！把錢是為最高價的珍品的人，竟然也想買這些東西」。幾年之後，渥波爾於一七五七年為了《查理一世主要圖片收藏目錄與解說》（*Catalogue and Description of King Charles the First's Capital Collection of Pictures*）所做的一則「廣告」中概述自己希望全新的大英博物館將開創「一個美德的新紀元」，並激勵收藏家將自己的收藏贈與博物館，為「自己的國家」謀福利而非「拍賣物品導致」收藏四散各處，「最後不見天日」。渥波爾對拍賣的觀感相當矛盾：他經常光臨拍賣會，但也認為這些場合威脅社會秩序，使得一心想發跡之人能迅速取得社會地位、分散貴族的收藏品。這些恐懼稍後果然成真，為了還債，他的父親羅伯特・渥波爾爵士在霍頓廳（Houghton Hall）的藝術收藏最後賣給了俄國的凱薩琳女皇，而諷刺的是，這筆藝術收藏卻是他父親社會地位提升的表徵。賀拉斯・曼顯然認為史隆是個叫賣便宜小玩意的暴發戶，根本無鑑賞力可言，因此對他不屑一顧。他推崇「純藝術」、看低自然史這類「實用藝術」，然而在英國文化中，繪畫因為長期與天主教的華麗及王室的腐敗相提並論而地位受挫，這肯定使他對自然史的敵意越發強烈。英國皇家藝術學院（Royal Academy）直到一七六八年大英博物館開館後才成立，此時美術館才成為公共生活中的一項基本元素。同時，渥波爾夢想中的大英博物館應該要是全英國第一座國家美術館，而非史隆期望的百科全書式的博物館。他在《查理一世主要圖片收藏目錄與解說》的導言中大言不慚地竊取史隆對後世的貢獻，讓前任國王取代史隆，搖身一變成為博物館的守護神，恭維這位「皇族大師」為提升全國的藝術品味而犧牲，「忌妒的暴民」竊取了他的畫作，害他慘遭「叛亂和侵占」的摧殘。[16]

其他的信託人並沒有人表達出類似的看法。雖然部分收藏妥善保管於英格蘭銀行的金庫，史隆的遺囑執行人仍舊根據他的條件與國會進行交涉。然而，史隆的提議並未自動贏得國會議員的贊同，原因是財政部缺乏收購的資金。必須要極力爭取支持才能確保史隆收藏品的安全，因此信託人向國會請願，並成功地於一七五三年三月十九日在下議院安排舉行一場辯論會，而身為信託人的燕卜蓀則是當日被傳的主要證人之一。博物館的經營成本成為一個關鍵議題，這並不在意料之外。燕卜蓀盡全力向內閣官員保證成本絕非天價，他一一列出預計付給每位博物館職員的薪水來舉例說明。但議員們對這些收藏品真正的意義仍舊質疑，例如威廉・貝克（William Baker）議員就經常將史隆的博物館藏貶抑為「一堆蝴蝶和小玩意」。[17]

幸好，信託人在下議院中有盟友。惠格黨員兼議長的亞瑟・昂斯洛（Arthur Onslow）便為創立博物館擔起遊說的重任。他將命運未明的科頓手稿的保存狀況納入辯論的內容，同時，史隆的一位老友亨利・佩勒姆（Henry Pelham）趁機鼓吹國會一併收購羅伯特與愛德華・哈雷兩位牛津伯爵身後已經由波特蘭公爵夫人代為捐獻給國家的藏書。由於自然史名聲不佳，將史隆的藏品併入以上手稿收藏一併收購，可能確實引起了國會議員們的興趣。基於政黨利益進行的政治操作可能是這些討論的弦外之音；意識型態經常主導收藏的建立。舉例言之，湯瑪斯．霍利斯（Thomas Hollis）是一位忠實的惠格黨員，也在美國大革命期間支持美洲殖民地的權利，他捐獻許多政治哲學相關讀書籍給大英博物館和位於麻薩諸塞的哈佛學院，特別是與共和政治思潮有關的著作。史隆向來與重要惠格黨員關係良好，而惠格黨國會議員現在積極支持史隆的計畫，包括代表布里斯托的議員昂斯洛、小愛德華．紹斯衛（老愛德華之子、羅伯特．紹斯衛之孫，兩人都曾任愛爾蘭國務大臣），以及菲力普．約克（Philip Yorke）。史隆也指名紹斯衛和約克為信託人。由於收藏品能體現盎格魯薩克遜的自由傳統，這些人很可能將之視作宣揚惠格政治理念的利器：科頓手稿中含有一份大憲章副本，這很可能成為惠格黨自詡為大憲章傳人的有力工具。此種策略並不是惠格黨的專利，身為托利黨員和詹姆士黨人的湯瑪斯．卡特（Thomas Carte）也曾於一七四〇年代早期主張收購哈萊手稿（Harleian manuscripts），因為，就他看來，手稿為「我們祖先自古便享有的……英國人持有的權利和特權」的證據——而且，從托利黨的角度看來，這些權利早已被惠格黨人摧毀。[18]

多虧昂斯洛及其同僚的努力，史隆的遺囑執行人最終贏得了辯論，而下議院也投票接受史隆遺囑提出的條件。國會將監督公共博物館的創建。上議院在辯論一項防止牛群感染疾病的法案之餘，以及決定如何獎勵在大洋中發現經度之際，通過了大英博物館法案（British Museum Act），喬治二世於一七五三年六月七日正式給予御准。此法案反映了史隆的理想，規定收藏品

「不僅為博學與好奇之士觀察與娛樂所用，更要為公眾所用、使其得利」。不過，新博物館確切的形式以及開放給大眾的詳細內容仍未定案。國會願意維持收藏的完整並於倫敦公開展示，史隆的遺囑執行人也接受了國會強加於上的一連串變更，包括指派政府官員為當然信託人（而非僅聘任史隆的私人朋友），其中有大法官、下議院議長、坎特伯里大主教，以及數位內閣大臣。雖然不知是誰的點子將此新機構命名為「大英博物館」，但選擇了這個名字的意義重大。它聲明收藏品為國家所擁有，其保存和陳列則成為國家光榮和實力的展現。大體來說，這些物品的來源雖不是英國，卻屬於英國。作家艾德蒙・坡勒特（Edmund Powlett）於其一七六一年出版、顯然是有史以來的第一本指南書中指出，「英國博物館」為「國家光榮的永恆紀念碑」。史隆、科頓及哈雷三人的收藏，將與亞瑟・愛德華茲少校（Major Arthur Edwards）的藏書（當時已與科頓藏書合併）合併，史隆的女兒因此收入兩萬英鎊，另外博物館也建立了定期收入管道，以維護館藏，其中一部分來自公開股票的投資收入。[19]

購買股份只是博物館所依賴的博弈形式之一。大英博物館法案中的絕大多數款項是透過販售公共彩券而來，藉此償還積欠史隆之女的款項。也就是說，這座國家博物館的創建經費並非來自國家籌撥的資金或是有遠見的皇室贊助，反而是來自平民百姓願意試試手氣、想得大獎而攢錢買一兩張彩券所進行的消費。法案的起草人很清楚他們在利用人們的惡習來造福大眾，因而下令懲戒許多與詐欺相關的罪行，其中包括偽造彩券將受監禁甚至判處死刑的懲治。另外，囤積彩券也是一大問題。高達十萬張彩券規劃以每張三英鎊的面額出售，這些手繪的彩券一式兩份，按比例計算後共有四千一百五十九張「幸運券」，最大獎為一萬英鎊，按比例下降到三千個名額的十英鎊獎金。最後在一七五三年十一月二十六日於倫敦市政廳（Guildhall）舉辦抽獎，之後頒發了總額共二十萬英鎊的現金獎。[20]

即便在好賭的十八世紀，人們也普遍認為大英博物館推出的彩券是個醜聞。博物館完工當月，國會便要求進行正式審查。一位被指派的彩券經理彼得・李歐普（Peter Leheup）被控大量收購彩券、轉售牟取暴利，據說圖利高達四萬英鎊。他被罰了一千英鎊之後了事。一位身分不明、採用許多別名的人士似乎收購了大量的彩券。據稱為人和善的西堤區（City）銀行家和金融家、同時身兼藝術收藏家的山森・吉迪恩（Samson Gideon）便購買了數千張彩券，即便他宣稱當時人在法國（因身為羅伯特・渥波爾爵士的朋友，他並未被起訴）。且不論種種詭詐的手段，去除所有花費之後，彩券的淨收入為九萬五千一百九十四英鎊八先令兩便士，這數字將涵蓋購買史隆的整個收藏品、收納收藏品的建築物、付款給史隆的女兒們，以及購買股份的初始投資。這是一座名符其實的英國博物館。這座藝術與科學的嶄新殿堂，充滿啟蒙學術與實用知識的承諾，其所矗立的基礎奠立於私人財富，這是一張廣大的帝國人際關係網，長期與金錢和沉迷下注的民族性發生角力（彩圖20）。[21]

由於切爾西莊園離倫敦市中心太遠，面積也不足以容納大量訪客，其實也容納不下收藏品本身（史隆已經援用地下室作為儲藏室），因此信託人決定需要一個更寬敞、地點更好的場地。當時屬私人產業的白金漢府邸（Buckingham House，即目前的白金漢宮）是選擇之一，但由於要價三萬英鎊，實在太昂貴，因此便買下了孟塔古府邸（Montague House），這座建築原本是史隆在皇家學會的同事羅伯特・虎克設計建造的，於一六八六年一場大火後重建，信託人在一七五四到五五年間以一萬英鎊廉價買下，隨後又投入了八千六百英鎊重建並維修。很巧的是，這座建築就在大羅素街上，離史隆在布隆伯利廣場的故居只有幾步之遙，坐落於城市的邊緣，兩側田野環繞。算是個怪異的巧合吧，孟塔古府邸恰好是守寡的奧倫馬公爵夫人——奧倫馬公爵的遺孀，也是史隆的前任贊助者——的故居，她後來嫁給了孟塔古公爵；而詭異的是，她是在公爵同意以模仿康熙皇帝來滿足她對異國風情的迷戀後才願意下嫁，至少謠言是這麼傳的。史隆、科頓和哈雷等收藏都經過仔細的檢查，史隆的目錄也被細細檢查，證明其中記載的物品「名符其實」。史隆過世時仍外借的藏書都被追回，而信託人也著手博物館內部的安置、聘雇職員。一七五六年初，戈溫．奈特（Gowin Knight）這位博物學家、發明家，也是自己設計的磁羅盤的推銷員，他獲得了圖書館員的關鍵職位，手下帶領三名職員，亦即燕卜蓀以及馬修．梅堤（Matthew Maty）和查爾斯．莫頓（Charles Morton）兩位內科醫生。待進行的工作很多：編撰新目錄、安裝木製收納櫃、購買股份、確認薪資等等。由於發現孟塔古府邸陰濕（導致接連不斷的抱怨），實體環境也需要整治，而且為了照明和保暖所需的蠟燭和煤炭數量也得妥善計算。在執行許多決定時，原本奈特理應負責監管，但這位野心勃勃的磁鐵大師很快地就越過界，在選擇修繕工人時沒有諮詢博物館的常務理事會，導致理事會在這方面嚴加管控。另外他與住在館中的職員也鬧不和——倒不是與女傭或館員，而是與顯然貪好杯中物的門房。[22]

隨著籌備工作的漸次進展，博物館的職員也需要設想最符合向大眾展示一座國家博物館的方式。可能是為了留作紀念，許多史隆的複製品已被拿走，有些被史隆的女兒莎拉索去；《牙買加自然史》中的版畫插圖以及一些精心挑選的物品也為家族成員取走。奈特、燕卜蓀，以及他們的博物學家同事威廉・華生（William Watson）決定重新安排收藏品陳列的方式。他們都同意，即便保存了整套收藏品，並不代表不能重新整理。燕卜蓀告訴董事會，「儘管私人收藏家可任意放置和陳列其珍品，我們深知身為公共機構的大英博物館將迎接的訪客不只是好奇之士，更為明鑑與智慧之流，他們將注意到其中的收藏品是否依照一定的方法論井然有序排列」。他們以有禮但嚴苛的態度否定了史隆的陳列方式：從私人到公共博物館的轉型也涵蓋了從純粹「好奇」到「有明智判斷力」的態度轉變。奈特繪製的博物館平面圖以及早期對博物館的描述，皆顯示博物館員們傾向以教學性質較高的「存在之鏈」的模式進行陳列，依此模式建構的宇宙為一個存在的階級構造，最頂端是神，接著是天使，然後是人類、動物、植物和礦物。史隆先前著重同一個分類中物品的多樣性，現在遭到反對，此法既不連貫又不協調，不適合用於公共博物館。奈特解釋史隆的收藏品應該要「妥善地分為化石、植物與動物三大部分」，展示自然萬物「漸進的轉變」，逐漸「晉升成為更高階層的生物」，如此「觀賞者才會依循從最簡單到最複雜和最完美生物的過程，領略自然萬物之美」。[23]

有趣的是，當時的觀察家將博物館中的秩序與社會秩序相提並論。有人擔心開放免費入館參觀可能會激發普羅大眾過度的熱情。柏克郡的女學者凱薩琳・泰伯特（Catherine Talbot）於一七五六年預覽孟塔古府邸後，心中產生了一個念念不忘的特殊景象。她說自己很「開心」能在博物館中看到「珍貴的手稿、靜物圖片，以及古代木乃伊」，但「在另一個白日夢中」又想像「書籍的另一個面貌（某些人將書捧在手中的動作激發了這個想像），就好比是對叛亂分子開放了軍械庫，架上糖果與毒藥混雜」。我們不清楚泰伯特究竟看到何人翻閱收藏中的書籍，但免費參觀給她不祥的預感，也產生對社會動亂的恐懼。有此種預感的不只她一人。在此前一年，同為古物學者與博物館信託人的約翰．沃德（John Ward）反對「指定幾天公共日開放給所有人參觀」，認為這會讓「暴民」肆無忌憚；「普羅大眾一旦嘗到這種自由的滋味……之後就很難收回這種自由」。只有「守規矩、有秩序」的人才配參觀，而多數的「平民百姓根本不可能遵守秩序，他們將會把廳堂搞得跟市街一樣骯髒」、破壞家具與庭院，「擾亂整個博物館的營運」。[24]

史隆訂下的全部免費參觀的條件造成非常嚴重的困擾。有些人覺得此想法非常危險。眾信託人在一開始就計畫讓不同階級的訪客參觀博物館的不同區域。卡多根勛爵於一七五六年極力主張拒絕「地位低下的不當人等、甚至是做粗活的傭人」進館參觀，且早期針對「讓收藏品妥善地為公眾所用」的提案被狹隘地解讀，「盡可能地防止低下粗俗或行為不端正之人妨礙因博學或好奇而理當免費參觀典藏的人士」。博物館員查爾斯．莫頓和安德魯．吉福特（Andrew Gifford）兩人於一七五九年評論道：「下至技師、上至全國居首的學者要人，皆受強烈好奇心的驅使而來……每個人理解的方式都不相同，也不需要依照不同的人量身訂做陳列的方式」。戈溫．奈特的領地意識作祟，提倡禁止「無身分地位」之人進入圖書館，聲稱此類人等將威脅收藏品的安危，而唯有博學之士才能最洽當地幫助學術研究達成公共使命。即使「大眾」是個普世的概念，但絕非蘊含普世皆同的現實。[25]

將私人珍奇屋轉型為公共博物館代表著將人們更拉近物品，卻也同時將物品與人們保持距離。湯瑪斯．伯奇記載中的新規則強制規定「收藏庫中的」所有的勳章、珠寶與「其他類似的小型珍品都〔應該〕鎖在抽屜中，以玻璃或網子覆蓋以供觀賞；在館員或其助理不在場的情況下，任何人皆不得取出，也不得用手觸摸」。其餘物品也都放置於「護牆木板模或是大小相近的盒子中，前方也以類似的銅網加以防護」。奈特指出，博物館的首要功能是「為國內外博學之士與研究者所用」，然而，由於博物館的營運倚靠公共經費，也應該「盡量開放給大眾」參觀。至此強調的重點已微妙但肯定偏離了史隆所堅持、開放博物館讓「所有人」參觀，轉而重視能讓學者進行研究的良好環境。相較於史隆之前願意讓私人訪客取出、觸摸、甚至品嚐物品的舉動，現在大眾完全得不到同等的信任。奈特很肯定地表明，「觀賞收納櫃中的物品時，一概不准用手觸碰任何東西」。另外對訪客行為還有更進一步的規範，包括只能加入指定的團體參訪。史隆身後與他身前並無二致，不僅收集全世界的物品，更收集了全世界的人：對所有人開放的博物館將會使欣賞過他收藏品的人數以史無前例的比例增加，同時也使自己的藏品成為全球前無往例、最知名的收藏。然而，當大英博物館首次開啟大門，迎接公眾入館的那一刻，孟塔古府邸中嶄新上鎖的盒子和抽屜顯示出的是接管他收藏品的人所抱持的矛盾心態。[26]

進入大英博物館

大英博物館於一七五九年一月十五日週一開館，幾乎剛好在史隆過世整整六年後。館藏免費開放，但必須事先以書面申請，以此規定來限制訪客人數不致過多。到了約定當日，訪客聚集在大羅素街上的博物館入口，由入口服務員迎接並帶領穿越庭院（圖7.1）。早期的導覽團體人數很少——每次僅接待兩團五人的團體；幾年後每團導覽的人數增加至十五人。每次導覽

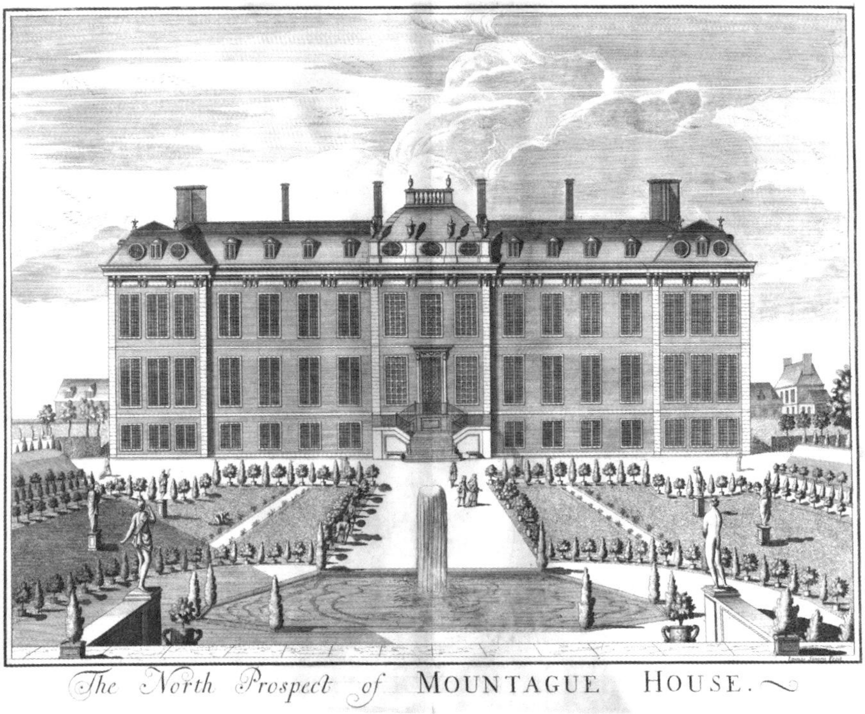

圖7.1 ——位於大羅素街上的孟塔古府邸：這是大英博物館的第一個家，重建於一六八六年，國會於一七五四至五五年間以一萬英鎊收購，直到一八四〇年拆除前都與博物館目前的館址比鄰。

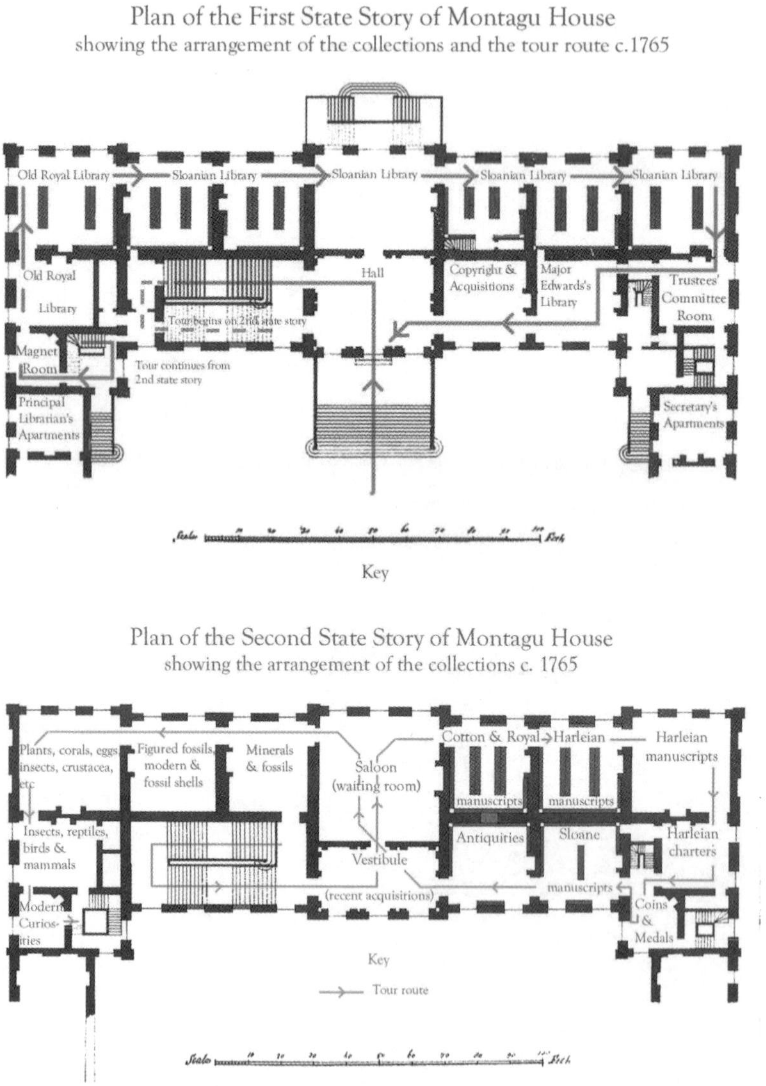

圖 7.2——參觀大英博物館：早期的導覽帶領持票入場的訪客迅速參觀三個展區——手稿與錢幣、人工與自然產物，和印刷書籍——及其下屬的數個子展區。

歷時兩小時，起初只於週一和週四舉行。博物館的管理者認為大多數的訪客對閱覽室不會感興趣，因此把導覽大多的時間花在欣賞自然史的收藏品，由博物館員仔細監看（圖7.2）。對早期導覽最精采的記載莫過於艾德蒙·坡勒特於一七六一年出版的指南《大英博物館館藏總目》（*The General Contents of the British Museum*）。我們對坡勒特所知不多，然而他本人解釋此書，說它是通力合作的結果，「幾位先生提供給我參觀館藏的筆記」，另外「一位女士則提供關於近期展出的貝殼的有趣評論」。坡勒特特別向一位不具名的訊息來源——可能是燕卜蓀——致謝，「他對我幫助甚多，由於他與漢斯·史隆爵士相交甚深，是最有資格提供幫助的人」。他的目標是指引讀者「將注意力放在博物館中與其興趣最相投的部分」，「與其從一個物品晃到下一個物品」，如此作法「才最能滿足參觀者的好奇心」。[27]

踏進全新裝修過的豪華孟塔古府邸後，首先映入訪客眼簾的是頭頂上精緻的法國浮雕；腳下踩著的是來自南義大利亞壁古道（Appian Way）的石頭以及其它羅馬時期地標的殘片；一副真冠帶魚的骨架；來自紐芬蘭的一顆美洲水牛頭；以及各式各樣刻有拉丁文的石塊。繼續往前看，可見地面上矗立著六角形的支柱，它們來自愛爾蘭道恩郡科爾雷因附近的巨人堤道——可能是史隆遠在一六九〇年代取得的。接著訪客向左轉，經過一條石頭拱廊朝著大型升梯走去，經過一系列的神話故事畫作、羅馬戰爭畫面、狂歡酒神節、法國地景與建築——皆是孟塔古府邸原有的古典式設計。一上樓便踱步過「附底座的漢斯·史隆爵士半身像」，但沒時間駐足。走進第一間展廳可看到一尊埃及木乃伊，那可能是勒席優里耶（Lethieullier）家族（身為史隆信託人的倫敦商人世家）最近的贈品，接著就是一系列的史隆特色收藏：珊瑚、黃蜂巢、「腦石」

樣本、一隻紅鶴標本，以及各式螺旋狀泡在烈酒中的動物。向左轉便進入主會客室，訪客可盡情坐在以維吉尼亞核桃木製成的精美座椅上稍歇片刻，感受附近的壁爐散發的熱度。另外還有更多的畫作以及描繪特洛伊悲劇教士勞孔（Laocoön）的蠟像雕塑。從窗戶向外眺望可見博物館靜謐的花園，以及漢普斯特（Hampstead）和海蓋特（Highgate）的綠地在遠方招喚。[28]

接著，博物館三個展區的導覽至此正式展開。第一區是手稿與錢幣。手稿分為四區分別展覽：史隆的個人收藏、英王喬治二世於一七六〇年過世前捐贈的藏書、科頓，以及哈雷的收藏。入口有個小型肖像畫廊，展出包括各國王與皇后、克倫威爾、洛克、莎士比亞、培根、史隆收藏的威廉·登皮爾、知名解剖學家安德雷斯·維薩留斯，以及著名學者安娜·瑪麗亞·馮·舒爾曼（Anna Maria von Schürmann）等人的肖像。另外尚有荷馬、彼得大帝、烏利賽·阿爾德羅萬迪，以及自愛德華三世至查理二世等君主（但缺詹姆斯二世）的半身像。手稿則存放在以木頭和金屬線精心製成的收納櫃與夾板之中，周圍有更多的半身像予以裝飾。在這裡要學就要爬：到處都是摺疊梯與樓梯。多數手稿都摺疊收在抽屜中，不過，科頓收藏的大憲章副本則顯著地展示於專屬的玻璃盒中——坡勒特稱之為「我們自由的保障」。哈雷將近八千份的精彩手稿收藏佔去了一間展廳，其中包括聖經、可蘭經與舊約的古董副本。下一個展廳則收有史隆收藏的手稿：雖然年代並非最久遠，卻有相當的自然史和醫學價值。再下一個房間則展示史隆數以千計的錢幣和勳章收藏。[29]

博物館的第二個展區含有數間展廳，陳列著「人工與自然產物」，大多屬於史隆收藏的古董和雜項物品。其中有來自墨西哥與秘魯的文物以及一座日本寺廟的模型；以樹皮製成的籃子；來自美洲的「水煙袋」（類似水煙筒）和煙管；來自中國的鼓；來自古羅馬以及寫有阿拉伯文的護身符；樂器；科學儀器；刑具以及獻祭用具；古典雕像；以及「美洲偶像」。接著看到自然界的樣本：依照「存在之鏈」順序陳列的動植物化石，如同戈溫・奈特設想的一般，全都陳列於更為精緻的櫥櫃中：以鋪板和桃花心木製成、四面鑲以玻璃面的櫃子，搭配桃花心木與玻璃製成的桌面和可攜式展示桌。史隆的礦物和化石有自己專屬的陳列室，展示盒以拉丁文標示。隔壁展廳則陳列著貝殼、更多礦物、胃石，以及從羅馬台伯河打撈出的一具稀奇的、附有一層外殼的頭骨。接著是數千項收納於抽屜中的植物、昆蟲、樹木、水果和樹皮——也就是史隆所謂的〈植物性物質〉。陳列物件包括絲草、印度棉、以及史隆的牙買加lagetto；以珊瑚堆出的堡礁；黃蜂巢；還有無數存放於瓶中的動物。各式閃閃發亮的指環、凹紋印花和印章也散置於桌面上，正如當年在切爾西展示給威爾斯王子與王妃時那般。[30]

最後一間展廳收納「當代珍品」，陳列的物品涵蓋從仿瓷器的玻璃杯到坡勒特描述為「羅馬公教教徒甚為珍視的物件，諸如聖物、念珠，以及神聖建築物的模型」，另外收有在德國某些「羅馬公教盛行地區」的礦工會放置於坑道口的耶穌受難十字架。接著是美洲原住民的羽毛冠以及貝殼串珠；頭皮和樹薯毒粉樣本；歐洲青銅與象牙；恩格伯特・坎普法的可攜式佛教神龕；東印度貨幣樣本；青銅與米糊製成的中國神像；叉子與算珠；上漆的盒子與容器；中國瓷與茶葉；「一隻獨眼豬，一隻眼睛長在額頭正中央」；那位長角女士的角及其畫像，此角是史隆從培爾梅爾街取得，最後落足大英博物館。最後，訪客返回下一樓層，行經一系列的畫作與獨木舟。請訪客進入圖書館前，戈溫・奈特先炫耀一番他自己的羅盤和磁鐵，但在第三展區只能短暫停留：這是印刷書籍區（包括史隆本人的作品），依序陳列於六個房間，桌上亦陳列史隆的標本集以及許多地圖。還無法進入閱覽廳，館員便通知訪客兩小時的導覽已結束，將他們領回博物館大門歡送。[31]

從某些層面來看，博物館目前的導覽與史隆在自己位於布隆伯利的連棟排屋中提供的私人導覽差別不大。各式珍稀依舊琳瑯滿目，從古羅馬頭顱到獨眼豬令人眼花撩亂，更有長角女士與高級中國瓷器並陳的驚人景象。史隆那融合藝術與天然的取向仍舊醒目，一如他在一六八〇年代將珊瑚包覆的瓶子與木材並陳那般。自然界的謎也依舊存在。兩位荷蘭美術家楊・凡・萊姆斯迪克以及安德雷斯・凡・萊姆斯迪克（Jan and Andreas van Rymsdyk）於一七七八年出版《大英博物館》指南，其中便展示一幅史隆迷人的珊瑚手的畫像，兩位作者認為珊瑚「非常稀奇」，並指出博物學家尚未找出珊瑚生成此模樣的原因。而講述稀奇故事的這門藝術也並未全然被遺棄。坡勒特講述一則「一只精緻的玫瑰色鑽石模型」的故事，這顆重達一百四十克拉的鑽石原為大膽查理（Charles the Bold）所有，直到他於一四七七年在南錫（Nancy）戰敗，鑽石被「某平民軍人」在戰場上撿到，但這無知的軍人不識貨，將之廉價賣出。鑽石輾轉為數任托斯卡尼大公、梅迪奇家族，以及德國皇帝等人所有，然後才莫名地以大英博物館為最終棲身之處。萊姆斯迪克父子兩人也敘述有關異國物件的傳說，例如，他們描述史隆喜歡收集的毛球如何為「黑人女性」用作醫療之途（也用來襯托自己的美貌），但其毒性足以致死。[32]

坡勒特也鼓勵讀者延續一個優良的傳統，即是由訪客捐贈物件以豐富收藏。他寫道：「我仍舊盼望有一天，每位以公眾為念的收藏家都將其努力收藏的成果存放在這座價值不凡的收納櫃中」。博物館早期的檔案記載了許多贈禮，包括寫給詹姆士一世的信件、一本十四世紀的植物誌、異國植物、來自約克郡的一個大黃蜂巢、一台靜電機、來自中國的書籍，以及在劍橋郡一間教堂裡中空的支柱中被發現、保存於木頭中的一顆人類心臟。如此一來，可欣賞的物品就更多了。坡勒特感嘆道：由於「珍品數量龐大，〔導覽人〕不可能滿足每一個訪客的好奇心」。德國作家卡爾・菲力普・莫利茨（Karl Philipp Moritz）於一七八二年抱怨他幾年前參訪的情形：「我要很遺憾地說，我在大英博物館看到的是房間、玻璃櫃、架子、或是書庫，而不是博物館本身，我們從一間展廳被匆匆地趕到下一間」。他提到「迅速地在不過一個多小時的時間穿越所有諾大的房間……只能對所有令人讚嘆的珍寶勉強投下渴望的眼神……要滿心愉悅地細細思量它們得需要幾年的時間」；而「可能花一輩子的時間進行鑽研——它們令人困惑、震懾，又無以招架」。[33]

坡特勒的描述也顯示出，史隆強調收藏品相當於對全世界資源和商品進行普查的觀念，已延續下去。他建議從美國煙管能「發掘」新世界「居民的勤奮、天賦和態度」；說明了「大理石是種不透明的貴重寶石，與鋼摩擦不會起火花，易煅燒，溶於酸性溶劑並與之起交互作用」；並解釋「石灰與大理石本質相同，但顏色單一，較脆軟，切成薄片時呈半透明」。他點出不同文化重視不同商品——因此人參在東印度群島的價格就比在歐洲高，貝殼珠串在美洲價值連城，而中國人只欣賞自己生產的工藝品、排斥外來貨。早期的指南作家將自己的讀者想像成未來的鑑賞家，警告他們要小心贗品，甚至指導讀者如何預防受騙。萊姆斯迪克父子更進一步地提供實用的技術性說明，解釋「如何」用顯微鏡「分辨好珍珠」與壞珍珠。雖然珍品可做為了解商品的好教材，拜訪倫敦的遊客則將該城市本身視作一座大型藏珍閣。莫利茨在參觀大英博物館的同一趟行程中，也到斯特蘭街上閒逛，欣賞「展示在寬敞又明亮的商店櫥窗中的各式畫像、機械和珍奇物品，琳瑯滿目陳列」，如同「妥善擺置的藏珍閣」。[34]

史隆對魔法的憎惡也在坡勒特的指南中顯露無遺，再度特別針對護身符和避邪物，以之為例說明上古民族和外國人的迷信。他含糊但態度直接指出「幾道小護身符……埃及人民基於盲目的迷信，穿戴於身上，當作避免災難的護身小物之用」。他描述史隆收藏的薩米鼓「與術士使用的鼓相同，有了它……術士便能興風作浪」。一件附有墨丘利神（Mercury）頭像的古羅馬護身符，另有「土耳其避邪物或護身符，附有以阿拉伯文書寫的題詞，大多引自可蘭經」，和阿尤巴・蘇萊曼・迪亞羅為史隆翻譯過的護身符大同小異。「伊斯蘭教徒中的迷信者深信這些護身符的功能，很依賴其」對抗「遊蕩於人世間的」惡靈「力量」。除此之外，還有「輕信之人」用以自保的胃石，以及史隆收藏的「斯基泰羊（Scythian Lamb）」，實際上是「類似蕨類植物的根」。坡勒特反諷地說，「只消輕微的想像力，就把根勉強看做羊」。[35]

坡勒特對迷信和新知有同等程度的重視。他堅持博物館中的收藏有種特異功能——將文明帶給所有觀賞訪客的能力。他試著提出一種恢弘但同時又不那麼確定的進步論，強調「許久以來，學問可說被人遺忘了，舉世為黑暗的無知所籠罩」，在這段期間，科學、醫學及科技方面真正的創新都被愚蠢地貶抑為「魔法」。大英博物館則完全與這段受「盲從」和「固執偏見」左右的時代相反，將「世界各時期工藝（科技）的進步」展現於世人眼前，「體現各民族在各世紀製作出的器具」。坡勒特指出，若能細細思量這些工具，「即能避免再度回歸無知與野蠻的狀態」。他更自信滿滿地說道：「粗俗的觀者認為是毫無價值之物，對博學者來說卻有大量的科學價值」。博物館提供教學的機會，讓訪客學會分辨寶物與廉價小玩意之間的差別，如此可證明此機構是抵抗「無知與迷信的鐵爪」的堅實屏障。[36]

究竟哪些人既「無知」又「野蠻」，坡勒特並未詳述。不過，歐洲人在建立帝國的數十年來，慣以此種詞彙來表示對異國文化與信仰系統的鄙夷。再者，坡勒特寫作指南之時，也是英國急遽擴張之際，這些用語造成的回響更是特別強烈。雖然英國在七年戰爭初期遭受不少挫敗，且戰爭在一七六三年簽訂巴黎和約後才正式告一段落，然而英國卻於號稱「奇蹟年」的一七五九年對法國取得決定性的勝利——正是大英博物館開館的那年。七年戰爭結束時，英國這個只算是海上強權的國家，已從一心在大西洋與印度洋仿效葡萄牙、西班牙、荷蘭、法國等對手卻不得其所的窘境，轉變成全歐洲擁有最多領土的帝國。在擊敗法國之後，英國接管印度和魁北克，使用的也是同樣的「無知與野蠻」等詞彙來合理化征服當地人口以及在其土地上的農業剝削，堅稱殖民統治將同時「改善」落後社會和化外之境。[37]

對英國崛起的體認是否讓早期近代參訪大英博物館的訪客視館藏為從帝國各處收集來的物品，或從反面來看，博物館如何形塑他們對帝國的觀感，我們很難對這兩點做出確切的判斷。比方說，談到愛爾蘭時，坡勒特的指南採暗示性而非篤定聲明的口吻。他指出有些博物館藏來自史隆家鄉阿爾斯特的巨人堤道的石頭，對「我們島嶼的榮耀」貢獻甚多——這模稜兩可的句子似乎將愛爾蘭（或至少是阿爾斯特）涵蓋於大不列顛的概念之下。但坡勒特認為石頭呈現的寓意是愛爾蘭的無知，這毫不令人意外。他解釋道：「當地的平民百姓稱該地為巨人堤道，因為島上相傳身形巨大的遠古先民將石頭排列成此形狀」，然而事實上這些石頭的排列「完全是自然作用的結果」。從更廣的角度來看，坡勒特利用博物館館藏來激發民族主義的驕傲。他認為此博物館是「全世界……最大也最稀奇的」，並指出「幾乎每個國家，不論距離多遙遠，都曾為本館無窮無盡的收藏做出貢獻」。館中魚類樣本「來自世界各地」；燧石「幾乎來自世界各地」；礦藏「來自幾乎世界各地為人所知的礦坑」；而圖畫則「可能是全世界最高級的」。自開館以來，大英博物館就被標榜為宣揚英國擴展全球實力的展示館。[38]

這座新博物館也實施了幾項處理館藏和體驗館藏的重大變更。史隆要求自己的收藏品不與他人的混合，這點確實做到了：依照大英博物館法案的指示，史隆的收藏應保持「完整無缺，清楚標示以求區別」。然而這些物件目前卻與其他幾批由貴族甚至國王本人捐贈的精彩藏書展示於同一個屋簷下。再者，一經由國家機構管理、又缺乏史隆本人活力充沛的風采，這些收藏品，包括博物館導覽在內，也難免喪失了一些獨特的風格。入場資格不再是私人關係的表徵，而是公開申請的結果。坡勒特仍舊對訪客提及一種美味的東亞「鳥窩湯」，但他不會邀請訪客舔一舔展示品；畢竟這些物品並非他私人的財產。參觀時也聽不到那麼多關於個別珍品的奇聞軼事或是它們的淵源，因為這些故事若未伴隨史隆遠離人世，就是深藏在切爾西的家族墓室或史隆的信件和目錄中。舉例來說，史隆與阿尤巴．蘇萊曼．迪亞羅之間的互動，以及後者充滿戲劇性、進出奴隸制度的人生經歷，全都記錄在史隆書信中幾段短短的文字中，還有就是護身符目錄中的「翻譯工作」，但是多數博物館的訪客並無法看到這些紀錄。坡勒特書中的確描述了來自賓夕法尼亞的黃蜂巢，卻未說明來源為約翰．巴特拉姆，也未曾提及賓夕法尼亞處於殖民與戰亂當中的多變局勢。制度化將物品從其脈絡中抽離，也去除了物品與人的關聯。當史隆的珍品變成了國家的收藏，它們來自何人遠不及它們是什麼以及它們在事物秩序中的位置來得重要。[39]

此種秩序取決於觀看者的印象，且隨時都可能有變。例如奈特和燕卜蓀強調存在之鏈，希望訪客體認神為創造物所建立的階級秩序，坡勒特則對讀者強調許多他描述的物種的拉丁學名。然而對某些人而言，將收藏品分門別類至特定的部門反而掩蓋了一座普世的博物館的真正意義：呈現一幅「統一的世界」圖像。斯摩萊特筆下的布萊伯先生便抱怨道：「收藏雖精彩，若能陳列於一間寬敞的會客室而非分別展示於獨立的展廳，會更令人驚豔」。史隆那氣勢磅礴的制度性遺產導致新博物館將收藏切割成數個區塊，便於陳設在孟塔古府邸的大小廳室。此做法雖能達成傳達整體知識的夢想，但知識卻幾乎在同一瞬間也消逝無蹤，斯摩萊特影射由於公共經費有限，完整呈現知識的願景受制於必須屈就實體空間的權宜之計。布蘭伯很遺憾地說，「我真希望有足夠的公共經費能讓所有的動章都能連貫陳列，而整個動物、植物和礦物界也都能完整展出」。[40]

開放給與館藏毫無私人關係的訪客免費參觀是很重要的創新行為，但由於入場券不易取得（直到一八〇五年都需要憑券入場），有館內關係仍舊大有幫助。莫利茨在一七八二年跳過兩週長的候補入場名單，多虧他認識在圖書館任職的學者卡爾·沃伊德（Karl Woide）。基本上，開放對收藏品毫無認識的大眾入場其必然結果，便是將博物館的體驗文字化。現在陳列物旁邊標有書寫的標示，而類似坡勒特「精簡又廉價」的指南則為遊客做好參觀的準備。坡勒特鼓勵讀者在參訪前研讀其著作，並留作紀念；他也將其作品推薦給完全沒機會參觀博物館的讀者：「這能為沒有機會一睹收藏品的人們大致描繪館藏的輪廓」。一般讀者首次得以透過印刷媒體

「一睹」館藏。到了一七七八年，因為有了萊姆斯狄克父子的《大英博物館》一書，讀者更能以圖片的形式欣賞精選館藏，而不需親自參訪。萊姆斯狄克父子與霍洛斯．握波爾同樣抱有博物館能宣揚藝術的期望，他們鼓勵藝術家對陳列的展覽品進行素描，並建議進行素描的適當距離，因為有許多「不同的方式來真實呈現某物品」。外文導覽亦相繼出版。莫利茨大肆宣揚一本居住於倫敦的牧師弗雷德里克．溫德邦（Frederick Wendeborn）出版的德文指南，指出「此書總算讓我能仔細探究某些主要展品，像是埃及木乃伊、荷馬的頭像等等」。如此一來，參觀博物館便在中產階級和上流社會的禮儀文化中取得一席之地。[41]

就某些層面而言，公開出版的史隆遺囑和大英博物館法案兩者在英國的地位，相當於美國獨立宣言以及一七八七年的聯邦憲法在美國的地位。這兩份文件都是啟蒙運動對普世平等原則的書面闡述，即便它們的對象處於文化和知識生活領域，而非政治和政府。就現實情況而言，「普世開放」實際上的意義為何則不斷在演化。一七五三年出版的史隆遺囑指示其收藏品應「對所有希望欣賞或參觀之人開放……〔同時〕應盡量為人所用，並且用於滿足好奇心，亦推動所有人的進步、知識和資訊」。然而隔年制訂的大英博物館法案則聲明收藏應「為大眾的使用和利益而保存，在國會認為合適的規範之下……免費開放供大眾欣賞瀏覽」；而且「以上一般典藏與其中收藏品僅免費開放給好學與求知若渴之士，開放時間、方式，以及檢視和使用館藏的規定，全依上述信託人〔決定〕」。從這兩份文件使用的文字便可看出，創立一座對普世開放的公共博物館在法律層面抽象的定義，以及如何平衡展覽陳列與學術研究，這兩方面一直被希望透過「限制使用」和「規範使用」來管理大英博物館的人所關切。[42]

在這個政治派系勢不兩立的時代，博物館的公共性還能確立，著實令人驚嘆。斯摩萊特筆下的布蘭伯便感嘆，「即使時代如此不安定，能建立任何為公眾牟利的機構要算是奇蹟了」。將收藏品普遍開放給大眾參觀的確很神奇地成為事實。莫利茨於一七八二年提及博物館便指出，「參觀者……非常多元，各色人等都有……（包括）來自至為低下的社會階層之人。這是因為博物館為國家的財產，所有人都有同樣的參觀權（這是該國使用的詞彙）」。莫利茨的用字遣詞值得注意。嚴格地說，史隆的遺囑和大英博物館法案兩者都未將收藏品視為國家的「財產」，亦未提及參觀的「權利」——但莫利茨援用的卻是這些詞彙。在一七六〇和一七七〇年代，由於對美洲殖民地憲法性地位的辯論，與權利相關的論述在英國激增，美洲殖民地的居民逐漸認定自己有天賦之生命、自由和財產權，以此反抗任意徵稅。激進分子如倡議加強國會代議性質（而且是發自內心地支持對大英博物館投注更多資金）的約翰．威爾克斯（John Wilkes）以及革命黨人湯姆．潘恩（Tom Paine）都支持全面民主，影響了一七八〇年前所形成的類似憲政資訊會（Society for Constitutional Information）的設立。但在革命的年代來臨前，其實早在一七五〇年代，便因為大英博物館的成立首先激化了對「何謂公眾」及「其地位該如何」的政治爭辯。後來，莫利茨援引「權利」概念討論入場問題，便顯示當時革命的言論滲入博物館概念的程度，其政治性的語彙也重塑了「何謂開放」這個議題。[43]

法蘭索瓦．德．拉．羅什福科（François de la Rochefoucauld）這位貴族農業改革家於一七八四年訪問英國觀察其工業化時指出，「英國的公共精神值得一提」。但開放的程度仍舊不一。女性在博物館中明顯地居於附屬地位。在職員中女傭屬最低階的勞動者，而且也沒有女性的信託人，且女性也鮮少被准許進入閱覽室進行研究。儘管如此，坡勒特仍然很有紳士風度地指出：「我……自認讀者中群會有眾多女性」。許多仕女的確入場參觀，但公開的行程卻常出現禮節方面的問題。卡羅琳・波伊斯（Caroline Powys）於一七六〇年獨自前往參觀，一七八六年帶著十一歲的女兒再度參訪，她將參觀心得記錄在日記中。她記下館藏中的精華，包括數本聖經手稿、瑪麗亞・西碧拉・梅里安的畫作，以及「一間陳列著浸泡在烈酒中的稀奇動物……但它們卻令人厭惡」（戈溫・奈特便曾建議避免懷孕婦女看到這般景象，以避免所謂的想像力造成胎兒畸形）。波伊斯的結論是，「史隆的大師名號果然貨真價實」。她和女兒一起到倫敦享受「春季娛樂」時，便小心地讓女兒與蘭尼拉休閒花園（Ranelagh Gardens）中的流行娛樂保持距離，轉而帶著女兒回到博物館。然而，博物館本身的花園卻需要信託人的許可才能入場，且備受階級衝突干擾。一七六九年，一位女傭極力阻止一位安布蘿絲・漢金（Ambrose Hankin）太太走進花園從梨樹上摘梨。漢金太太轉而嚴厲斥責，說道「妳這個不知羞恥的懶婆娘，竟敢對我開口，要是妳知道自己在跟誰說話，妳不會這麼沒規矩……竟膽敢指使我！」[44]

學者們則與遊客搏鬥，至少他們自己這麼覺得。燕卜蓀在一七六二年抱怨自己「不斷需要照顧參觀博物館的人群」，導致他館員的工作「無法如願推展進度」。博物學家丹尼爾・索蘭德（Daniel Solander）於一七六〇年代依照林奈的命名法將史隆的植物重新分類，他也抗議「人群」的騷擾。由於「學者」經常被理解為紳士的同義詞，關於館藏用於學術目的的討論，其實就是關於依照階級與性別設限的討論。奈特在一七五九年曾經聲明，博物館首要的目的是「鼓勵並促進博學之士的深造與研究」。在一系列於一七七四年舉辦的討論博物館現狀的國會公聽會中，助理圖書館員馬修．梅堤表示：「同時開放不同階級和不同興趣的訪客入場，讓各式人等相互混雜，非常不合適」。一位官員在同年也嚴厲抨擊「教育程度低下之人混雜在」知識分子中，不過是為了滿足他們「無聊的好奇心」，並提出「無理的問題」來擾亂導覽。反天主教的戈登暴亂（Gordon Riots）在一七八〇年肆虐倫敦之際，暴民統治的幽魂也重新威脅收藏品，至少管理員會擔心。在英格蘭銀行和海關大樓遭受攻擊後，國會派出了六百軍力圍守博物館。至此，國會以公眾之名，保護國家收藏品不受暴民破壞。法國大革命時風行搶奪貴族和教會財產，羅浮宮也於一七九三年從皇家專屬財產轉型為共和國的機構，此時大英博物館決定派駐永久守衛。[45]

在法國大革命以及拿破崙戰爭期間與法國的軍事衝突，使英國社會普遍瀰漫對共和制度和民主的強烈敵意。然而早在這之前的一七七四年，對大英博物館設限開放條件的討論，就有人提出了收取門票的提議，這在一開始便限制了博物館的開放程度。直到一七七〇年代為止，開放時間為上午九點到下午三點，在日間工作的人便被排除在外（此時夏季不對外開放）。雖然有些人會因為想像在博物館裡走動時各種階級混雜而卻步，某些訪客的入場實際經驗非但沒有強化平等的感覺，反而讓他們越發體認自己地位的低下。莫利茨手持自己的德文導覽在博物館裡穿梭，吸引許多遊客圍繞和提問，此種行為卻令某位館員感到自己的權威受到挑戰。伯明罕市內首座開放借書的圖書館的創辦人威廉．赫頓（William Hutton），便於一七八四年有過特別不愉快的參訪經驗。寫信給入口服務員申請入場券的程序，便被要求說明自己的「狀況」。赫頓在日記中評論道，此一「模式似乎想將我排除於外」，結果他只好以將近兩先令的價格買票入場。入場後，他的團體「開始很快速地行進」，因此他希望導覽員能詳細解說，此時「一名風度優雅的年輕人……以客氣的態度回答：『什麼？你難道要我把博物館內的珍藏全都為你描述一次嗎？』」講解員粗魯地指引他去看文字解說。赫頓承認「此般回答讓我自慚形穢，說不出話來」，而且「除了竊竊私語外，無人敢吭聲」。公共博物館雖然歡迎社會各界人士，但某些訪客的確比他人更禮遇。赫頓對自己受到的待遇非常「反感」，便離開了博物館。[46]

收取入場費終究不討喜，而且無法順利執行。有人認為收入場費會降低博物館的道德地位，與蘭尼拉休閒花園和沃克斯廳園之類的商業性遊樂園並無二致，同時也違背了史隆的遺囑以及大英博物館法案。然而，對收取入場費的執著，反映了不少館員對「均等的入場機會來自於均等的政治權利」感到反感。一位不具名的官員在同一時期於一份無日期的報告中表示他的看法，認為問題在於「教育程度低下之人」宣稱「一種與地位崇高或學問淵博之士受到同等重視的權利，而〔圖書館員〕無法反駁這點」。此種「選擇參觀博物館的人之間完全平等的權利」源自一種「觀點」，亦即，博物館既然是用「人民的錢買下的」，大眾便「有免費使用的權利」。然而，此種觀點「毫無根據」；如何運用館藏應由「受過人文教育的人來掌管」，這些人會以恰當的方式「傳播」知識。[47]

儘管如此，隨著十九世紀的到來，參觀博物館的人數以及館藏量兩者都劇烈增長。英國在戰場和海上與拿破崙對抗之際，英國收藏家也與其法國對手爭奪當時正被發掘的古典時期迷人珍寶。在十九世紀初期的數十年，布隆伯利納入了精采絕倫的新館藏。其中包括英國軍隊於一八〇二年在奧圖曼帝國從法國人手中奪得的羅塞塔石碑（Rosetta Stone），使得確實翻譯埃及象形文字終於成為可能；古物學家兼壯遊旅行家查爾斯·湯利（Charles Townley）於一八〇五年捐贈許多希臘羅馬雕像；艾爾金勛爵（Lord Elgin）於一八〇一及一八〇二年間使詭計從雅典取得巴特農大理石雕（Parthenon Marbles），後來轉賣給英國政府；曾是馬戲團長的義大利人佐凡尼・貝爾索尼（Giovanni Belzoni）貢獻了一八一八年從路克索神廟（Luxor）得來的拉美西斯二世（Ramses II）的頭像；另外在一個世代之後，也收入了奧斯丁・亨利・萊亞德（Austen Henry Layard）於一八四〇和五〇年代從寧洛德與尼尼微（古美索不達米亞，今日的伊拉克）挖掘並取走的亞述雕像。欣賞過這些館藏的人數從一八〇五年的一萬兩千人激增到一八三〇年代的二十萬人。[48]

因此，十九世紀訪客體驗到的大英博物館——也就是流傳給今日的我們的博物館——與史隆創立的博物館在兩方面有根本上的差異。首先，為配合館藏的擴張，博物館的實體建築已被完全重新翻修。一八四〇年代，整座孟塔古府邸被拆除，取而代之的是一座貌似希臘巴特農神殿的神廟式建築，由羅伯特・斯默克（Robert Smirke）所設計，雕塑家理查・韋斯特馬科特（Richard Westmacott）象徵「文明進步」的新古典主義式額盤簷飾則為之畫龍點睛。這就是今日的訪客所知的博物館建築。其次，也是更重要的一點，便是在不斷收進新館藏之餘，博物館的走向也逐漸轉變。史隆依照自己的實證主義和基督新教信仰建構出一個偉大的自然史收納櫃：他的收藏將「神之創造」視為廣大又恆久的、供人類取用的自然資源收藏庫來觀察，同時也展示魔法、迷信以及基督新教以外的信仰謬誤。儘管奈特和燕卜蓀重新整理了史隆的樣本，坡勒特的指南卻顯示早期的大英博物館仍是一個藏珍閣，只是其中帶有關於自然界的科學新知，以及針對迷信提出的道德警惕。然而，上述的發展也引進了關於進步的訊息，逐漸將博物館更明確地塑造成一個在「文明進步論」的大歷史論述中評斷其他文化的場所，由於英國不斷納入世界各地的珍寶，此種評斷的標準就將英國置於全世界文明發展的頂端。此種轉向是逐步形成的。十九世紀是個帝國主義競爭和偽科學式種族主義雙雙強化的時代，此時的博物館員仍舊堅信希臘和羅馬體現了文明世界裡文化和美學成就的極致——現代歐洲對古希臘人的認同，終究成為白種人透過雅利安主義（Aryanism）哲學所形成的種族認同的主根——同時也勉強接受「東方」上古文明可能也持有相似價值觀的想法。不過，大英博物館後來漸漸地轉變成我們今日所認識，一座包羅萬象、百科全書式的考古學文明史的典藏庫。史隆曾在他自己的藏珍閣中點出其他民族崇拜偶像的謬誤，以及不同種族生理上的差異。然而，現今百科全書式的博物館，以及環繞著它們、對世界古文物爭相宣稱所有權的激烈爭辯，卻是維多利亞時代帝國主義的遺產，而非史隆標榜的啟蒙普世主義。[49]

大英博物館呈現出的百科全書新形態，其中最諷刺的現象之一，便是其創始者從自己建立的機構中消失。要擴張就必須重新整理館藏。博物館各部門的重整過程支持了學術專業化以及十九世紀興起的新專業學科。種種的創新包括成立印刷品和繪畫部門（一八〇八年）；將原有的自然史部門細分為植物、礦物、地質，和動物部門（一八五六到五七年間）；成立錢幣和動章部門（一八六〇年）；將古文物部門（成立於一八〇七年）劃分為東方（一八六〇年）、希臘羅馬（一八六〇年），以及不列顛和中古古文物（一八六六年）等部門；也成立了東方手稿部門（一八六七年）。在此過程中，史隆的收藏便不再保持完整。某些物件被火化（腐爛的動物標本），某些物品則放進儲藏室，或轉放至其他部門、與其他相似的收藏品一同保存。如此一來，史隆的珍品成了博物館自己的古文物，比起近期從國外收入的館藏更是相形見絀。正如威廉．布蘭切特．傑羅爾德（W. Blanchard Jerrold）於其一八五二年出版的指南中所述，史隆的收藏當時成為整個機構中「很不重要的部分」。即使成立了大英博物館，終究未能完整保存史隆的普世藏珍閣。除此之外，史隆成立的博物館卻不具其名，這顯示史隆對不朽的追求終究經不起時間的考驗，活埋在後代重新改造的機構中。[50]

史隆遺留下來對普世公眾開放的意願仍舊是爭論的焦點。國會在一八三〇年代辯論選舉權之際，也召開了關於大英博物館的公聽會。在一場公聽會上，一名國會議員問道，博物館的功能之一不就是「改善下層階級嗎？」他得到的回覆是：「光是盯著我們的珍品並不是博物館重要的目的之一」。但事實上，這正是史隆許多訪客的行為。一八三二年，國會通過「改革法案」，逐漸賦予投票權給不擁有地產的男性。同年，《一分錢雜誌》（*Penny Magazine*）發表了一篇關於大英博物館的發人深省文章，該雜誌為實學推廣社（Society for the Diffusion of Useful Knowledge）的官方刊物，特別倡導將博物館閱覽室的資源擴大開放給工人階級使用。在虛構的情節裡，一名工人詢問博物館閘門的守衛，「他們會讓我入場嗎？」文章的匿名作者極力鼓吹讀者入場後遵循博物館的規定：「不觸碰任何東西」、「不大聲喧嘩」，也「別引人注目」。不過，此文接著鼓勵讀者將博物館視為公有財產，人人都有使用的權利，此文旨在廣泛傳達公共機構的價值，它嚴正地指示讀者「勇敢地敲敲門」：

> 入口服務員會開門……別懼怕任何不友善或不敬的眼光……你是來欣賞你自己的財產，你有充分的權利欣賞它們，因此你理應如同一國之主般受到歡迎……你已出錢收購和維護

館藏；如此付出理應得到的最佳回饋，那便是教導每個英國人在享受此公共財享受樂趣，並了解此種享受的價值。那麼，就大膽地前行吧！」[51]

結論：蒐藏全世界的人

一七八四年，地質學家巴索羅梅．佛賈斯．德聖馮德（Barthélemy Faujas de Saint-Fond）橫跨英吉利海峽訪問不列顛群島。佛賈斯本身是礦物部長，稍後在法國大革命時期成為巴黎植物園（Jardin des Plantes）的教授。這次前往英國的主要目的之一，是到位於赫布里底群島（Hebrides）中斯塔法島（Staffa）上的芬格爾洞穴（Fingal's Cave），研究玄武岩的結構，因為它們與巨人堤道的石頭非常相似。善於交際的佛賈斯訪問了英國皇家學會曾經針對斯塔法島發表文章的新任院長約瑟夫．班克斯爵士（Sir Joseph Banks）。與其他法國同胞一樣，他也趁著身在倫敦之際參觀了大英博物館，並將心得發表於一七九七年出版的遊記。[52]

佛賈斯認同這些收藏品的確包含「數量龐大的物件」，然而他也認為並未將博物館創始者的個人收藏以更「謙卑的『史隆博物館』之名」保存，有些遺憾。他接著解釋道，許多人「在參觀時，會對〔史隆〕對科學的熱愛、其財富以及自由行事的能力深深感到驚艷與滿足」。佛賈斯對史隆、英國以及大英帝國三者讚譽有加，但卻對博物館本身有所批評。他「不滿」收入「許多各式各樣物品的私人收藏……竟冠上了『大英博物館』的頭銜」。他接著說，「一個因商業、製造業，以及其海軍軍力而備受尊敬的國家，應該擁有與其名聲匹配，和與其偉大與莊嚴得以相提並論的紀念館」；然而大英博物館卻完全不符這些條件，他認為該處「〔物品陳列〕毫無秩序」，且「每項物件陳列之處都不妥」，又「令人嫌惡的混亂」。「英國受到對科學不夠支持的批評」若非悲慘，也算甚為諷刺，畢竟如牛頓等「難得的天才」是「英國國寶」，為科學帶來了「光榮與卓越」。反之，博物館本身充其量不過是本「長篇雜誌，將內容隨機丟入其中，根本就不算是從事教育和榮耀一國的科學性收藏」。即便博物館員非常努力，不論「熱愛見證自然界大規模運作的」哲學家，或是「熱中研習那看似貫串所有物種的龐大『存在之鏈』……都找不到感興趣的事物」。佛賈斯寫下這些字句時，正值法國對科學狂熱之際：其競爭對手喬治・居維業（Georges Cuvier）很快地便使用新的比較解剖學方法，並在完全接受物種會滅絕的前提下，重新定義動物分類法，成果遠遠超過包括史隆在內的早期博物學家的見解。然而，英國擁有強大的帝國實力，趕上並非毫無希望。佛賈斯做結時指出，一個「船隻橫越數大洋」的國家，總會補救此種情況，以「國際競爭……」的精神「對增長人類知識做出貢獻」，效法剛成立不久的巴黎自然史博物館（Muséum d'Histoire Naturelle），其「收藏是在同類中公認最優越的」。[53]

佛賈斯的心得可說是史隆收藏故事的最佳註解，因為他提出了私人利益、國家與帝國三者如何共同造就大英博物館的這個關鍵問題——即便佛賈斯得出的答案或許不盡正確。大英博物館的擁護者傾向將史隆的成就視為個人財富與美德的一大勝利，而非貴族、皇室或國家的慷慨捐贈。坡勒特聲稱「從未有地位低於統治者的個人成立如此重要的一座博物館」；斯摩萊特則稱這座博物館完全由「私人」所建立，「甚為驚人」。如此的稱許影射了對英國憑商業實力集結出這般收藏的頌讚，也點出歐陸上專制王權以及王公貴族階級掌權者透過組裝藏珍閣來吹捧自己的政治權威。（不過，我們也會提到，史隆的批評者以其收藏品的商業價值與龐大規模來證明史隆野心過剩又膚淺，一心只想發跡。）佛賈斯正確地指出，基於史隆取得收藏品的手段及其物品後來與他人收藏結合的事實，大英博物館的館藏多為意外的收穫，而非理性設計的結果。然而，佛賈斯也以法國的標準來評鑑大英博物館，指出進行收藏的過程欠缺知識與政治的整體性。他堅認偉大的科學作品必定是國家的成果而非個人的成就。在英吉利海峽的彼岸，法國大革命鞏固了國家對諸如自然史博物館等科學研究機構的掌控，而類似拿破崙於一七九八年對埃及和敘利亞展開的軍事行動也能對考古與古物學貢獻良多。佛賈斯出版其遊記之際，在班克斯的領導之下——從多方面來說他都是史隆的繼承人——英國科學家其實正在效法法國模式，希望國家能扮演更吃重的角色，從庫克船長的太平洋探險到計畫性施行帝國政策的經濟植物學，都以科學為帝國政府的工具。儘管如此，就佛賈斯看來，大英博物館仍舊缺乏妥善的國家組織和足夠的科學專門化，不過是一堆胡亂放置的奇珍異品，配不上英國的帝國霸權。[54]

事實上，大英博物館是英國在十八世紀經歷制度建構、國家型塑，以及帝國擴張等過程初始階段最佳的典型表徵，私人利益在此過程中扮演了決定性的角色。吉伯特・西斯寇特之輩的銀行家組織了英格蘭銀行，獨立商人為國家軍隊提供補給，而博物學家如史隆等人則贊助科學性的探險行程。大英博物館即是史隆巧妙地將個人野心和社交手腕與國家和帝國資源結合得出的產物。他創造出的公共博物館便是帝國轄下啟蒙運動的產物：唯有身處帝國核心的收藏家才能集結如此眾多的物件來辨別其異同，目的是為了達成將全世界分類的驚人企圖。然而，雖然史隆耗時耗資源收集物品貢獻良多，但他對後世最終極的影響，卻是將這些物件轉化為一座永恆的公共博物館。與同時期其他收藏家相比，他收集的物品種類並不特別，但其收藏品的規模，以及身為全國最受信任的公眾人物的身分地位，的確有其特出之處。此般規模、信譽以及知名度非常重要：這讓史隆得以將私人收藏轉化為國家藏品，在此過程中也同時建立了將知識與文化機構免費對大眾開放的理想。換句話說，以最廣泛的意義而言，在一個地理大發現、人員相互移動的年代，史隆可謂大師級的闖入者。由於他對智識機會主義高度敏感，使他能運用自己與國家機構以及公開發行股份公司之間的關係，收集全世界的私人收藏品，最後將之轉化成公共機構。他自身收藏的奇珍異品之多樣化與其觸角之廣相互輝映，而博物館的成立則反映了他的野心和願景。

史隆基於對自然界機械論的根本認知而厭惡魔法，而他不斷累積樣本的舉動也相當符合培根主義、科學革命，以及朝現代性邁進的典型論述。不過，他對怪異物品的偏好或對體液學說與蓋倫派醫學的堅信則完全與以上認知背道而馳。這位發明公共博物館的人物同時也建議病人用水蛭放血的方式恢復健康。更重要的是，以「時間」為主軸的科學進步的英雄式論述容易忽略科學研究最根本的需要，即用以連接「空間」的要素——大量勞力的需求。空間這個要素便是大英博物館故事的重點。這是一個基於協調全球成百上千眾人之勞力所成立的機構，並讓訪客進入位於大羅素街上的一棟建築，讓他們相信自己在該處眼見的收藏品不僅是一場精采的表演，更是一扇讓人得以確實窺見真實世界的科學之窗——只要在倫敦就能看見全世界。事實上，所有科學研究期望達到的就是這點：讓親眼見識到的人們相信，在當下當地所見便是「外面」廣大世界的可靠表徵——當地所聞所見即是全世界。[55]

史隆的博物館跟之前伊比利與荷蘭的收藏品，以及之後受其鼓舞而成立的機構一樣，體現了帝國與資訊的融合，在這當中，欲廣泛探尋神如何創世的高尚理想卻奠基在殖民野心與商業野心的世俗計算之上。從殖民阿爾斯特，到剝削加勒比海的奴隸制度，到建立橫跨亞美兩洲的人際關係，史隆對後世的影響等同於一項展現大英帝國實力的文物。這麼說並不表示大英博物館是此種實力的必然產物；事實上這代表了史隆了不起的雙重意外成功。博物館的成立一方面是種自保行為，為了不讓自己的收藏品四散各處，雖然後來因為國家的其他收藏品不斷取代而貶低其地位，史隆本人從博物館建築中漸漸消失。此外，博物館也是一統情勢的貢獻，使不列顛群島各地的人們得以聚集在第一個稱為「大英」的機構，即便並非每名前來參觀的訪客都感受到同樣程度的歡迎。如此一來，對史隆建立博物館的公共精神讚嘆不已的布蘭伯先生的背景並非偶然，他是一位蘇格蘭作家（斯摩萊特）建構出的一名威爾斯人，稱許一個阿爾斯特之子的創造物，夢想在詹姆士時期的動亂過後能有一個真正包容的英國社會。這般一統的夢想卻無法抹滅英格蘭人、蘇格蘭人、威爾斯人以及愛爾蘭人之間感受到的民族差異；從關於來自愛爾蘭巨人堤道石頭的討論便可看出，大英國族主義經常僅是將各民族屈居於英格蘭威權之下的掩護罷了。儘管如此，大英博物館仍是一個國家團結強而有力的新象徵，即便其中收藏的寶物是以文明進步之名從帝國各角落收集而來，仍以世界珍寶保管者的形象形塑了英國認同，更表現出一種恢弘的世界主義，讓英國人與外國人都能見識這些珍藏。[56]

以史隆原本的收藏建立起的博物館絕非價值中立的機構。它體現出史隆所做的價值判斷：已開化對上迷信、文明社會對上迷信社會。在拒絕魔法世界觀的同時，也支持以科學調查的方式，呈現出地球這個既為神意所造，同時也是機械性的、供人類利用並獲利的資源。正如史隆的第一位傳記作家湯瑪斯·伯奇所言，史隆的博物館「旨在呈現神的榮耀」，同時提倡為各種工匠「尋找更優良的材料，以求改善其製造成果」。伯奇接著說道：「對博物學者的需求而言，此座博物館中應有盡有」。史隆堪稱「英國甚至歐洲各國的哲學（科學）之父，因為「他鼓勵航海者、旅行家以及各色人等從各國帶回奇珍異品」，更因為「看到他的博物館會激勵許多優秀人才投入自然史的研究」。[57]

本書追溯了奴隸的歷史與帝國的歷史，加上從史隆那年代便開始的工業化資本主義，持續地濫用自然資源，導致氣候變遷的災難近在眼前，史隆對後世立下的遺產令人感到擔憂，但卻也發人深省。這些文化遺產不但顯示藏珍閣如何逐漸演變成包羅萬象的博物館，同時也凸顯出正是這些極為多元的各式人物（從博學者到奴隸皆有）造就了這種演變。跟隨珍品在全球到處流轉最後成為史隆收藏品的這段旅程，也顯示出大英博物館是各種不同文化交流的產物，而且物品的意義隨著時空而演進。公共博物館的創立絕非必然，其存續也並非無可避免：在公共財漸趨私有化的大環境之下，史隆卻倡導免費開放，其貢獻值得大書特書，不應將之視為理所當然。此外，在我們這個知識專門化的時代，在各類事物遊走的技藝或許也展現了新價值。早期近代自然史的普世主義仍舊能啟發我們，它顯示出自然與社會兩個範疇「之間」有了聯繫，並不能依照現代知識的區分法將兩者分隔。因此，史隆遺產當中的承諾流傳了下來：利用免費的公共機構幫助我們更深入了解：世界誕生成形時，不同的物種與文化之間如何相互交織。[58]

謝詞

Acknowledgements

本書得以完成，很大程度上要感謝加拿大和美國兩國公立大學系統的慷慨支持。我要向以下單位致謝：加拿大社會與人文科學研究委員會（Social Sciences and Humanities Research Council of Canada，簡稱SSHRC）、麥基爾大學（McGill University）歷史系及文學院，以及新澤西州立羅格斯大學（Rutgers – the State University of New Jersey）歷史系、文理學院，以及Research Council, Center for Cultural Analysis and Center for Historical Analysis。以下機關也提供了協助：劍橋大學Centre for Research in Arts, Social Sciences and Humanities（CRASSH）；普林斯頓高等研究院（Institute for Advanced Study）；英國國家學術院（British Academy）；美國哲學會（American Philosophical Society）；柏林馬克思普朗克科學史研究所（Max Planck Institute for the History of Science）；Paul Mellon Centre for Studies in British Art；以及哈佛大學科學史系。

完成一項複雜的計畫時，最開心事的莫過向一群精彩人物致謝、感激他們一路走來的友情支持。我要向亦師亦友、無人能出其右的Simon Schaffer獻上最誠摯的謝意。從計畫的開始到完成，Simon都以機智的幽默感和真切的善意給予本書極大的啟發和熱情的鼓勵。我對他的崇敬和愛戴無以計量。在此也特別表揚幾位在旅途中相伴的好友，感謝他們最深刻的友誼：Martha Fleming、Mirjam Brusius、Justin Erik Halldór Smith、John Tresch、Toby Jones、Lissa Roberts、Nicholas Dew、和Neil Safier。另外，我還要誠心感謝Cyrus Schayegh、Erik Goldner、Nuha Ansari、Viken Berberian、Ninon Vinsonneau、Jonathan Magidoff、Adina Ruiu、Cornelius Borck、Susanne Timm、Daniel Carey、Julie Kim、Miles Ogborn、Sanjay Krishnan、Lynn Festa、Henry Turner、Sharon Jordan、和Fredrik Albritton Jonsson數年來給予我的友情與支持。至於長期以來接受的指導和建議，我要特別感謝我的前任指導教授David Armitage，他熱心積極的支持向來源源不絕，而Steven Shapin、Jorge Cañizares-Esguerra，和Richard Drayton對我的支持亦然。Ann Fabian不僅是個導師，也是個模範，她以多種高明的方式激勵我、啟發我。

我要謝謝Cathy Gere、Linda Colley、Miles Ogborn、Simon Schaffer、Laura Kopp、Chris Blakley、Katy Barrett、Ben Sinyor（他以專家的角度提出各式建議），以及我了不起的文字加工編輯Peter James等人花時間為本書的初稿提出詳盡的建議；Stephen Ryan和Richard Mason精湛的校對；以及Daniel Carey、Lucia Dacome、Arnold Hunt、Julie Kim、Nicholas Dew，和Anna Winterbottom對特定章節的建議。十多年前我在蒙特婁展開這本書的研究計畫，我很感謝當地的好友及同事：Jonathan Sterne、Carrie Rentschler、Laila Parsons、François Furstenberg、Daviken Studnicki-Gizbert、Elizabeth Elbourne、Kate Desbarats、Faith Wallis、Brian Cowan、Brian Lewis，和John Hall。在羅格斯大學期間，Michael Adas、Tuna Artun、Alastair Bellany、Marisa Fuentes、Jochen Hellbeck、Paul Israel、Jennifer Jones、Seth Koven、Jackson

Lears、Julie Livingston、Jim Masschaele、Michael McKeon、Donna Murch，以及 Johanna Schoen等人與我對談、提供建議，並以各種方式支持鼓勵我。另外，我很感謝歷史系兩位系主任Mark Wasserman和Barbara Cooper給予我的慷慨協助，以及羅格斯大學文理學院院長Jimmy Swenson。更要感謝Candace Walcott-Shepherd帶領的團隊提供的優質後勤協助，團隊成員包括Mary Demeo、Matt Leonaggeo，和Tiffany Berg。

我要感謝以下諸位提供各式各樣的熱心協助：Elena Aronova、Toby Barnard、Kenneth Bilby、A. J. Blandford、Daniela Bleichmar、Janet Browne、Hugh Cagle、Joyce Chaplin、Wendy Churchill、Hal Cook、Patricia Crone、Laurent Dubois、Richard Duguid、Adrienne Duperly、Elizabeth Eger、James Elwick、Patricia Fara、Joel Fry、Donald Futers、Travis Glasson、Anne Goldgar、Anne Harrington、Anke te Heesen、Florence Hsia、Dominik Huenniger、Michael Hunter、Annabel Huxley、Margaret Jacob、Lisa Jardine、Michael Keevak、Sachiko Kusukawa、Rebecca Lemov、Dániel Margócsy、Alice Marples、Yair Mintzker、Sina Najafi、R. Neville、Maia Nuku、Tara Nummedal、Nathan Perl-Rosenthal、Victoria Pickering、Juan Pimentel、Isola di Ponza、Nick Radburn、Richard Rath、François Regourd、Felicity Roberts、James Robertson、Anna Marie Roos、Alessandra Russo、Efram Sera-Shriar、Suman Seth、Sujit Sivasundaram、Lisa Smith、Emma Spary、Richard Spiegel、Cameron Strang、Claudia Swan、Stéphane Van Damme、Simon Werrett，以及Chris Wingfield。

我要特別對史隆倫敦館藏的研究員致上最高的謝意。他們熱情地分享其專業知識，不但歡迎我到他們工作地點，也與我合作完成「重建史隆」的研究計畫。其中兩位館藏研究員在研究過程中扮演了至關重要的角色：Martha Fleming是位無人能比的譯者和嚮導，伴我走過眾多博物館長廊；Kim Sloan身兼大英博物館Enlightenment Gallery的Francis Finlay館藏研究員以及British Drawings and Watercolours before 1880的館藏研究員，她的指引、智慧和從容不迫多多少少有助於維持我的心智健全。另外我也要感謝阿什莫倫博物館的前任館長Arthur MacGregor以及曾於大英博物館任職的Marjorie Caygill。Charlie Jarvis以其幽默感引領我進入自然史博物館中史隆標本館的世界；Jonathan King首先在大英博物館向我介紹史隆的收藏；以及大英圖書館的Arnold Hunt和Alison Walker，我都要向他們致謝。我更要向以下眾多人士的善意協助致意：自然史博物館的Julie Harvey、Ranee Prakash、Mark Spencer、Rob Huxley、Kathie Way、Mandy Holloway、Roy Vickery、Dave Goodger、Peter Tandy、John Hunnexe、Tracy-Ann Smith，和Katherine Hann；大英博物館的Venetia Porter、J. D. Hill以及Stephanie Clarke；大英圖書館的Peter Barber和Stephen Parkin；英國皇家學會的Felicity Henderson和Keith Moore；藥劑師公會的Dee Cook；切爾西草藥園的Rosie Atkins；倫敦博物館的Alex Werner。更要感謝Ted Widmer和Susan Danforth於二〇一二年熱心地主持我在普羅旺斯的約翰卡特圖書館舉辦的「Voyage to the Islands: Sloane, Slavery and Scientific Travel in the Caribbean」展覽。

感謝以下單位邀請我前去發表研究成果，藉此我得到至關重要的回饋。感謝Ken Alder（西北大學〔Northwestern University〕）、Rosie Atkins（切爾西草藥園）、Ulrike Beisiegel和Marie Luisa

Allemeyer（哥廷根大學）、Catherine Brice和Konstantina Zanou（巴黎大學）、Mirjam Brusius和Kavita Singh（維多利亞和艾伯特博物館〔Victoria and Albert Museum〕）、Jorge Cañizares-Esguerra（德州大學奧斯汀分校）、Alex Csiszar和Anne Harrington（哈佛大學科學史系）、Samaa Elimam（哈佛大學設計學院）、Ian Foster（牙買加〔Frenchman's Cove〕）、Erik Goldner（加州州立大學北嶺分校）、Jan Golinski（新罕布夏大學〔University of New Hampshire〕）、Pablo Gómez（威斯康辛大學麥迪遜分校）、Fredrik Jonsson（芝加哥大學）、Jonathan King（大英博物館）、Karen Kupperman（紐約大學）、Gesa Mackenthun和Andrea Zittlau（羅斯托克大學〔Universität Rostock〕）、María-Elena Martínez和Deborah Harkness（南加州大學）Peter Miller（Bard Graduate Center）、Phil Morgan（約翰霍普金斯大學）、Staffan Müller-Wille（柏林Max Planck Institute）、Kärin Nickelsen和Fabian Krämer（慕尼黑大學〔Ludwig-Maximilians-Universität München〕）、Miles Ogborn和Valentina Pugliano（倫敦大學）、Giuliano Pancaldi（波隆那大學）、Dahlia Porter和Kelly Wisecup（北德州大學〔University of North Texas〕）、Greg Radick和Graeme Gooday（里茲大學〔University of Leeds〕）、Roy Ritchie（漢庭頓圖書館〔Huntington Library〕）、Neil Safier（英屬哥倫比亞大學）、Simon Schaffer（劍橋大學）、Londa Schiebinger（史丹佛大學）、John Tresch和Michael Zuckerman（賓州大學）、Alison Walker（大英圖書館）、以及Ted Widmer（約翰・卡特・布朗圖書館〔John Carter Brown Library〕）。另外也要感謝在我領取獎學金進行研究期間，接待我的學者：Mary Jacobus和Simon Schaffer（劍橋）、Jonathan Israel（普林斯頓）、以及Lorraine Daston（柏林）。

摯友Kristen Friedman在此書寫作過程中扮演了關鍵的角色：她是整個計畫中唯一的研究助理，早在蒙特婁時期她便發現了許多關於史隆的線索，當時我連該拿這些線索怎麼辦都沒頭緒。我的經紀人Jennifer Lyons極為慷慨的支持和友誼源源不絕，與Steph Ebdon、Susie Nicklin以及Marsh Agency的合作經驗相當愉快，而與哈佛的Kathleen McDermott再次合作也非常開心，感謝她在北美版中的絕佳表現。我的編輯Stuart Proffitt對整本書提供了許多寶貴的建議，也因此讓本書有長足的改善。Jennifer van der Grinten對書目和索引的貢獻良多。我要向我在賴蓋特（Reigate）的英文老師George Paxton致敬，他向來鼓勵我持續寫作，雖然是遲來的致意，總比沒說得好。他曾經指示我們回家之後，把臥房的燈關掉，當家長入房查看時，引用康拉德《黑暗之心》那句「我躺在黑暗中等待死亡」回答——看他們有何反應。

最後，沒有我摯愛的家人，就不會有今天的我，他們總以愛和指引看顧著我。我要感謝我的姊妹Elizabeth Fleure和既為手足又如同父母般照護我的兄弟Richard，還有雖已不再人世卻與我們常相左右的兄弟David。我也感激出生於葉門海港城亞丁、同樣也不在人世的父親Raphael Jack Delbourgo，他曾住在阿迪斯巴貝巴（Addis Ababa），但卻在肯辛頓的（Kensington）哈靈頓花園區（Harrington Gardens）度過餘生。另外也要感謝我的姊妹夫Philip Fleure，他的父母是牙買加人，與我的姊妹結縭後在博蒙德區（Bermondsey）的Old Jamaica Road上建立家庭。我也衷心地感謝我的兄弟的妻子Helen Cadwallader Delbourgo，以及身在羅馬的藝術家岳父Dieter Kopp。我要對我的母親和我的妻子致上最誠摯的謝意，這本書要獻給她們。Rosella Maria Properzi在安科納（Ancona）和聖喬治港（Porto San Giorgio，即Le Marche）長大，之後移居羅馬和阿迪斯巴貝巴，然後與我的父親在倫敦定居、組織家庭。自小，母親就帶著我到世界各地遊歷，她充沛的熱情和無窮的奉獻造就了我的一生。在寫作這本書的期間，我和我的靈魂伴侶Laura Kopp參訪了蒙特婁、紐約、倫敦、羅馬、柏林和牙買加各地，她挾著聰慧和體貼對本書每個能想像到的層面提出建議。是她讓所有好事成真。

二〇一七年三月，紐約

注釋
Notes

Chapter 1——移植

1 *NHJ*, 1: preface (unpaginated); 'A Letter from Dr Hans Sloane . . . to the Right Honourable the Earl of Cromertie', *PT* 27 (1710–12), 302–8; Sloane to Richard Richardson, 20 November 1725, in John Nichols and John Bower Nichols (eds.), *Illustrations of the Literary History of the Eighteenth Century*, 8 vols., London, 1817–58, 1:283; Sloane to Richardson, 12 September 1724, in Dawson Turner (ed.), *Extracts from the Literary and Scientific Correspondence of Richard Richardson*, Yarmouth, 1835, 213; Jonathan Bardon, *The Plantation of Ulster: The British Colonisation of the North of Ireland in the Seventeenth Century*, Gill & Macmillan, 2011, 149; Peter Foss and Catherine O'Connell, Bogland: Study and Utilization', in John Foster (ed.), *Nature in Ireland: A Scientific and Cultural History*, McGill-Queens University Press, 1999, 184–98, p. 186.

2 Eoin Neeson, 'Woodland in History and Culture', in Foster, *Nature in Ireland*, 133–56, esp. 140–45; Foss and O'Connell, 'Bogland'; Nicholas Canny, 'The Ideology of English Colonization: From Ireland to America', *WMQ* 30 (1973), 575–98; Bardon, *Ulster*, chs. 4–5, Davies and James I quotations 115, 124, Blennerhasset quotation 126–7, and Irish Society 128–31.

3 Eric St John Brooks, *Sir Hans Sloane: The Great Collector and his Circle*, Batchworth Press, 1954, 18–21, 24–5; Mark Purcell, ' "Settled in the North of Ireland": Or, Where did Sloane Come From?', in Hunter, *Books to Bezoars*, 24–32, pp. 26–8; Margaret Sanderson, *Ayrshire and the Reformation: People and Change, 1490–1600*, Tuckwell Press, 1997, 110, 133; Jane Ohlmeyer, *Making Ireland English: The Irish Aristocracy in the Seventeenth Century*, Yale University Press, 2012, 15.

4 Brooks, *Sloane*, 36–8; Bardon, *Ulster*, 135–46; Ohlmeyer, *Making Ireland English*, 202, 416; Purcell, 'Settled', 26–8; D. W. Hayton, *Ruling Ireland, 1685–1742: Politics, Politicians, and Parties*, Boydell, 2004, 46–8, 58, 75; http://www.historyofparliamentonline.org/volume/1690-1715/member/sloane-james-1655-1704, accessed April 2014.

5 Toby Barnard, *A New Anatomy of Ireland: The Irish Protestants, 1649–1770*, Yale University Press, 2003, 325–37; Colin Kidd, *British Identities before Nationalism: Ethnicity and Nationhood in the Atlantic World, 1600–1800*, Cambridge University Press, 1999, ch. 4, Ussher quotation 167, and 251–6; Nicholas Canny, 'Identity Formation in Ireland: The Emergence of the Anglo-Irish', in Canny and Anthony Pagden (eds.), *Colonial Identity in the Atlantic World, 1500–1800*, Princeton University Press, 1987, 159–212; D. W. Hayton, *The Anglo-Irish Experience, 1680–1730: Religion, Identity and Patriotism*, Boydell, 2012, esp. ch. 2.

6 Purcell, 'Settled'; Thomas Stack to Sloane, 28 October 1728, Sloane MS 4048, fol. 254.

7 *NHJ*, 1: preface; Richard Drayton, *Nature's Government: Science, Imperial Britain, and the 'Improvement' of the World*, Yale University Press, 2000, ch. 1, Austen quotation 12.

8 Birch, 'Memoirs', fol. 1.

9 Toby Barnard, *Making the Grand Figure: Lives and Possessions in Ireland, 1641–1770*, Yale University Press, 2004, quotations 333; David Miller, 'The "Hardwicke Circle": The Whig Supremacy and its Demise in the 18th-Century Royal Society', *NRRS* 52 (1998), 73–91, p. 76; John Kenyon, *The Popish Plot*, Heinemann, 1972; William Gould to Sloane, 25 January 1681, Sloane MS 4036, fol. 1.

10 Birch, 'Memoirs', fol. 2; Anita Guerrini, 'Anatomists and Entrepreneurs in Early Eighteenth-Century London', *Journal of the History of Medicine and Allied Sciences* 59 (2004), 219–39; Penelope Hunting, *A History of the Society*

of Apothecaries, Society of Apothecaries, 1998; Sue Minter, *The Apothecaries' Garden: A History of the Chelsea Physic Garden*, Sutton Publishing, 2000; Drayton, *Nature's Government*, ch. 1; William Charleton [Courten] to Sloane, 10 September 1687, Sloane MS 3962, fol. 308; Sloane to John Ray, 11 November and 20 December 1684, in Edwin Lankester (ed.), *The Correspondence of John Ray*, The Ray Society, 1848, 156–9; Jill Casid, *Sowing Empire: Landscape and Colonization*, University of Minnesota Press, 2005, ch. 2; Pratik Chakrabarti, *Materials and Medicine: Trade, Conquest and Therapeutics in the Eighteenth Century*, Manchester University Press, 2010, 146–7.

11 Birch, 'Memoirs', fol. 2; de Beer, *Sloane*, 16; Barnard, *Grand Figure*; Hayton, *Anglo-Irish Experience*; Michael Hunter, *Boyle: Between God and Science, Yale University Press, 2009; HS, 9; J. E. Dandy, The Sloane Herbarium*, British Museum, 1958, 206.

12 George Saliba, *Islamic Science and the Making of the European Renaissance*, MIT Press, 2007, ch. 6; Howard Turner, *Science in Medieval Islam: An Illustrated Introduction*, University of Texas Press, 1996; Jim Al-Khalili, *The House of Wisdom: How Arabic Science Saved Ancient Wisdom and Gave Us the Renaissance*, Penguin, 2010.

13 William Eamon, *Science and the Secrets of Nature: Books of Secrets in Medieval and Early Modern Europe*, Princeton University Press, 1994; Lauren Kassell, *Medicine and Magic in Elizabethan London: Simon Forman, Astrologer, Alchemist and Physician*, Oxford University Press, 2007; Steven Shapin, *The Scientific Revolution*, University of Chicago Press, 1996; Steven Shapin and Simon Schaffer, *Leviathan and the Air-Pump: Hobbes, Boyle, and the Experimental Life*, Princeton University Press, 1985.

14 Herbert Butterfield, *The Origins of Modern Science, 1300–1800*, 1949, Free Press, 1965; David Wootton, *The Invention of Science: A New History of the Scientific Revolution*, Allen Lane, 2015; Marwa Elshakry, 'When Science Became Western: Historiographical Reflections', *Isis* 101 (2010), 98–109, p. 107; Stephen Gaukroger, *Descartes: An Intellectual Biography*, Oxford University Press, 1995, e.g. ch. 2; Lawrence Principe, *The Aspiring Adept: Robert Boyle and his Alchemical Quest*, Princeton University Press, 2000; Betty Jo Dobbs, *The Foundation of Newton's Alchemy: or, 'The Hunting of the Green Lyon'*, Cambridge University Press, 1975; Patricia Fara, *Newton: The Making of Genius*, Columbia University Press, 2002; Simon Schaffer, 'Natural Philosophy and Public Spectacle in the Eighteenth Century', *History of Science* 21 (1983), 1–43.

15 Allen Debus, *Chemistry and Medical Debate: Van Helmont to Boerhaave*, Science History Publications, 2001; William Newman, 'From Alchemy to "Chymistry" ', in Lorraine Daston and Katharine Park (eds.), *The Cambridge History of Science, Volume 3: Early Modern Science*, Cambridge University Press, 2006, 497–517, esp. 497, 502, 511–15; Matthew Eddy *et al.* (eds.), *Chemical Knowledge in the Early Modern World*, vol. 29 of *Osiris* (2014); Charles Webster, *Paracelsus: Medicine, Magic and Mission at the End of Time*, Yale University Press, 2008; Andrew Wear, *Knowledge and Practice in English Medicine*, Cambridge University Press, 2000, 98–9, 354–5.

16 John Powers, ' "Ars Sine Arte": Nicolas Lemery and the End of Alchemy in Eighteenth-Century France', *Ambix* 45 1998), 163–89, pp. 170, 174, 180–81; 關於史隆所持有的勒莫利的作品、以及他的圖書館整體收藏，見 the Sloane Printed Books Catalogue, http://www.bl.uk/catalogues/sloane/, accessed August 2014; Sloane MSS 1232, fols. 41–76, and 3861, fols. 49–62 (Lémery).

17 Daniel Carey, *Locke, Shaftesbury and Hutcheson: Contesting Diversity in the Enlightenment and Beyond*, Cambridge University Press, 2005, chs. 1–3, esp. 24, 30; John Locke to William Molyneux, 22 February 1697, in E. S. de Beer (ed.), *The Correspondence of John Locke*, 8 vols., Clarendon Press, 1976–89, 6:4–9, 引言摘錄自 7.

18 Charles Raven, *John Ray, Naturalist: His Life and Works*, Cambridge University Press, 1942, 83, 摘錄自 the *Cambridge Catalogue*, 1660; Brian Ogilvie, 'Natural History, Ethics, and Physico-Theology', in Nancy Siraisi and Gianna Pomata (eds.), *Historia: Empiricism and Erudition in Early Modern Europe*, MIT Press, 2005, 75–104; Alexander Wragge-Morley, 'The Work of Verbal Picturing for John Ray and Some of his Contemporaries', *Intellectual History Review* 20 (2010), 165–79; Philip Sloan, 'John Locke, John Ray, and the Problem of the Natural System', *Journal of the History of Biology* 5 (1972), 1–53; Larry Stewart, *The Rise of Public Science: Rhetoric, Technology, and Natural Philosophy in Newtonian Britain, 1660–1750*, Cambridge University Press, 1992, part 1.

19 Birch, 'Memoirs', fols. 2– 3; Martin Lister, *A Journey to Paris in the Year 1698*, 3rd edn, London, 1699, 4 ('French air'), 62–71; Gould to Sloane, 25 January 1681, Sloane MS 4036, fol. 1; Linda Levy Peck, *Consuming Splendour: Society and Culture in Seventeenth-Century England*, Cambridge University Press, 2005, 128–35; Anna Marie Roos (ed.), *Every Man's Companion: Or, An Useful Pocket-Book*, 1663–6, MS Lister 19, Bodleian Library, Oxford University, http://lister.history.ox.ac.uk, accessed December 2016, and *Web of Nature: Martin Lister (1639–1712), the First Arachnologist*, Brill, 2011, 69–72, and ch. 3; Alice Stroup, *A Company of Scientists: Botany, Patronage, and Community at the Seventeenth-Century Parisian Royal Academy of Sciences*, University of California Press,

1990; Laurence Brockliss and Colin Jones, *The Medical World of Early Modern France*, Oxford University Press, 1997, esp. 184, 190; Matthew Senior, 'Pierre Donis and Joseph-Guichard Duverney: Teaching Anatomy at the Jardin du Roi, 1673–1730', *Seventeenth-Century French Studies* 26 (2004), 153–69, esp. 162– 3; Anita Guerrini, 'Theatrical Anatomy: Duverney in Paris, 1670–1720', *Endeavour* 33 (2009), 7–11.

20 Birch, 'Memoirs', fols. 2–3; Thomas Wakley to Sloane, 11 February 1684, Sloane MS 4036, fol. 6; Sloane, Miscellanies Catalogue, BM, 250–52, 393–5 (phosphorus); Tancred Robinson to Ray, 10 September 1683, Lankester, *Correspondence of John Ray*, 135; de Beer, *Sloane*, 16, 21–2; Jan Golinski, 'A Noble Spectacle: Phosphorus and the Public Cultures of Science in the Early Royal Society', *Isis* 80 (1989), 11–39, pp. 27–8; Powers, ' "Ars Sine Arte" ', 165; Christie Wilson, *Beyond Belief: Surviving the Revocation of the Edict of Nantes in France*, Lehigh University Press, 2011.

21 Archives de Vaucluse, translated in de Beer, *Sloane*, 20–21; Wear, *English Medicine*, chs. 1–4.

22 Birch, 'Memoirs', fol. 4; Andrew Cunningham, 'Thomas Sydenham: Epidemics, Experiment and the "Good Old Cause" ', in Roger French and Andrew Wear (eds.), *The Medical Revolution of the Seventeenth Century*, Cambridge University Press, 1989, 164–90, pp. 182–3; Dorothy and Roy Porter, *Patient's Progress: Doctors and Doctoring in Eighteenth-Century England*, Stanford University Press, 1989, ch. 7, esp. 131; Simon Schaffer, 'The Glorious Revolution and Medicine in Britain and the Netherlands', *NRRS* 43 (1989), 167–90, pp. 180–81; 'nonsense' quotation in Joseph Payne, *Thomas Sydenham*, T. Fisher Unwin, 1900, 190.

23 Sachiko Kusukawa, *Picturing the Book of Nature: Image, Text, and Argument in Sixteenth-Century Human Anatomy and Medical Botany*, University of Chicago Press, 2012; Harold Cook, 'Medicine', in Daston and Park, *Cambridge History of Science, Volume 3*, 407–34, esp. 410–23; Keith Thomas, *Religion and the Decline of Magic*, Weidenfeld & Nicolson, 1971, chs. 7–8; Peter Forshaw, 'Magical Material and Material Survivals: Amulets, Talismans and Mirrors in Early Modern Europe', in Dietrich Boschung and Jan Bremmer (eds.), *The Materiality of Magic*, Wilhelm Fink, 2015, 357–78; *NHJ*, 1:preface.

24 Birch, 'Memoirs', fols. 2–3; Robert Iliffe, 'Foreign Bodies: Travel, Empire and the Early Royal Society of London, Part One – Englishmen on Tour', *Canadian Journal of History* 33 (1998), 357–85, pp. 360–62; Sloane to Ray, 11 November 1684, Lankester, *Correspondence of John Ray*, 157; HS, 9–10; Dandy, *Herbarium*, 27.

25 E. A. Wrigley, *Poverty, Progress, and Population*, Cambridge University Press, 2004, 49 n. 12; Jerry White, *London in the Eighteenth Century: A Great and Monstrous Thing*, Bodley Head, 2012, introduction and ch. 4; Gretchen Gerzina, *Black England: Life before Emancipation*, John Murray, 1995; Catherine Molineux, *Faces of Perfect Ebony: Encountering Atlantic Slavery in Imperial Britain*, Harvard University Press, 2012, ch. 1 and pl. 1; Ray to Sloane, 11 February 1684, Lankester, *Correspondence of John Ray*, 141.

26 John Eliot, *Empires of the Atlantic World: Britain and Spain in America, 1492–1830*, Yale University Press, 1997; A. J. R. Russell-Wood, *The Portuguese Empire, 1415–1808*, Johns Hopkins University Press, 1998; Philip J. Stern and Carl Wennerlind (eds.), *Mercantilism Reimagined: Political Economy in Early Modern Britain and its Empire*, Oxford University Press, 2013; Daniel Carey, 'Locke's Species: Money and Philosophy in the 1690s', *Annals of Science* 70 (2013), 357–80.

27 Laurent Dubois, *Avengers of the New World: The Story of the Haitian Revolution*, Harvard University Press, 2004, ch. 1; Christian Koot, *Empire at the Periphery: British Colonists, Anglo-Dutch Trade, and the Development of the British Atlantic, 1621–1713*, NYU Press, 2011, chs. 2–3; Joyce Chaplin, *Subject Matter: Technology, Science, and the Body on the Anglo-American Frontier, 1500–1676*, Harvard University Press, 2001, 20, 56, etc.; Walter Ralegh, *The Discoverie of the Large, Rich and Bewtiful Empyre of Guiana, 1596*, Manchester University Press, 1997, 136–7; *Richard Dunn, Sugar and Slaves: The Rise of the Planter Class in the English West Indies, 1624–1723*, University of North Carolina Press, 1972, ch. 3; Susan Amussen, *Caribbean Exchanges: Slavery and the Transformation of English Society, 1640–1700*, University of North Carolina Press, 2007, 29; Carla Pestana, *The English Atlantic in an Age of Revolution, 1640–1661*, Harvard University Press, 177–81; Nuala Zahedieh, *The Capital and the Colonies: London and the Atlantic Economy, 1660–1700*, Cambridge University Press, 2010, 210–26, 280–87.

28 Alfred Crosby, *The Columbian Exchange: Biological and Cultural Consequences of 1492*, Greenwood, 1972; Judith Carney and Richard Rosomoff, *In the Shadow of Slavery: Africa's Botanical Legacy in the Atlantic World*, University of California Press, 2010; Anthony Grafton, *New Worlds, Ancient Texts: The Power of Tradition and the Shock of Discovery*, Harvard University Press, 1992, 197–252; Jorge Cañizares-Esguerra, *Nature, Empire, and Nation: Explorations of the History of Science in the Iberian World*, Stanford University Press, 2006, ch. 3; Ralph Bauer, 'A New World of Secrets: Occult Philosophy and Local Knowledge in the Sixteenth-Century Atlantic', in

James Delbourgo and Nicholas Dew (eds.), *Science and Empire in the Atlantic World*, Routledge, 2007, 99–126; Deborah Harkness, *John Dee's Conversations with Angels: Cabala, Alchemy and the End of Nature*, Cambridge University Press, 1999.

29 Londa Schiebinger and Claudia Swan (eds.), *Colonial Botany: Science, Commerce, and Politics in the Early Modern World*, University of Pennsylvania Press, 2005; Harold Cook, *Matters of Exchange: Commerce, Medicine, and Science in the Dutch Golden Age*, Yale University Press, 2007, ch. 1; Paula Findlen, 'Natural History', in Daston and Park, *Cambridge History of Science, Volume 3*, 435–68, pp. 448, 453–4, 463; *NHJ*, 1:i–iv, 引言摘錄自 ii; Maria Fernanda Alegria *et al.*, 'Portuguese Cartography in the Renaissance', in David Woodward (ed.), *The History of Cartography, Volume 3: Cartography in the European Renaissance*, University of Chicago Press, 2007, 975–1068; Juan Pimentel, *Testigos del mundo: Ciencia, literatura y viajes en la ilustración*, Marcial Pons, 2003, 73–94; Antonio Barrera-Osorio, *Experiencing Nature: The Spanish-American Empire and the Early Scientific Revolution*, University of Texas Press, 2006; Trevor Murphy, *Pliny the Elder's Natural History: The Empire in the Encyclopaedia*, Oxford University Press, 2004; Ralph Bauer, *The Cultural Geography of Colonial American Literatures: Empire, Travel, Modernity*, Cambridge University Press, 2003, 19–21; Cañizares-Esguerra, *Nature*, 18–22.

30 Richard Grove, *Green Imperialism: Colonial Expansion, Tropical Island Edens and the Origins of Environmentalism, 1600–1860*, Cambridge University Press, 1996, 22–3, ch. 2, esp. 75, 77, 80, 91 and 133–45; Findlen, 'Natural History'; Anna Winterbottom, *Hybrid Knowledge in the Early East India Company World*, Palgrave Macmillan, 2015.

31 Carol Walker Bynum, *Christian Materiality: An Essay on Religion in Late Medieval Europe*, Zone, 2011; Patrick Geary, 'Sacred Commodities: The Circulationof Medieval Relics', in Arjun Appadurai (ed.), *The Social Life of Things: Commodities in Cultural Perspective*, Cambridge University Press, 1986, 169–91; Krzysztof Pomian, *Collectors and Curiosities: Paris and Venice, 1500–1800* (1987), trans. Elizabeth Wiles-Portier, Polity Press, 1990; Horst Bredekamp, *The Lure of Antiquity and Cult of the Machine: The Kunstkammer, and the Evolution of Art, Nature, and Technology*, Markus Weiner, 1995; Lorraine Daston and Katharine Park, *Wonders and the Order of Nature, 1150–1750*, Zone, 1998; Justin Stagl, *A History of Curiosity: The Theory of Travel, 1550–1800*, Routledge, 1995, ch. 2, esp. 114–16, 121; Mark Meadow and Bruce Robertson (eds.), *The First Treatise on Museums: Samuel Quiccheberg's Inscriptiones, 1565*, Getty Research Institute, 2013, esp. 23–6; Koji Kuwakino, 'The Great Theatre of Creative Thought: The *Inscriptiones vel tituli theatri amplissimi* . . . (1565) by Samuel von Quiccheberg', *Journal of the History of Collections* 25 (2013), 303–24; Paula Findlen, *Possessing Nature: Museums, Collecting, and Scientific Culture in Early Modern Italy*, University of California Press, 1994, incl. on Kircher 334–44, and (ed.), *Athanasius Kircher: The Last Man Who Knew Everything*, Routledge, 2004.

32 [Francis Bacon], *Gesta Grayorum*, 1594, in John Nichols (ed.), *The Progresses and Public Processions of Queen Elizabeth*, 3 vols., London, 1823, 3:262–350, 引言摘錄自 p. 290; Paula Findlen, 'Anatomy Theatres, Botanical Gardens, and Natural History Collections', in Daston and Park, *Cambridge History of Science, Volume 3*, 272–89.

33 Francis Bacon, *Novum organum*, London, 1620; Peter Dear, 'The Meanings of Experience', in Daston and Park, *Cambridge History of Science, Volume 3*, 106–31; Lorraine Daston, 'Marvellous Facts and Miraculous Evidence in Early Modern Europe', *Critical Inquiry* 18 (1991), 193– 214; Francis Bacon, *New Atlantis*, in James Spedding *et al.* (eds.), *The Works of Francis Bacon*, 14 vols., Longman, 1857–74, 3:125–66, quotations 164, 165, 156, 146, 165–6; Bauer, *Cultural Geography*, 19–21; Cañizares-Esguerra, *Nature*, 18–22.

34 Carl Wennerlind, *Casualties of Credit: The English Financial Revolution, 1620–1720*, Harvard University Press, 2011, ch. 2, Plattes quotation 58; Koji Yamamoto, 'Reformation and the Distrust of the Projector in the Hartlib Circle', *Historical Journal* 55 (2012), 175–97; Eamon Duffy, *The Stripping of the Altars: Traditional Religion in England, c. 1400–c. 1580*, Yale University Press, 1992; Tabitha Barber and Stacy Boldrick (eds.), *Art under Attack: Histories of British Iconoclasm*, Tate Publishing, 2013; John Brewer, *The Pleasures of the Imagination: English Culture in the Eighteenth Century*, HarperCollins, 1997, ch. 6, esp. 87; Jerry Brotton, *The Sale of the Late King's Goods: Charles I and his Art Collection*, Macmillan, 2006; Arthur MacGregor (ed.), *Tradescant's Rarities: Essays on the Foundation of the Ashmolean Museum*, Clarendon Press, 1983, and *The Ashmolean Museum: A Brief History of the Museum and its Collections*, Ashmolean Museum, 2001; Marjorie Swann, *Curiosities and Texts: The Culture of Collecting in Early Modern England*, University of Pennsylvania Press, 2001; Ken Arnold, *Cabinets for the Curious: Looking Back at Early English Museums*, Ashgate, 2006, esp. 197–204; Jennifer Thomas, 'Compiling "God's Great Book [of] Universal Nature": The Royal Society's Collecting Strategies', *Journal of the History of Collections* 23 (2011), 1–13; Peck, *Consuming Splendour*, ch. 8.

35 Cook, *Exchange*, 29–31; Michael Hunter, *Establishing the New Science: The Experience of the Early Royal Society*,

Boydell & Brewer, 1989; Thomas Sprat, *The History of the Royal-Society of London, for the Improving of Natural Knowledge*, London, 1667, 74; Eamon, *Secrets of Nature*, chs. 6, 10; Walter Houghton, Jr, 'The English Virtuoso in the Seventeenth Century', parts 1–2, *Journal of the History of Ideas* 3 (1942), 51–73, 190–219, 'excellencie' quotation 59, from Baldassare Castiglione, *The Book of the Courtier*, trans. Thomas Hoby, 1561; Craig Hanson, *The English Virtuoso: Art, Medicine, and Antiquarianism in the Age of Empiricism*, University of Chicago Press, 2009; Findlen, *Possessing Nature*, ch. 7; Bredekamp, *Lure of Antiquity*, 19–27; Susan Scott Parrish, *American Curiosity: Cultures of Natural History in the Colonial British Atlantic World*, University of North Carolina Press, 2006, ch. 5; Gillian Darley, *John Evelyn: Living for Ingenuity*, Yale University Press, 2007; Carol Gibson-Wood, 'Classification and Value in a Seventeenth-Century Museum: William Courten's Collection', *Journal of the History of Collections* 9 (1997), 61–77; Susan Jenkins, *Portrait of a Patron: The Patronage and Collecting of James Bridges, 1st Duke of Chandos (1674–1744)*, Ashgate, 2007; Joseph Levine, *Dr Woodward's Shield: History, Science, and Satire in Augustan England*, University of California Press, 1977; Ludmilla Jordanova, 'Portraits, People and Things: Richard Mead and Medical Identity', *History of Science* 61 (2003), 93–113.

36 Swann, *Curiosities and Texts*, 56–9, 136–45; Barbara Shapiro, *A Culture of Fact: England, 1550–1720*, Cornell University Press, 2000, ch. 3; Susan Scott Parrish, 'Richard Ligon and the Atlantic Science of Commonwealths', *WMQ* 67 (2010), 209–48; James Jacob, *Henry Stubbe, Radical Protestantism and the Early Enlightenment*, Cambridge University Press, 1983, 45–8; Daniel Carey, 'Inquiries, Heads, and Directions: Orienting Early Modern Travel', in Judy Hayden (ed.), *Travel Narratives, the New Science, and Literary Discourse, 1569–1750*, Ashgate, 2012, 25–52; 'Inquiries Recommended to Colonel Linch going to Jamaica', 16 December 1670, Sloane MS 3984, fol. 194; Raymond Stearns, *Science in the British Colonies of America*, University of Illinois Press, 1970, 212–46; Mark Govier, 'The Royal Society, Slavery, and the Island of Jamaica: 1660–1700', *NRRS* 53 (1999), 203–17, Sprat quotation 206; K. Grudzien Baston, 'Vaughan, John, Third Earl of Carbery', *ODNB*.

37 Anne Murphy, *The Origins of English Financial Markets: Investment and Speculation before the South Sea Bubble*, Cambridge University Press, 2012, 10–12, 31, 99, and ch. 3; Zahedieh, *Capital*, 232; Stewart, *Rise of Public Science*; Simon Schaffer, 'Defoe's Natural Philosophy and the Worlds of Credit', in John Christie and Sally Shuttleworth (eds.), *Nature Transfigured: Science and Literature, 1700–1900*, Manchester University Press, 1989, 13–44; Daniel Defoe, *The Complete English Tradesman*, 1726, Alan Sutton, 1987, 46; Thomas, *Magic*, 273–82; J. Kent Clarke, *Goodwin Wharton*, Oxford University Press, 1984, 223–6, 271–5; Anonymous, *Angliae Tutamen: Or, The Safety of England*, London, 1695, 21.

38 *NHJ*, 1:table 'iiii'; Sloane to Arthur Rawdon, 21 May 1687, in Edward Berwick (ed.), *The Rawdon Papers, Consisting of Letters on Various Subjects, Literary, Political and Ecclesiastical*, London, 1819, 388–91, quotations 389, 390; *NHJ*, 1:lxxix–lxxx; Peter Earle, *The Wreck of the Almiranta: Sir William Phips and the Search for the Hispaniola Treasure*, Macmillan, 1979; Sloane MS 50 (Phips journal); 此章節及全書所提及的貨幣價值轉換請見 http://apps.nationalarchives.gov.uk/currency/default0.asp, accessed August 2014; Kay Dian Kriz, 'Curiosities, Commodities, and Transplanted Bodies in Hans Sloane's "Natural History of Jamaica"', *WMQ* 57 (2000), 35–78, pp. 53–7.

39 *NHJ*, 1:lxxx–lxxxi; James Delbourgo, 'Divers Things: Collecting the World under Water', *History of Science* 49 (2011), 149–85.

40 Estelle Ward, *Christopher Monck, Duke of Albemarle*, John Murray, 1915; Bardon, *Ulster*, 142, 145–6; Donal Synnott, 'Botany in Ireland', in Foster, *Nature in Ireland*, 157–83, p. 160; Zahedieh, *Capital*, 115, 119–20; Wear, *English Medicine*, 116, 130; *NHJ*, 1: preface; Gould to Sloane, 25 January 1681, Sloane MS 4036, fol. 1; Sloane to Ray, 29 January 1686, Lankester, *Correspondence of John Ray*, 189.

41 Sydenham quotation, n.d., in de Beer, *Sloane*, 26; Ray to Sloane, 1 April 1687, Lankester, *Correspondence of John Ray*, 192; Ray to Sloane, n.d., Sloane MS 4036, fol. 28; Robinson to Sloane, 8 April 1688, Sloane MS 4046, fol. 32; Jacob Bobart to Sloane, 1 October 1688, Sloane MS 4036, fol. 43.

42 *NHJ*, 1:preface and cxxii; Sloane to unknown, 19 May 1714, Sloane MS 4068, fol. 85; Birch, 'Memoirs', fol. 14; 'Proposals made by Dr Sloane if it be thought fitt that he goe physitian to ye W. india fleet', n.d., Sloane MS 4069, fol. 200; Sloane to Rawdon, 10 September 1687, MS HA 15790, Irish Papers, Huntington Library, San Marino.

Chapter 2 ——珍品之島

1 *NHJ*, 1:1–3, 6; Lawrence Wright, Log of HMS *Assistance*, 1687–9: Captains' Logs, 68, National Archives, London.

2 *NHJ*, 1:9–20; Miguel Menezes de Sequeira *et al.*, 'The Madeiran Plants Collected by Sir Hans Sloane in 1687, and

his Descriptions', *Taxon* 59 (2010), 598–612; David Hancock, *Oceans of Wine: Madeira and the Emergence of American Trade and Taste*, Yale University Press, 2009.

3 Sloane to William Charleton [Courten], 28 November 1687, Sloane MS 3962, fol. 310; *NHJ*, 1:32–41; Sloane, Albemarle case history, Sloane MS 3984, fols. 282–5; Richard Grove, *Green Imperialism: Colonial Expansion, Tropical Island Edens and the Origins of Environmentalism, 1600–1860*, Cambridge University Press, 1995, 67.

4 *NHJ*, 1:41–7; John Taylor, *Multum in Parvo*, reproduced in David Buisseret (ed.), *Jamaica in 1687: The Taylor Manuscript at the National Library of Jamaica*, University of the West Indies Press, 2008, 299–300; Tancred Robinson to Sloane, 6 December 1687, Sloane MS 4036, fol. 30.

5 Samuel Wilson, *The Archaeology of the Caribbean*, Cambridge University Press, 2007, 102–5, 160, 162, Bernáldez quotations 103; Jan Rogozin' ski, *A Brief History of the Caribbean: From the Arawak and Carib to the Present*, Plume, 1999, 14–33; Irving Rouse, *The Tainos: Rise and Decline of the People Who Greeted Columbus*, Yale University Press, 1992; Bartolomé de Las Casas, *A Short Account of the Destruction of the Indies*, 1552, trans. Nigel Griffin, Penguin, 1992, 26; Frederic Cassidy, *Jamaica Talk: Three Hundred Years of the English Language in Jamaica*, St Martin's Press, 1961, 10.

6 Francisco Padrón, *Spanish Jamaica*, trans. Patrick Bryan, Ian Randle Publishers, 2003; Susan Amussen, *Caribbean Exchanges: Slavery and the Transformation of English Society, 1640–1700*, University of North Carolina Press, 2007, 33–71, and Richard Dunn, *Sugar and Slaves: The Rise of the Planter Class in the English West Indies, 1624–1713*, University of North Carolina Press, 1972, 149–87.

7 Dunn, *Sugar*, 157–61, 168, 183, 231; Carla Pestana, *The English Atlantic in an Age of Revolution, 1640–1661*, Harvard University Press, 2007, 164; Nuala Zahedieh, *The Capital and the Colonies: London and the Atlantic Economy, 1660–1700*, Cambridge University Press, 2010, 50–51, 115, 119–20; Patricia Cohen, *A Calculating People: The Spread of Numeracy in Early America*, University of Chicago Press, 1982, 47–80; Henry Barham, 'Civil History of Jamaica to 1722', Add. MS 12422, fols. 158–9, 260（「鐵條」）.

8 Trevor Burnard, 'Who Bought Slaves in Early America? Purchasers of Slaves from the Royal African Company in Jamaica, 1674–1708', *Slavery and Abolition* 17 (1996), 68–92, pp. 72–7; David Eltis and David Richardson, *Atlas of the Transatlantic Slave Trade*, Yale University Press, 2010, 126, 129, 136, 138, 169, 201, 204; Stephanie Smallwood, *Saltwater Slavery: A Middle Passage from Africa to American Diaspora*, Harvard University Press, 2009; Marcus Rediker, *The Slave Ship: A Human History*, Penguin, 2008; Olaudah Equiano, *The Interesting Narrative of the Life of Olaudah Equiano*, 1789, Norton, 2001, 38–41; Alexander Byrd, *Captives and Voyagers: Black Migrants across the Eighteenth-Century British Atlantic World*, Louisiana State University Press, 2010, esp. ch. 3; 1664 slave code（「黑奴這類信仰異教的野人既不可靠又危險」）quoted in David Barry Gaspar, ' "Rigid and Inclement": Origins of the Jamaica Slave Laws of the Seventeenth Century', in Christopher Tomlins and Bruce Mann (eds.), *The Many Legalities of Early America*, University of North Carolina Press, 2001, 78–96, p. 90; Diana Paton, 'Punishment, Crime, and the Bodies of Slaves in Eighteenth-Century Jamaica', *Journal of Social History* 34 (2001), 923–54.

9 Dunn, *Sugar*, 170–71, 189–203; Amussen, *Caribbean Exchanges*, 39–40; Sidney Mintz, *Sweetness and Power: The Place of Sugar in Modern History*, Viking, 1985.

10 Dunn, *Sugar*, 164, 165, 224, 230, 237; Anne Murphy, *The Origins of English Financial Markets: Investment and Speculation before the South Sea Bubble*, Cambridge University Press, 2012, 98; Ian Baucom, *Spectres of the Atlantic: Finance Capital, Slavery, and the Philosophy of History*, Duke University Press, 2005, ch. 3; Robin Blackburn, *The Making of New World Slavery: From the Baroque to the Modern, 1492–1800*, Verso, 1997.

11 *NHJ*, 1:vi, xciv; Andrew Wear, *Knowledge and Practice in English Medicine*, Cambridge University Press, 2000, 185, 190–91; Neil Safier, 'Transformations de la Zone Torride: Les Répertoires de la Nature Tropicale à l'Époque des Lumières', *Annales* 66 (2011), 143–72; Hayes 引自 Susan Scott Parrish, *American Curiosity: Cultures of Natural History in the Colonial British Atlantic World*, University of North Carolina Press, 2006, 83; Karen Kupperman, 'Fear of Hot Climates in the Anglo-American Colonial Experience', *WMQ* 41 (1984), 213–40; Antonello Gerbi, *The Dispute of the New World: The History of a Polemic, 1750–1900*, 1955, trans. Jeremy Moyle, University of Pittsburgh Press, 1973; Jorge Cañizares-Esguerra, *How to Write the History of the New World: Histories, Epistemologies, and Identities in the Eighteenth-Century Atlantic World*, Stanford University Press, 2000; 'Inquiries Recommended to Colonel Linch going to Jamaica', 16 December 1670, Sloane MS 3984, fol. 194.

12 Ned Ward, *A Trip to Jamaica*, London, 1698, 14; James Delbourgo, 'Divers Things: Collecting the World under Water', *History of Science* 49 (2011), 149–85; *NHJ*, 1:25.

13 Wear, *English Medicine*, 172; *NHJ*, 1:xvi–xx, xxv; Verene Shepherd, *Livestock, Sugar and Slavery: Contested Ter-*

rain in Colonial Jamaica, Ian Randle, 2009, 23; Steven Shapin, 'The Sciences of Subjectivity', *Social Studies of Science* 42 (2012), 170–84; Emma Spary, 'Self-Preservation: French Travels between *Cuisine* and *Industrie* ', in Simon Schaffer *et al.* (eds.), *The Brokered World: Go-Betweens and Global Intelligence, 1770–1820*, Science History Publications, 2009, 355–86.

14 *NHJ*, 1:xx–xxvi.

15 Sloane to John Wallis, 6 February 1699, MS 7633, fol. 1, Wellcome Library, London; *NHJ*, 1:xx, xxvii; Joyce Chaplin, *Subject Matter: Technology, the Body, and Science on the Anglo-American Frontier, 1500–1676*, Harvard University Press, 2001, ch. 4.

16 *NHJ*, 1:xxvii–xxx, lxix; Kupperman, 'Hot Climates', 222; Sloane to Edward Herbert, 17 April 1688, Sloane MS 4068, fol. 7; Kathleen Wilson, 'The Performance of Freedom: Maroons and the Colonial Order in Eighteenth-Century Jamaica and the Atlantic Sound', *WMQ* 66 (2009), 45–86, pp. 51–2; Benjamin Roberts, 'Drinking Like a Man: The Paradox of Excessive Drinking for Seventeenth-Century Dutch Youths', *Journal of Family History* 29 (2004), 237–52.

17 Trevor Burnard, ' "The Countrie Continues Sicklie": White Mortality in Jamaica, 1655–1780', *Social History of Medicine* 12 (1999), 45–72, pp. 55–7; *NHJ*, 1:lix, xc, xxxvii, civ–cvii; Wear, *English Medicine*, 48; Thomas Trapham, *A Discourse of the State of Health in the Island of Jamaica*, London, 1679, 68–9, 122–3; Kenneth Kiple, *The Caribbean Slave: A Biological History*, Cambridge University Press, 1984; Richard Sheridan, *Doctors and Slaves: A Medical and Demographic History of Slavery in the British West Indies, 1680–1834*, Cambridge University Press, 1985.

18 Gianna Pomata, 'Sharing Cases: The *Observationes* in Early Modern Medicine', *Early Science and Medicine* 15 (2010), 193–236; Wear, *English Medicine*, 134; *NHJ*, 1:cxliv, cxii, xciii, cxi, cxxxvii–cxxxviii, cxvii–cxviii; Wendy Churchill, 'Bodily Differences? Gender, Race, and Class in Hans Sloane's Jamaican Medical Practice, 1687–1688', *Journal of the History of Medicine and Allied Sciences* 60 (2005), 391–444.

19 *NHJ*, 1:xc–xci, cliii, cxlviii; Barbara Bush, *Slave Women in Caribbean Society, 1650–1838*, Indiana University Press, 1990, ch. 7; Trevor Burnard, 'A Failed Settler Society: Marriage and Demographic Failure in Early Jamaica', *Journal of Social History* 28 (1994), 63–82, and *Mastery, Tyranny, and Desire: Thomas Thistlewood and his Slaves in the Anglo-Jamaican World*, University of North Carolina Press, 2004, ch. 7.

20 *NHJ*, 1:cxxii, c, cxliii, cvi, cxv, cxxvi; Roy Porter, *Health for Sale: Quackery in England, 1660–1850*, Manchester University Press, 1989, 34; Steven Shapin, 'Trusting George Cheyne: Scientific Expertise, Common Sense, and Moral Authority in Early Eighteenth-Century Dietetic Medicine', *Bulletin of the History of Medicine* 77 (2003), 263–97; Londa Schiebinger, *Plants and Empire: Colonial Bioprospecting in the Atlantic World*, Harvard University Press, 2004, ch. 3; Karol Weaver, *Medical Revolutionaries: The Enslaved Healers of Eighteenth-Century Saint Domingue*, University of Illinois Press, 2006, 24.

21 *NHJ*, 1:cvi, cxxviii–cxxix, cxli–cxlii, cxiv–cxv, cxxx–cxxxi, clii; Miles Ogborn, 'Talking Plants: Botany and Speech in Eighteenth-Century Jamaica', *History of Science* 51 (2013), 251–82.

22 Pomata, 'Sharing Cases'; Kay Dian Kriz, 'Curiosities, Commodities, and Transplanted Bodies in Hans Sloane's "Natural History of Jamaica" ', *WMQ* 57 (2000), 35–78, pp. 39–42; *NHJ*, 1:lii–lv, xc, cxiv–cxv, cxxviii, cxxxvi, cxxxv, ci; Wendy Churchill, 'Sloane's Perspectives on the Medical Knowledge and Health Practices of Non-Europeans', in Hunter, *Books to Bezoars*, 90–98; Julie Kim, 'Obeah and the Secret Sources of Atlantic Medicine', in ibid., 99–104; Suman Seth, *Difference and Disease: Locality and Medicine in the Eighteenth-Century British Empire*, forthcoming; Vincent Brown, *The Reaper's Garden: Death and Power in the World of Atlantic Slavery*, Harvard University Press, 2008, ch. 4; Pablo Gómez, 'The Circulation of Bodily Knowledge in the Seventeenth-Century Black Spanish Caribbean', *Social History of Medicine* 26 (2013), 383–402.

23 John McNeill, *Mosquito Empires: Ecology and War in the Greater Caribbean, 1620–1914*, Cambridge University Press, 2010, ch. 3, 212; James Sweet, *Domingos Álvares, African Healing, and the Intellectual History of the Atlantic World*, University of North Carolina Press, 2011, e.g. 56; *NHJ*, 1:xcviii, cxli; Dorothy and Roy Porter, *Patient's Progress: Doctors and Doctoring in Eighteenth-Century England*, Stanford University Press, 1989, ch. 7; Richard Sheridan, 'The Doctor and the Buccaneer: Sir Hans Sloane's Case History of Sir Henry Morgan, Jamaica, 1688', *Journal of the History of Medicine and Allied Sciences* 41 (1986), 76–87.

24 *NHJ*, 2:xv–xvi; 1:xxxi, ix; Wear, *English Medicine*, 180.

25 Estelle Ward, *Christopher Monck, Duke of Albemarle*, John Murray, 1915; Robin Clifton, 'Monck, Christopher', *ODNB*; Sloane, Albemarle case history, Sloane MS 3984, n.d., fols. 282–5.

26 Sloane, Albemarle case history.

27 Ibid.

28 Ibid.; *NHJ*, 1:xlviii; 'Copies of the Minutes of the Councils held at . . .Jamaica', 27 September–6 October 1688, Sloane MS 1599, fols. 84–6; Keith Thomas, *Man and the Natural World: Changing Attitudes in England, 1500–1800*, Penguin, 1983, 123; Wear, *English Medicine*, 138–9; Katharine Park, 'The Life of the Corpse: Division and Dissection in Late Medieval Europe', *Journal of the History of Medicine* 50 (1995), 111–32; Roy Porter, *Flesh in the Age of Reason*, Allen Lane, 2003, part 1; Brown, *Reaper's Garden*, 89–90; Julia Kristeva, *Powers of Horror: An Essay on Abjection*, trans. Leon Roudiez, Columbia University Press, 1982; Michael Taussig, *My Cocaine Museum*, University of Chicago Press, 2004, 174–5; Sophie Gee, *Making Waste: Leftovers and the Eighteenth-Century Imagination*, Princeton University Press, 2009, 7–8, 126, 130.

29 Sloane, Albemarle case history.

30 *NHJ*, 1:lxxiii.

31 Ibid., 1:lxxv, lx–lxii, 109, lxiii, and 2:table 190 (cotton gin); Lissa Roberts, 'The Death of the Sensuous Chemist: The "New" Chemistry and the Transformation of Sensuous Technology', *Studies in the History and Philosophy of Science* 26 (1995), 503–29; Kriz, 'Curiosities', 68–73; Jordan Kellman, 'Nature, Networks, and Expert Testimony in the Colonial Atlantic: The Case of Cochineal', *Atlantic Studies* 7 (2010), 373–95.

32 *NHJ*, 1:lx, lxv; Francis Watson to Sloane, 22 April 1689, Sloane MS 4036, fol. 51, and 13 May 1690, ibid., fol. 80; William Bragg to Sloane, 22 April 1689, ibid., fol. 47; Dunn, *Sugar*, 174–5.

33 *NHJ*, 1:xxxviii, lxv, lxiv; Dunn, *Sugar*, 36, 38–9, 213, Helyar quotation 38; Amussen, *Caribbean Exchanges*, ch. 3; Anonymous, 'Rose of Jamaica', *Caribbeana* 5 (1917), 130–39; Burnard, 'Who Bought Slaves?', 74.

34 *NHJ*, 1:lxv–lxvi, 2:xviii, 1:xxxviii.

35 *NHJ*, 1:lxv–lxvi; Anthony Pagden, *The Fall of Natural Man: The American Indian and the Origins of Comparative Ethnology*, Cambridge University Press, 1987, chs. 5–6; E. Shaskan Bumas, 'The Cannibal Butcher Shop: Protestant Uses of Las Casas's *Brevísima Relación* in Europe and the American Colonies', *Early American Literature* 35 (2000), 107–36, Phillips quotations 123; Margaret Greer *et al.* (eds.), *Rereading the Black Legend: The Discourses of Religious and Racial Difference in the Renaissance Empires*, University of Chicago Press, 2008; Michael Gaudio, *Engraving the Savage: The New World and Techniques of Civilization*, University of Minnesota Press, 2008; Francis Bacon, *The Essays*, Penguin, 1985, 162.

36 Thomas Ballard to Sloane, 12 May 1690, Sloane MS 4036, fol. 78; Sloane, Metals Catalogue, NHM, 21; *NHJ*, 1:lxxi, lxxxix; Henry Barham, 'Civil History of Jamaica to 1722', Add. MS 12422, fol. 157; 'Proposals to the Company of Mines Royal in Jamaica', Add. MS 22639, fol. 13; Barham to Sloane, 21 November 1721, Sloane MS 4045, fol. 68, and 17 April 1725, Sloane MS 4047, fol. 337; Zahedieh, *Capital*, 119, 231, 233, 283.

37 *NHJ*, 1:i; Nicolás Wey Gómez, *The Tropics of Empire: Why Columbus Sailed South to the Indies*, MIT Press, 2008; Paula Findlen, *Possessing Nature: Museums, Collecting and Scientific Culture in Early Modern Italy*, University of California Press, 1994, 313–15, Aldrovandi quotation 314, and 'Natural History', in Lorraine Daston and Katharine Park (eds.), *The Cambridge History of Science, Volume 3: Early Modern Science*, Cambridge University Press, 2006, 435–68, p. 448; Sloane, 'Account of Four Sorts of Strange Beans, Frequently Cast on Shoar on the Orkney Isles', *PT* 19 (1695–7), 298–300, quotation 300; *NHJ*, 1:i–iv; Alfred Crosby, *The Columbian Exchange: Biological and Cultural Consequences of 1492*, Greenwood, 1972, ch. 4; Sloane MSS 375, 3052–4 (Las Casas).

38 *NHJ*, 1:lxvi–lxvii (author's translation); Douglas Armstrong and Kenneth Kelly, 'Settlement Patterns and the Origins of African Jamaican Society: Seville Plantation, St. Ann's Bay, Jamaica', *Ethnohistory* 47 (2000), 369–97; Rebecca Tortello and Jonathan Greenland (eds.), *Xaymaca: Life in Spanish Jamaica, 1494–1655*, Institute of Jamaica, 2009.

39 Barbara Shapiro, *A Culture of Fact: England, 1550–1720*, Cornell University Press, 2000, ch. 3; Marjorie Swann, *Curiosities and Texts: The Culture of Collecting in Early Modern England*, University of Pennsylvania Press, 2001, ch. 3, esp. 104–5, 140; Alix Cooper, *Inventing the Indigenous: Local Knowledge and Natural History in Early Modern Europe*, Cambridge University Press, 2007; David Beck, 'County Natural History: Indigenous Science in England, from Civil War to Glorious Revolution', *Intellectual History Review* 24 (2014), 71–87; *NHJ*, 1:lxvi.

40 *NHJ*, 1:xli, lxx–lxxi.

41 Ibid., 1:lxx–lxxi, xxvii; Sloane, Humana Catalogue, NHM, 18–19 (skull), 20 (humerus), 73 (jaw); Antiquities Catalogue, BM, 102 (urn); Mark Hauser, *An Archaeology of Black Markets: Local Ceramics and Economies in Eighteenth-Century Jamaica*, University Press of Florida, 2008, 127–8; Bryan Edwards, *The History, Civil and Commercial, of the British Colonies in the West Indies*, 2 vols., London, 1793, 1:131; Bumas, 'Cannibal Butcher

Shop'; Jill Lepore, *The Name of War: King Philip's War and the Origins of American Identity*, Knopf, 1998, 3–18.

42 *NHJ*, 1:xiii, xliv, xiv, preface, lxiii, ix, xxxiii–xlii (weather chart); Sloane to Herbert, 17 April 1688, Sloane MS 4068, fol. 7; Lorraine Daston and Katharine Park, *Wonders and the Order of Nature, 1150–1750*, Zone, 1998, 25–39; Philip Morgan, 'The Caribbean Environment in the Early Modern Era', unpublished paper; Jan Golinski, *British Weather and the Climate of Enlightenment*, University of Chicago Press, 2007, ch. 3; Amussen, *Caribbean Exchanges*, 51; James Robertson, 'Re-Writing the English Conquest of Jamaica in the Late Seventeenth Century', *English Historical Review* 117 (2002), 813–39.

43 Grove, *Green Imperialism*, ch. 1; Graham Parry, *The Trophies of Time: English Antiquarians of the Seventeenth Century*, Oxford University Press, 1996, 26–43; Swann, *Curiosities*, 108–12; Cooper, *Inventing the Indigenous*, 80–86.

44 Murphy, *English Financial Markets*, 97–105; Harold Cook, 'Time's Bodies: Crafting the Preparation and Preservation of Naturalia', in Pamela Smith and Paula Findlen (eds.), *Merchants and Marvels: Commerce, Science, and Art in Early Modern Europe*, Routledge, 2001, 223–47; *NHJ*, 1:xv, lv–lvi, v–vi, vii–viii; James Delbourgo and Staffan Müller-Wille, 'Listmania: Introduction', *Isis* 103 (2012), 710–15; Trevor Murphy, *Pliny the Elder's Natural History: The Empire in the Encyclopaedia*, Oxford University Press, 2004; Jacques Revel, 'Knowledge of the Territory', *Science in Context* 4 (1991), 133–61; Patricia Seed, *Ceremonies of Possession in Europe's Conquest of the New World, 1492–1640*, Cambridge University Press, 1995.

45 *NHJ*, 1:v ('fitter for the produce'); Sloane, 'Some Observations . . .concerning some Wonderful Contrivances of Nature in a Family of Plants in Jamaica, to Perfect the Individuum, and Propagate the Species', *PT* 21 (1699), 113–20, quotations 113, 119, 'Account of Four Sorts of Strange Beans', esp. 299–300, and Vegetable Substances Catalogue, NHM, 366; E. Charles Nelson, *Sea Beans and Nickar Nuts*, Botanical Society of the British Isles, 2000, 31–2; *NHJ*, 1:preface ('so much contrivance').

46 *NHJ*, 1:lxxvi–lxxxix.

47 Richard Baxter, *A Christian Directory*, London, 1673, and Morgan Godwyn, *The Negro's and Indians Advocate*, London, 1680, 引自 Christopher Brown, *Moral Capital: Foundations of British Abolitionism*, University of North Carolina Press, 2006, 57, 69; Jack Greene, ' "A Plain and Natural Right to Life and Liberty": An Early Natural Rights Attack on the Excesses of the Slave System in Colonial British America', *WMQ* 57 (2000), 793–808; Aphra Behn, *Oroonoko: or, The Royal Slave*, 1688, Norton, 1997, 38; Thomas Tryon, *Friendly Advice to the Gentlemen-Planters of the East and West Indies*, London, 1684, 引自 Philippe Rosenberg, 'Thomas Tryon and the Seventeenth-Century Dimensions of Antislavery', *WMQ* 61 (2004), 609–42, pp. 624–5; Sloane Printed Books Catalogue, http://www.bl.uk/catalogues/sloane/, accessed August 2014.

48 Nicholas Hudson, 'From "Nation" to "Race": The Origin of Racial Classification in Eighteenth-Century Thought', *Eighteenth-Century Studies* 29 (1996), 247–64; Winthrop Jordan, *White over Black: American Attitudes toward the Negro, 1550–1812*, University of North Carolina Press, 1968, 216–65; Roxann Wheeler, *The Complexion of Race: Categories of Difference in Eighteenth-Century British Culture*, University of Pennsylvania Press, 2000, introduction, ch. 1 and esp. 96, 304; Justin Smith, *Nature, Human Nature, and Human Difference: Race in Early Modern Philosophy*, Princeton University Press, 2015; Daston and Park, *Wonders*, 25–39; Ilona Katzew, *Casta Painting: Images of Race in Eighteenth-Century Mexico*, Yale University Press, 2004, ch. 5; Chaplin, *Subject Matter*, 218–20; Herman Bennett, ' "Sons of Adam": Text, Context, and the Early Modern African Subject', *Representations* 92 (2005), 16–45; María Elena Martínez, *Genealogical Fictions: Limpieza de Sangre, Religion, and Gender in Colonial Mexico*, Stanford University Press, 2008.

49 Sidney Klaus, 'A History of the Science of Pigmentation', in James Nordlund *et al.* (eds.), *The Pigmentary System: Physiology and Pathophysiology*, 2nd edn, Wiley-Blackwell, 2006, 5–10, p. 6; François Bernier, 'Nouvelle Division de la Terre, par les differentes Espèces ou Races d'hommes qui l'habitent', *Journal des Sçavans* 12 (1684), 148–55; Daniel Carey, 'Inquiries, Heads, and Directions: Orienting Early Modern Travel', in Judy Hayden (ed.), *Travel Narratives, the New Science, and Literary Discourse, 1569–1750*, Ashgate, 2012, 25–52; Ted McCormick, *William Petty and the Ambitions of Political Arithmetic*, Oxford University Press, 2010; Daniel Carey, *Locke, Shaftesbury and Hutcheson: Contesting Diversity in the Enlightenment and Beyond*, Cambridge University Press, 2005; John Woodward, *Brief Instructions for Making Observations in All Parts of the World*, London, 1696, 8–10.

50 Linda Colley, *Captives: Britain, Empire, and the World, 1600–1850*, Jonathan Cape, 2002, part 1; Paton, Punishment', 931; Wheeler, *Complexion*, 57–65, 83–7, 98–9, esp. 57 (Godwyn) and 61–4 (Xury); Bennett, ' "Sons of Adam" '; Felicity Nussbaum, 'Between "Oriental" and "Blacks So Called", 1688– 1788', in Daniel Carey and Lynn Festa (eds.), *Postcolonial Enlightenment: Eighteenth-Century Colonialism and Postcolonial Theory*, Oxford Univer-

sity Press, 2009, 137–66; Bush, *Slave Women*, 15; Hilary Beckles, ' "A Riotous and Unruly Lot": Irish Indentured Servants and Free Men in the English West Indies, 1644–1713', *WMQ* 67 (1990), 503–22; Kristen Block and Jenny Shaw, 'Subjects without an Empire: The Irish in the Early Modern Caribbean', *Past and Present* 210 (2011), 33–60.

51 *NHJ*, 1:xlvii–lvii.

52 Wheeler, *Complexion*, 217–18; Jennifer Morgan, *Labouring Women: Reproduction and Gender in New World Slavery*, University of Pennsylvania Press, 2004; Richard Ligon, *A True and Exact History of the Island of Barbadoes*, London, 1657, 51; Amussen, *Caribbean Exchanges*, 62–7; Carey, *Locke*, 40.

53 Andrew Curran, 'Rethinking Race History: The Role of the Albino in the French Enlightenment Life Sciences', *History and Theory* 48 (2009), 151–79, and *The Anatomy of Blackness: Science and Slavery in an Age of Enlightenment*, Johns Hopkins University Press, 2011; *NHJ*, 1:liii; Royal Society Minutes, 29 December 1696, Sloane MS 3341, fol. 28; 9 December 1696, ibid., fol. 25; David Bindman and Henry Louis Gates, Jr (eds.), *The Image of the Black in Western Art, Part III: From the 'Age of Discovery' to the Age of Abolition – The Eighteenth Century*, Belknap Press, 2011, 192–4; William Byrd, 'Account of a Negro-Boy that is Dappel'd in Several Places of His Body with White Spots', *PT* 19 (1695–7), 781–2; James Delbourgo, 'The Newtonian Slave Body: Racial Enlightenment in the Atlantic World', *Atlantic Studies* 9 (2012), 185–207.

54 *NHJ*, 1:liii ('off-spring of the gods'); Royal Society Minutes, 29 December 1696, Sloane MS 3341, fol. 28 ('fluxed'); Kriz, 'Curiosities', 63; Sloane MS 5246, fols. 19, 11; Richard Altick, *The Shows of London*, Belknap Press, 1978, esp. 37; John Appleby, 'Human Curiosities and the Royal Society, 1699–1751', *NRRS* 50 (1996), 13–27; P. Fontes da Costa, 'The Culture of Curiosity at the Royal Society in the First Half of the Eighteenth Century', *NRRS* 56 (2002), 147–66; James Yonge to Sloane, 16 August 1709, Sloane MS 4042, fol. 35; 'A Letter from Mr James Yonge, FRS, to Dr Hans Sloane', *PT* 26 (1709), 424–31; Journal-Book (original), Royal Society, vol. 8, 19 March 1690, 295–7 ('specifick difference' and 'negro race'), 於 Cristina Malcolmson 著作中摘錄並討論，見 *Studies of Skin Color in the Early Royal Society: Boyle, Cavendish, Swift*, Ashgate, 2013, 76; Journal-Book (original), Royal Society, vol. 9, 10 December 1690, 18–19 ('severall sculls'), 引自 ibid., 79; Sloane, Humana Catalogue, 155, 441 (Malpighi), 527–8 ('skin of a negro'), 284 (black arm skin), 678 (Virginia fetus); Michael Day, 'Humana: Anatomical, Pathological and Curious Human Specimens in Sloane's Museum', in MacGregor, *Sloane*, 69–76; Klaus, 'A History of the Science of Pigmentation', 5–10.

55 *NHJ*, 1:lvii.

56 Anthony Benezet, *A Caution and Warning to Great Britain and her Colonies*, Philadelphia, 1766, 31–2; James Delbourgo, 'Slavery in the Cabinet of Curiosities: Hans Sloane's Atlantic World', 2007, British Museum website, http://www.britishmuseum.org/pdf/delbourgo%20essay.pdf, accessed August 2015, and 'Die Wunderkammer als Ort von Neugier, Horror und Freiheit', in Nike Bätzner (ed.), *Assoziationsraum Wunderkammer: Zeitgenössische Künste zur Kunst-und Naturalienkammer der Franckeschen Stiftungen zu Halle*, Verlag der Franckeschen Stiftungen zu Halle, 2015, 83–96; Kriz, 'Curiosities', 58; Carey, *Locke*, 63.

57 *NHJ*, 1:lvi; Marcus Wood, *Blind Memory: Visual Representations of Slavery in England and America, 1780–1865*, Routledge, 2000, ch. 5, esp. 232; 'Copies of the Minutes of the Councils held at . . . Jamaica', n.d. and 21 January 1688, Sloane MS 1599, fols. 3, 5; Dunn, *Sugar*, 161, 259, 260.

58 Sloane, Miscellanies Catalogue, BM, 45, 56, 57, 402, 503; *NHJ*, 1:lxxxi, xlvi; Orlando Patterson, 'Slavery and Slave Revolts: A Sociohistorical Analysis of the First Maroon War, 1665–1740', in Richard Price (ed.), *Maroon Societies: Rebel Slave Communities in the Americas*, Johns Hopkins University Press, 1973, 246–92; Londa Schiebinger, 'Scientific Exchange in the Eighteenth-Century Atlantic World', in Bernard Bailyn and Patricia Denault (eds.), *Soundings in Atlantic History: Latent Structures and Intellectual Currents, 1500–1800*, Harvard University Press, 2011, 294–328; Kriz, 'Curiosities', 62.

59 *NHJ*, 1:xlviii–li, table 3, and 2:table 232; sketch by Kickius, 5 August 1701, Sloane MS 5234, fol. 75; Richard Rath, 'African Music in Seventeenth-Century Jamaica: Cultural Transit and Transition', *WMQ* 50 (1993), 700–26, and http://www.way.net/music/audio/Rich%20Rath%20-%20AfMusJamRough01.mp3, accessed October 2014; Shlomo Pestcoe, 'Banjo Beginnings: The Afro-Creole "Strum-Strumps" of Jamaica, 1687–89', https://www.facebook.com/notes/banjo-roots-banjo-beginnings/banjo-beginnings-the-afro-creole-strum-strumps-of-jamaica-1687-89/596163280402853, accessed February 2014; Laurent Dubois, private communication; Kriz, 'Curiosities', 57–62.

60 Ligon, *Barbadoes*, 48; Susan Scott Parrish, 'Richard Ligon and the Atlantic Science of Commonwealths', *WMQ* 67 (2010), 209–48; Johannes Nieuhof, *Gedenkweerdige Brasiliaense zee-en lant-reize*, Amsterdam, 1682; *NHJ*,

2:tables 231–2; Daston and Park, *Wonders*, 434 n. 7; Barry Higman, *Montpelier, Jamaica: A Plantation Community in Slavery and Freedom, 1739–1912, University of the West Indies Press, 1998, esp. ch. 7; Hauser, Black Markets; Roderick McDonald, The Economy and Material Culture of Slaves: Goods and Chattels on the Sugar Plantations of Jamaica and Louisiana,* Louisiana State University Press, 1993, 23–44; Jerome Handler, 'The Middle Passage and the Material Culture of Captive Africans', *Slavery and Abolition* 30 (2009), 1–26; Swann, Curiosities, ch. 3; Rath, 'African Music'; Pestcoe, 'Banjo Beginnings'.

61 *NHJ*, 1:lii; Rath, 'African Music'; Pestcoe, 'Banjo Beginnings'; Brown, *Reaper's Garden*, 64.

62 Vincent Brown, 'Social Death and Political Life in the Study of Slavery', *American Historical Review* 114 (2009), 1231–49; Douglas Hall (ed.), *In Miserable Slavery: Thomas Thistlewood in Jamaica, 1750–86*, University of the West Indies Press, 1989; Philip Morgan, 'Slaves and Livestock in Eighteenth-Century Jamaica: Vineyard Pen, 1750–51', *WMQ* 52 (1995), 47–76; Burnard, *Mastery*, chs. 6–7.

63 *NHJ*, 1:xlvii.

Chapter 3——防止物種滅絕

1 Alfred Crosby, *The Columbian Exchange: Biological Consequences of 1492*, Greenwood, 1972; Marion Schwartz, *A History of Dogs in the Early Americas*, Yale University Press, 1998, 46; Francisco Padrón, *Spanish Jamaica*, trans. Patrick Bryan, Ian Randle Publishers, 2003; Julie Livingston and Jasbir Puar, 'Interspecies', *Social Text* 29 (2011), 3–14.

2 Crosby, *Columbian Exchange*, 73; Judith Carney, *Black Rice: The African Origins of Rice Cultivation in the Americas,* Harvard University Press, 2001, 158, 163–4; Carney and Richard Rosomoff, *In the Shadow of Slavery: Africa's Botanical Legacy in the Atlantic World*, University of California Press, 2009, esp. 125, 167– 8; Roderick McDonald, *The Economy and Material Culture of Slaves: Goods and Chattels on the Sugar Plantations of Jamaica and Louisiana*, Louisiana State University Press, 1993, 16–49, esp. 20 and 109; Barry Higman, *Montpelier, Jamaica: A Plantation Community in Slavery and Freedom, 1739–1912*, University of the West Indies Press, 1998, 193–8; Jill Casid, *Sowing Empire: Landscape and Colonization*, University of Minnesota Press, 2005, 191–236; Beth Tobin, *Colonizing Nature: The Tropics in British Arts and Letters, 1760–1820*, University of Pennsylvania Press, 2005, 56–80; Mark Hauser, *An Archaeology of Black Markets: Local Ceramics and Economies in Eighteenth-Century Jamaica*, Florida Museum of Natural History, 2013; *NHJ*, 1:lii, 223.

3 Carney and Rosomoff, *Shadow of Slavery*, 76–8, 92–4; Higman, *Montpelier*, 192; Williams quoted in Vincent Brown, *The Reaper's Garden: Death and Power in the World of Atlantic Slavery, Harvard University Press, 2008, 125.*

4 *NHJ*, 2:1, 74, 3; Joseph Smith, *Old Cudjoe Making Peace*, frontispiece to R. C. Dallas, *The History of the Maroons*, 2 vols., London, 1803, vol. 1; http://aparcelofribbons.co.uk/2011/11/the-maroon-war-settlement-of-1739/, accessed December 2014; David Watts, *The West Indies: Patterns of Development, Culture and Environmental Change since 1492*, Cambridge University Press, 1990, 393–5; Barbara Bush, *Slave Women in Caribbean Society, 1650–1838*, Indiana University Press, 1990, 99; Brown, *Reaper's Garden*, 65; Kenneth Bilby, *True-Born Maroons*, University Press of Florida, 2005, *passim*, e.g. 141, 232, 297–8; Zora Neale Hurston, *Tell my Horse: Voodoo and Life in Haiti and Jamaica*, Perennial Library, 1990, 25, 28–9; Matthew Lewis, *Journal of a West India Proprietor*, 1834, Oxford University Press, 1999, 155–9.

5 Richard Grove, *Green Imperialism: Colonial Expansion, Tropical Island Edens and the Origins of Environmentalism, 1600–1860*, Cambridge University Press, 1995, 41, 57–8, 67 and *passim* ; John Evelyn, *Sylva, or a Discourse of Forest-Trees, and the Propagation of Timber*, London, 1664, 1; Keith Thomas, *Man and the Natural World: Changing Attitudes in England, 1500–1800*, Penguin, 1983, 212–23; *NHJ*, 2:2–3, 31–2, 62–3; John McNeill, *Mosquito Empires: Ecology and War in the Greater Caribbean, 1620–1914*, Cambridge University Press, 2010, ch. 2; Jennifer Anderson, *Mahogany: The Costs of Luxury in Early America*, Harvard University Press, 2012, 93–4.

6 *NHJ*, 2:xviii; Kathleen Wilson, 'The Performance of Freedom: Maroons and the Colonial Order in Eighteenth-Century Jamaica and the Atlantic Sound', *WMQ* 66 (2009), 45–86; Bilby, *Maroons*, 375–8 and 153 (David Gray); Barbaro Martinez Ruiz, 'Sketches of Memory: Visual Encounters with Africa in Jamaican Culture', in Tim Barringer *et al.* (eds.), *Art and Emancipation in Jamaica: Isaac Mendes Belisario and His Worlds*, Yale University Press, 2007, 103–20, pp. 107–11; Frederic Cassidy, *Jamaica Talk: Three Hundred Years of the English Language in Jamaica*, St Martin's Press, 1961, 169, 261.

7 Philip Morgan, 'Slaves and Livestock in Eighteenth-Century Jamaica: Vineyard Pen, 1750–1751', *WMQ* 52 (1995), 47–76, pp. 55, 66; Higman, *Montpelier*, 199–202, 206–8; Cassidy, *Jamaica Talk*, 256; Anonymous, *Marly;*

or, A Planter's Life in Jamaica, 1828, Oxford University Press, 2005, 9; Douglas Hall (ed.), *In Miserable Slavery: Thomas Thistlewood in Jamaica, 1750–86*, University of West Indies Press, 1999, 147, 72–3, 77; Richard Dunn, *Sugar and Slaves: The Rise of the Planter Class in the English West Indies, 1624–1713*, University of North Carolina Press, 1972, 278; Alan Mikhail, *The Animal in Ottoman Egypt*, Oxford University Press, 2014, 20, 41.

8 Morgan, 'Slaves and Livestock', 55, 59, 68; Verene Shepherd, *Livestock, Sugar and Slavery: Contested Terrain in Colonial Jamaica*, Ian Randle, 2009, 155; *NHJ*, 1:xlviii; Pratik Chakrabarti, *Materials and Medicine: Trade, Conquest and Therapeutics in the Eighteenth Century*, Manchester University Press, 2010, 33–45; Paula Findlen, *Possessing Nature: Museums, Collecting, and Scientific Culture in Early Modern Italy*, University of California Press, 1994, 170–79; Brian Ogilvie, *The Science of Describing: Natural History in Renaissance Europe*, University of Chicago Press, 2006, 264; Henry Barham to Sloane, 29 January 1718, Sloane MS 4045, fol. 89.

9 Kay Dian Kriz, *Slavery, Sugar, and the Culture of Refinement: Picturing the British West Indies, 1700–1840*, Yale University Press, 2008, 37–8, 44, 50–59.

10 Jerome Handler, 'The Middle Passage and the Material Culture of Captive Africans', *Slavery and Abolition* 30 (2009), 1–26; *NHJ*, 1:xlviii; Robin Law, *The Horse in West Africa*, Oxford University Press, 1980, 52, 168–9; Wilson, 'Performance of Freedom', 46; John Taylor, *Multum in Parvo*, 翻印於 David Buisseret (ed.), *Jamaica in 1687: The Taylor Manuscript at the National Library of Jamaica*, University of the West Indies Press, 2008, 272; Sylvia Frey and Betty Wood, *Come Shouting to Zion: African American Protestantism in the American South and British Caribbean to 1830*, University of North Carolina Press, 1998, 54; Bilby, *Maroons*, 330, 149–50, 29, 166–7; Wayne Modest, 'We Have Always Been Modern: Museums, Collections, and Modernity in the Caribbean', *Museum Anthropology* 35 (2012), 85–96.

11 Brown, *Reaper's Garden*, ch. 4; Thomas Walduck to James Petiver, 24 November 1710 and n.d. [1712?], Sloane MS 2302, fols. 20, 28; Jerome Handler, 'Slave Medicine and Obeah in Barbados, circa 1650 to 1834', *New West Indian Guide* 74 (2000), 57–90; James Sweet, *Domingos Álvares, African Healing, and the Intellectual History of the Atlantic World*, University of North Carolina Press, 2011.

12 Brown, *Reaper's Garden*, ch. 4, and 'Slave Revolt in Jamaica, 1760–1761: A Cartographic Narrative' (2012), http://revolt.axismaps.com, accessed December 2016; Susan Scott Parrish, 'Diasporic African Sources of Enlightenment Knowledge', in James Delbourgo and Nicholas Dew (eds.), *Science and Empire in the Atlantic World*, Routledge, 2008, 281–310; Trevor Burnard, *Mastery, Tyranny, and Desire: Thomas Thistlewood and his Slaves in the Anglo-Jamaican World*, University of North Carolina Press, 2004, 200; Hall, *Miserable Slavery*, 104; Stephen Fuller 1789 在英國下議院的報告，引自 William Earle, *Obi: or, The History of Three-Fingered Jack*, 1803, ed. Srinivas Aravamudan, Broadview Press, 2005, 171–3; Benjamin Moseley, *A Treatise on Sugar*, London, 1799, 171; Walter Rucker, 'Conjure, Magic, and Power: The Influence of Afro-Atlantic Religious Practices on Slave Resistance and Rebellion', *Journal of Black Studies* 32 (2001), 84–103; Jason Young, *Rituals of Resistance: African Atlantic Religion in Kongo and the Lowcountry South in the Era of Slavery, Louisiana State University Press, 2007.*

13 Taylor, *Jamaica in 1687*, 272; Henry Barham to Sloane, 11 December 1711, Sloane MS 4045, fol. 77; Earle, *Obi*, 170 (Fuller 引言); David Crossley and Richard Saville (eds.), *The Fuller Letters, 1728–1755: Guns, Slaves and Finance*, Sussex Record Society, 1991, xxxvi–xxxvii.

14 Sloane, Birds Catalogue, NHM, 724; HS, 6:36; *NHJ*, 2:51–2, ix, 382; Bryan Edwards, *The History, Civil and Commercial, of the British Colonies in the West Indies*, 2 vols., London, 1793, 2:94; William Grimé, *Ethno-Botany of the Black Americans*, Reference Publications, 1979, 182–3 (and Edwards, *History*, 2:83); Karol Weaver, *Medical Revolutionaries: The Enslaved Healers of Eighteenth-Century Saint Domingue*, University of Illinois Press, 2006, ch. 4, and 43, 118.

15 Dunn, *Sugar and Slaves*; *NHJ*, 2:xviii.

16 Edmund Campos, 'Thomas Gage and the English Colonial Encounter with Chocolate', *Journal of Medieval and Early Modern Studies* 39 (2009), 183–200; Marcy Norton, *Sacred Gifts, Profane Pleasures: A History of Tobacco and Chocolate in the Atlantic World*, Cornell University Press, 2008, 34–5, 121–40; Terrence Kaufman and John Justeson, 'The History of the Word for "Cacao" and Related Terms in Ancient Meso-America', in Cameron McNeil (ed.), *Chocolate in Mesoamerica: A Cultural History of Cacao*, University Press of Florida, 2006, 117–39, p. 134; José Cuatrecasas, 'Cacao and its Allies: A Taxonomic Revision of the Genus Theobroma', *Contributions from the U.S. National Herbarium* 35 (1964), 379, 383; D. Quélus, *The Natural History of Chocolate*, trans. R. Brookes, 2nd edn, London, 1725, 25; Sophie and Michael Coe, *The True History of Chocolate*, Thames & Hudson, 1996, 165–75; Brian Cowan, *The Social Life of Coffee: The Emergence of the British Coffeehouse*, Yale Uni-

versity Press, 2005, 43, 47, 109; http://www.britishmuseum.org/research /collection_online/collection_object_details.aspx?object Id=42888&partId=1&searchText=sloane+chocolate&page=1, accessed July 2016.

17 John Woodward, *Brief Instructions for Making Observations in all Parts of the World*, London, 1696, 15–16; John Banister to Samuel Doody, n.d., Sloane MS 3321, fol. 3; James Petiver to George Harris, 18 October 1698, Sloane MS 3333, fols. 235–6; Petiver to John Colbatch, 5 January 1696, Sloane MS 3332, fol. 174; James Delbourgo, 'Listing People', *Isis* 103 (2012), 735–42; Kathleen Murphy, 'Collecting Slave Traders: James Petiver, Natural History, and the British Slave Trade', *WMQ* 70 (2013), 613–70.

18 *NHJ*, 1:lxv, 2:121 and 185, 1:preface and cxli; Sloane, 'A Description of the Pimienta or Jamaica Pepper-Tree', *PT* 16 (1686–92), 462–8, 引言 463, 464; Steven Shapin, *A Social History of Truth: Civility and Science in Seventeenth-Century England*, University of Chicago Press, 1994, ch. 8; Tracy-Ann Smith and Katherine Hann, 'Sloane, Slavery and Science: Perspectives from Public Programmes at the Natural History Museum', in Hunter, *Books to Bezoars*, 227–35.

19 *NHJ*, 1:preface; HS, 3:62 and *NHJ*, 175–6 (*Phaseolus*); HS, 2:2 and *NHJ*, 1:104–5 (Guinea corn); HS, 4:66–7, 4:107, 3:85, 2:2; *NHJ*, 1:223, 241, 175–6, 184, 103–5, 2:61, 1:111; Sloane, Vegetable Substances Catalogue, NHM, 8473; Carney and Rosomoff, *Shadow of Slavery*; Watts, *West Indies*, 386–90; Miles Ogborn, 'Talking Plants: Botany and Speech in Eighteenth-Century Jamaica', *History of Science* 51 (2013), 1–32.

20 *NHJ*, 2:61, 1:184, 107 and 170–71 (vervain), 包括一份對最後一項的註解，巴罕的手稿也穿插收入於 Botany Department, NHM; Carney and Rosomoff, *Shadow of Slavery*, 70–72; Julie Kim, 'Obeah and the Secret Sources of Atlantic Medicine', in Hunter, *Books to Bezoars*, 99–104.

21 Ogilvie, *Science of Describing*, 165–74, 210–15; Woodward, *Instructions*, 12–13; William Charleton (Courten), directions to James Reed, September 1689, Sloane MS 4072, fol. 284; Thomas Grigg to James Petiver, 24 October 1712, Sloane MS 4065, fol. 69.

22 Woodward, *Instructions*, 13; Marjorie Swann, *Curiosities and Texts: The Culture of Collecting in Early Modern England*, University of Pennsylvania Press, 2001, 104–5, 140; Alix Cooper, *Inventing the Indigenous: Local Knowledge and Natural History in Early Modern Europe*, Cambridge University Press, 2010, 79–84 (Ray 引言 81); *NHJ*, 2:19, 1:82, 85, 98–9.

23 Ogilvie, *Science of Describing*, 174–203, 262; Nick Grindle, ' "No Other Sign or Note than the Very Order": Francis Willughby, John Ray and the Importance of Collecting Pictures', *Journal of the History of Collections* 17 (2005), 15–22; Sachiko Kusukawa, 'The Historia Piscium (1686)', *NRRS* 54 (2000), 179–97, and *Picturing the Book of Nature: Image, Text, and Argument in Sixteenth-Century Human Anatomy and Medical Botany*, University of Chicago Press, 2012; Lorraine Daston and Peter Galison, *Objectivity*, Zone, 2007, 55–113; Phillip Sloan, 'John Locke, John Ray, and the Problem of the Natural System', *Journal of the History of Biology* 5 (1972), 1–53; Justin Smith and James Delbourgo, 'Introduction', in Smith and Delbourgo (eds.), 'In Kind: Species of Exchange in Early Modern Science', *Annals of Science* 70 (2013), 299–304.

24 HS, 5:59; *NHJ*, 2:15–17; J. E. Dandy, *The Sloane Herbarium*, British Museum, 1958, 16–17; Sachiko Kusukawa, 'Picturing Knowledge in the Early Royal Society: The Examples of Richard Waller and Henry Hunt', *NRRS* 65 (2011), 273–94; Anke te Heesen, 'News, Paper, Scissors: Clippings in the Sciences and Arts around 1920', in Lorraine Daston (ed.), *Things that Talk: Object Lessons from Art and Science*, Zone, 2004, 297–323.

25 HS, 3:106; *NHJ*, 1:preface, 2:v; Garrett Moore to Sloane, 22 April 1689, Sloane MS 4036, fol. 49.

26 'A Specialist's Guide to the Sloane Database', NHM, http://www.nhm.ac.uk/research-curation/scientific-resources/collections / botanical-collections/sloane-herbarium/about-database/index.html, accessed December 2016; Kusukawa, *Book of Nature*, 32–7; HS, 6:57.

27 Claudia Swan, '*Ad vivum, naer het leven*, from the Life: Considerations on a Mode of Representation', *Word and Image* 11 (1995), 353–72; Ogilvie, *Science of Describing*, 192; HS, 7:58–9; *NHJ*, 2:table 217, fig. 3; Bruno Latour, 'Visualisation and Cognition: Drawing Things Together', *Knowledge and Society* 6 (1986), 1–40; Daniela Bleichmar, *Visible Empire: Botanical Expeditions and Visual Culture in the Hispanic Enlightenment*, University of Chicago Press, 2012.

28 Lissa Roberts *et al.* (eds.), *The Mindful Hand: Inquiry and Invention from the Late Renaissance to Early Industrialization*, Royal Netherlands Academy of Arts and Sciences, 2007; Mario Biagioli and Peter Galison (eds.), *Scientific Authorship: Credit and Intellectual Property in Science*, Routledge, 2002; *NHJ*, 2:viii; Shapin, *Truth*, ch. 8; *NHJ*, 1:135, 189; Dandy, *Sloane Herbarium* ; Kusukawa, *Book of Nature*, esp. 24; Janice Neri, *The Insect and the Image: Visualizing Nature in Early Modern Europe, 1500–1700*, University of Minnesota Press, 2011, introduc-

tion; Birch, 'Memoirs', fol. 7; James Petiver to Johann Philipp Breyne, n.d., 1706, in Ella Reitsma, *Maria Sibylla Merian and Daughters: Women of Art and Science*, Oxford University Press, 2008, 203.

29 Lorraine Daston, 'Type Specimens and Scientific Memory', *Critical Inquiry* 31 (2004), 153–82; Charlie Jarvis, *Order Out of Chaos: Linnaean Plant Names and their Types*, Linnaean Society of London, 2007, 157–8; James Robertson, 'Knowledgeable Readers: Jamaican Critiques of Sloane's Botany', in Hunter, *Books to Bezoars*, 80–89, pp. 87–9; Patrick Browne, *The Civil and Natural History of Jamaica*, London, 1756, and see also Edward Long, *History of Jamaica*, 3 vols., London, 1774, 1:374; Carolus Linnaeus, *Species plantarum*, 2 vols., Stockholm, 1753, 2:782; Antoine de Jussieu to Sloane, 7 December 1714, Sloane MS 4043, fol. 313; *Grub Street Journal*, 10 May 1733.

30 Alexander Wragge-Morley, 'The Work of Verbal Picturing for John Ray and Some of his Contemporaries', *Intellectual History Review* 20 (2010), 165–79; Kusukawa, *Book of Nature*, 229; *NHJ*, 1:preface, 123, 2:293; HS, 3:68; Shapin, *Truth*, ch. 3; Michael Dettelbach, 'Global Physics and Aesthetic Empire: Humboldt's Physical Portrait of the Tropics', in David Miller and Peter Reill (eds.), *Visions of Empire: Voyages, Botany, and Representations of Nature*, Cambridge University Press, 1996, 258–92.

31 John Brewer, *The Pleasures of the Imagination: English Culture in the Eighteenth Century*, HarperCollins, 1997, Ray 引言 492; *NHJ*, 2:15.

32 Michel Foucault, *The Order of Things: An Archaeology of the Human Sciences*, 1966, Vintage, 1994, ch. 5; John Bender and Michael Marrinan, *The Culture of Diagram*, Stanford University Press, 2010; Karen Kupperman, 'Fear of Hot Climates in the Anglo-American Colonial Experience', *WMQ* 41 (1984), 213–40, p. 232; Norton, *Sacred Gifts, Profane Pleasures*, 121–7; NHJ, 2:16–17, 1:xx; see also 1:lv–lvi, cix, cxxxiii, cxxxiv, cxlviii; Sloane MS 1555 (Johannes de Laet translation of Hernández); Francisco Hernández, *The Mexican Treasury: The Writings of Dr Francisco Hernández*, ed. Simon Varey, Stanford University Press, 2000, 9–12, 19–22; *'To Prepare Chocolate in the Spanish and English Way' (seventeenth century), Sloane MS 647, fol. 7; Nuala Zahedieh, The Capital and the Colonies: London and the Atlantic Economy, 1660–1700*, Cambridge University Press, 2010, 229–30.

33 Hernández, *Mexican Treasury*, 108; Norton, *Sacred Gifts, Profane Pleasures*, 123, 125–6; Gianna Pomata and Nancy Siraisi (eds.), *Historia: Empiricism and Erudition in Early Modern Europe*, MIT Press, 2005, introduction, esp. 9; Ogilvie, *Science of Describing*, ch. 3; Kusukawa, *Book of Nature*, ch. 6; Marina Frasca-Spada and Nick Jardine (eds.), *Books and the Sciences in History*, Cambridge University Press, 2000; Ann Blair, *Too Much to Know: Managing Scholarly Information before the Modern Age*, Yale University Press, 2010; *NHJ*, 2:16–17; Foucault, *Order of Things*, ch. 5.

34 *NHJ*, 1:title page; Kay Dian Kriz, 'Curiosities, Commodities, and Transplanted Bodies in Hans Sloane's "Natural History of Jamaica"', *WMQ* 57 (2000), 35–78, pp. 13–14.

35 McNeill, *Mosquito Empires*, 23, 48–56; *NHJ*, 1:clii.

36 Dániel Margócsy, *Commercial Visions: Science, Trade, and Visual Culture in the Dutch Golden Age*, University of Chicago Press, 2014, 33–7; 'Inquiries Recommended to Colonel Linch going to Jamaica', 16 December 1670, Sloane MS 3984, fol. 194; Peter Mason, *Before Disenchantment: Images of Exotic Animals and Plants in the Early Modern World*, Reaktion, 2009.

37 *NHJ*, 1:xvi, xii, 2:89, 335–6, 333, 282–90, 1:lxxxiii–lxxxiv, 51; James Delbourgo, 'Divers Things: Collecting the World under Water', *History of Science* 49 (2011), 149–85; Molly Warsh, 'Enslaved Pearl Divers in the Sixteenth Century Caribbean', *Slavery and Abolition* 31 (2010), 345–62.

38 *NHJ*, 2:327–8, 1:lxxxiv–lxxxv; Shepherd, *Livestock*, ch. 1; Carney and Rosomoff, *Shadow of Slavery*, ch. 9; Sloane, Quadrupeds Catalogue, NHM, 1107.

39 *NHJ*, 2:334–5; Sloane, Quadrupeds Catalogue, 446, 1089, 535; Ogilvie, *Science of Describing*, 263.

40 James Petiver, *Brief Directions for the Easie Making, and Preserving Collections of all Natural Curiosities*, London, 1700?, 史隆收藏的副本, Add. MS 4448, fol. 5; Woodward, *Instructions*, 15; Charleton to Reed, instructions; Harold Cook, 'Time's Bodies: Crafting the Preparation and Preservation of Naturalia', in Pamela Smith and Paula Findlen (eds.), *Merchants and Marvels: Commerce, Science, and Art in Early Modern Europe*, Routledge, 2001, 223–47, and *Matters of Exchange: Commerce, Medicine, and Science in the Dutch Golden Age*, Yale University Press, 2007, 267– 76; Michael Lynch, 'Sacrifice and the Transformation of the Animal Body into a Scientific Object: Laboratory Culture and Ritual Practice in the Neurosciences', *Social Studies of Science* 18 (1988), 265–89.

41 Mike Fitton and Pamela Gilbert, 'Insect Collections', in MacGregor, *Sloane*, 112–22; Thomas, *Man and the Natural World*, 18; Giorgio Agamben, *The Open: Man and Animal*, trans. Kevin Attell, Stanford University Press, 2004, 22; Richard Drayton, *Nature's Government: Science, Imperial Britain, and the 'Improvement' of the World*,

Yale University Press, 2000, ch. 1; Brian Ogilvie, 'Nature's Bible: Insects in Seventeenth-Century European Art and Science', *Tidsskrift* 3 (2008), 5–21; Neri, *Insect and the Image* ; Matthew Hunter, *Wicked Intelligence: Visual Art and the Science of Experiment in Restoration London*, University of Chicago Press, 2013; *NHJ*, 2:189.

42 *NHJ*, 2:185, 191, 198, table 233, figs. 4–5; James Petiver to John Colbatch, 5 January 1696, Sloane MS 3332, fol. 174; John Leming to Sloane, 26 November 1688, Sloane MS 4036, fol. 45; Sloane, Insects Catalogue, NHM, 206.

43 Sloane, Insects Catalogue, 50, 153, 165, 197, 3665; *NHJ*, 2:193–5, 208, 2–3, tables 9, 234 fig. 2, and 233 fig. 8; William Walker to Sloane, 5 March 1740, Sloane MS 4056, fol. 211.

44 *NHJ*, 1:cxxvi, cxv, cxxxii; Sloane, Insects Catalogue, 3492; see also John Burnet to Sloane, 6 April 1722, Sloane MS 4046, fol. 227, and Henry Barham to Sloane, 5 July 1722, Sloane MS 4046, fol. 260.

45 *NHJ*, 1:cxxiv–cxxvi; Barham to Sloane, 29 January 1718, Sloane MS 4045, fol. 89; Wendy Churchill, 'Sloane's Perspectives on the Medical Knowledge and Health Practices of Non-Europeans', in Hunter, *Books to Bezoars*, 90– 98, p. 92; Weaver, *Medical Revolutionaries*, 49.

46 *NHJ*, 2:Book II; Ogilvie, 'Nature's Bible'; Neri, *Insect and the Image*, 117–18; Mary Terrall, 'Following Insects Around: Tools and Techniques of Eighteenth-Century Natural History', *BJHS* 43 (2010), 573–88; Emma Spary, 'Scientific Symmetries', *History of Science* 42 (2004), 1–46; Lorraine Daston, 'Attention and the Values of Nature in the Enlightenment', in Daston and Fernando Vidal (eds.), *The Moral Authority of Nature*, University of Chicago Press, 2004, 100–126.

47 *NHJ*, 2:223, 206, 198, 293; [Sloane's hand], 'Account of a Surinam toad, by the Burgomaster of Amsterdam', n.d., Sloane MS 4025, fol. 251.

48 *NHJ*, 2:329–30; Sloane, Quadrupeds Catalogue, 622, 677 and Miscellanies Catalogue, 1027, 543; Grove, *Green Imperialism*, 147–57; Juliet Clutton-Brock, 'Vertebrate Collections', in MacGregor, *Sloane*, 77–92, pp. 83, 84; Vera Keller, 'Nero and the Last Stalk of *Silphion* : Collecting Extinct Nature in Early Modern Europe', *Early Science and Medicine* 19 (2014), 424–47; Natalie Lawrence, 'Assembling the Dodo in Early Modern Natural History', *BJHS* 48 (2015), 387–408.

49 *NHJ*, 1:xvii, 2:298, 294, 1:cxlvii; Bilby, *Maroons*, xiii; Taylor, *Jamaica in 1687*, 295; Douglas Hamilton and Robert Blyth (eds.), *Representing Slavery: Art, Artefacts and Archives in the Collections of the National Maritime Museum*, Lund Humphries, 2007, 162.

50 Burnard, *Mastery*, 4 (crab); Bilby, *Maroons*, xiii, 133, 269, 460 n. 15, 73, 77–8; Morgan, 'Slaves and Livestock', 64, 69–70; Orlando Patterson, *The Sociology of Slavery: An Analysis of the Origins, Development, and Structure of Negro Slave Society in Jamaica*, Fairleigh Dickinson University Press, 1967, 251–3; 威爾遜・哈里斯（Wilson Harris）關於蜘蛛人的說法引自 Elizabeth DeLoughrey, *Routes and Roots: Navigating Caribbean and Pacific Island Literatures*, University of Hawai'i Press, 2010, 94.

51 *NHJ*, 1:lxv, 2:329, 1:lxix, lxvii; Sloane, Quadrupeds Catalogue, 145; *NHJ*, 2:298, 1:xxv, 2:194, 1:lii.

52 *NHJ*, 2:200, 196, 221, 1:424–5; Sloane, Birds Catalogue, 424–5.

53 Kriz, 'Curiosities', 48–57; Foucault, *Order of Things*, ch. 5; William Ashworth, Jr, 'Emblematic Natural History of the Renaissance', in Nicholas Jardine *et al.* (eds.), *Cultures of Natural History*, Cambridge University Press, 1996, 17–37; Delbourgo, 'Divers Things'.

54 *NHJ*, 2:222–3, 1:29, 2:201, 1:lxxix, lxxxi–lxxxii, 23–4; Thomas, *Natural World*, 61; Petiver, *Brief Directions.*

55 *NHJ*, 2:332, 1:lxxii–lxxiii.

56 *NHJ*, 2:341, 335–6, 346, 1:lxiv; Dunn, *Sugar*, 161–2, 165, 233; Lawrence Wright, 'Remarkable Observations and Accidents on board His Majesty's Ship *Assistance* ', 17 January 1689: Captains' Logs, 68, National Archives, London.

57 *NHJ*, 2:341–3.

58 Ibid., 2:344.

59 Ibid., 2:345–7.

60 Ibid., 2:347–8.

61 Ibid., 2:346; Sloane, Serpents Catalogue, NHM, 48.

Chapter 4——成為漢斯・史隆

1 Jonathan Israel, 'The Dutch Role in the Glorious Revolution', and D. W. Hayton, 'The Williamite Revolution in Ireland, 1688–91', in Israel (ed.), *The Anglo-Dutch Moment: Essays on the Glorious Revolution and its World Impact*, Cambridge University Press, 2003, 105–62 and 185–214; Steven Pincus, *1688: The First Modern Revolution*, Yale University Press, 2009; Lisa Jardine, *Going Dutch: How England Plundered Holland's Glory*, HarperCollins, 2008.

2 William Gould to Sloane, 25 January 1681, Sloane MS 4036, fol. 1; Sloane, Miscellanies Catalogue, BM, 181; onathan Bardon, *The Plantation of Ulster: The British Colonisation of the North of Ireland in the Seventeenth Century*, Gill & Macmillan, 2011, ch. 6, esp. 162–5, Aughrim 引言 165; Sloane to Arthur Rawdon, 5 June 1690, in *The Rawdon Papers, Consisting of Letters on Various Subjects, Literary, Political and Ecclesiastical*, London, 1819, 394; D. W. Hayton, *Ruling Ireland, 1685–1742: Politics, Politicians, and Parties*, Boydell, 2004, 46–8, 58, 75; James Hamilton to Arthur Rawdon, 28 March 1691, ibid., 339–43; de Beer, *Sloane*, 50, 69–70.

3 Julian Hoppit, *A Land of Liberty? England, 1689–1727*, Oxford University Press, 2000, chs. 4, 10; John Brewer, *The Sinews of Power: War, Money, and the English State, 1688–1783*, Unwin Hyman, 1989; Anne Murphy, *The Origins of English Financial Markets: Investment and Speculation before the South Sea Bubble*, Cambridge University Press, 2012, chs. 1–2; Carl Wennerlind, *Casualties of Credit: The English Financial Revolution, 1620–1720*, Harvard University Press, 2011.

4 Hoppit, *Liberty*, chs. 2, 5, 9, 12; Paul Langford, *A Polite and Commercial People: England, 1727–1783*, Oxford University Press, 1994, ch. 2; Linda Colley, *Britons: Forging the Nation, 1707–1837*, Yale University Press,1992, ch. 1, 71–85 and 195–204; Kathleen Wilson, *The Sense of the People: Politics, Culture, and Imperialism in England, 1715–1785*, Cambridge University Press, 1998, ch. 2.

5 Hoppit, *Liberty*, 30; Roy Porter, *English Society in the Eighteenth Century*, Allen Lane, 1982, chs. 1–3, Fielding 引言 75; Steven Shapin, *A Social History of Truth: Civility and Science in Seventeenth-Century England*, University of Chicago Press, 1994, ch. 2.

6 King 引自 Porter, *English Society*, 14; Massie 引自 Langford, *Polite and Commercial People*, 62–4, and 146 (population).

7 Colley, *Britons*, 56–71; Jack Greene, *Pursuits of Happiness: The Social Development of Early Modern British Colonies and the Formation of American Culture*, University of North Carolina Press, 1988; K. N. Chaudhuri, *The Trading World of Asia and the English East India Company, 1660–1760*, Cambridge University Press, 1978; Kenneth Pomeranz, *The Great Divergence: China, Europe, and the Making of the Modern World Economy*, Princeton University Press, 2000, esp. 56, 204, 221–2; Maxine Berg, *Luxury and Pleasure in Eighteenth-Century Britain*, Oxford University Press, 2007; Porter, *English Society*, 189 (statistics); Frank Trentmann, *Empire of Things: How We Became a World of Consumers, from the Fifteenth Century to the Twenty-First*, Allen Lane, 2016.

8 Joseph Addison, *Spectator* 69, 19 May 1711; Margaret Jacob, *Strangers Nowhere in the World: The Rise of Cosmopolitanism in Early Modern Europe*, University of Pennsylvania Press, 2006; Peter Earle, *The Making of the English Middle Class: Business, Society and Family Life in London, 1660–1730*, University of California Press, 1989, 5–12; Colley, *Britons*, ch. 2; J. C. D. Clark, *English Society, 1660–1832: Religion, Ideology, and Politics during the Ancien Regime*, Cambridge University Press, rev. edn, 2000; Neil McKendrick *et al.*, *The Birth of a Consumer Society: The Commercialization of Eighteenth-Century England*, Europa, 1982; John Brewer and Roy Porter (eds.), *Consumption and the World of Goods*, Routledge, 1993; Langford, *Polite and Commercial People*, 34, 41, 65–6; Michael McKeon, *The Origins of the English Novel, 1600–1740*, Johns Hopkins University Press, 1987, ch. 4.

9 John Carswell, *The South Sea Bubble*, Cresset, 1960; Wennerlind, *Casualties*, ch. 6, Swift 引言 238; Larry Stewart, 'The Edge of Utility: Slaves and Smallpox in the Early Eighteenth Century', *Medical History* 29 (1985), 54– 70, 'golden phrenzy' 引言 54; Sean Shesgreen (ed.), *Engravings by Hogarth*, Dover, 1973, plate 1.

10 Massie 引自 Langford, *Polite and Commercial People*, 62–4; Simon Schaffer, 'Defoe's Natural Philosophy and the Worlds of Credit', in John Christie and Sally Shuttleworth (eds.), *Nature Transfigured: Science and Literature, 1700–1900*, Manchester University Press, 1989, 13–44; Daniel Defoe, *The Fortunes and Misfortunes of the Famous Moll Flanders*, London, 1722, 68.

11 Sloane quoted in Michael Hunter (ed.), *Magic and Mental Disorder: Sir Hans Sloane's Memoir of John Beaumont*, Robert Boyle Project, 2011, 6 ('acquiring'); Kathleen Wilson, *The Island Race: Englishness, Empire and Gender in the Eighteenth Century*, Routledge, 2003, 129–68; Markman Ellis, *The Coffee House: A Cultural History*, Weidenfield & Nicolson, 2004, 187; David Dabydeen, *Hogarth's Blacks: Images of Blacks in Eighteenth-Century English Art*, University of Georgia Press, 1987, 87–9; Nuala Zahedieh, *The Capital and the Colonies: London and the Atlantic Economy, 1660–1700*, Cambridge University Press, 2010, 131–6; William Pettigrew, *Freedom's Debt: The Royal African Company and the Politics of the Atlantic Slave Trade, 1672–1752*, University of North Carolina Press, 2013, 42–3; Richard Dunn, *Sugar and Slaves: The Rise of the Planter Class in the English West Indies, 1624–1713*, University of North Carolina Press, 1972, 208; *NHJ*, 1:lxv; Trevor Burnard, 'Who Bought Slaves in Early America? Purchasers of Slaves from the Royal African Company in Jamaica, 1674–1708', *Slavery and Abolition* 17 (1996), 68– 92, pp. 74,

77; will of Fulke Rose, 24 March 1694, Prob. 11/420, National Archives, London; Sloane–Rose marriage settlement, 9 May 1695, Add. Ch. 46345 b., BL; Sloane MS 321 (family pedigree); Eric St John Brooks, *Sir Hans Sloane: The Great Collector and His Circle*, Batchworth Press, 1954, 158–9, 214–16; Anonymous, 'Rose of Jamaica', *Caribbeana* 5 (1917), 130–39, esp. 130, 135; David Crossley and Richard Saville (eds.), *The Fuller Letters, 1728–1755: Guns, Slaves and Finance*, Sussex Record Society, 1991, xxiv; Arthur MacGregor, 'The Life, Character and Career of Sir Hans Sloane', in MacGregor, *Sloane*, 11–44, p. 37 n. 42; Sloane to Locke, 14 September 1696, in E. S. de Beer (ed.), *The Correspondence of John Locke*, 8 vols., Clarendon Press, 1976–89, 6:737.

12 Sloane to John Ray, 21 August 1700, Sloane MS 4038, fol. 53; to John Locke, 2 January 1701, de Beer, *Correspondence of John Locke*, 7:218; Samuel Pepys to Sloane, 31 July 1702, Sloane MS 4039, fol. 12; Lisa Smith, 'Sloane as Friend and Physician of the Family', in Hunter, *Books to Bezoars*, 48–56, p. 50, and 'The Body Embarrassed? Rethinking the Leaky Male Body in Eighteenth-Century England and France', *Gender and History* 23 (2011), 26–46, p. 33.

13 Porter, *English Society*, 57; Dorothy and Roy Porter, *Patient's Progress: Doctors and Doctoring in Eighteenth-Century England*, Stanford University Press, 1989, 122; Jerry White, *London in the Eighteenth Century: A Great and Monstrous Thing*, Bodley Head, 2012, 72; de Beer, *Sloane*, 51; Marjorie Caygill, 'Sloane's Catalogues and the Arrangement of his Collections', in Hunter, *Books to Bezoars*, 120–36, p. 276 n. 52.

14 Thomas Osborne to Sloane, 15 January 1705, Sloane MS 4078, fol. 198.

15 Nicholas Jewson, 'Medical Knowledge and the Patronage System in 18th-Century England', *Sociology* 8 (1974), 369–85, Sydenham 引言 381; Roy Porter, *Health for Sale: Quackery in England, 1660–1850*, Manchester University Press, 1989, 23, 34, 44, and *Bodies Politic: Disease, Death, and Doctors in Britain, 1650–1900*, Cornell University Press, 2001, ch. 6, esp. 143; Harold Cook, 'Sir John Colbatch and Augustan Medicine: Experimentalism, Character, and Entrepreneurialism', *Annals of Science* 47 (1990), 475–505; Steven Shapin, 'Trusting George Cheyne: Scientific Expertise, Common Sense, and Moral Authority in Early Eighteenth-Century Dietetic Medicine', *Bulletin of the History of Medicine* 77 (2003), 263–97; Hoppit, *Liberty*, 333.

16 Robert Walpole to Sloane, 17 August 1733, Sloane MS 3984, fol. 107; Charles Delafaye to Sloane, 8 September 1724, Sloane MS 4047, fol. 234 (Newcastle); Francis Child to Sloane, n.d., Sloane MS 4058, fol. 121; de Beer, *Sloane*, 68–9 (Bedford); Charles Delafaye to Sloane, 20 February 1722, Sloane MS 3984, fol. 98 (Orrery); Elizabeth Furdell, *The Royal Doctors, 1485–1714: Medical Personnel at the Tudor and Stuart Courts*, University of Rochester Press, 2001; 'Sloane's Museum at Bloomsbury, as described by Zacharias Konrad von Uffenbach, 1710', in MacGregor, *Sloane*, 30; M. Giraudeau to Sloane, 13 July 1709, Sloane MS 4042, fol. 10 (Denmark); Ludmilla Jordanova, 'Portraits, People and Things: Richard Mead and Medical Identity', *History of Science* 61 (2003), 93–113; Birch, 'Memoirs', fol. 14; Jacob Price, 'Heathcote, Gilbert', *ODNB*.

17 Nicolaus Staphorst, the younger, to Sloane, 22 June 1689, Sloane MS 4036, fol. 54; Robert Southwell to Sloane, n.d., Sloane MS 4061, fol. 38; Smith, 'Sloane as Friend', 53–5, 包括第 55 頁引自 Elizabeth Newdigate to Sloane, 1 November 1706, Sloane MS 4040, fols. 345–6, and 'Body Embarrassed'; Catherine Crawford, 'Legalizing Medicine: Early Modern Legal Systems and the Growth of Medico-Legal Knowledge', in Michael Clark and Catherine Crawford (eds.), *Legal Medicine in History*, Cambridge University Press, 1994, 89–116, pp. 91, 93; Silvia De Renzi, 'Medical Expertise, Bodies, and the Law in Early Modern Courts', *Isis* 98 (2007), 315–22.

18 Lady Sondes to Sloane, 1730?, Sloane MS 4061, fols. 285–6, 引自 Smith, 'Sloane as Friend', 53; Sloane, Miscellanies Catalogue, 1862; Mary Ferrers to Sloane, n.d., Sloane MS 4058, fols. 327–33, 引述自 Wayne Wild, *Medicine-by-Post: The Changing Voice of Illness in Eighteenth-Century British Consultation Letters and Literature*, Rodopi, 2006, 98–101; Sloane, Birds Catalogue, NHM, 607.

19 Nicolaus Staphorst, the younger, to Sloane, 22 June 1689, Sloane MS 4036, fol. 54; de Beer, *Sloane*, 55–7; *NHJ*, 1:i; Larry Stewart, *The Rise of Public Science: Rhetoric, Technology, and Natural Philosophy in Newtonian Britain, 1660–1750*, Cambridge University Press, 1992, 144–5; Peter Clark, *British Clubs and Societies, 1500–1800: The Origins of an Associational World*, Oxford University Press, 2000, ch. 3; Brian Cowan, *The Social Life of Coffee: The Emergence of the British Coffeehouse*, Yale University Press, 2005; Therese O'Malley and Amy Meyers (eds.), *The Art of Natural History: Illustrated Treatises and Botanical Paintings, 1400–1850*, Yale University Press, 2010, appendix; John Evelyn, 16 April 1691, in *Memoirs, Illustrative of the Life and Writings of John Evelyn*, 2nd edn, London, 1819, 25.

20 John Ray to Sloane, 23 June 1696 in Edwin Lankester (ed.), *The Correspondence of John Ray*, The Ray Society, 1848, 295; M. A. E. Nickson, 'Books and Manuscripts', in MacGregor, *Sloane*, 263–77; Amy Blakeway, 'The

Library Catalogues of Sir Hans Sloane: Their Authors, Organization, and Functions', *Electronic British Library Journal* (2011), 1–49, http://www.bl.uk/eblj/2011articles/pdf/ebljarticle162011.pdf, accessed December 2016.

21 *NHJ*, 1:preface; Francisco Hernández, *The Mexican Treasury: The Writings of Dr Francisco Hernández*, ed. Simon Varey, Stanford University Press, 2000, 19–22; William Aglionby to Sloane, 18 June 1692, Sloane MS 4036, fol. 128.

22 Joseph Pitton de Tournefort to Sloane, 20 March 1698, Sloane MS 4037, fol. 44, and 10 April 1698, ibid., fol. 55; Sloane to Anthoine de Jussieu, 25 May 1714, Sloane MS 4068, fol. 87; *NHJ*, 1:preface; Jean Jacquot, 'Sir Hans Sloane and French Men of Science', *NRRS* 10 (1953), 85–98.

23 *NHJ*, 1:lxxiv, preface, 98, 2:187; Harold Cook, *Matters of Exchange: Commerce, Medicine, and Science in the Dutch Golden Age*, Yale University Press, 2007, 325.

24 Tournefort to Sloane, 12 February 1698, Sloane MS 4037, fol. 27; Ray to Sloane, 6 April 1698, Sloane MS 4037, fol. 48, and 22 March 1698, Sloane MS 4037, fol. 235; Phillip Sloan, 'John Locke, John Ray, and the Problem of the Natural System', *Journal of the History of Biology* 5 (1972), 1–53; Sloane to Abbé Jean-Paul Bignon, Sloane MS 4069, n.d. [1723/4], fols. 192–3; Ray to Sloane, n.d., Sloane MS 4060, fol. 168 (venison); and 22 March 1696, Lankester, *Correspondence of John Ray*, 294 (sugar); Ray to Sloane, 10 August 1698, Sloane MS 4037, fol. 108; Charles Raven, *John Ray, Naturalist: His Life and Works*, Cambridge University Press, 1942, 301.

25 Sloane, *NHJ*, 1:preface; Ray to Sloane, 12 February 1695, Sloane MS 4036, fol. 226; Raven, *Ray*, 185.

26 Ray to Sloane, 11 February 1684, Sloane MS 4036, fol. 10 (fungus) 2 June 1699, Sloane MS 4037, fol. 281 (ink); n.d., Sloane MS 4060, fol. 167 (*Amomum*); Lorraine Daston, 'Type Specimens and Scientific Memory', *Critical Inquiry* 31 (2004), 153–82; *NHJ*, 2:xiii, xvii ('endeavouring' and 'great obstruction'), and 8–9 (coco tree); Ray to Sloane, 5 August 1696 (Magellan), Lankester, *Correspondence of John Ray*, 299; Cook, *Exchange*, esp. 311–17, 325; Pratik Chakrabarti, *Materials and Medicine: Trade, Conquest and Therapeutics in the Eighteenth Century*, Manchester University Press, 2011, 149.

27 Birch, 'Memoirs', fol. 5; Michael Hunter, *Establishing the New Science: The Experience of the Early Royal Society*, Boydell, 1995, 341–2; Simon Schaffer, 'Newton on the Beach: The Information Order of *Principia Mathematica* ', *History of Science* 47 (2009), 243–76; Edmond Halley to Sloane, 26 October 1700, in Eugene Fairfield MacPike (ed.), *Correspondence and Papers of Edmond Halley*, Clarendon Press, 1932, 115; de Beer, *Sloane*, 55–6; Johann Gaspar Scheuchzer 引言，摘自 Engelbert Kaempfer, *The History of Japan*, trans. Scheuchzer, 2 vols., London, 1727, 1:xvii; William Stukeley, *The Family Memoirs of the Reverend William Stukeley*, 3 vols., Surtees Society, 1882–7, 1:126.

28 *PT* 21 (1699), dedication; Sloane, 'A Description of the Pimienta or Jamaica Pepper-Tree, and of the Tree That Bears the Cortex Winteranus', *PT* 16 (1686–92), 462–8; 'Account of a Prodigiously Large Feather of the Bird Cuntur . . . and of the Coffee-Shrub', *PT* 18 (1694), 61–4; 'Letter from Hans Sloane . . . with Several Accounts of the Earthquakes in Peru . . . and at Jamaica', *PT* 18 (1694), 78–100; 'Account of Four Sorts of Strange Beans, Frequently Cast on Shoar on the Orkney Isles', *PT* 19 (1695–7), 298–300; 'Account of the Tongue of a Pastinaca Marina, Frequent in the Seas about Jamaica, and Lately Dug up in Mary-Land, and England', *PT* 19 (1695–7), 674–6; 'Of the Use of the Root Ipecacuanha', *PT* 20 (1698), 69–79; 'Some Observations . . . concerning some Wonderful Contrivances of Nature in a Family of Plants in Jamaica, to Perfect the Individuum, and Propagate the Species', *PT* 21 (1699), 113–20; 'Part of a Letter from Mr George Dampier . . .Concerning the Cure of the Bitings of Mad Creatures', *PT* 20 (1698), 49–52; Thomas Shaw, 'Letter to Sir Hans Sloane', *PT* 36 (1729–30), 177–84; Sloane to unknown, n.d., Sloane MS 4069, fol. 267; Edward Lhwyd, 'Extracts of Several Letters from Mr. Edward Lhwyd . . . Containing Observations in Natural History and Antiquities, Made in His Travels thro' Wales and Scotland', *PT* 28 (1713), 93–101; Elizabeth Yale, *Sociable Knowledge: Natural History and the Nation in Early Modern Britain*, University of Pennsylvania Press, 2016.

29 Raymond Stearns, *James Petiver: Promoter of Natural Science*, American Antiquarian Society, 1953; Richard Coulton, ' "The Darling of the Temple-Coffee-House Club": Science, Sociability, and Satire in Early Eighteenth-Century London', *Journal for Eighteenth-Century Studies* 35 (2012), 43–65; James Delbourgo, 'Listing People', *Isis* 103 (2012), 735–42; Sloane to James Petiver, n.d. [1704?], Sloane MS 4026, fol. 311; James Petiver, *Musei Petiveriani*, London, 1695–1703, and 'Catalogue of Some Guinea-Plants, with Their Native Names and Virtues', *PT* 19 (1695–7), 677–86.

30 Jennifer Thomas, 'Compiling "God's Great Book [of] Universal Nature": The Royal Society's Collecting Strategies', *Journal of the History of Collections* 23 (2011), 1–13; Sloane, Miscellanies Catalogue, 1537 (fir rope); Sloane, Earths, Clays, Chalk, Vitriol, Sands Catalogue, NHM, 44 (mouldy ground); Sloane, 'A Letter from Dr

Hans Sloane . . . to the Right Honourable the Earl of Cromertie', *PT* 27 (1710–12), 302–8, p. 304; D. W. Hayton, 'Southwell, Edward', *ODNB* ; J. H. Curthoys, 'Hannes, Sir Edward', ibid.; Toby Barnard, 'Boyle, Murrough', ibid.

31 Thomas Molyneux to Sloane, 22 May 1697, BL MS Sloane 4036, fol. 314; William Molyneux to Sloane, 8 January 1698, in K. Theodore Hoppen (ed.), *Papers of the Dublin Philosophical Society, 1683–1709*, 2 vols., Irish Manuscripts Commission, 2008, 2:692; Alexander Pope to Sloane, 22 May 1742, *The Works of Alexander Pope*, John Murray, 1886, 9:515; Alasdair Kennedy, 'In Search of the "True Prospect": Making and Knowing the Giant's Causeway as a Field Site in the Seventeenth Century', *BJHS* 41 (2008), 19–41; de Beer, *Sloane*, 129; http://www.popesgrotto.org.uk/pictures.html, accessed January 2014 (photo 7); [Edmund Powlett], *General Contents of the British Museum*, 2nd edn, London, 1762, 2.

32 Sloane, 'Account of a China Cabinet', *PT* 20 (1698), 390–92; 'A Further Account of the Contents of the China Cabinet', ibid., 461–2; 'A Further Account of a China Cabinet', *PT* 21 (1699), 44; and 'A Further Account of What Was Contain'd in the Chinese Cabinet', ibid., 70–72; 引言 at 391–2 ('ear-pickers') and 72 ('wherein they go beyond'); Sloane, Miscellanies Catalogue, 272, 927; Oliver Impey, 'Oriental Antiquities', in MacGregor, *Sloane*, 222–7; Linda Levy Peck, *Consuming Splendour: Society and Culture in Seventeenth-Century England*, Cambridge University Press, 2005, ch. 8 and 347; Sloane, Miscellanies Catalogue, 970; Maxine Berg, *Luxury and Pleasure in Eighteenth-Century Britain*, Oxford University Press, 2007; David Porter, *The Chinese Taste in Eighteenth-Century England*, Cambridge University Press, 2010.

33 Joseph Levine, *The Battle of the Books: History and Literature in the Augustan Age*, Cornell University Press, 1994; T. Christopher Bond, 'Keeping up with the Latest Transactions: The Literary Critique of Scientific Writing in the Hans Sloane Years', *Eighteenth-Century Life* 22 (1998), 1–17; Jonathan Swift, *A Tale of a Tub [1704] and Other Works*, Oxford University Press, 1999, 70, 127; Earl of Shaftesbury, *Characteristicks of Men, Manners, Opinions, Times*, 1711, ed. Lawrence Klein, Cambridge University Press, 1999, 340–42.

34 Sloane, *PT* 19 (1695–7), preface; Joseph Levine, *Dr Woodward's Shield: History, Science, and Satire in Augustan England*, University of California Press, 1977, 86, 89, 122, 125, 247–50, and *Battle of the Books*, 59, 63, 102–5; [William King], *The Transactioneer*, London, 1700, unpaginated preface.

35 King, *Transactioneer*, 13 ('exceeded'), 5 (coral and apple-tree), 6 (limestone), 22 ('guide a ship'), 37 (Aclowa and breeding).

36 James Petiver, *Musei Petiveriani*, London, 1695–1703, 1699 instalment, 43–7; Marjorie Swann, *Curiosities and Texts: The Culture of Collecting in Early Modern England*, University of Pennsylvania Press, 2001, 96; Delbourgo, 'Listing People'; King, *Transactioneer*, 33 ('darling'), 34 ('Sancho' and 'Muffti'), 38 ('kind friends'), 34–5 (Orange and 'cheaper').

37 King, *Transactioneer*, 14–16; Porter, *Chinese Taste*, chs. 3–4; Eugenia Jenkins, *A Taste for China: English Subjectivity and the Prehistory of Orientalism*, Oxford University Press, 2013, esp. 53.

38 King, *Transactioneer*, 86 ('merchandize') and 55 ('peculiar faculty'); John Ray to Edward Lhwyd, 9 November 1690, 收錄於 Robert Iliffe, 'Foreign Bodies: Travel, Empire and the Early Royal Society of London, Part One – Englishmen on Tour', *Canadian Journal of History* 33 (1998), 357–85, p. 368; Levine, *Shield*, ch. 7, esp. 125.

39 John Martyn to Patrick Blair, 23 June 1724, 收錄於 Kathryn James, 'Sloane and the Public Performance of Natural History', in Hunter, *Books to Bezoars*, 41–7, p. 46; King, *Transactioneer*, 54–5 (bones) and 88 ('laugh').

40 'Scurrillus' 引自 de Beer, *Sloane*, 89; Sloane to Ray, 31 January 1685, Lankester, *Correspondence of John Ray*, 159–60; *NHJ*, 1:preface ('malitious'), 94 and 2:xvi (Plukenet); James Petiver to Caspar Comelijn, n.d., Sloane MS 3334, fol. 12; Ray to Sloane, 17 September 1696, Sloane MS 4036, fol. 260; 13 April 1700, Sloane MS 4038, fol. 4; Steven Shapin and Simon Schaffer, *Leviathan and the Air-Pump: Hobbes, Boyle, and the Experimental Life*, Princeton University Press, 1985, 65–6.

41 Christopher Bateman and John Cooper, *A Catalogue of the Library, Antiquities, &c. of the Late Learned Dr. Woodward*, London, 1728, 64, annotated copy, Cambridge University Library; J. Wetstein and G. Smith to Sloane, 8 September 1733, Sloane MS 4053, fol. 41; Kay Dian Kriz, *Slavery, Sugar, and the Culture of Refinement: Picturing the British West Indies, 1700–1840*, Yale University Press, 2008, 13; Joyce Chaplin, 'Mark Catesby, A Sceptical Newtonian in America', in Amy Meyers and Margaret Beck Pritchard (eds.), *Empire's Nature: Mark Catesby's New World Vision*, University of North Carolina Press, 1998, 34–90; Henry Barham to Sloane, 20 April [July?] 1718, Sloane MS 4045, fol. 110; Joseph Browne to Sloane, 5 May 1707, Sloane MS 4040, fol. 353; William Byrd to Sloane, 10 June 1710, Sloane MS 4042, fol. 143; Kevin Hayes (ed.), *The Library of William Byrd of Westover*, Rowman & Littlefield, 1997.

42 Walter Tullideph to Sloane, 7 May 1728, Sloane MS 4049, fol. 160; John Bartram to Sloane, 14 November 1742, Sloane MS 4057, fol. 157; Henry Elking to Sloane, 6 August and 16 November 1726, Sloane MS 4048, fols. 183, 217; George Plaxton to Ralph Thoresby, 23 June 1707, in W. T. Lancaster (ed.), *Letters Addressed to Ralph Thoresby*, Thoresby Society, 1912, 152; [William King], *The Present State of Physick in the Island of Cajamai*, London, 1710, 4 ('receipt book'), 2 ('white physician'), and *A Voyage to the Island of Cajamai in America*, in *Useful Transactions* in *The Original Works in Verse and Prose of Dr William King*, 3 vols., London, 1776, 2:163 ('burying-places').

43 *NHJ*, 1:preface; John Fuller to Sloane, 11 April 1707, Sloane MS 4040, fol. 338; Henry Barham, 10 May 1712, Sloane MS 4043, fols. 45 and 46 ('great benefitt', 'dissatisfyed'), and 17 April 1718, Sloane MS 4045, fol. 108 ('straingers'); James Robertson, 'Knowledgeable Readers: Jamaican Critiques of Sloane's Botany', in Hunter, *Books to Bezoars*, 80–89.

44 Barham to Sloane, 21 October 1717, Sloane MS 4045, fol. 55; *NHJ*, 2:382–96; T. F. Henderson and Anita McConnell, 'Barham, Henry', *ODNB*; Henry Barham, Jr, to Sloane, 24 May 1726, Sloane MS 4048, fol. 156.

45 *NHJ*, 2:viii; Sloane to Arthur Charlett, 26 April 1707, in John Walker (ed.), *Letters Written by Eminent Persons in the Seventeenth and Eighteenth Centuries*, 2 vols., London, 1813, 1:166.

46 Birch, 'Memoirs', fol. 7; Ray, unpublished preface to Sloane's *Catalogus plantarum*, in Lankester, *Correspondence of John Ray*, 467; 亦見 Richard Pulteney, *Historical and Biographical Sketches of the Progress of Botany in England*, 2 vols., London, 1790, 2:69; Peter Dear, '*Totius in Verba*: Rhetoric and Authority in the Early Royal Society', *Isis* 76 (1985), 145–61.

47 De Beer, *Sloane*, 51, 60; http://www.cadogan.co.uk/pages/estate-development, accessed March 2014; http://www.british-history.ac.uk/vch/middx/vol12/pp108-115, accessed August 2016; Birch, 'Memoirs', fol. 8; Blakeway, 'Library Catalogues', 28.

48 Birch, 'Memoirs', fol. 7; Furdell, *Royal Doctors*, 245; Sloane, Miscellanies Catalogue, 2083; *London Evening Post*, 1–3 June 1732; Brooks, *Sloane*, 84–5, 96–9.

49 Liam Chambers, 'Medicine and Miracles in the Late Seventeenth Century: Bernard Connor's *Evangelium Medici* (1697)', in James Kelly and Fiona Clark (eds.), *Ireland and Medicine in the Seventeenth and Eighteenth Centuries*, Ashgate, 2010, 53–72, esp. 62; Harold Cook, *Trials of an Ordinary Doctor: Joannes Groenevelt in Seventeenth-Century London*, Johns Hopkins University Press, 1994, and 'Colbatch'; 基爾與切奈的書信往來文字與討論收錄於 Anita Guerrini, *Obesity and Depression in the Enlightenment: The Life and Times of George Cheyne*, University of Oklahoma Press, 2000, 91, 92, 99–100, 107–13; Samuel Garth, *The Dispensary: A Poem*, London, 1699, 59.

50 De Beer, *Sloane*, 70; Henry Yeomans, *Alcohol and Moral Regulation: Public Attitudes, Spirited Measures, and Victorian Hangovers*, University of Chicago Press, 2014, 40; 'Belinda' to Sloane, 5 January 1722, Sloane MS 4046, fols. 173–4, 引自 Stewart, 'Edge of Utility', 55–6; Philip Rose to Sloane, 8 January 1722, Sloane MS 4046, fols. 175–6, 引自 Lisa Smith, 'Sir Hans Sloane's "Earnest Desire to be Useful" ', unpublished paper.

51 Stewart, 'Edge of Utility', 58, 67–8; de Beer, *Sloane*, 74–7; Sloane, 'Account of Inoculation by Sir Hans Sloane', 1736, *PT* 49 (1755–6), 516–20; Sloane to Richard Richardson, 28 August 1722, in John Nichols and John Bower Nichols (eds.), *Illustrations of the Literary History of the Eighteenth Century*, 8 vols., London, 1817–58, 1:279; Margaret DeLacy, *The Germ of an Idea: Contagionism, Religion, and Society in Britain, 1660–1730*, Palgrave Macmillan, 2016, ch. 8.

52 Sloane to John Milner, 28 October 1748, in John Brownlow (ed.), *Memoranda; or, Chronicles of the Foundling Hospital*, Sampson Low, 1847, 211; P. M. Dunn, 'Sir Hans Sloane (1660–1753) and the Value of Breast Milk', *Archives of Disease in Childhood, Fetal and Neonatal Edition* 85 (2001), F73–F74; Lisa Cody, *Birthing the Nation: Sex, Science, and the Conception of Eighteenth-Century Britons*, Oxford University Press, 2008, 18–20; Andrea Rusnock, *Vital Accounts: Quantifying Health and Population in Eighteenth-Century England and France*, Cambridge University Press, 2002, ch. 2; Stewart, 'Edge of Utility', 64–5.

53 Jessie Sweet, 'Sir Hans Sloane: Life and Mineral Collection, Part III –Mineral Pharmaceutical Collection', *Natural History Magazine* 5 (1935), 145–64; Arthur MacGregor, 'Medicinal *terra sigillata* : A Historical, Geographical and Typological Review', in Christopher Duffin *et al.* (eds.), *A History of Geology and Medicine*, Geological Society of London, 2013, 113–36, p. 116; Jill Cook, 'The Nature of the Earth and the Fossil Debate', in Kim Sloan (ed.), *Enlightenment: Discovering the World in the Eighteenth Century*, British Museum, 2003, 92–9, pp. 96–7; Birch, 'Memoirs', fol. 14.

54 'Proposals made by Dr Sloane if it be thought fitt that he goe physitian to ye W. india fleet', n.d., Sloane MS 4069, fol. 200; Birch, 'Memoirs', fol. 6; de Beer, *Sloane*, 61, 63–4; W. H. G. Armytage, 'The Royal Society and the

Apothecaries, 1660–1722', *NRRS* 11 (1954), 22–37; Harold Cook, 'The Rose Case Reconsidered: Physic and the Law in Augustan England', *Journal of the History of Medicine* 45 (1990), 527–55, and 'Practical Medicine and the British Armed Forces after the "Glorious Revolution" ', *Medical History* 34 (1990), 1–26, and 'Colbatch', 503, and *The Decline of the Old Medical Regime in Stuart London*, Cornell University Press, 1986, esp. ch. 6.

55 Birch, 'Memoirs', fol. 8; Penelope Hunting, *A History of the Society of Apothecaries*, Society of Apothecaries, 1998, esp. 126–7; Sue Minter, *The Apothecaries' Garden: A History of the Chelsea Physic Garden*, Sutton Publishing, 1980, 37; Sally Kevill-Davies, *Sir Hans Sloane's Plants on Chelsea Porcelain*, Elmhirst & Suttie, 2015; *NHJ*, 2:xiv.

56 Andrew Wear, *Knowledge and Practice in English Medicine*, Cambridge University Press, 2000, 98–9, 73, 86–7; Brittanicus to Sloane, n.d., Sloane MS 4058, fol. 65; *NHJ*, 1:xi; Christopher Keon to Sloane, n.d., Sloane MS 4047, fol. 139; John Quincy, *The Dispensatory of the Royal College of Physicians*, 2nd edn, London, 1727, note to reader and preface; Earle, *English Middle Class*, 305; Birch, 'Memoirs', fol. 14.

57 Andrew Cunningham, 'Thomas Sydenham: Epidemics, Experiment and the "Good Old Cause" ', in Roger French and Andrew Wear (eds.), *The Medical Revolution of the Seventeenth Century*, Cambridge University Press, 1989, 164–90; Michael Heyd, *'Be Sober and Reasonable': The Critique of Enthusiasm in the Seventeenth and Early Eighteenth Centuries*, Brill, 1995; Shapin and Schaffer, *Leviathan and the Air-Pump* ; Margaret Jacob, *The Newtonians and the English Revolution, 1689–1720*, Cornell University Press, 1976.

58 Sloane to Abbé Bignon, n.d., Sloane MS 4069, fol. 115; *NHJ*, 1:preface; Shapin and Schaffer, *Leviathan and the Air-Pump* ; Sloane to Gabriel Nisbett, 28 May 1737, Sloane MS 4068, fol. 319; see also Castel de St Pierre to Sloane, 14 April 1724, Sloane MS 4043, fol. 246; Brooks, *Sloane*, 42, 98, 144; de Beer, *Sloane*, 57–8; Margaret Sankey, *Jacobite Prisoners of the 1715 Rebellion: Preventing and Punishing Insurrection in Early Hanoverian Britain*, Ashgate, 2005, 89; Stewart, *Rise of Public Science*, 316.

59 Reid Barbour, *Sir Thomas Browne: A Life*, Oxford University Press, 2013, esp. 336–44; Marjorie Swann, *Curiosities and Texts: The Culture of Collecting in Early Modern England*, University of Pennsylvania Press, 2001, 122–36; Jeremiah Finch (ed.), *A Catalogue of the Libraries of Sir Thomas Browne and Dr. Edward Browne, His Son: A Facsimile Reproduction with an Introduction, Notes and Index*, Brill, 1986, 7, 15; HS, 108; J. E. Dandy, *The Sloane Herbarium*, British Museum, 1958, 99; Sloane MS 1843 (Browne commonplace book); Sloane, Antiquities Catalogue, BM, 109–12 (urns); Hernández, *Mexican Treasury*, 21.

60 Sloane, Humana Catalogue, NHM, 272 (Charleton), 675 (tapestry maker), 466 (Derby), 222 (Hickes), 749 (beef); Sloane, 'Answer to the Marquis de Caumont's Letter', *PT* 40 (1737–8), 374–7, p. 376 ('put into a silver box'); Marcia Stephenson, 'From Marvellous Antidote to the Poison of Idolatry: The Transatlantic Role of Andean Bezoar Stones in the Late Sixteenth and Seventeenth Centuries', *Hispanic American Historical Review* 90 (2010), 3–39; Cook, *Trials*, 96–7, 203, 207–8.

61 Giles Mandelbrote, 'Sloane and the Preservation of Printed Ephemera', in Mandelbrote and Barry Taylor (eds.), *Libraries within the Library: The Origins of the British Library's Printed Collections*, British Library, 2010, 146–68, pp. 155–9; Sloane MSS 7, 65–6, 72, 94, etc. (charms); *NHJ*, 2:xiv; Sloane to Bignon, n.d., Sloane MS 4069, fol. 115 (Proby); Thomas Stack, 'Letter from Thomas Stack', *PT* 41 (1739), 140–42; Lorraine Daston and Katherine Park, *Wonders and the Order of Nature, 1150–1750*, Zone, 1998, ch. 9.

62 Jane Shaw, *Miracles in Enlightenment England*, Yale University Press, 2006, 70–71, 79–95; Keith Thomas, *Religion and the Decline of Magic*, Weidenfeld & Nicolson, 1971, 231–2, 243, 276–7; Harold Weber, *Paper Bullets: Print and Kingship under Charles II*, University Press of Kentucky, 1995, ch. 2, esp. 63–4; Porter, *Health for Sale*, 28; Simon Schaffer, 'Regeneration: The Body of Natural Philosophers in Restoration England', in Christopher Lawrence and Steven Shapin (eds.), *Science Incarnate: Historical Embodiments of Natural Knowledge*, University of Chicago Press, 1998, 83–120; Simon Werrett, 'Healing the Nation's Wounds: Royal Ritual and Experimental Philosophy in Restoration England', *History of Science* 38 (2000), 377–99; Paul Monod, *Solomon's Secret Arts: The Occult in the Age of Enlightenment*, Yale University Press, 2013.

63 John Cherry, 'Medieval and Later Antiquities: Sir Hans Sloane and the Collecting of History', in MacGregor, *Sloane*, 198–221, pp. 200, 209–11; Marion Archibald, 'Coins and Medals', ibid., 150–66, p. 163; William Courten, 'Things Bought in January & February & March & April 1690', Sloane MS 3961, fol. 39; Sloane, Miscellanies Catalogue, 544, 613.

64 William Beckett, *A Free and Impartial Enquiry into the Antiquity and Efficacy of Touching for the Cure of the King's Evil*, London, 1722, 3, 25, 28–9, 46; Samuel Werenfels, *A Dissertation upon Superstition in Natural Things*, London, 1748, 49; Weber, *Paper Bullets*, 84–7.

65 Zahedieh, *Capital*, 131–6; Sloane Account Books, Ancaster Deposit, Lincolnshire Archives; Crossley and Saville, *Fuller Letters*, xxvi–xxvii; Brooks, *Sloane*, ch. 10.

66 Henry Barham to Sloane, 13 September 1722, Sloane MS 4046, fol. 289; see also Sloane MSS 2902, fols. 151–4; 3984, fols. 165–9, 174–83; 3986, fols. 8–9 有關牙買加的貿易事務；Rose Fuller to Sloane, 21 July 1731, Sloane MS 4051, fol. 278; 19–30 July 1729, Sloane MS 4050, fol. 160 ('far short'); 16 March 1732, Sloane MS 4052, fol. 299 ('mighty well'); 22 December 1739, Sloane MS 4056, fol. 155 ('rebellious negroes').

67 Sloane Account Books, e.g. items ANC 9–D– 5a–04384 and ANC 9–D–5a– 04387; *The Trans-Atlantic Slave Trade Database*, http://www.slavevoyages.org/voyage/ (*Neptune*, voyage 75921, 1721), accessed August 2015.

68 Sloane–Rose 婚前授產協議, BL; Anonymous, 'Rose of Jamaica', 130, 134, 135; Crossley and Saville, *Fuller Letters*, xxiv; MacGregor, 'Career of Hans Sloane', 37 n. 42; National Archives Currency Converter, http://www.nationalarchives.gov.uk/currency/default0.asp#mid, accessed August 2015.

69 Birch, 'Memoirs', fol. 5; Per Kalm, *Kalm's Account of his Visit to England on his Way to America in 1748*, trans. Joseph Lucas, Macmillan, 1892, 98; Sloane Account Books; Andrea Rusnock (ed.), *The Correspondence of James Jurin (1684–1750): Physician and Secretary to the Royal Society*, Rodopi, 1996, 15, 33–5, 110, 196–7.

70 Sloane Account Books; Hans Sloane and Thomas Isted to Charles Lockyer, 28 January 1723, MS 7633, fol. 6, Wellcome Library.

71 James Brydges, Duke of Chandos, to Sloane, 4 December 1721, Sloane MS 4046, fol. 152; Francis Lynn to Sloane, 9 December 1721, Sloane MS 4046, fol. 166; Sloane, Vegetable Substances Catalogue, NHM, 8125; Stewart, *Rise of Public Science*, 322–3; Pettigrew, *Freedom's Debt*, 165–72; South Sea Company Directors to Sloane, 21 January 1724, Sloane MS 4021, fol. 235; Henry Newman to Sloane, 14 May 1735, Sloane MS 4054, fol. 41; Philip Withington, *Society in Early Modern England: The Vernacular Origins of Some Powerful Ideas*, Polity, 2010, ch. 4; Nicolas Martini to Sloane, 20 December 1717, Sloane MS 4045, fol. 83; Joseph Browne to Sloane, 22 January 1718, Sloane MS 4045, fol. 183; Magnus Prince to Sloane, 1740, Sloane MS 4060, fol. 130, quoted in Toby Barnard, *A New Anatomy of Ireland: The Irish Protestants, 1649–1770*, Yale University Press, 2003, 202.

72 Ezio Bassani, *African Art and Artifacts in European Collections, 1400–1800*, British Museum, 2000, 41–50; Sloane, Miscellanies Catalogue, 32, 59 (caps); 1764–5 (pipes); 424, 1935 (fabrics); 590–92 (bracelets); 723, 1425, 2021 (trumpets); 246 (thong); 1817 (shell); 1090, 1101, 54 (whips); 1796 (bullet); 1966, 1968 (coat and britches, attribution to Millar via 1969, 'all brought from Jamaica given me by Mr Millar'); 1623 (noose); 1830 (knife); 'A Catalogue of Rarities belonging to Will. Walker', n.d., Sloane MS 1968, fols. 172–3, item 38 (knife); 'Voyage of the *Hannibal*, 1693–1694', in Elizabeth Donnan (ed.), *Documents Illustrative of the History of the Slave Trade to America, Volume I: 1441–1700*, Octagon Books, 1969, 392–410, esp. 399–404, 408; Jonathan Symmer to Sloane, 2 [or 20?] September 1736, Sloane MS 4054, fols. 304–7 ('vagina'); n.d., Sloane MS 4061, fol. 158; Sloane, Humana Catalogue, 692 ('negroe girle'), 747 (skull).

73 Alexander Stuart to Sloane, n.d., Sloane MS 4061, fol. 152 ('bearere'); 4 January 1710, Sloane MS 4042, fol. 83 ('black boy'); 22 May 1710, Sloane MS 4042, fol. 137 ('troubled'); Travis Glasson, *Mastering Christianity: Missionary Anglicanism and Slavery in the Atlantic World*, Oxford University Press, 2011, 101; Gretchen Gerzina, *Black England: Life before Emancipation*, John Murray, 1995, 34; Susan Amussen, *Caribbean Exchanges: Slavery and the Transformation of English Society, 1640–1700*, University of North Carolina Press, 2007, 191–217; David Bindman and Helen Weston, 'Court and City: Fantasies of Domination', in Bindman and Henry Louis Gates, Jr (eds.), *The Image of the Black in Western Art from the 'Age of Discovery' to the Age of Abolition: The Eighteenth Century*, Belknap Press, 2011, 125–70; Catherine Molineux, *Faces of Perfect Ebony: Encountering Atlantic Slavery in Imperial Britain*, Harvard University Press, 2011, esp. 9–11, 39, 65; Simon Gikandi, *Slavery and the Culture of Taste*, Princeton University Press, 2011.

74 Birch, 'Memoirs', fols. 7–8, 11; Donna Andrew, *Philanthropy and Police: London Charity in the Eighteenth Century*, Princeton University Press, 1990, chs. 1–2.

75 Shapin, *Truth* ; Anonymous, *Aesculapius: A Poem*, London, 1721, 18; Anonymous, *The Art of Getting into Practice in Physick*, London, 1722, 9–10; King, *Useful Transactions*, in *The Original Works in Verse and Prose of Dr William King*, 2:135 ('Slonenbergh') and 145 ('Slyboots'); Kay Dian Kriz, 'Curiosities, Commodities, and Transplanted Bodies in Hans Sloane's "Natural History of Jamaica" ', *WMQ* 57 (2000), 35–78, p. 65.

76 Anon., *Art of Getting into Practice*, 9–18; 'Dr. Wriggle, or The Art of Rising in Physic', *Westminster Magazine*, September 1782, 引自 Porter, *Bodies Politic*, 141.

77 Stewart, *Rise of Public Science*, 129, 132, 176–7, 214; MacGregor, 'Career of Hans Sloane', 18–21; de Beer, *Sloane*,

ch. 6, esp. 86–7 (experiments), 106–7 (gravity cubes); William Stukeley, *Of the Spleen*, London, 1723, 91–108 (elephant); John Ranby, 'Some Observations Made in an Ostrich, Dissected by Order of Sir Hans Sloane', *PT* 33 (1724–5), 223–7; John Heilbron, *Physics at the Royal Society during Newton's Presidency*, William Andrews Clark Memorial Library, 1983, 32–3, 36–8, 51, 59; J. B. Shank, *The Newton Wars and the Beginning of the French Enlightenment*, University of Chicago Press, 2008, 117, 184; Mary Terrall, *Catching Nature in the Act: Réaumur and the Practice of Natural History in the Eighteenth Century*, University of Chicago Press, 2014; *Evening Post*, 2–4 April 1723; Jessie Sweet, 'Sir Hans Sloane's Metalline Cubes', *NRRS* 10 (1953), 99–100; Sloane, Miscellanies Catalogue, 182 (Hauksbee gravity balance).

78 Levine, *Shield*, 88, 92, 111–12, 315 and 321 n. 67; de Beer, *Sloane*, 90–92, including Sloane to Thoresby, 3 June 1710; Stukeley, *Family Memoirs*, 1:125; MacGregor, 'Career of Hans Sloane', 18–21 and 40 n. 116; Heilbron, *Physics at the Royal Society*, 33–4 (including 'engross'd' and 'tricking').

79 MacGregor, 'Career of Hans Sloane', 21; Jurin 引自 Mordechai Feingold, 'Mathematicians and Naturalists: Sir Isaac Newton and the Royal Society', in Jed Buchwald and I. Bernard Cohen (eds.), *Isaac Newton's Natural Philosophy*, MIT Press, 2001, 77–102, pp. 96–7; Schaffer, 'Newton on the Beach'.

80 MacGregor, 'Career of Hans Sloane', 21; Dear, '*Totius in Verba*'; Kim Sloan, 'Sir Hans Sloane's Pictures: The Science of Connoisseurship or the Art of Collecting?', *Huntington Library Quarterly* 78 (2015), 381–415; *NHJ*, 2:22– 3, and Sloane to Comte d'Efferon, 31 October 1715, Sloane MS 4068, fol. 100; Sloane, Vegetable Substances Catalogue, 9884; Jennifer Anderson, *Mahogany: The Costs of Luxury in Early America*, Harvard University Press, 2012, 83.

81 Birch, 'Memoirs', fol. 12; Sloane, *An Account of a Most Efficacious Medicine for Soreness, Weakness, and Several Other Distempers of the Eyes*, London, 1745, 引言 14; Arnold Hunt, 'Sloane as a Collector of Manuscripts', in Hunter, *Books to Bezoars*, 190–207, pp. 202–3; Alison Walker, 'Sir Hans Sloane and the Library of Dr Luke Rugeley', *Library* 15 (2014), 383–409; Smith, 'Earnest Desire'; Furdell, *Royal Doctors*, 241; Henry Stubbe, *The Indian Nectar*, London, 1662, 73, 109, 33; Philippe Dufour, *The Manner of Making Coffee, Tea, and Chocolate*, London, 1685, 107, 摘錄自 Sophie and Michael Coe, *The True History of Chocolate*, Thames & Hudson, 1996, 173; Bertram Gordon, 'Commerce, Colonies, and Cacao: Chocolate in England from Introduction to Industrialization', in Louis Grivetti and Howard Shapiro (eds.), *Chocolate: History, Culture, and Heritage*, John Wiley & Sons, 2009, 583–94, p. 586; Shapin, *Truth* ; Banks and Heal Collection, Prints and Drawings, BM, 38.7 and 38.15 (Sanders and White cards); *Public Advertiser*, 22 December 1774; *Public Ledger*, 7 January 1775; *Lloyd's Evening Post*, 22 February 1775; *Gazetteer and New Daily Advertiser*, 19 August 1775.

82 D. W. Hayton, *The Anglo-Irish Experience, 1680–1730: Religion, Identity and Patriotism*, Boydell, 2012, esp. ch. 2; Robert Whan, *The Presbyterians of Ulster, 1680–1730*, Boydell, 2013, 30; Brooks, *Sloane*, 143–6; de Beer, *Sloane*, 67–8, 117; Sankey, *Jacobite Prisoners*, 89; Brilliana Rawdon to Sloane, 17 February 1705, Sloane MS 4040, fol. 133; Toby Barnard, *Making the Grand Figure: Lives and Possessions in Ireland, 1641–1770*, Yale University Press, 2004, xix–xxi, 173, 325–37; *New Anatomy of Ireland*, 42, 65, 115, 123, 136, and 'The Irish in London and "the London Irish", *c.* 1660–1780', unpublished paper; Colin Kidd, *British Identities before Nationalism: Identity and Nationhood in the Atlantic World, 1600–1800*, Cambridge University Press, 1999, ch. 4 and 251–6; Thomas Stack to Sloane, 28 October 1728, Sloane MS 4049, fol. 254（作者譯）。

83 *Daily Post*, 26 February 1725 (horned lady); *London Evening Post*, 26–29 October 1728 (mynah bird); ibid., 4–6 October 1733 (Chinese effigies); *London Daily Post and General Advertiser*, 24 December 1734 (Suffolk bristles); *Daily Post*, 20 January 1737 ('Oran-hauton'); *London Daily Post and General Advertiser*, 3 February 1739 (basilisk); ibid., 27 February 1739 (Madame Chimpanzee); *Daily Advertiser*, 4 December 1742 (mouth-writer); Mandelbrote, 'Printed Ephemera', 153.

Chapter 5——全世界都來到布隆伯利

1 Carol Gibson-Wood, 'Classification and Value in a Seventeenth-Century Museum: William Courten's Collection', *Journal of the History of Collections* 9 (1999), 61–77, esp. 61–3; Walter Benjamin, *The Arcades Project*, trans. Howard Eiland and Kevin McLaughlin, Belknap Press, 1999, 211; Uffenbach 引自 J. E. B. Mayor (ed.), *Cambridge under Queen Anne*, Cambridge Antiquarian Society, 1911, 408; Susan Amussen, *Caribbean Exchanges: Slavery and the Transformation of English Society, 1640–1700*, University of North Carolina Press, 2007, 25.

2 Susan Scott Parrish, *American Curiosity: Cultures of Natural History in the Colonial British Atlantic World*, University of North Carolina Press, 2006, chs. 3, 5, 6, and esp. 194; Charlotta Adelkrantz to Sloane, 7 July 1736, Sloane MS 4054, fols. 271–2; Sloane, Miscellanies Catalogue, BM, 1787–91.

3 Natalie Zemon Davis, *Women on the Margins: Three Seventeenth-Century Lives*, Harvard University Press, 1995, 140–202; Londa Schiebinger, *Plants and Empire: Colonial Bioprospecting in the Atlantic World*, Harvard University Press, 2004, esp. 30–35 (including 'myne slaven', 35); Harold Cook, *Matters of Exchange: Commerce, Medicine, and Science in the Dutch Golden Age*, Yale University Press, 2007, 332–8; Janice Neri, *The Insect and the Image: Visualizing Nature in Early Modern Europe, 1500–1700*, University of Minnesota Press, 2011, 142, 158–9, 166; Weeden Butler, 'Pleasing Recollection of a Walk through the British Musaeum', Add. MS 27276, fols. 63–4; James Petiver to Sloane, 7 June 1711, Sloane MS 4042, fol. 295; D. E. Allen, 'Petiver, James', *ODNB*; Petiver to Johann Breyne, n.d. (*c.* 1706), 引自 Ella Reitsma, *Maria Sibylla Merian and Daughters: Women of Art and Science*, Rembrandt House Museum, 2008, 203.

4 Eric St John Brooks, *Sir Hans Sloane: The Great Collector and His Circle*, Batchworth Press, 1954, 126; Pamela Gilbert, 'Glanville, Eleanor', *ODNB*; HS, 131–42, 66, 235; J. E. Dandy, *The Sloane Herbarium*, British Museum, 1958, 209–15 (Petiver 引言 210); Sloane MSS 641, 3343, 3349, 3353–9 (Badminton plant lists); Molly McClain, *Beaufort: The Duke and his Duchess, 1657–1715*, Yale University Press, 2001, 212–14; Schiebinger, *Plants and Empire*, esp. 59–60.

5 Mary Campbell to Sloane, n.d., Sloane MS 4058, fol. 105; Margaret Ray to Sloane, 1706, Sloane MS 4040, fol. 255; Samuel Dale to Sloane, ibid., 14 August 1706 and 5 March 1707, fols. 205, 317; Lisa Smith, 'Sloane as Friend and Physician of the Family', in Hunter, *Books to Bezoars*, 48–56, pp. 50–51; Claudius Dupuys to Sloane, Sloane MS 4058, fols. 284, 286; Sloane, Miscellanies Catalogue, 1084–124; Richard Altick, *The Shows of London*, Belknap Press, 1978, 16, 51.

6 James Petiver to unknown, n.d., Sloane MS 3332, fol. 5; Petiver to Gidly, 28 September 1694, ibid., fol. 83; [William King], *The Transactioneer*, London, 1700, 38; *NHJ*, 2:iv–v; James Delbourgo, 'Listing People', *Isis* 103 (2012), 735–42; Raymond Stearns, *James Petiver: Promoter of Natural Science*, American Antiquarian Society, 1953; Marjorie Swann, *Curiosities and Texts: The Culture of Collecting in Early Modern England*, University of Pennsylvania Press, 2001, 90–96; Simon Schaffer, ' "On Seeing Me Write": Inscription Devices in the South Seas', *Representations* 97 (2007), 90–122.

7 James Petiver to George Wheeler, 18 May 1695 and 29 October 1696, Sloane MS 3332, fols. 124, 223–5; and to Edward Barter, 15 October 1695, ibid., fols. 164–6; Edward Bulkley to Petiver, Sloane MS 3321, 9 November 1701, fols. 84–5; *NHJ*, 2:iv–v.

8 James Petiver to George Wheeler, 18 May 1695 and 29 October 1696, Sloane MS 3332, fols. 124, 223–5; and to Edward Barter, 15 October 1695, ibid., fols. 164–6; Edward Bulkley to Petiver, Sloane MS 3321, 9 November 1701, fols. 84–5; *NHJ*, 2:iv–v.

9 Dandy, *Herbarium*, 137–8; G. Scott and M. Hewitt, 'Pioneers in Ethnopharmacology: The Dutch East India Company (VOC) at the Cape from 1650 to 1800', *Journal of Ethnopharmacology* 115 (2008), 339–60; Richard Grove, *Green Imperialism: Colonial Expansion, Tropical Island Edens and the Origins of Environmentalism, 1600–1860*, Cambridge University Press, 1996, 137–8; Cook, *Exchange*, chs. 5, 9; Anna Winterbottom, *Hybrid Knowledge in the Early East India Company World*, Palgrave Macmillan, 2015, ch. 5.

10 William Sherard to Sloane, n.d., Sloane MS 4060, fol. 339（所有引言）; 9 May 1698 and 23 August 1698, Sloane MS 4037, fols. 64, 113; Sloane to Sherard, 2 September 1698, Sherard Papers, fol. 454, RS; HS, 75, 331, 91, 98; Sloane MS 4003, fols. 25–80; Dandy, *Herbarium*, 137–8; John Cannon, 'Botanical Collections', in MacGregor, *Sloane*, 136–49, p. 143; Anna Hermann to Sloane, 17 January 1704, Sloane MS 4039, fol. 231; Sloane to Petiver, n.d., Sloane MS 4069, fol. 187; Petiver to Sloane, 18 June 1711, Sloane MS 4042, fol. 305; M. A. E. Nickson, 'Books and Manuscripts', in MacGregor, *Sloane*, 263–77, pp. 267–8; Arnold Hunt, 'Sloane as a Collector of Manuscripts', in Hunter, *Books to Bezoars*, 190–207.

11 Dandy, *Herbarium*, 183–7; Arthur MacGregor, 'The Life, Character, and Career of Sir Hans Sloane', in MacGregor, *Sloane*, 11–44, p. 23; Mike Fitton and Pamela Gilbert, 'Insect Collections', in ibid., 112–22, p. 119; Ian Jenkins, 'Classical Antiquities: Sloane's "Repository of Time" ', in ibid., 167–73, pp. 167–9; Nickson, 'Books and Manuscripts', 267; Giles Mandelbrote, 'Sloane's Purchases at the Sale of Robert Hooke's Library', and Alison Walker, 'Sir Hans Sloane's Printed Books in the British Library: Their Identification and Associations', in Mandelbrote and Barry Taylor (eds.), *Libraries within the Library: The Origins of the British Library's Printed Collections*, British Library, 2010, 98–145 and 89–97, p. 95; Walker, 'Sir Hans Sloane and the Library of Dr Luke Rugeley', *Library* 15 (2014), 383–409.

12 Sloane to Sherard, 2 September 1698, Sherard Papers, fol. 454, RS; Sherard to Sloane, 20 September 1698, Sloane

MS 4037, fol. 123, and 29 June 1706, Sloane MS 4040, fol. 187; Hunt, 'Manuscripts', 199, including quotation from Wanley to Sloane, 10 March 1724, Sloane MS 4047, fols. 145–6; George Pasti, 'Consul Sherard: Amateur Botanist and Patron of Learning, 1659–1728', University of Illinois PhD thesis, 1950; *NHJ*, 1:preface; Joseph Levine, *The Battle of the Books: History and Literature in the Augustan Age*, Cornell University Press, 1991, 170 ('anger').

13 Dawson Turner (ed.), *Extracts from the Literary and Scientific Correspondence of Richard Richardson*, Yarmouth, 1835, 181 n. 4 ('wallowing'); Nuala Zahedieh, *The Capital and the Colonies: London and the Atlantic Economy, 1660–1700*, Cambridge University Press, 2010, 136; Sherard to Sloane, 3 May 1692, Sloane MS 4036, fol. 119; 28 May 1711, Sloane MS 4042, fol. 289; MacGregor, 'Career of Hans Sloane', 27 and 43–4 n. 198; Dandy, *Herbarium*, 97, 202–3; D. E. Allen, 'Sherard, William', *ODNB*.

14 Felicity Nussbaum, 'Between "Oriental" and "Blacks So Called", 1688–1788', in Daniel Carey and Lynn Festa (eds.), *Postcolonial Enlightenment: Eighteenth-Century Colonialism and Postcolonial Theory*, Oxford University Press, 2009, 137–66, pp. 158–60; Catherine Molineux, *Faces of Perfect Ebony: Encountering Atlantic Slavery in Imperial Britain*, Harvard University Press, 2012, 195–7; Roy Porter, 'Consumption: Disease of the Consumer Society?', in John Brewer and Porter (eds.), *Consumption and the World of Goods*, Routledge, 1993, 58–81; John Brewer, *The Pleasures of the Imagination: English Culture in the Eighteenth Century*, HarperCollins, 1997, 54, 82.

15 Sloane, 'Accounts of the Pretended Serpent-Stone Called Pietra de Cobra de Cabelos, and of the Pietra de Mombazza or the Rhinoceros Bezoar', *PT* 46 (1749–50), 118–25.

16 'Sloane's Museum at Chelsea, as described by Per Kalm, 1748', in MacGregor, *Sloane*, 34; Sloane, Miscellanies Catalogue, 2105; Shells Catalogue, NHM, 23, 1382; Miscellanies, 12, 4, 213, 539, 811, 1563; Quadrupeds Catalogue, NHM, 1674; Miscellanies, 852; Birds Catalogue, NHM, 555; Shells, 1383; Insects Catalogue, NHM, 25; Miscellanies, 847; Insects, 3666; Quadrupeds, 204, 1716, 1682; Miscellanies, 1705, 1281, 9, 64, 970, 1777; Fossils Catalogue, NHM, 42.

17 John Richards, *The Mughal Empire*, Cambridge University Press, 1996; Sanjay Subrahmanyam, *Mughals and Franks: Explorations in Connected History*, Oxford University Press, 2005; Charles Parker, *Global Interactions in the Early Modern Age*, Cambridge University Press, 2010, ch. 2.

18 Grove, *Green Imperialism*, chs. 2–3; K. N. Chaudhuri, *The Trading World of Asia and the English East India Company, 1660–1760*, Cambridge University Press, 1978; Miles Ogborn, *Global Lives: Britain and the World, 1550–1800*, Cambridge University Press, 2008, 80–84; Kanakalatha Mukund, *The Trading World of the Tamil Merchant: Evolution of Merchant Capitalism in the Coromandel*, Orient Longman, 1999, 109–10; Winterbottom, *Hybrid Knowledge*, ch. 1; Miles Ogborn, *Indian Ink: Script and Print in the Making of the English East India Company*, University of Chicago Press, 2007, 30, 60, 62; Sanjay Subrahmanyam, 'Taking Stock of the Franks: South Asian Views of Europeans and Europe, 1500–1800', *Indian Economic Social History Review* 42 (2005), 69–100, and 'Frank Submissions: The Company and the Mughals between Sir Thomas Roe and Sir William Norris', in H. V. Bowen *et al.* (eds.), *The Worlds of the East India Company*, D. S. Brewer, 2002, 69–96, p. 78; Nabil Matar (ed.), *In the Lands of the Christians: Arabic Travel Writing in the Seventeenth Century*, Routledge, 2003, introduction.

19 Winterbottom, *Hybrid Knowledge*, chs. 1, 3; Ogborn, *Indian Ink*, ch. 3; Philip Stern, *The Company State: Corporate Sovereignty and the Early Modern Foundation of the British Empire in India*, Oxford University Press, 2011, chs. 5–6; Anne Murphy, *The Origins of English Financial Markets: Investment and Speculation before the South Sea Bubble*, Cambridge University Press, 2012, 72–7.

20 Sloane, Miscellanies Catalogue, 1721, 852, 811, and Quadrupeds Catalogue, 1674; Stern, *Company State*, 165–72; de Beer, *Sloane*, 157; Sloane to Charles Lockyer, 28 January 1723, MS 7633, fol. 6, Wellcome Library; Marjorie Caygill, 'Sloane's Will and the Establishment of the British Museum', in MacGregor, *Sloane*, 45–68, p. 59; Diana Scarisbrick and Benjamin Zucker, *Elihu Yale: Merchant, Collector and Patron*, Thames & Hudson, 2014, 110, 209, 212.

21 Winterbottom, *Hybrid Knowledge*, ch. 4.

22 Sloane, Miscellanies Catalogue, 12, 1486; Agates Catalogue, NHM, 205; Daniel Waldo to Sloane, 20 January 1704 and n.d., Sloane MS 4039, fols. 424–5; John Thackray, 'Mineral and Fossil Collections', in MacGregor, *Sloane*, 123–35, p. 131; J. C. H. King, 'Ethnographic Collections: Collecting in the Context of Sloane's Catalogue of "Miscellanies" ', in ibid., 228–44, p. 236; Pratik Chakrabarti, *Materials and Medicine: Trade, Conquest and Therapeutics in the Eighteenth Century*, Manchester University Press, 2010, 33–45.

23 Alexander Stuart to Sloane, n.d., Sloane MS 4061, fols. 138, 146, 148, 154, 142; 30 June and 7 November 1711, Sloane MS 4045, fols. 16, 62; HS, 17; Dandy, *Herbarium*, 28; Sloane, Miscellanies Catalogue, 493–7, 1809, Vegetable Substances Catalogue, NHM, 248, and Sloane MS 1546A (Malabar pocket-book); Anita Guerrini, ' "A

Scotsman on the Make": The Career of Alexander Stuart', in Paul Wood (ed.), *The Scottish Enlightenment: Essays in Reinterpretation*, University of Rochester Press, 2000, 157–76.

24 Parker, *Global Interactions*, ch. 2; Laura Hostetler, *Qing Colonial Enterprise: Ethnography and Cartography in Early Modern China*, University of Chicago Press, 2001; Kenneth Pomeranz, *The Great Divergence: China, Europe, and the Making of the Modern World Economy*, Princeton University Press, 2000, 119–22; Florence Hsia, *Sojourners in a Strange Land: Jesuits and their Scientific Missions in Late Imperial China*, University of Chicago Press, 2009.

25 HS, 20, 32, 59, 81, 92–4, 156, 163, 189, 243, 247, 252–3, 255–8, 263, 278, 283, 287, 289, 327, 329–32 (Cuninghame specimens); Sloane, Vegetable Substances Catalogue, 250, 254, etc.; Dandy, *Herbarium*, 117–22; James Cuninghame to Sloane, 10 July 1700, Sloane MS 3321, fol. 52; Fa-ti Fan, *British Naturalists in Qing China: Science, Empire, and Cultural Encounter*, Harvard University Press, 2004; Arnoldo Santos-Guerra *et al.*, 'Late 17th-Century Herbarium Collections from the Canary Islands: The Plants Collected by James Cuninghame in La Palma', *Taxon* 60 (2011), 1734–53.

26 Charles Jarvis and Philip Oswald, 'The Collecting Activities of James Cuninghame FRS on the Voyage of *Tuscan* to China (Amoy) between 1697 and 1699', *NRRS* 69 (2015), 135–53, quotation 142.

27 Cuninghame to Sloane, n.d., Sloane MS 4025, fol. 90; 20 December 1700, Sloane MS 3321, fol. 65; 22 November 1701, Sloane MS 4025, fols. 90, 92; Cuninghame, 'Part of Two Letters to the Publisher from Mr James Cunningham', *PT* 23 (1702–3), 1201–9; James Cuninghame to Sloane, 10 July 1700, Sloane MS 3321, fol. 52; 19 July 1700, Sloane MS 4038, fol. 35; Joanna Waley-Cohen, *The Sextants of Beijing: Global Currents in Chinese History*, Norton, 1999, 124–8; Ashley Millar, 'Your Beggarly Commerce! Enlightenment European Views of the China Trade', in Guido Abbattista (ed.), *Encountering Otherness: Diversities and Transcultural Experiences in Early Modern European Culture*, University of Trieste Press, 2011, 205–22.

28 Winterbottom, *Hybrid Knowledge*, ch. 2; Danny Wong Tze-Ken, 'The Destruction of the English East India Company Factory on Condore Island, 1702–1705', *Modern Asian Studies* 46 (2012), 1097–115, esp. 1106; see also Li Tana, *Nguyê˜n Cochinchina: Southern Vietnam in the Seventeenth and Eighteenth Centuries*, Cornell University Press, 1998.

29 Cuninghame letter in Charles Lockyer, *Account of the Trade in India*, 2 vols., London, 1711, 1:90–95; Cuninghame to Sloane, 7 January 1704, Sloane MS 4039, fol. 226; Cuninghame to Sloane, 30 April 1707, Sloane MS 4040, fol. 350.

30 Steven Harris, 'Long-Distance Corporations, Big Science and the Geography of Knowledge', *Configurations* 6 (1988), 269–304; Waley-Cohen, *Sextants*, ch. 2, esp. 64, 70–71, 75–6; Hsia, *Sojourners* ; Hostetler, *Qing Colonial Enterprise*, ch. 2; 5 March 1708, Sloane MS 3321, fol. 224; 26 August 1702, Sloane MS 4039, fol. 17; Gordon Goodwin, 'Cuninghame, James', *ODNB*.

31 Winterbottom, *Hybrid Knowledge*, ch. 4; Dandy, *Herbarium*, 102, 117–22,145–8; Sloane, Insects Catalogue, 3494; James Petiver, *Musei Petiveriani*, London, 1695–1703, 1699 instalment, 43–7; George Camelli and Petiver, 'De Monstris, Quasi Monstris, et Monstrosis', *PT* 25 (1706–7), 2266–76; Lorraine Daston, 'The Ideal and Reality of the Republic of Letters in the Enlightenment', *Science in Context* 4 (1991), 367–86; Paula Findlen (ed.), *Athanasius Kircher: The Last Man Who Knew Everything*, Routledge, 2004, 38.

32 Sloane, Miscellanies Catalogue, 7, 119, 269, 323, 469; Vegetable Substances Catalogue, 173; King, 'Ethnographic Collections', 233; John Locke to Sloane, 15 March 1697, in E. S. de Beer (ed.), *The Correspondence of John Locke*, 8 vols., Clarendon Press, 1976–89, 6:35; Sloane to Locke, 26 February 1704, ibid., 8:216; Michael Keevak, *The Pretended Asian: George Psalmanazar's Eighteenth-Century Formosan Hoax*, Wayne State University Press, 2004, esp. 10, 103; Richard Swiderski, *The False Formosan: George Psalmanazar and the Eighteenth-Century Experiment of Identity*, Edwin Mellen, 1991.

33 Michael Keevak, *Becoming Yellow: A Short History of Racial Thinking*, Princeton University Press, 2011; Sloane to Jan de Fontaney, n.d., Sloane MS 4069, fol. 255, and n.d., Sloane MS 4058, fol. 345; Sloane to Locke, 26 February 704, de Beer, *Correspondence of John Locke*, 8:216; Percy G. Adams, *Travelers and Travel Liars, 1660–1800*, Dover, 1980; Keevak, *Pretended Asian* ; Swiderski, *False Formosan* ; James Boswell, *The Life of Samuel Johnson*, 1791, Penguin, 2008, 693, 915.

34 Timon Screech, *The Lens within the Heart: The Western Scientific Gaze and Popular Imagery in Later Edo Japan*, University of Hawaiʻi Press, 2002; Robert Liss, 'Frontier Tales: Tokugawa Japan in Translation', in Simon Schaffer *et al.* (eds.), *The Brokered World: Go-Betweens and Global Intelligence, 1770–1820*, Science History Publications,

2009, 1–47; Lockyer, *Trade in India*, 1:83; Sloane, Miscellanies Catalogue, 1062–79, 1139–70, and Sloane MSS 74, 2914, 2915, 3061, 3062, etc. (Kaempfer).

35 Derek Massarella, 'The History of *The History* : The Purchase and Publication of Kaempfer's *History of Japan* ', and Beatrice Bodart-Bailey, 'Writing *The History of Japan* ', in Bodart-Bailey and Massarella (eds.), *The Furthest Goal: Engelbert Kaempfer's Encounter with Tokugawa Japan*, Japan Library, 1995, 96–131 and 17–43; Robert Markley, *The Far East and the English Imagination, 1600–1730*, Cambridge University Press, 2006.

36 Beatrice Bodart-Bailey (ed.), *Kaempfer's Japan: Tokugawa CultureObserved*, University of Hawai'i Press, 1999, 362–5, 188 ('true of heart'), 364–5 (song). 此翻譯版本以恩格伯特・坎普法〈今日日本〉手稿為根據（Sloane MS 3060），修改了 *The History of Japan*, trans. Johann Gaspar Scheuchzer, 2 vols., London, 1727 中的錯誤；Elizabeth Kowaleski-Wallace, 'The First Samurai: Isolationism in Engelbert Kaempfer's 1727 *History of Japan* ', *Eighteenth Century* 48 (2007), 111–24; Geoffrey Gunn, *First Globalization: The Eurasian Exchange, 1500–1800*, Rowman & Littlefield, 2003, 149–52.

37 Sloane MSS 2907, 2917 a and b, 2920, 2923, 3063, 3064, etc. (Kaempfer); Screech, *Lens* ; Yu-Ying Brown, Japanese Books and Manuscripts', in MacGregor, *Sloane*, 278–90, and 'Kaempfer's Album of Famous Sights of Seventeenth-Century Japan', *Electronic British Library Journal* 15 (1989), 90–103, http://www.bl.uk/eblj/1989articles/article7.html, accessed November 2015; Bodart-Bailey, *Kaempfer's Japan*, 28–9 (quotations on Eisei), 234–5 (contract made between Kaempfer and Eisei); Cook, *Exchange*, 339.

38 林奈的「*Ginkgo*」資訊來源是坎普法的 *Amoenitatum exoticarum*, Lemgoviae, 1712: see Toshiyuki Nagata *et al.*, 'Engelbert Kaempfer, GenemonImamura and the Origin of the Name *Ginkgo*', *Taxon* 64 (2015), 131–6; Paul van der Velde, 'The Interpreter Interpreted: Kaempfer's Japanese Collaborator Imamura Genemon Eisei', in Bodart-Bailey and Massarella, *The Furthest Goal*, 44–58; Kaempfer, *History of Japan*, trans. Scheuchzer, 2: imprimatur.

39 Sloane, Miscellanies Catalogue, 1368; Jerome Handler, 'The Middle Passage and the Material Culture of Captive Africans', *Slavery and Abolition* 30 (2009), 1–26, pp. 9–11; Neil MacGregor, *A History of the World in 100 Objects*, Allen Lane, 2010, 561–5; Stephanie Smallwood, *Saltwater Slavery: A Middle Passage from Africa to American Diaspora*, Harvard University Press, 2008, chs. 4–5; David Bushnell, Jr, 'The Sloane Collection in the British Museum', *American Anthropologist* 39 (1906), 671–85.

40 James Merrell, *Into the American Woods: Negotiators on the Pennsylvania Frontier*, Norton, 1999; Jack Greene, *Pursuits of Happiness: The Social Development of Early Modern British Colonies and the Formation of American Culture*, University of North Carolina Press, 1988; Edmund Morgan, *American Slavery, American Freedom: The Ordeal of Colonial Virginia*, Norton, 1975; Jill Lepore, *The Name of War: King Philip's War and the Origins of American Identity*, Knopf, 1998; Alan Gallay, *The Indian Slave Trade: The Rise of the English Empire in the American South, 1670–1717*, Yale University Press, 2002, ch. 12; Richard White, *The Middle Ground: Indians, Empires, and Republics in the Great Lakes Region, 1650–1815,* Cambridge University Press, 1991; David Weber, *The Spanish Frontier in North America*, Yale University Press, 1992.

41 Sloane MS 3527 (Radisson); J. C. H. King, *First Peoples, First Contacts: Native Peoples of North America*, Harvard University Press, 1999, 195–8; Arthur Ray, *Indians in the Fur Trade: Their Role as Trappers, Hunters, and Middlemen in the Lands Southwest of Hudson Bay, 1660–1870*, University of Toronto Press, 1974, ch. 2; Ted Binnema, *'Enlightened Zeal': The Hudson's Bay Company and Scientific Networks, 1670–1870*, University of Toronto Press, 2014, ch. 2; Henry Elking to Sloane, 6 August 1726, Sloane MS 4048, fol. 183; 16 November 1726, ibid., fol. 217 (quotations); and 5 October 1727, Sloane MS 4049, fol. 44; Sloane, Miscellanies Catalogue, 1933 (ivory list), 1842, 2040; Alexander Light to Sloane, 1738, 引自 Stuart Houston *et al.* (eds.), *Eighteenth-Century Naturalists of Hudson Bay*, McGill-Queens University Press, 2003, 35.

42 Richmond Bond, *Queen Anne's American Kings*, Clarendon Press, 1952; Eric Hinderaker, 'The "Four Indian Kings" and the Imaginative Construction of the First British Empire', *WMQ* 53 (1996), 487–526; Joseph Roach, *Cities of the Dead: Circum-Atlantic Performance*, Columbia University Press, 1996, ch. 4; *Spectator* 50, 27 April 1711; Sloane, Miscellanies Catalogue, 572–3, 1535.

43 Bruce McCully, 'Governor Francis Nicholson, Patron "Par Excellence" of Religion and Learning in Colonial America', *WMQ* 39 (1982), 310–33, pp. 325, 330–31; Sloane, Miscellanies Catalogue, 1218–28; Hinderaker, ' "Four Indian Kings" ', 488–9; Add. MS 4723 (Catawba map); Robin Beck, *Chiefdoms, Collapse, and Coalescence in the Early American South*, Cambridge University Press, 2013, 223–6; Ian Chambers, 'A Cherokee Origin for the "Catawba" Deerskin Map (*c.* 1721)', *Imago Mundi* 65 (2013), 207–16; Elizabeth Standish to Sloane, 14 October 1729, Sloane

MS 4050, fol. 212; Sloane, Miscellanies Catalogue, 1458; Travis Glasson, private communication.

44 Gallay, *Indian Slave Trade*, ch. 12 and 214–15, 350, 356; Alden Vaughan, *Transatlantic Encounters: American Indians in Britain, 1500–1776*, Cambridge University Press, 2006, 150–62; Julie Sweet, 'Bearing Feathers of the Eagle: Tomochichi's Trip to England', *Georgia Historical Quarterly* 86 (2002), 339–71; Robert McPherson (ed.), *The Journal of the Earl of Egmont: Abstract of the Trustees Proceedings for Establishing the Colony of Georgia, 1732–1738*, University of Georgia Press, 1962, 59; Sloane, Birds Catalogue, 821; Quadrupeds Catalogue, 1657; Coll Thrush, *Indigenous London: Native Travelers at the Heart of Empire*, Yale University Press, 2016.

45 John McNeill, *Mosquito Empires: Ecology and War in the Greater Caribbean, 1620–1914*, Cambridge University Press, 2010, 149–51; Walter Tullideph to Sloane, 5 July 1727, Sloane MS 4049, fol. 3; Sloane, *NHJ*, 含註解的史隆筆記, NHM; Dandy, *Herbarium*, 221–2; John Burnet to Sloane, 6 April 1722, Sloane MS 4046, fol. 227; 6 August 1723, Sloane MS 4047, fol. 29; Burnet to Petiver, 14 May 1716, Sloane MS 4065, fol. 248; Linda Colley, *Captives: Britain, Empire, and the World, 1600–1850*, Jonathan Cape, 2002; Sloane, Insects Catalogue, 3492.

46 Burnet to Sloane, 6 August 1723, Sloane MS 4047, fol. 29; 17 March 1724, Sloane MS 4047, fol. 329; 6 April 1722, Sloane MS 4046, fol. 227; 17 July1725, Sloane MS 4048, fol. 26; 10 October 1727, Sloane MS 4049, fol. 50; 2 July 1736, Sloane MS 4054, fol. 266; Vera Lee Brown, 'The South Sea Company and Contraband Trade', *American Historical Review* 31 (1926), 662–78.

47 William Houstoun to Sloane, 9 December 1730, Sloane MS 4051, fol. 141, and 5 March 1731, Sloane MS 4052, fol. 82; Dandy, *Herbarium*, 139–40, 165; Hazel Le Rougetel, *The Chelsea Gardener: Philip Miller, 1691–1771*, Natural History Museum, 1990, 177; Rose Fuller to Sloane, 21 May 1733, Sloane MS 4052, fol. 352; Brooks, *Sloane*, 203.

48 Sloane to Johann Amman, n.d., Sloane MS 4068, fol. 281; Robert Millar to Sloane, 25 November 1735, Sloane MS 4054, fol. 146; 22 July 1737, Sloane MS 4055, fol. 147; 6 December 1737, Sloane MS 4055, fol. 244; Sloane, Miscellanies Catalogue, 1966–9; Millar to Sloane, n.d., Sloane MS 4059, fol. 355; Sloane reference for Millar, 10 April 1742, Sloane MS 3984, fol. 252.

49 William Byrd to Sloane, 20 July 1697, Sloane MS 3342, fol. 54, and 20 April 1706, Sloane MS 4040, fol. 151.

50 Byrd to Sloane, 10 September 1708, Sloane MS 4041, fol. 202; Sloane to Byrd, 7 December 1709, Sloane MS 4068, fol. 54; Byrd to Sloane, 31 May 1737, Sloane MS 4055, fol. 112; 10 April 1741, Sloane MS 4057, fol. 20; 20 August 1738, Sloane MS 4055, fol. 367; de Beer, *Sloane*, 101; Ralph Bauer, *The Cultural Geography of Colonial American Literatures: Empire, Travel, Modernity*, Cambridge University Press, 2003, ch. 6.

51 David Brigham, 'Mark Catesby and the Patronage of Natural History in the First Half of the Eighteenth Century', in Amy Meyers and Margaret Beck Pritchard (eds.), *Empire's Nature: Mark Catesby's New World Vision*, University of North Carolina Press, 1998, 91–146, p. 96; Joyce Chaplin, 'Mark Catesby, a Sceptical Newtonian in America', in ibid., 34–90, pp. 44, 83; Amy Meyers and Margaret Beck Pritchard, 'Introduction: Toward an Understanding of Catesby', in ibid., 1–33, pp. 3–4; Therese O'Malley, 'Mark Catesby and the Culture of Gardens', in ibid., 147–83, p. 155; Dandy, *Herbarium*, 111.

52 Meyers and Pritchard, 'Introduction', 4, 9; Amy Meyers, 'Picturing a World in Flux: Mark Catesby's Response to Environmental Interchange and Colonial Expansion', in Meyers and Pritchard, *Empire's Nature*, 228–61, pp. 252–3, 256–8; Gallay, *Indian Slave Trade*, ch. 12; Catesby to Sloane, 12 March 1724 and 27 November 1724, Sloane MS 4047, fols. 147, 290; Sloane, Miscellanies Catalogue, 1203; Parrish, *American Curiosity*, ch. 6; Chaplin, 'Sceptical Newtonian'.

53 Catesby to Sloane, 15 November 1723, Sloane MS 4047, fol. 90; 16 May 1723, Sloane MS 4046, fol. 352; 12 March 1724 and 15 August 1724, Sloane MS 4047, fols. 147, 213; Dandy, *Herbarium*, 110–11; Sloane, Quadrupeds Catalogue, 1666–7, and Birds Catalogue, 875; Brigham, 'Patronage', 103–4, 108–13, 199, 122; Mark Laird, 'From Callicarpa to Catalpa: The Impact of Mark Catesby's Plant Introductions on English Gardens of the Eighteenth Century', in Meyers and Pritchard, *Empire's Nature*, 184–227, p. 188; Meyers and Pritchard, 'Introduction', 5–7, 13; Thomas Knowlton to Richard Richardson, 18 July 1749, *Correspondence of Richard Richardson*, 400–402; Henrietta McBurney, 'Note on the Natural History Albums of Sir Hans Sloane', in McBurney (ed.), *Mark Catesby's Natural History of America: The Watercolours from the Royal Library, Windsor Castle*, Merrell Holberton, 1997, 33; Amy Meyers, 'The Perfecting of Natural History: Mark Catesby's Drawings of American Flora and Fauna in the Royal Library', in ibid., 11–27, pp. 21, 25; Chaplin, 'Sceptical Newtonian', 85.

54 HS, 332, 334; Dandy, *Herbarium*, 88–9; John Bartram to Sloane, 14 November 1742, Sloane MS 4057, fol. 157; Thomas Slaughter, *The Natures of John and William Bartram*, Knopf, 1996, 23–31, 70, 99.

55 John Bartram to Sloane, 14 November 1742, Sloane MS 4057, fol. 157; Bartram to Peter Collinson, 27 May 1743

and to Sloane, 16 November 1743, in Edmund and Dorothy Smith Berkeley (eds.), *The Correspondence of John Bartram, 1734–1777*, University Press of Florida, 1992, 215, 225.

56 HS, 334:127, 64, 126; John Bartram, *Observations . . . in his Travels from Pensilvania to Onondago*, London, 1751, 35–6, 43, 79; Thomas Hallock, 'Narrative, Nature, and Cultural Contact in John Bartram's *Observations* ', and William Goetzmann, 'John Bartram's Journey to Onondaga in Context', in Nancy Hoffmann and John Van Horne (eds.), *America's Curious Botanist: A Tercentennial Reappraisal of John Bartram, 1699–1777*, American Philosophical Society, 2004, 107–26 and 97–106; Merrell, *American Woods*, 129–37, 151, 171–3, 190, 274; William Pencak and Daniel Richter (eds.), *Friends and Enemies in Penn's Woods: Indians, Colonists, and the Racial Construction of Pennsylvania*, Pennsylvania State University Press, 2004; William Fenton, *The Great Law and the Longhouse: A Political History of the Iroquois Confederacy*, University of Oklahoma Press, 152.

57 MacGregor, 'Career of Hans Sloane', 25; Sloane, Miscellanies Catalogue, 579 (sheath), 1729; James Delbourgo, *A Most Amazing Scene of Wonders: Electricity and Enlightenment in Early America*, Harvard University Press, 2006, ch. 1; John Winthrop to Sloane, 15 June 1734, Sloane MS 1968, fol. 58; John Thackray, 'Mineral and Fossil Collections', in MacGregor, *Sloane*, 123–35, p. 129; Raymond Stearns, *Science in the British Colonies of America*, University of Illinois Press, 1970, chs. 5, 11.

58 P. J. Marshall and Glyndwr Williams, *The Great Map of Mankind: British Perceptions of the World in the Age of Enlightenment*, J. M. Dent & Sons, 1982; Markley, *Far East* ; Michael Adas, *Machines as the Measure of Men: Science, Technology, and Ideologies of Western Dominance*, Cornell University Press, 1990; Joyce Chaplin, *Subject Matter: Technology, Science, and the Body on the Anglo-American Frontier, 1500–1676*, Harvard University Press, 2001.

59 Edward Slaney, *Tabulae Iamaicae Insulae*, 1678, BL; Nicholas Thomas, *Entangled Objects: Exchange, Material Culture, and Colonialism in the Pacific*, Harvard University Press, 1991; Schaffer *et al.*, *Brokered World* ; Paula Findlen, *Possessing Nature: Museums, Collecting, and Scientific Culture in Early Modern Italy*, University of California Press, 1994, ch. 8.

60 Sloane, Pictures and Drawings in Frames Catalogue, BM, 166; Kim Sloan, 'Sir Hans Sloane's Pictures: The Science of Connoisseurship or the Art of Collecting?', *Huntington Library Quarterly* 78 (2015), 381–415; Peter Linebaugh and Marcus Rediker, *The Many-Headed Hydra: Sailors, Slaves, Commoners, and the Hidden History of the Revolutionary Atlantic*, Beacon, 2000, esp. ch. 5; Diana and Michael Preston, *A Pirate of Exquisite Mind: Explorer, Naturalist, and Buccaneer: The Life of William Dampier*, Walker, 2004, 226.

61 Sloane, Miscellanies Catalogue, 43; Kathie Way, 'Invertebrate Collections', in MacGregor, *Sloane*, 93–111, p. 108; John Starrenburgh to James Petiver, 20 January 1701, Sloane MS 4063, fol. 61; Preston and Preston, *Exquisite Mind*, esp. 175 and ch. 18; Dandy, *Herbarium*, 123; Sloane MS 3236, fols. 1–13, 29–233 (journal, 1681–91); Anna Neill, 'Buccaneer Ethnography: Nature, Culture, and Nation in the Journals of William Dampier', *Eighteenth-Century Studies* 33 (2000), 165–80.

62 William Dampier, *A New Voyage Round the World*, London, 5th edn, 1703, 511–19 and ch. 13 (Jeoly); Geraldine Barnes, 'Curiosity, Wonder, and William Dampier's Painted Prince', *Journal for Early Modern Cultural Studies* 6 (2006), 31–50; Sloane to Jean-Paul Bignon, 20 December 1711, Sloane MS 4068, fol. 65; Sloane MS 3236, fols. 14–28 (Wafer); Preston and Preston, *Exquisite Mind*, 90–92 (Kuna), ch. 16 and 218–20 (Jeoly), 255, and chs. 20, 23, 25, including 313–14 (Selkirk).

63 Benjamin Franklin, 'Autobiography', in *Writings*, Library of America, 1987, 1351; Joyce Chaplin, *The First Scientific American: Benjamin Franklin and the Pursuit of Genius*, Basic, 2007.

64 Franklin, 'Autobiography', 1346; Franklin to Sloane, 2 June 1725, Papers of Benjamin Franklin (Yale), http://www.franklinpapers.org/franklin/framedNames.jsp, accessed May 2013.

65 Marcel Mauss, *The Gift: The Form and Reason for Exchange in Archaic Societies*, 1925, trans. W. D. Halls, Norton, 1990, 13; Stuart Schwartz (ed.), *Implicit Understandings: Observing, Reporting, and Reflecting on the Encounters between Europeans and Other Peoples in the Early Modern Era*, Cambridge University Press, 1994.

66 Thomas Bluett, *Some Memoirs of the Life of Job, the Son of Solomon the High Priest of Boonda in Africa*, London, 1734, 13–33, quotations 22, 24, 46; Sloane to Abbé Bignon, 8 July 1734, Sloane MS 4068, fol. 236, and to unknown, 16 September 1735, ibid., fol. 275; Venetia Porter, *Arabic and Persian Seals and Amulets in the British Museum*, British Museum, 2011, 131–3, 140–43, 149, 154–6, 164–5.

67 Bluett, *Memoirs*, v–vi, 12, 22; Sloane to Bignon, 8 July 1734, Sloane MS 4068, fol. 236; Douglas Grant, *The Fortunate Slave: An Illustration of African Slavery in the Early Eighteenth Century*, Oxford University Press, 1968, esp. 84–5, 105; Michael Gomez, *Pragmatism in the Age of Jihad: The Precolonial State of Bundu*, Cambridge Universi-

ty Press, 1993, 47, 61, 68.

68 Gerald MacLean and Nabil Matar, *Britain and the Islamic World, 1558–1713*, Oxford University Press, 2011, 37 and chs. 2, 6; Colley, *Captives*, part 1; Bluett, *Memoirs*, 31–2, 35–6, 44, 47–8; Grant, *Fortunate Slave*, 107; Adas, *Machines*, 153–65; Travis Glasson, *Mastering Christianity: Missionary Anglicanism and Slavery in the Atlantic World*, Oxford University Press, 2011; Jerry Brotton, *This Orient Isle: Elizabethan England and the Islamic World*, Allen Lane, 2016.

69 Bluett, *Memoirs*, 31, 50–51; Marcia Pointon, 'Slavery and the Possibilities of Portraiture', in Agnes Lugo-Ortiz and Angela Rosenthal (eds.), *Slave Portraiture in the Atlantic World*, Cambridge University Press, 2013, 41–70; Matar, *Lands of the Christians*, xxx; Patricia Crone, private communication.

70 Sloane, Gemmae & Lapides continentes Inscriptiones Arabicas, Persicas, &c. Catalogue, BM（作者譯，目錄包括譯者名）; J. M. Gray, *A History of the Gambia*, Cambridge University Press, 1940, 211; Nabil Matar, *Islam in Britain, 1558–1685*, Cambridge University Press, 1998, ch. 3; Porter, *Arabic and Persian Seals*, 154 (translations); see also Marjorie Caygill, 'Sloane's Catalogues and the Arrangement of his Collections', in Hunter, *Books to Bezoars*, 120–36, p. 123.

71 Sloane, Miscellanies Catalogue, 707; *NHJ*, 2:339; Michael Gomez, *Exchanging our Country Marks: The Transformation of African Identities in the Colonial and Antebellum South*, University of North Carolina Press, 1998, 49–51, 284; Emilie Savage-Smith, 'Amulets and Related Talismanic Objects', in Francis Maddison and Savage-Smith (eds.), *Science, Tools and Magic, Part One: Body and Spirit, Mapping the Universe*, Nour Foundation, 1997, 132–47; Peter Forshaw, 'Magical Material and Material Survivals: Amulets, Talismans and Mirrors in Early Modern Europe', in Dietrich Boschung and Jan Bremmer (eds.), *The Materiality of Magic*, Wilhelm Fink, 2015, 357–78.

72 Sloane, Miscellanies Catalogue, 1763–6; Ayyuh ibn Sulaiman ibn Ibrahaim [Diallo] to Sloane, 8 December 1734, Sloane MS 4053, fol. 341, and *c.* 1736, 後者引用於 Grant, *Fortunate Slave*, 186–7; Sloane to unknown, 16 September 1735, Sloane MS 4068, fol. 275 (possibly to Bignon: compare with Sloane to Bignon, 8 July 1734, Sloane MS 4068, fol. 236); see also Thomas Derham to Sloane, 9 October 1734, Sloane MS 4053, fol. 285.

73 Grant, *Fortunate Slave*, 198; Gomez, *Pragmatism*, 68; *London Art Reviews*, 29 July 2013, http://londonartreviews.com/index.php/museums/113-first-portrait-of-slave-diallo-is-back-at-the-national-portrait-gallery1-london, accessed December 2016 ('first British portrait'); *Daily Telegraph*, 7 July 2010, http://www.telegraph.co.uk/culture/art/art-news/7877168/Campaign-to-keep-slave-painting-in-Britain.html, accessed June 2013; Sonja Mejcher-Atassi and John Pedro Schwartz (eds.), *Archives, Museums and Collecting Practices in the Modern Arab World*, Ashgate, 2012, introduction; Natalie Zemon Davis, *Trickster Travels: A Sixteenth-Century Muslim between Worlds*, Hill & Wang, 2007; Bluett, *Memoirs*, 44, 50–51, 59–63; Molineux, *Ebony*, ch. 4.

74 'The Habits of the Grand Signor's Court', Turkey, *c.* 1620, Sloane MS 5258, BM; Deccan inhabitants, South India, Sloane MS 5254, BM; inhabitants of Isfahan, Persia, Kaempfer collection, Sloane MS 5292, BM; see also Sloane, Miscellanies Catalogue, 1748 (Turkish tobacco pipe) and 1768 (habit of inhabitants of Kamchatka sent from St Petersburg).

Chapter 6——將全世界編目

1 M. A. E. Nickson, 'Books and Manuscripts', in MacGregor, *Sloane*, 263–77; Amy Blakeway, 'The Library Catalogues of Sir Hans Sloane: Their Authors, Organization, and Functions', *Electronic British Library Journal* (2011), 1–49, http://www.bl.uk/eblj/2011articles/pdf/ebljarticle162011.pdf, accessed December 2016; Alison Walker, 'Sir Hans Sloane's Printed Books in the British Library: Their Identification and Associations', in Giles Mandelbrote and Barry Taylor (eds.), *Libraries within the Library: The Origins of the British Library's Printed Collections*, British Library, 2009, 89–97; *NHJ*, 1:149, NHM Sloane copy (Empson dictation).

2 Anke te Heesen, 'News, Paper, Scissors: Clippings in the Sciences and Arts around 1920', in Lorraine Daston (ed.), *Things that Talk: Object Lessons from Art and Science*, Zone, 2004, 297–323; Staffan Müller-Wille, 'Collection and Collation: Theory and Practice of Linnaean Botany', *Studies in History and Philosophy of Biological and Biomedical Sciences* 38 (2007), 541–62; Peter Jones, 'A Preliminary Check-List of Sir Hans Sloane's Catalogues', *British Library Journal* 14 (1988), 38–51; Marjorie Caygill, 'Sloane's Catalogues and the Arrangement of his Collections', in Hunter, *Books to Bezoars*, 120–36; Ann Blair, *Too Much to Know: Managing Scholarly Information before the Modern Age*, Yale University Press, 2010; Peter Burke, 'Commentary', *Archival Science* 7 (2007), 391–7; Ian Hodder, *Entangled: An Archaeology of the Relationship between Humans and Things*, Wiley-Blackwell, 2012, ch. 5; Bruno Latour, *Science in Action: How to Follow Scientists and Engineers through Society*, Harvard

University Press, 1987, ch. 6; Henry Newman to [?], 21 August 1742, MS 7633, fol. 10, Wellcome Library; Leonard Cowie, *Henry Newman: An American in London, 1708–43*, Church Historical Society, 1956, 55, 61, 68; Ralph Thoresby to Richard Richardson, 21 June 1723, in *Extracts from the Literary and Scientific Correspondence of Richard Richardson*, Yarmouth, 1835, 196.

3 Sloane to Abbé Bignon, n.d., Bibliothèque Nationale, Paris, Fonds Français, MS 22236, quoted in Jack Clarke, 'Sir Hans Sloane and Abbé Bignon: Notes on Collection Building in the Eighteenth Century', *Library Quarterly* 50 (1980), 475–82, p. 478; 'The Names and Numbers of the Several Things, Contain'd in the Musaeum of Sir Hans Sloane, Bart.', in *Authentic Copies of the Codicils belonging to the Last Will and Testament of Sir Hans Sloane*, London, 1753, 33–5; Walker, 'Sloane's Printed Books', 89; Jack Goody, *The Domestication of the Savage Mind*, Cambridge University Press, 1977, ch. 5; Umberto Eco, *The Infinity of Lists*, Rizzoli, 2009; James Delbourgo and Staffan Müller-Wille, 'Listmania: Introduction', *Isis* 103 (2012), 710–15; Richard Yeo, *Notebooks, English Virtuosi, and Early Modern Science*, University of Chicago Press, 2014.

4 Mark Meadow and Bruce Robertson (eds.), *The First Treatise on Museums: Samuel Quiccheberg's Inscriptiones, 1565*, Getty Research Institute, 2013, 23–6; Olaus Wormius, *Historia rerum rariorum, tam naturalium quam artificialium, tam domesticarum quam exoticarum quae Hafniae Danorum in aedibus authoris servantur, cum indice subjuncto* 1655, Sloane MS 1608; Jole Shackelford, 'Documenting the Factual and Artifactual: Ole Worm and Public Knowledge', *Endeavour* 23 (1999), 65–71.

5 Nickson, 'Books and Manuscripts'; Blakeway, 'Library Catalogues'; 於以下網站可搜尋史隆的印刷出版品：http://www.bl.uk/catalogues/sloane/, accessed June 2010.

6 Sloane, Vegetable Substances Catalogue, NHM, 8119, 607.

7 Anke te Heesen, 'Boxes in Nature', *Studies in the History and Philosophy of Science* 31 (2000), 381–403, and 'Accounting for the Natural World: Double-Entry Bookkeeping in the Field', in Londa Schiebinger and Claudia Swan (eds.), *Colonial Botany: Science, Commerce, and Politics in the Early Modern World*, University of Pennsylvania Press, 2004, 237–51; James Delbourgo, 'What's in the Box?', *Cabinet Magazine* 41 (2011), 46–50; Lorraine Daston, 'Attention and the Values of Nature in the Enlightenment', in Daston and Fernando Vidal (eds.), *The Moral Authority of Nature*, University of Chicago Press, 2004, 100–126.

8 Sloane, Miscellanies Catalogue, BM, 47 (organs), 219 (chopsticks), 419 (seals), 594 (abacus), 1810 (glue); Carla Nappi, *The Monkey and the Inkpot: Natural History and its Transformations in Early Modern China*, Harvard University Press, 2009, 144; Geoffrey Gunn, *First Globalization: The Eurasian Exchange: 1500–1800*, Rowman & Littlefield, 2003, 96; Kim Sloan, 'Sloane's "Pictures and Drawings in Frames" and "Books of Miniature & Painting, Designs, &c.', in Hunter, *Books to Bezoars*, 168–89, pp. 186, 188.

9 Sloane, Vegetable Substances Catalogue, 8405 (fine branches) and 366 (cocoons); Miscellanies Catalogue, BM, 44 and 579 (sheaths), 1368 (drum), 1730 (auk spoon), 1727–9 (other Winthrop curiosities including candle, soap, 'Indian breastplate', spoon and bowl); Sloane, Oriental MS 1402; Gail Feigenbaum and Inge Reist (eds.), *Provenance: An Alternate History of Art*, Getty Institute, 2013.

10 Caygill, 'Sloane's Catalogues', esp. 128–30; Sloan, 'Sloane's "Pictures and Drawings in Frames" ', 173; Carol Gibson-Wood, 'Classification and Value in a Seventeenth-Century Museum: William Courten's Collection', *Journal of the History of Collections* 9 (1997), 61–77, p. 66; Monique Scott, *Rethinking Evolution in the Museum: Envisioning African Origins*, Routledge, 2007, esp. ch. 3 and p. 72.

11 Caygill, 'Sloane's Catalogues', 130; Sloane, Corals Catalogue, NHM, 9–10 (coral encrustations), and Miscellanies Catalogue, 515, 1900 (coral encrustations); Antiquities Catalogue, BM, 102 (urns); Quadrupeds Catalogue, NHM, 10–11 (manatee); Miscellanies, 1090 (manatee strap) and 464 (hatchet); Humana Catalogue, NHM, 273–5 (tortoise); *NHJ*, 2:ii and 339.

12 Eric Jorink, 'Sloane and the Dutch Connection', in Hunter, *Books to Bezoars*, 57–70, p. 64; Nickson, 'Books and Manuscripts', 265; William Poole, 'Francis Lodwick, Hans Sloane, and the Bodleian Library', *Library: The Transactions of the Bibliographical Society* 7 (2006), 377–418; *NHJ*, 1:xxi, NHM Sloane copy.

13 Henry Barham, *Hortus Americanus*, Kingston, 1794; *NHJ*, 1:170–71 with Barham MS notes (coca and verbena), NHM Sloane copy; Barham to Sloane, 11 December 1717, Sloane MS 4045, fol. 77 (Attoo); *NHJ*, 2:385–6, 引自巴罕的手稿；Miles Ogborn, 'Talking Plants: Botany and Speech in Eighteenth-Century Jamaica', *History of Science* 51 (2013), 1–32; Julie Kim, 'Obeah and the Secret Sources of Atlantic Medicine', in Hunter, *Books to Bezoars*, 99–104.

14 James Empson, 'Proposal of a Plan', 27 August 1756, Original Letters and Papers, BM Archives, 1:fols. 39–45,

quotation 42（著重部分由作者標明）; Sloane to Antoine de Jussieu, n.d., Sloane MS 4069, fol. 170（作者譯）.

15 A. J. Cain, 'John Locke on Species', *Archives of Natural History* 24 (1997), 337–60; Martin Rudwick, *Georges Cuvier, Fossil Bones, and Geological Catastrophes: New Translations and Interpretations of the Primary Texts*, University of Chicago Press, 1998; Daniel Carey, *Locke, Shaftesbury, and Hutcheson: Contesting Diversity in the Enlightenment and Beyond*, Cambridge University Press, 2006, 28–30; *NHJ*, 1:preface; Sloane to Levinus Vincent, n.d., Sloane MS 4069, fol. 200（作者譯）.

16 Birch, 'Memoir', fol. 15; Richard Neer, 'Framing the Gift: The Politics of the Siphnian Treasury at Delphi', *Classical Antiquity* 20 (2001), 273–344; Lorraine Daston and Katharine Park, *Wonders and the Order of Nature, 1150–1750*, Zone, 1998, ch. 2, esp. 74; Patrick Geary, 'Sacred Commodities: The Circulation of Medieval Relics', in Arjun Appadurai (ed.), *The Social Life of Things: Commodities in Cultural Perspective*, Cambridge University Press, 1986, 169–91; David Graeber, *Toward an Anthropological Theory of Value: The False Coin of Our Own Dreams*, Palgrave, 2001; Fred Myers (ed.), *The Empire of Things: Regimes of Value and Material Culture*, SAR Press, 2002; Joseph Pitton de Tournefort to Sloane, 17 June 1690, Sloane MS 4036, fol. 84; Nehemiah Grew to Sloane, 5 August 1709, Sloane MS 4042, fol. 30.

17 Richard Yeo, 'Encyclopaedic Collectors: Hans Sloane and Ephraim Chambers', in Robert Anderson *et al.* (eds.), *Enlightening the British*, British Museum, 2003, 29–36, and *Encyclopaedic Visions: Scientific Dictionaries and Enlightenment Culture*, Cambridge University Press, 2010; Sloane, *Will of Sir Hans Sloane*, London, 1753, 3; Sloane to Henri Basnage de Beauval, 9 November 1696, Sloane MS 4036, fol. 273; Arnold Hunt, 'Sloane as a Collector of Manuscripts', in Hunter, *Books to Bezoars*, 190–207, p. 198; Margaret Jacob, *The Newtonians and the English Revolution, 1689–1720*, Cornell University Press, 1976, chs. 5–6.

18 http://www.britishmuseum.org/research/collection_online/collection_object_details.aspx?objectId=54863&partId=1&searchText=sloane+astrolabe&page=1 (English), and http://www.britishmuseum.org/research/collection_online/collection_object_details.aspx?objectId=245507&partId=1&searchText=sloane+astrolabe&images=true&page=1 (Persian), accessed August 2015; Silke Ackerman and Jane Wess, 'Between Antiquarianism and Experiment: Hans Sloane, George III and Collecting Science', in Kim Sloan (ed.), *Enlightenment: Discovering the World in the Eighteenth Century*, British Museum, 2003, 150–57, pp. 152–3; Sara Schechner Genuth, 'Astrolabes and Medieval Travel', in Robert Bork and Andrea Kann (eds.), *The Art, Science, and Technology of Medieval Travel*, Ashgate, 2008, 181–210, and 'Astrolabes: A Cross-Cultural and Social Perspective', in Roderick and Marjorie Webster, *Western Astrolabes*, Adler Planetarium, 1998, 2–25.

19 Sloane MSS 384 (jests), 1381 (wrinkles), 2196 (urines), 3086 (Paracelsus), 2819 (Helmont), 1039, 4024 (Hooke), 687 (Trismegistus), 230, 236, 302, 486 (Harvey), 3236 (Dampier), 3527 (Radisson), 225, 2459, 3646 (Geber), 1682, 3646 (Plot), 1827, 1839, 1842, 1843, etc. (Browne), 82, 2946, 3096, 3282 (al-Israili), 3032 (Galen), 344 (Avicenna), 153, 206, 211, 776, etc. (surgeons); Nickson, 'Books and Manuscripts', esp. 268; John Goldfinch, 'Sloane's Incunabula', in Hunter, *Books to Bezoars*, 208–20; Engelbert Kaempfer, *The History of Japan*, trans. Johann Gaspar Scheuchzer, 2 vols., London, 1727, 1:xxxi–li.

20 Savithri Preetha Nair, ' "To Be Serviceable and Profitable for their Health": A Seventeenth-Century English Herbal of East Indian Plants Owned by Sloane', in Hunter, *Books to Bezoars*, 105–19; Kapil Raj, 'Surgeons, Fakirs, Merchants, and Craftsmen: Making L'Empereur's *Jardin* in Early Modern South Asia', in Schiebinger and Swan, *Colonial Botany*, 252–69, and *Relocating Modern Science: Circulation and the Construction of Knowledge in South Asia and Europe, 1650–1900*, Palgrave, 2010; Sloan, 'Sloane's "Pictures and Drawings in Frames" ', 186–7.

21 Sloane MSS 2373 (bark) and 5267 (paper); Blakeway, 'Library Catalogues'; Sloan, 'Sloane's "Pictures and Drawings in Frames" ', 173–4; Sloane, Vegetable Substances Catalogue, e.g. 10562 and 11893; Kim Sloan (ed.), *A New World: England's First View of America*, British Museum, 2007, 186, 224–33; Sloane to John Locke, 11 December 1696, in E. S. de Beer (ed.), *The Correspondence of John Locke*, 8 vols., Clarendon Press, 1976–89, 5:737; Hunt, 'Sloane as a Collector of Manuscripts', recipes 203, e.g. Sloane MS 703; Elaine Leong and Alisha Rankin (eds.), *Secrets and Knowledge in Medicine and Science, 1500–1800*, Ashgate, 2011.

22 Sloane, 'Account of Elephants Teeth and Bones Found Under Ground', *PT* 35 (1727–8), 457–71, 497–514; Jill Cook, 'The Elephants in the Collection: Sloane and the History of the Earth', in Hunter, *Books to Bezoars*, 158–67, and 'The Nature of the Earth and the Fossil Debate', in Sloan, *Enlightenment*, 92–9; Cyrille Delmer, 'Sloane's Fossils', in Hunter, *Books to Bezoars*, 154–7.

23 Richard Popkin, *Isaac La Peyrère (1596–1676): His Life, Work and Influence*, Brill, 1987; Sloane, 'Elephants Teeth'; 'Mémoire sur les dents et autres ossemens de l'éléphant trouvés dans terre', *Mémoires de l'Académie*

Royale des Sciences, 1729, 305–34; and Quadrupeds Catalogue, 116, 1185; Thomas Molyneux, 'Remarks upon the Aforesaid Letter and Teeth', *PT* 29 (1714), 370–84, p. 382; Rhoda Rappaport, *When Geologists were Historians, 1665–1750*, Cornell University Press, 1997, 23–4, 115–16, 217; MacGregor, 'Career of Hans Sloane', in MacGregor, *Sloane*, 11–44, p. 24, and 'Prehistoric and Romano-British Antiquities', in ibid., 180–97, p. 181; Ian Jenkins, 'Classical Antiquities: Sloane's "Repository of Time" ', in ibid., 167–73, pp. 167–9; Colin Kidd, *British Identities before Nationalism: Identity and Nationhood in the Atlantic World, 1600–1800*, Cambridge University Press, 1999, chs. 2– 3; William Poole, *The World Makers: Scientists of the Restoration and the Search for the Origins of the Earth*, Peter Lang, 2010, chs. 2, 9.

24 Arnold Hunt, 'Sloane as a Collector of Manuscripts', in Hunter, *Books to Bezoars*, 190–207, pp. 200–201; Samuel Pepys to Sloane, 31 July 1702, Sloane MS 4039, fol. 12; Sloan, 'Sloane's "Pictures and Drawings in Frames" ', 168; Blakeway, 'Library Catalogues', 40; 'Account of Books Loaned to Several Persons', Sloane MS 4019, fol. 201; Kim Sloan, 'Sir Hans Sloane's Pictures: The Science of Connoisseurship or the Art of Collecting?', *Huntington Library Quarterly* 78 (2015), 381–415; David Brigham, 'Mark Catesby and the Patronage of Natural History in the First Half of the Eighteenth Century', in Amy Meyers and Margaret Pritchard (eds.), *Empire's Nature: Mark Catesby's New World Vision*, University of North Carolina Press, 1998, 91–146, p. 119; Anna Marie Roos, *Web of Nature: Martin Lister (1639–1712), the First Arachnologist*, Brill, 2011, ch. 12, esp. 310; Elizabeth Blackwell, *A Curious Herbal*, 2 vols., London, 1737–9, dedication in vol. 1 succeeding plate 96, coral in vol. 2 plate 342; Doreen Evenden, 'Blackwell, Elizabeth', *ODNB*; http://www.bl.uk/collection-items/a-curious-herbal-dandelion, accessed August 2016; Kaempfer, *History of Japan*, 1:xvii (quotation), xxxi–li (book list), 2:595 (idol); Maurice Johnson *et al.*, *Gulliver's Travels and Japan*, Doshisha University/Amherst House, 1977; Geoffrey Gunn, *First Globalization: The Eurasian Exchange, 1500–1800*, Rowman & Littlefield, 2003, 55; Yu-Ying Brown, 'Japanese Books and Manuscripts', in MacGregor, *Sloane*, 278–90, p. 287; Jonathan Swift, *Travels into Several Remote Nations of the World, in four parts, by Lemuel Gulliver*, 1726, Penguin, 1985, 263.

25 Carey, *Locke*, ch. 4, esp. 125–8; David Porter, *The Chinese Taste in Eighteenth-Century England*, Cambridge University Press, 2010, 27–30; Partha Mitter, *Much Maligned Monsters: A History of European Reactions to Indian Art*, University of Chicago Press, 1992, chs. 1–2; Arthur MacGregor, 'Egyptian Antiquities', in MacGregor, *Sloane*, 174–9; Mary Helms, 'Essay on Objects: Interpretations of Distance Made Tangible', in Stuart Schwartz (ed.), *Implicit Understandings: Observing, Reporting and Reflecting on the Encounters between Europeans and Other Peoples in the Early Modern Era*, Cambridge University Press, 1994, 355–77; Judy Rudoe, 'Engraved Gems: The Lost Art of Antiquity', in Sloan, *Enlightenment*, 132–9; Andrew Burnett, ' "The King Loves Medals": The Study of Coins in Europe and Britain', in ibid., 122–31; Giulia Bartrum, *Albrecht Dürer and his Legacy: The Graphic Work of a Renaissance Artist*, Princeton University Press, 2002, 8, 285; Carol Gibson-Wood, *Jonathan Richardson: Art Theorist of the English Enlightenment*, Yale University Press, 2000, 70–72; Sloan, 'Sir Hans Sloane's Pictures', and 'Sloane's "Pictures and Drawings in Frames" ', 169, 174, 184; Sloane MSS 116 (prayer book) (http://www.bl.uk/catalogues/illuminatedmanuscripts/ILLUMIN.ASP?Size=mid&IllID=6547, accessed June 2014), 1041 (painting instructions), 1585 (dyeing velvet), 1975 and 4016 (herbals and bestiaries), etc.; Hunt, 'Sloane as a Collector of Manuscripts', 193.

26 Susan Bracken *et al.* (eds.), *Women Patrons and Collectors*, Cambridge Scholars Publishing, 2012; Elizabeth Eger, 'Paper Trails and Eloquent Objects: Bluestocking Friendship and Material Culture', *Parergon* 26 (2009), 109–38; Beth Fowkes Tobin, *The Duchess's Shells: Natural History Collecting in the Age of Cook's Voyages*, Yale University Press, 2014; Marjorie Swann, *Curiosities and Texts: The Culture of Collecting in Early Modern England*, University of Pennsylvania Press, 2001, 11–14; Nickson, 'Books and Manuscripts', 264; William Sherard to Richard Richardson, 6 April 1723, in *Correspondence of Richard Richardson*, 194.

27 Keith Thomas, *Religion and the Decline of Magic*, Weidenfeld & Nicolson, 1971; William Pietz, 'The Problem of the Fetish', *Res* 9 (1985), 5–17; ibid., 13 (1987), 23–45; ibid., 16 (1988), 105–24; Sloane, Miscellanies Catalogue, 1817.

28 John Beaumont to Sloane, 2 and 14 May 1702, Sloane MS 4038, fols. 336, 343; Sloane, Fossils Catalogue, NHM, 23; Sloane, Memoir of Beaumont, 1740, Bibliothèque Nationale de France, Fonds Français, 22229, fols. 258–65, reproduced and translated in Michael Hunter (ed.), *Magic and Mental Disorder: Sir Hans Sloane's Memoir of John Beaumont*, Robert Boyle Project, 2011, 5–8; Clarke, 'Sloane and Bignon'; J. B. Shank, *The Newton Wars and the Beginning of the French Enlightenment*, University of Chicago Press, 2008, *passim* (Bignon); see also Joad Raymond (ed.), *Conversations with Angels: Essays toward a History of Spiritual Communication, 1100–1700*, Palgrave, 2011, e.g. Peter Forshaw, ' "Behold, the Dreamer Cometh": Hyperphysical Magic and Deific Visions in an

Early Modern Theosophical Lab-Oratory', 175–200, pp. 183–4 on Sloane MS 181, 'Tabulæ theosophicæ cabbalisticæ', seventeenth century.

29 Sloane, Beaumont memoir, in Hunter, *Magic*, 9–13; Sloane MS 2731 (*Clavicula Salomonis*); Sloane MSS 15, 3188, 3191, 3677, 3678 (Dee); Thomas, *Decline of Magic*, 273–82; Hunt, 'Sloane as a Collector of Manuscripts', 196–7; Deborah Harkness, *John Dee's Conversations with Angels: Cabala, Alchemy, and the End of Nature*, Cambridge University Press, 1999.

30 Sloane, Beaumont memoir, in Hunter, *Magic*, 12–14; Sloane MS 3856 (Kelley and Ashmole), 99, 2550 (Forman); Lauren Kassell, *Medicine and Magic in Elizabethan London: Simon Forman, Astrologer, Alchemist and Physician*, Oxford University Press, 2007, esp. 58–9, 127, 186, 216, 227–30.

31 Sloane, Beaumont memoir, in Hunter, *Magic*, 17, 8; Michael Heyd, *'Be Sober and Reasonable': The Critique of Enthusiasm in the Seventeenth and Early Eighteenth Centuries*, Brill, 1995, esp. ch. 7.

32 Sloane, Beaumont memoir, in Hunter, *Magic*, 15–16, 18, 20.

33 *NHJ*, 1:table 'iiii' (spar); Sloane, Corals Catalogue, 195 ('hand'); Fossils Catalogue, 24, 37, 38; Daston and Park, *Wonders*, ch. 9; Ken Arnold, *Cabinets for the Curious: Looking Back at Early English Museums*, Ashgate, 2006; Peter Pels, 'The Spirit of Matter: On Fetish, Rarity, Fact, and Fancy', in Patricia Spyer (ed.), *Border Fetishisms: Material Objects in Unstable Spaces*, Routledge, 1998, 91–121; Paula Findlen, 'Inventing Nature: Commerce, Art, and Science in the Early Modern Cabinet of Curiosities', in Pamela Smith and Findlen (eds.), *Merchants and Marvels: Commerce, Science, and Art in Early Modern Europe*, Routledge, 2002, 297–323; Paul Monod, *Solomon's Secret Arts: The Occult in the Age of Enlightenment*, Yale University Press, 2013, 214–15 (Cabala) and 132, 177; Thomas Stack, 'Letter from Thomas Stack', PT 41 (1739), 140–42; Sloane, Miscellanies Catalogue, 974 and Humana Catalogue, 662.

34 Sloane, 'A Further Account of the Contents of the China Cabinet', *PT* 20 (1698), 461–2; John Appleby, 'The Royal Society and the Tartar Lamb', *NRRS* 51 (1997), 23–34; Sloane, Miscellanies Catalogue, 1080 (penis ring); Sloane to Bishop of Kilmore, 27 March 1736, Sloane MS 1968, fol. 71.

35 Sloane, Miscellanies Catalogue, 707, 755, 1489, 1750, 2070 (amulets); 821 (Monmouth); 405 (arrow); 540 (purse); 1103 (drum); Robert Storrie, http://www.britishmuseum.org/research/collection_online/collection_object_details.aspx?objectId=671371&partId=1&searchText=sami&images=true&page=1, accessed August 2015; William Courten, 'Things Bought in January & February & March & April 1690', Sloane MS 3961, fol. 39 (Royal Touch); Giles Mandelbrote, 'Sloane and the Preservation of Printed Ephemera', in Mandelbrote and Taylor, *Libraries within the Library*, 146–68, pp. 155–9 (quacks); Jane Shaw, *Miracles in Enlightenment England*, Yale University Press, 2006, 176 (Tofts); Sloane, 'Conjectures on the Charming or Fascinating Power Attributed to the Rattle-Snake', *PT* 38 (1733–4), 321–31; 與護身符（charms）相關內容，見 Sloane MSS 65, 66, 72, 94, etc.; Edward Lhwyd, 'Extracts of Several Letters from Mr Edward Lhwyd . . . Containing Observations in Natural History and Antiquities', *PT* 28 (1713), 93–101, pp. 98–9; 眾多穿插各式內容的魔法手稿，見以下範例 Sloane MSS 307 (angels), 317 (alchemy), 314 (astrology), 2879 (experimental magic), 3437 (chiromancy/palmistry) and 1171 (Philosopher's Stone), http://www.bl.uk/catalogues/illuminatedmanuscripts/record.asp?MSID=1217&CollID=9&NStart=1171, accessed May 2014; 與避邪護身符（amulets）相關，見 Emilie Savage-Smith, 'Amulets and Related Talismanic Objects', in Francis Maddison and Savage-Smith (eds.), *Science, Tools and Magic, Part One: Body and Spirit, Mapping the Universe*, Nour Foundation, 1997, 132–47; Peter Forshaw, 'Magical Material and Material Survivals: Amulets, Talismans and Mirrors in Early Modern Europe', in Dietrich Boschung and Jan Bremmer (eds.), *The Materiality of Magic*, Wilhelm Fink, 2015, 357–78.

36 Sloane, Miscellanies Catalogue, 288, 1078, 1134, etc. ('idols'), 1686 ('heathen') and 201–4 ('Huron savages'); Sloane to Claude-Joseph Geoffroy, le jeune, n.d., Sloane MS 4069, fol. 84; Peta Ree, 'Shaw, Thomas', *ODNB*; Linda Colley, *Captives: Britain, Empire, and the World, 1600–1850*, Jonathan Cape, 2002, part 1; Thomas Shaw, 'Letter to Sir Hans Sloane', *PT* 36 (1729–30), 177–84; Sloane to unknown, n.d., Sloane MS 4069, fol. 267; Thomas Shaw, *Travels, or Observations relating to Several Parts of Barbary and the Levant*, 1738, 2nd edn, London, 1757, 155–65, Quotations 159–60; see also Sloane MS 4069, fols. 130, 224, 267; Sloane, Humana Catalogue, 570.

37 Sloane, Miscellanies Catalogue, 637–8 ('trinkets'), 1271 (lamb), 542 (girdle), 509 ('masse'); Lucia Dacome, *Malleable Anatomies: Models, Makers and Material Culture in Eighteenth-Century Italy*, Oxford University Press, 2017, ch. 7; Johann Amman to Sloane, 6 September 1736, Sloane MS 4054, fol. 298; William Beckett, *A Free and Impartial Enquiry into the Antiquity and Efficacy of Touching for the Cure of the King's Evil*, London, 1722; Samuel Werenfels, *A Dissertation upon Superstition in Natural Things*, London, 1748, 49.

38 Michael Cole and Rebecca Zorach (eds.), *The Idol in the Age of Art: Objects, Devotions and the Early Modern World*, Ashgate, 2009; Mitter, *Much Maligned Monsters*, esp. 55–6, 73–7; Urs App, *The Birth of Orientalism*, University of Pennsylvania Press, 2010, 180 (Diderot); Gunn, *First Globalization*, 4–5, chs. 6–7; Nicholas Dew, *Orientalism in Louis XIV's France*, Oxford University Press, 2009; Anna Winterbottom, *Hybrid Knowledge in the Early East India Company World*, Palgrave Macmillan, 2015, ch. 2; Sloane MSS 2393 (law in Malay), 3115 (hymns and psalms in Malay), Annabel Gallop 的探討見 'Malay Manuscripts in the Sloane Collection', 2013, http://britishlibrary.typepad.co.uk/asian-and-african/2013/11/malay-manuscripts-in-the-sloane-collection.html, accessed August 2015; Sloane MS 1987 (Qur'a ‾ n).

39 Edward Said, *Orientalism*, Pantheon, 1978; Michael Adas, *Machines as the Measure of Men: Science, Technology, and Ideologies of Western Dominance*, Cornell University Press, 1992, 95–108, 166–77; Winterbottom, *Hybrid Knowledge*; Sloane, Miscellanies Catalogue, 147, 1134, 1777; John Gascoigne, 'The Royal Society, Natural History, and the Peoples of the "New World(s)", 1660–1800', *BJHS* 42 (2009), 539–62; Carey, *Locke*, 25 (Sloane MS 5253 from Locke via Courten); 'The Habits of the Grand Signor's Court', Turkey, *c.* 1620, Sloane MS 5258, BM; Deccan inhabitants, South India, Sloane MS 5254, BM; inhabitants of Isfahan, Persia, Kaempfer collection, Sloane MS 5292, BM; Alexander Stuart, 'An Explanation of the Figures of a Pagan Temple and Unknown Characters at Cannara in Salset', *PT* 26 (1708–9), 372; Sloane, 'Accounts of the Pretended Serpent-Stone Called Pietra de Cobra de Cabelos, and of the Pietra de Mombazza or the Rhinoceros Bezoar', *PT* 46 (1749–50), 118–25; Sloane, Miscellanies Catalogue, 1483, 1761.

40 Sloane, 'A Further Account of What Was Contain'd in the Chinese Cabinet', *PT* 21 (1699), 70–72, quotation 72; Porter, *Chinese Taste*, 27 and *passim*; Sloane, Miscellanies Catalogue, 83–92 (Chinaware), 1147–52 (Japanware), 1195–200 (imitation Chinaware from Dresden), 970 (Dutch paper tea set), 1696 (imitation Relgar); Linda Levy Peck, *Consuming Splendour: Society and Culture in Seventeenth-Century England*, Cambridge University Press, 2005, ch. 8; Maxine Berg, *Luxury and Pleasure in Eighteenth-Century Britain*, Oxford University Press, 2007; Joanna Waley-Cohen, *The Sextants of Beijing: Global Currents in Chinese History*, Norton, 1999, 84, 105–6; Benjamin Elman, *A Cultural History of Modern Science in China*, Harvard University Press, 2006, 72–3; Oliver Impey, 'Oriental Antiquities', in MacGregor, *Sloane*, 222–7, p. 223; http://www.britishmuseum.org/research/collection_online/collection_object_details.aspx?objectId=262782&partId=1&people=98677&peoA=98677-35&sortBy=imageName&page=1, accessed March 2014; 'Sloane's Treasures: Sloane's Artificial Rarities', British Museum, 2012, presentations on 'Sloane's Chinese Glass, Prints and Paintings' by Jessica Harrison-Hall, Clarissa von Spee and Anne Farrer, http://backdoorbroadcasting.net/2012/05/sloanes-treasures-sloanes-artificial-rarities/, accessed August 2015; Nappi, *Monkey and Inkpot*, 17, 44–6, 78–80.

41 Thomas, *Decline of Magic*; Ursula Klein and Wolfgang Lefèvre (eds.), *Materials in Eighteenth-Century Science: A Historical Ontology*, MIT Press, 2007; Christopher Duffin *et al.* (eds.), *A History of Geology and Medicine*, Geological Society of London, 2013; 29 January 1741, *The Family Memoirs of the Reverend William Stukeley*, 3 vols., Surtees Society, 1882–7, 3:2 (Sloane ivory comment); Dániel Margócsy, 'The Fuzzy Metrics of Money: The Finances of Travel and the Reception of Curiosities in Early Modern Europe', *Annals of Science* 70 (2013), 381–404, and *Commercial Visions: Science, Trade, and Visual Culture in the Dutch Golden Age*, University of Chicago Press, 2014; 'Sloane's Museum at Bloomsbury, as described by Zacharias Konrad von Uffenbach, 1710', in MacGregor, *Sloane*, 30; *Weekly Journal or Saturday's Post*, 31 May 1717; *The Censor*, 27 May 1717; Tobias Smollett, *The Adventures of Peregrine Pickle*, London, 1751, 19; see also Martin Lister, *A Journey to Paris in the Year 1698*, 3rd edn, London, 1699, 82–3.

42 Charles Cadogan to Sloane, 30 March 1720, Sloane MS 4045, fol. 312; 'Timothy Cockleshell' to Sloane, 25 April 1713, Sloane MS 4043, fols. 143–5; Dawson Turner (ed.), *Extracts from the Literary and Scientific Correspondence of Richard Richardson*, Yarmouth, 1835, 181 n. 4 (Sherard); Barbara Benedict, 'Collecting Trouble: Sir Hans Sloane's Literary Reputation in Eighteenth-Century Britain', *Eighteenth-Century Life* 36 (2012), 111–42, Young quotation 128, Pope 131; John Brewer and Roy Porter (eds.), *Consumption and the World of Goods*, Routledge, 1993; Cynthia Wall, *The Prose of Things: Transformations of Description in the Eighteenth Century*, University of Chicago Press, 2006.

43 Charles Hanbury Williams, 'Sir Charles Hanbury to Sir Hans Sloane, Who saved his Life, and desired him to send over all the Rarities he could find in his Travels', 引自 Benedict, 'Collecting Trouble', 126; Feigenbaum and Reist, *Provenance* ; Sloane, Insects Catalogue, NHM, 238; *NHJ*, 1:cxxiv–cxxvi; Sloane, Miscellanies Catalogue, 852 (oil), 2105 (Madagascar), 9 (Tunquin), 13 (Patriarch); Birds Catalogue, NHM, 821 (eagle); Quadrupeds Cat-

alogue, 1657.

44 Lynn Festa, 'The Moral Ends of Eighteenth-and Nineteenth-Century Object Narratives', in Mark Blackwell (ed.), *The Secret Life of Things: Animals, Objects, and It-Narratives in Eighteenth-Century England*, Bucknell University Press, 2007, 309–28; *Tatler* 34, 28 June 1709; Brian Cowan, *The Social Life of Coffee: The Emergence of the British Coffee-House*, Yale University Press, 2005, 121–5; Young quoted in Benedict, 'Collecting Trouble', 128.

45 Hanbury quoted in Benedict, 'Collecting Trouble', 125–7; Igor Kopytoff, 'The Cultural Biography of Things: Commoditization as Process', in Appadurai, *Social Life of Things*, 64–91; *Elizabeth Montagu, the Queen of the Blue-Stockings: Her Correspondence from 1720 to 1761*, ed. Emily Climenson, 2 vols., John Murray, 1906, 1:103, 128.

46 *Memoirs of Laetitia Pilkington*, ed. A. C. Elias, Jr, 2 vols., University of Georgia Press, 1997, 2:196–7; Richard Waller to Sloane, 1 September 1696, Sloane MS 4036, fols. 266–7 (kissing).

47 John Harris, *The Palladian Revival: Lord Burlington, his Villa and Garden at Chiswick*, Royal Academy of Arts, 1994, 253; Randall Davies, *The Greatest House at Chelsey*, John Lane, 1914, 262–7 (Howard quotations); de Beer, *Sloane*, 135–7; MacGregor, 'Career of Hans Sloane', 28 and 44 n. 205 ('gods of gold').

48 Robert Hales to Sloane, 24 January 1709, Sloane MS 4042, fol. 92; Jacob Bobart to Sloane, 11 October 1716, Sloane MS 4044, fol. 231; William Bentinck to Sloane, n.d., Sloane MS 4058, fol. 5; *Daily Post*, 2 March 1724; *London Evening Post*, 23–25 April 1728; *London Evening Post*, 19–21 June 1735.

49 Cecilia Garrard to Sloane, 5 February 1734, Sloane MS 4053, fol. 159; Diederick Smith to Sloane, 5 August 1737, Sloane MS 4055, fol. 153; Griffith Hughes to Sloane, 14 November 1743, Sloane MS 4057, fol. 226; Katharine Byde to Sloane, n.d., Sloane MS 4058, fol. 98.

50 Jonathan Partridge to Sloane, 15 September 1713, Sloane MS 4043, fol. 184; John Southall to Sloane, 24 December 1729, Sloane MS 4050, fol. 250; Peter Carey to Sloane, 15 October 1735, Sloane MS 4054, fol. 117; Johan Welin to Sloane, 28 April 1741, Add. MS 4437, fol. 185; Emanuel Swedenborg, *Divine Love and Wisdom*, 1763, A & D Publishing, 2007, 110.

51 Geary, 'Sacred Commodities'; Paula Findlen, *Possessing Nature: Museums, Collecting, and Scientific Culture in Early Modern Italy*, University of California Press, 1994, ch. 3; Barbara Maria Stafford, *Artful Science: Enlightenment Entertainment and the Eclipse of Visual Education*, MIT Press, 1996; Daston and Park, *Wonders* ; Michael Wintroub, 'Taking Stock at the End of the World: Rites of Distinction and Practices of Collecting in Early Modern Europe', *Studies in History and Philosophy of Science* 30 (1999), 395–424, esp. 405–7.

52 Uffenbach, 'Sloane's Museum', in MacGregor, *Sloane*, 30–31.

53 Constance Classen, 'Museum Manners: The Sensory Life of the Early Museum', *Journal of Social History* 40 (2007), 895–914; Fiona Candlin, 'Touch, and the Limits of the Rational Museum or Can Matter Think?', *Senses and Society* 3 (2008), 277–92; *NHJ*, 2:xvi–xvii; Anonymous, *An Account of the Apprehending, and Taking of John Davis and Phillip Wake*, London, 1700; de Beer, *Sloane*, 124 (Handel); 12 February 1712, *The London Diaries of William Nicolson, Bishop of Carlisle, 1702–1718*, ed. Clyve Jones and Geoffrey Holmes, Clarendon Press, 1985, 702; Uffenbach, 'Sloane's Museum', in MacGregor, *Sloane*, 30.

54 Uffenbach, 'Sloane's Museum', in MacGregor, *Sloane*, 30–31; de Beer, *Sloane*, 123–4; Carolus Linnaeus, *Species plantarum*, 2 vols., Stockholm, 1753, 2:782.

55 17 January 1712, *Diaries of Nicolson*, 699–700; 'A Poem occasion'd by the Viewing Dr. Sloans Musaeum', 1712, Sloane MS 1968, fol. 192.

56 'Sloane's Museum at Chelsea, as described by Per Kalm, 1748', in MacGregor, *Sloane*, 31–4.

57 Ibid.

58 Ibid.

59 Ibid.; Peter Collinson to Sloane, n.d., Sloane MS 4058, fol. 170.

60 [Cromwell Mortimer], 'Account of the Prince and Princess of Wales Visiting Sir Hans Sloane', *Gentleman's Magazine* 18 (1748), 301–2; *London Evening Post*, 7–9 July 1748; Michael McKeon, *The Secret History of Domesticity: Public, Private, and the Division of Knowledge*, Johns Hopkins University Press, 2005, ch. 2.

61 Mortimer, 'Account'.

62 Ibid.

Chapter 7——建立大眾的博物館

1 Bishop of Bangor, 'A Sermon preached at the funeral of Sir Hans Sloane Jan. 18th 1753', Add. MS 6269, fol. 266.

2 Ibid.

3 *Public Advertiser*, 12 January 1753; *Old England or the National Gazette*, 20 January 1753; *Read's Weekly Journal or British Gazetteer*, 3 February 1753; *London Evening Post*, 27–30 January 1753.

4 Geoff Baldwin, 'The "Public" as a Rhetorical Community in Early Modern England', in Alexandra Shepard and Phil Withington (eds.), *Communities in Early Modern England*, Manchester University Press, 2000, 199–215; Kathleen Wilson, *The Sense of the People: Politics, Culture, and Imperialism in England, 1715–1785*, Cambridge University Press, 1998, 18; Carl Wennerlind, *Casualties of Credit: The English Financial Revolution, 1620–1720*, Harvard University Press, 2011, 161（洛克引言取自 *Essay Concerning Human Understanding*）和 ch. 5; Jürgen Habermas, *The Structural Transformation of the Public Sphere: An Inquiry into a Category of Bourgeois Society*, trans. Thomas Burger, MIT Press, 1991; Michael McKeon, *The Secret History of Domesticity: Public, Private, and the Division of Knowledge*, Johns Hopkins University Press, 2005; Bruno Latour and Peter Weibel (eds.), *Making Things Public: Atmospheres of Democracy*, MIT Press, 2005.

5 Andrew Erskine, 'Culture and Power in Ptolemaic Egypt: The Museum and Library of Alexandria', *Greece and Rome* 42 (1995), 38–48; Patrick Geary, 'Sacred Commodities: The Circulation of Medieval Relics', in Arjun Appadurai (ed.), *The Social Life of Things: Commodities in Cultural Perspective*, Cambridge University Press, 1986, 169–91; Paula Findlen, *Possessing Nature: Museums, Collecting, and Scientific Culture in Early Modern Italy*, University of California Press, 1994, chs. 2, 8 and 128–9, 147–8, 394–5; Carole Paul, 'Capitoline Museum, Rome: Civic Identity and Personal Cultivation', in Paul (ed.), *The First Modern Museums of Art: The Birth of an Institution in 18th-and Early-19th-Century Europe*, Getty, 2012, 21–46; Michael Hagner, 'Enlightened Monsters', in William Clark *et al.* (eds.), *The Sciences in Enlightened Europe*, University of Chicago Press, 1999, 175–217, pp. 183–5; Andrew McClellan, *Inventing the Louvre: Art, Politics and the Origins of the Modern Museum in Eighteenth-Century Paris*, University of California Press, 1994, ch. 1; see also Debora Meijers, 'Sir Hans Sloane and the European Proto-Museum', in Robert Anderson *et al.* (eds.), *Enlightening the British: Knowledge, Discovery and the Museum in the Eighteenth Century*, British Museum, 2003, 11–17.

6 Jerry Brotton, *The Sale of the Late King's Goods: Charles I and his Art Collection*, Macmillan, 2006, esp. ch. 14; Arthur MacGregor, *The Ashmolean Museum: A Brief History of the Museum and its Collections*, Ashmolean Museum, 2001; Uffenbach quoted in Findlen, *Possessing Nature*, 147–8, and *Oxford in 1710: From the Travels of Zacharias Conrad von Uffenbach*, ed. W. H. and W. J. C. Quarrell, Blackwell, 1928, 2–3, 24, 31.

7 Marjorie Caygill, 'Sloane's Will and the Establishment of the British Museum', in MacGregor, *Sloane*, 45–68, p. 46 (Cotton), and see also 'From Private Collection to Public Museum: The Sloane Collection at Chelsea and the British Museum in Montagu House', in Anderson et al., *Enlightening the British*, 18–28; Arthur MacGregor, 'The Life, Character and Career of Sir Hans Sloane', in MacGregor, *Sloane*, 11–44, p. 20 ('better judge': Royal Society Minutes, 8 May 1733); Jennifer Thomas, 'Compiling "God's Great Book [of] Universal Nature": The Royal Society's Collecting Strategies', *Journal of the History of Collections* 23 (2011), 1–13; Henry Newman to [?], 21 August 1742, MS 7633, fol. 10, Wellcome Library; Richard Altick, *The Shows of London*, Belknap Press, 1978, 16, 51, 114; [James Salter], *A Catalogue of the Rarities to be Seen at Don Saltero's Coffee-House in Chelsea*, London, 1731; 烏紛巴赫引言及其討論，見 Brian Cowan, *The Social Life of Coffee: The Emergence of the British Coffee-House*, Yale University Press, 2005, 121–5; Angela Todd, 'Your Humble Servant Shows Himself: Don Saltero and Public Coffeehouse Space', *Journal of International Women's Studies* 6 (2005), 119–35.

8 *Tatler* 34, 28 June 1709, quoted and discussed in Cowan, *Social Life of Coffee*, 121–5; Salter, *Catalogue*, 6; James Delbourgo, 'Slavery in the Cabinet of Curiosities: Hans Sloane's Atlantic World', 2007, British Museum website, http://www.britishmuseum.org/pdf/delbourgo%20essay.pdf, accessed August 2015; John Brewer, *The Pleasures of the Imagination: English Culture in the Eighteenth Century*, HarperCollins, 1997, 64.

9 M. A. E. Nickson, 'Books and Manuscripts', in MacGregor, *Sloane*, 263–77; Arnold Hunt, 'Sloane as a Collector of Manuscripts', in Hunter, *Books to Bezoars*, 190–207, pp. 204 and 206–7; Thomas Hearne to Richard Richardson, 1 January 1726, in Dawson Turner (ed.), *Extracts from the Literary and Scientific Correspondence of Richard Richardson*, Yarmouth, 1835, iv (correspondent estimate); Elizabeth Yale, *Sociable Knowledge: Natural History and the Nation in Early Modern Britain*, University of Pennsylvania Press, 2016; *London Journal*, 13 November 1725 (horn); *NHJ*, 2:v.

10 Sloane to unknown, 2 September 1738, Sloane MS 4069, fol. 4; Meijers, 'Proto-Museum'.

11 Findlen, *Possessing Nature*, ch. 7, esp. 295; Stella Tillyard, 'Paths of Glory: Fame and the Public in Eighteenth-Century London', in Martin Postle (ed.), *Joshua Reynolds: The Creation of Celebrity*, Tate Gallery, 2005, 61–9; Elizabeth Barry, 'Celebrity, Cultural Production, and Public Life', *International Journal of Cultural Studies*

11 (2008), 251–8; Keith Thomas, *The Ends of Life: Roads to Fulfilment in Early Modern England*, Oxford University Press, 2009, 235–67; James Empson, 'Proposal of a Plan', 29 August 1756, Original Letters and Papers, BM Archives, 1:fol. 44; Walter Benjamin, *The Arcades Project*, trans. Howard Eiland and Kevin McLaughlin, Belknap Press, 1999, 211.

12 Tobias Smollett, *The Expedition of Humphry Clinker*, 3 vols., London, 1771, 1:215; Sloane to Bignon, 8 September 1737, quoted in Jean Jacquot, 'Sir Hans Sloane and French Men of Science', *NRRS* 10 (1953), 85–98, pp. 96–7; Neil Safier, *Measuring the New World: Enlightenment Science and South America*, University of Chicago Press, 2008; but see also Nicholas Dew, 'Scientific Travel in the Atlantic World: The French Expedition to Gorée and the Antilles, 1681–1683', *BJHS* 43 (2010), 1–17; Giles Mandelbrote, 'Sloane and the Preservation of Printed Ephemera', in Mandelbrote and Barry Taylor (eds.), *Libraries within the Library: The Origins of the British Library's Printed Collections*, British Library, 2010, 146–68, p. 152.

13 Sloane, *Will of Sir Hans Sloane*, London, 1753, 3, 28–9.

14 Sloane, *Authentic Copies of the Codicils belonging to the Last Will and Testament of Sir Hans Sloane*, London, 1753, 20–26, and *Will*, 4–5; Caygill, 'Sloane's Will', 50, 66 n. 16; Meijers, 'Proto-Museum'; Sloane to Johann Amman, 1 May 1730 to 3 December 1740, Russian Academy of Sciences, RS copies, LXXVIII.b.2; MacGregor, *Sloane*, 94–5.

15 Miguel Tamen, *Friends of Interpretable Objects*, Harvard University Press, 2004; Sloane, *Will*, 2, 17–19; Caygill, 'Sloane's Will', appendices, 56–65.

16 Horace Walpole to Horace Mann, 14 February 1753, in Peter Cunningham (ed.), *The Letters of Horace Walpole, Earl of Orford*, 9 vols., London, 1857–9, 2:320–21, and Advertisement to Abraham Van der Doort, *A Catalogue and Description of King Charles the First's Capital Collection of Pictures . . .*, London, 1757, i–iv; Eric Gidal, *Poetic Exhibitions: Romantic Aesthetics and the Pleasures of the British Museum*, Bucknell University Press, 2002, 39; Francis Haskell, *The King's Pictures: The Formation and Dispersal of the Collections of Charles I and his Courtiers*, Yale University Press, 2013; Brewer, *Pleasures*, 84–7 and ch. 5; Eamon Duffy, *The Stripping of the Altars: Traditional Religion in England, c. 1400–c. 1580*, Yale University Press, 1992, part 2; Brotton, *Late King's Goods*, 163, 202–5, 354–7 (includes Walpole, advertisement to *Catalogue*); Cynthia Wall, 'The English Auction: Narratives of Dismantlings', *Eighteenth-Century Studies* 31 (1997), 1–25; Paul Langford, *A Polite and Commercial People: England, 1727–1783*, Oxford University Press, 1994, 304–16.

17 Caygill, 'Sloane's Will' and 'From Private Collection to Public Museum'; Baker quoted in Anne Goldgar, 'The British Museum and the Virtual Representation of Culture in the Eighteenth Century', *Albion* 32 (2000), 195–231, p. 224.

18 Goldgar, 'British Museum', 220–24, Carte 引言 224; Caygill, 'Sloane's Will', 49–50; David Spadafora, *The Idea of Progress in Eighteenth-Century Britain*, Yale University Press, 1990; Colin Kidd, *British Identities before Nationalism: Identity and Nationhood in the Atlantic World, 1600–1800*, Cambridge University Press, 1999, 79–82, 229–33.

19 Caygill, 'Sloane's Will', 50, and 'From Private Collection to Public Museum'; [Edmund Powlett], *The General Contents of the British Museum*, 2nd edn, London, 1762, x, vi; Tony Bennett, 'The Exhibitionary Complex', *New Formations* 4 (1988), 73–102, pp. 73–4; *An Act for the Purchase of the Museum, or Collection of Sir Hans Sloane*, London, 1754, 15 ('benefit of the publick'); Jonathan Williams, 'Parliaments, Museums, Trustees, and the Provision of Public Benefit in the Eighteenth-Century British Atlantic World', *Huntington Library Quarterly* 76 (2013), 195–214.

20 *Act for the Purchase of the Museum*, 11, 14, 63–138.

21 Caygill, 'Sloane's Will', 51–2; Wall, 'English Auction', 2; Gidal, *Poetic Exhibitions*, 13–14; *Act for the Purchase of the Museum*, 82–5.

22 Committee Meeting Minutes, 22 January 1754, BM Archives, 1:fol. 5; 'Proposal for the Establishment of the British Museum', n.d., Add. MS 4,449, fol. 82; Estelle Ward, *Christopher Monck, Duke of Albemarle*, John Murray, 1915, book 1; Powlett, *General Contents*, 209; Patricia Fara, *Sympathetic Attractions: Magnetic Practices, Beliefs, and Symbolism in Eighteenth-Century England*, Princeton University Press, 1996, 36–46; J. E. Dandy, *The Sloane Herbarium*, British Museum, 1958, 28; Caygill, 'Sloane's Will'.

23 Empson, 'Proposal of a Plan', fol. 40; Gowin Knight, 'A Plan for the General Distribution of Sr Hans Sloane's Collection', n.d., Original Letters and Papers, BM Archives, 1:fol. 51.

24 Catherine Talbot, letter of 1756, Add. MS 39311, fol. 83, 引自 Gidal, *Poetic Exhibitions*, 49; John Ward to BM trustees, 'Objections to the Appointing Public Days for Admitting all Persons to see the Museum without Dis-

tinction', 1755, quoted, ibid., 59–60.

25 Lord Cadogan, 'Observations on the Plan for Shewing the British Museum', 12 December 1756, Add. MS 4302, fols. 13–14, 引自 Goldgar, 'British Museum', 210; Charles Morton and Andrew Gifford, April 1759, Original Letters and Papers, BM Archives, 1:fols. 106–8, 引自, ibid., 216.

26 Thomas Birch, 'Rules Proposed for the Custody and Use of the British Museum', n.d., Add. MS 4449, fol. 123; Knight, 'Draft Rules for the use of the British Museum', n.d., ibid., fols. 118–20; Svetlana Alpers, 'The Museum as a Way of Seeing', in Steven Lavine and Ivan Karp (eds.), *Exhibiting Cultures: The Poetics and Politics of Museum Display*, Smithsonian Institute, 1991, 25–32; Constance Classen, 'Museum Manners: The Sensory Life of the Early Museum', *Journal of Social History* 40 (2007), 895–914; Fiona Candlin, 'Touch, and the Limits of the Rational Museum or Can Matter Think?', *Senses and Society* 3 (2008), 277–92.

27 Powlett, *General Contents*, xvi–xvii, xxii; see also [Alexander Thomson], *Letters on the British Museum*, London, 1767.

28 Powlett, *General Contents*, 1–25; Kim Sloan, ' "Aimed at Universality and Belonging to the Nation": The Enlightenment and the British Museum', in Sloan (ed.), *Enlightenment: Discovering the World in the Eighteenth Century*, British Museum, 2003, 12–25, pp. 24–5 (Laocoön).

29 Powlett, *General Contents*, 25–34, 引言 27.

30 Ibid., 34–196, 引言 54 ('American idols'); Knight, 'Plan for General Distribution', fol. 51.

31 Powlett, *General Contents*, 196–210, 引言 197 ('great esteem'), 148 ('prevails'), 190 (pig), 202 (horned lady).

32 Jan and Andreas van Rymsdyk, *Museum Britannicum*, London, 1778, 50–51 (coral) and 19 (hairballs); Powlett, *General Contents*, 97–8.

33 Powlett, *General Contents*, vii ('not without hopes'), 35 ('almost infinite'), xv ('impossible'); Edward Miller, *That Noble Cabinet: A History of the British Museum*, Ohio State University Press, 1974, ch. 3; Karl Philipp Moritz, *Travels, Chiefly on Foot, through Several Parts of England, in 1782*, London, 1795, 69–70.

34 Powlett, *General Contents*, 37 ('industry'), 70 (marble), 71 (alabaster), 155–6 (ginseng and Chinese), 197 (wampum); Rymsdyk and Rymsdyk, *Museum Britannicum*, 5–9; Moritz, *Travels*, 268.

35 Powlett, *General Contents*, 41 (Egypt), 58–9 (Sámi and Romans), 61 (Turkish and Arabic), 127 (bezoars), 149–50 (lamb).

36 Ibid., viii ('oblivion' and 'ignorance'), ix ('blind infatuation'), 35 ('progress of art'), x ('falling back'), 36–7 ('vulgar observer'), 37 ('iron hand').

37 Daniel Baugh, *The Global Seven Years War, 1754–1763: Britain and France in a Great Power Contest*, Routledge, 2011; Linda Colley, *Captives: Britain, Empire, and the World, 1600–1850*, Jonathan Cape, 2002, ch. 6; David Armitage, *The Ideological Origins of the British Empire*, Cambridge University Press, 2000; Richard Drayton, *Nature's Government: Science, Imperial Britain, and the 'Improvement' of the World*, Yale University Press, 2000, 85–128; Elsbeth Heaman, 'Epistemic and Military Failures in Britain and Canada during the Seven Years' War', in Heaman *et al.* (eds.), *Essays in Honour of Michael Bliss: Figuring the Social*, University of Toronto Press, 2008, 93–118; H. V. Bowen, 'British Conceptions of Global Empire, 1756–83', *Journal of Imperial and Commonwealth History* 26 (1998), 1–27.

38 Powlett, *General Contents*, 2–3 (Causeway), 34–5 ('largest and most curious' and 'scarcely a country'), 196 (fish), 66 (stones), 80 (ores), 205 (drawings); Troy Bickham, ' "A Conviction of the Reality of Things": Material Culture, North American Indians and Empire in Eighteenth-Century Britain', *Eighteenth-Century Studies* 39 (2005), 29–47.

39 *Act for the Purchase of the Museum*, 45; Powlett, *General Contents*, 163 (soup), 160 (Bartram's nest).

40 Powlett, *General Contents*, 111 and *passim* ; Smollett, *Humphry Clinker*, 1:215–16.

41 Moritz, *Travels*, 69; Powlett, *General Contents*, xvi ('concise'), xiv ('tolerable idea'), xix–xxiii; Rymsdyk and Rymsdyk, *Museum Britannicum*, iii–iv.

42 Sloane, *Will*, pp. 28–9; *Act for the Purchase of the Museum*, 14; Wendy Shaw, *Possessors and Possessed: Museums, Archaeology, and the Visualization of History in the Late Ottoman Empire*, University of California Press, 2003, 130.

43 Miller, *Noble Cabinet*, 70; Smollett, *Humphry Clinker*, 1:215–16; Moritz, *Travels*, 69; Bernard Bailyn, *The Ideological Origins of the American Revolution*, Harvard University Press, 1967; Wilson, *Sense of the People*, chs. 4–5.

44 Jean Marchand (ed.), *A Frenchman in England, 1784: Being the Mélanges sur l'Angleterre of François de la Rochefoucauld*, trans. S. C. Roberts, Caliban Books, 1995, 16; McClellan, *Louvre*; Powlett, *General Contents*, xix; Caroline Powys, diary, Add. MS 42160, fols. 8–10 (1760), 93 (1786); Knight quoted in Caygill, 'From Private

Collection to Public Museum'; Altick, *Shows of London*, 85, 96–7; Goldgar, 'British Museum', 208 (Hankin).

45 Empson, Original Letters and Papers, BM Archives, 1:fol. 177, 引自 Goldgar, 'British Museum', 216; Daniel Solander to British Museum Trustees, 22 February 1765, in *Daniel Solander: Collected Correspondence, 1753–1782*, ed. and trans. Edward Duyker and Per Tingbrand, University of Melbourne Press, 1995, 264; Knight, Add. MS 4449, fols. 119–20, 引自 Goldgar, 'British Museum', 205; Maty, Add. MS 10555, fol. 14, 引自 ibid., 212, and see n. 78; unidentified official, Original Letters and Papers, BM Archives, 2:fol. 745, ibid., 219; ibid., 225 (riots and guards); McClellan, *Inventing the Louvre*.

46 Linda Colley, *Britons: Forging the Nation, 1707–1837*, Yale University Press, 1992, 174–7; Goldgar, 'British Museum', 212–13, 220 (charges); Moritz, *Travels*, 70; William Hutton, *A Journey from Birmingham to London*, Birmingham, 1785, 187–93.

47 Goldgar, 'British Museum', 212–13, 220; unidentified official, Original Letters and Papers, BM Archives, 2:fol. 745, ibid., 219 ('cannot controvert').

48 Maya Jasanoff, *Edge of Empire: Conquest and Collecting on the Eastern Frontier of the British Empire*, Fourth Estate, 2005; Jeanette Greenfield, *The Return of Cultural Treasures*, Cambridge University Press, 3rd edn, 2013, ch. 2; Elliott Colla, *Conflicted Antiquities: Egyptology, Egyptomania, Egyptian Modernity*, Duke University Press, 2007, ch. 1; Mirjam Brusius, 'Misfit Objects: Layard's Excavations in Ancient Mesopotamia and the Biblical Imagination in Mid-Nineteenth Century Britain', *Journal of Literature and Science* 5 (2012), 38–52; Goldgar, 'British Museum', 229–30 (statistics).

49 J. Mordaunt Cook, *The British Museum: A Case-Study in Architectural Politics*, Penguin, 1972, chs. 3–4; Marjorie Caygill and Christopher Date, *Building the British Museum*, British Museum, 1999; Chris Wingfield, 'Placing Britain in the British Museum: Encompassing the Other', in Peter Aronsson *et al.* (eds.), *National Museums*, Routledge, 2011, 123–37; Mark O'Neill, 'Enlightenment Museums: Universal or Merely Global?', *Museum and Society* 2 (2004), 190–202; Shaw, *Possessors and Possessed*; Colla, *Conflicted Antiquities*.

50 Miller, *Noble Cabinet*, chs. 3–5 and 365–7; David Wilson, *The British Museum: A History*, British Museum, 2002; W. Blanchard Jerrold, *How to See the British Museum in Four Visits*, London, 1852, 1.

51 Goldgar, 'British Museum', 229–30 ('vulgar', 'gazing'); Anonymous, 'The British Museum', *Penny Magazine* 1 (1832), 13–15, in Jonah Siegel (ed.), *The Emergence of the Modern Museum: An Anthology of Nineteenth-Century Sources*, Oxford University Press, 2009, 82–4, quotations 83–4; Goldgar, 'British Museum', 228–31.

52 Emma Spary, *Utopia's Garden: French Natural History from Old Regime to Revolution*, University of Chicago Press, 2000, ch. 5, esp. 209.

53 Barthélemy Faujas de Saint-Fond, *Travels in England, Scotland, and the Hebrides*, 2 vols., London, 1799, 1:86–91; Gidal, *Poetic Exhibitions*, 66–8; Nick Hopwood *et al.*, 'Seriality and Scientific Objects in the Nineteenth Century', *History of Science* 48 (2010), 251–85; David Miller and Peter Reill (eds.), *Visions of Empire: Voyages, Botany, and Representations of Nature*, Cambridge University Press, 1996; Charles Gillispie, *Science and Polity in France: The Revolutionary and Napoleonic Years*, Princeton University Press, 2004; Martin Rudwick, *Bursting the Limits of Time: The Reconstruction of Geohistory in the Age of Revolution*, University of Chicago Press, 2005.

54 Powlett, *General Contents*, 34; John Gascoigne, *Science in the Service of Empire: Joseph Banks, the British State and the Uses of Science in the Age of Revolution*, Cambridge University Press, 1998; Drayton, *Nature's Government*, 85–128.

55 Nuala Zahedieh, *The Capital and the Colonies: London and the Atlantic Economy, 1660–1700*, Cambridge University Press, 2010, 131–6; David Hancock, *Citizens of the World: London Merchants and the Integration of the British Atlantic Community, 1735–1785*, Cambridge University Press, 1997, ch. 7; Sloane to Mrs Grey, 17 October 1740, bMs 34.10.1, Ernst Mayr Library, Museum of Comparative Zoology, Harvard University (leeches).

56 Colley, *Britons*, chs. 1–2, esp. 86; Robert Crawford, *Devolving English Literature*, Oxford University Press, 1992, 75; Yale, *Sociable Knowledge*.

57 Birch, 'Memoirs', fols. 14–15.

58 Dipesh Chakrabarty, 'The Climate of History: Four Theses', *Critical Inquiry* 35 (2009), 197–222; Fredrik Albritton Jonsson, *Enlightenment's Frontier: The Scottish Highlands and the Origins of Environmentalism*, Yale University Press, 2013; Jennifer Newell *et al.* (eds.), *Curating the Future: Museums, Communities and Climate Change*, Routledge, 2016.

參考書目
Bibliography

PRIMARY SOURCES

Manuscripts

British Library: Additional Manuscripts, Sloane Manuscripts
British Museum: Original Letters and Papers, Archives
Harvard University: Ernst Mayr Library Collections, Museum of Comparative Zoology
Huntington Library, San Marino: Irish Papers
Lincolnshire Archives: Ancaster Deposit
National Archives, London: Captains' Logs and Probate Records
Royal Society: Minutes, Journal- and Letter Books; Sherard Papers
Wellcome Library: Archives and Manuscripts

Sloane Manuscript Catalogues

British Museum: Antiquities; Gemmae & Lapides continentes Inscriptiones Arabicas, Persicas, &c.; Miscellanies; Pictures and Drawings in Frames
Natural History Museum: Agates; Birds; Corals; Earths, Clays, Chalk, Vitriol, Sands; Fossils; Humana; Insects; Metals; Quadrupeds; Serpents; Shells; Veg- etable Substances

Specimen Collections

Sloane Herbarium, Botany Department, Natural History Museum

Newspapers, Gazettes, Journals & Magazines

The Censor
Daily Advertiser
Daily Mail
Daily Post
Daily Telegraph
Evening Post
Gazetteer and New Daily Advertiser Gentleman's Magazine
Grub Street Journal
La Nación (Buenos Aires)
Lloyd's Evening Post
London Art Review
London Daily Post and General Advertiser London Evening Post
London Journal

Mémoires de l'Académie Royale des Sciences Old England or the National Gazette
Penny Magazine
Philosophical Transactions of the Royal Society Public Advertiser
Public Ledger
Read's Weekly Journal or British Gazetteer Spectator
Tatler
Weekly Journal or Saturday's Post
Westminster Magazine

Printed Books

An Act for the Purchase of the Museum, or Collection of Sir Hans Sloane (Lon- don, 1754).
Anonymous. *An Account of the Apprehending, and Taking of John Davis and Phillip Wake* (London, 1700).
——. *Aesculapius: A Poem* (London, 1721).
——. *Angliae Tutamen: Or, The Safety of England* (London, 1695).
——. *The Art of Getting into Practice in Physick* (London, 1722).
——. 'The British Museum', *The Penny Magazine* 1 (1832), 13–15, in Siegel, *Emergence of the Modern Museum*, 82–4.
——. *Marly; or, A Planter's Life in Jamaica* (1828, repr. Oxford University Press, 2005).
Bacon, Francis. *Novum organum* (London, 1620).
——. *New Atlantis*, in James Spedding *et al.* (eds.), *The Works of Francis Bacon*, 14 vols. (Longman, 1857–74), 3:125–66.
[——]. *Gesta Grayorum*, 1594, in Nichols, *Progresses and Public Processions*, 3:262–350.
——. *The Essays* (Penguin, 1985).
Barham, Henry. *Hortus Americanus* (Kingston, 1794).
Bartram, John. *Observations . . . in his Travels from Pensilvania to Onondago* (London, 1751).
Bateman, Christopher and Cooper, John. *A Catalogue of the Library, Antiquities, &c. of the Late Learned Dr Woodward* (London, 1728).
Beckett, William. *A Free and Impartial Enquiry into the Antiquity and Efficacy of Touching for the Cure of the King's Evil* (London, 1722).
Behn, Aphra. *Oroonoko: or, The Royal Slave* (1688, repr. Norton, 1997).
Benezet, Anthony. *A Caution and Warning to Great Britain and her Colonies* (Philadelphia, 1766).
Berkeley, Edmund and Smith, Dorothy (eds.) *The Correspondence of John Bartram, 1734–1777* (University Press of Florida, 1992).
Bernier, François. 'Nouvelle Division de la Terre, par les differentes Espèces ou Races d'hommes qui l'habitent', *Journal des Sçavans* 12 (1684), 148–55.
Berwick, Edward (ed.) *The Rawdon Papers, Consisting of Letters on Various Subjects, Literary, Political and Ecclesiastical* (London, 1819).
Blackwell, Elizabeth. *A Curious Herbal*, 2 vols. (London, 1737–9).
Bluett, Thomas. *Some Memoirs of the Life of Job, the Son of Solomon the High Priest of Boonda in Africa* (London, 1734).
Boswell, James. *The Life of Samuel Johnson* (1791, repr. Penguin, 2008).
Browne, Patrick. *The Civil and Natural History of Jamaica* (London, 1756).
Brownlow, John (ed.) *Memoranda; or, Chronicles of the Foundling Hospital* (Sampson Low, 1847).
Byrd, William. 'Account of a Negro-Boy that is Dappel'd in Several Places of His Body with White Spots', *PT* 19 (1695–7), 781–2.
Camelli, George and Petiver, James. 'De Monstris, Quasi Monstris, et Monstrosis', *PT* 25 (1706–7), 2266–76.
Crossley, David and Saville, Richard (eds.) *The Fuller Letters, 1728–1755: Guns, Slaves and Finance* (Sussex Record Society, 1991).
Cunningham, James. 'Part of Two Letters to the Publisher from Mr James Cunningham', *PT* 23 (1702–3), 1201–9.
Cunningham, Peter (ed.) *The Letters of Horace Walpole, Earl of Orford*, 9 vols. (London, 1857–9).
Dallas, R. C. *The History of the Maroons*, 2 vols. (London, 1803).
Dampier, William. *A New Voyage Round the World*, 5th edn (London, 1703).
De Beer, E. S. (ed.) *The Correspondence of John Locke*, 8 vols. (Clarendon Press, 1976–89).
Defoe, Daniel. *The Fortunes and Misfortunes of the Famous Moll Flanders* (London, 1722).
——. *The Complete English Tradesman* (1726, repr. Alan Sutton, 1987).
De Las Casas, Bartolomé. *A Short Account of the Destruction of the Indies* (1522), trans. Nigel Griffin (Penguin, 1992).

Dufour, Philippe. *The Manner of Making Coffee, Tea, and Chocolate* (London, 1685).
Earle, William. *Obi: or, The History of Three-Fingered Jack* (1803), ed. Srinivas Aravamudan (Broadview Press, 2005).
Edwards, Bryan. *The History, Civil and Commercial, of the British Colonies in the West Indies*, 2 vols. (London, 1793).
Elias, A. C., Jr (ed.) *Memoirs of Laetitia Pilkington*, 2 vols. (University of Georgia Press, 1997).
Equiano, Olaudah. *The Interesting Narrative of the Life of Olaudah Equiano* (1789, repr. Norton, 2001).
Evelyn, John. *Sylva, or a Discourse of Forest-Trees, and the Propagation of Timber* (London, 1664).
———. *Memoirs, Illustrative of the Life and Writings of John Evelyn*, 2nd edn (London, 1819).
Faujas de Saint-Fond, Barthélemy. *Travels in England, Scotland, and the Hebrides*, 2 vols. (London, 1799).
Finch, Jeremiah (ed.) *A Catalogue of the Libraries of Sir Thomas Browne and Dr. Edward Browne, His Son: A Facsimile Reproduction With an Introduction, Notes and Index* (Brill, 1986).
Franklin, Benjamin. 'Autobiography', in *Writings* (Library of America, 1987).
Garth, Samuel. *The Dispensary: A Poem* (London, 1699).
Hall, Douglas (ed.) *In Miserable Slavery: Thomas Thistlewood in Jamaica, 1750–86* (University of the West Indies Press, 1989).
Hayes, Kevin (ed.) *The Library of William Byrd of Westover* (Rowman and Littlefield, 1997).
Hernández, Francisco. *The Mexican Treasury: The Writings of Dr Francisco Hernández*, ed. Simon Varey (Stanford University Press, 2000).
Hoppen, K. Theodore (ed.) *Papers of the Dublin Philosophical Society, 1683–1709*, 2 vols. (Irish Manuscripts Commission, 2008).
Hunter, Michael (ed.) *Magic and Mental Disorder: Sir Hans Sloane's Memoir of John Beaumont* (Robert Boyle Project, 2011).
Hutton, William. *A Journey from Birmingham to London* (London, 1785).
Jerrold, W. Blanchard. *How to See the British Museum in Four Visits* (London, 1852).
Jones, Clyve and Holmes, Geoffrey (eds.) *The London Diaries of William Nicolson, Bishop of Carlisle, 1702–1718* (Clarendon Press, 1985).
Kaempfer, Engelbert. *Amoenitatum exoticarum* (Lemgoviae, 1712).
———. *The History of Japan*, trans. Johann Gaspar Scheuchzer, 2 vols. (London, 1727).
———. *Kaempfer's Japan: Tokugawa Culture Observed*, ed. Beatrice Bodart-Bailey (University of Hawai'i Press, 1999).
Kalm, Per. *Kalm's Account of his Visit to England on his Way to America in 1748*, trans. Joseph Lucas (Macmillan, 1892).
King, William. *The Transactioneer* (London, 1700).
———. *The Present State of Physick in the Island of Cajamai* (London, 1710).
———. *A Voyage to the Island of Cajamai in America*, in King, *Useful Transactions*.
———. *Useful Transactions*, in *The Original Works in Verse and Prose of Dr William King*, 3 vols. (London, 1776), vol. 2.
Lancaster, William (ed.) *Letters Addressed to Ralph Thoresby* (Thoresby Society, 1912).
Lankester, Edwin (ed.) *The Correspondence of John Ray* (The Ray Society, 1848).
Lewis, Matthew. *Journal of a West India Proprietor* (1834, repr. Oxford University Press, 1999).
Lhwyd, Edward. 'Extracts of Several Letters from Mr. Edward Lhwyd . . . Containing Observations in Natural History and Antiquities, Made in His Travels thro' Wales and Scotland', *PT* 28 (1713), 93–101.
Ligon, Richard. *A True and Exact History of the Island of Barbadoes* (London, 1657).
Linnaeus, Carolus. *Species plantarum*, 2 vols. (Stockholm, 1753).
Lister, Martin. *A Journey to Paris in the Year 1698*, 3rd edn (London, 1699).
Lockyer, Charles. *Account of the Trade in India*, 2 vols. (London, 1711).
Long, Edward. *History of Jamaica*, 3 vols. (London, 1774).
MacPike, Eugene Fairchild (ed.) *Correspondence and Papers of Edmond Halley* (Clarendon Press, 1932).
Marchand, Jean (ed.) *A Frenchman in England, 1784: Being the Mélanges sur l'Angleterre of François de la Rochefoucauld*, trans. S. C. Roberts (Caliban Books, 1995).
Mayor, J. E. B. (ed.) *Cambridge under Queen Anne* (Cambridge Antiquarian Society, 1911).
McPherson, Robert (ed.) *The Journal of the Earl of Egmont: Abstract of the Trustees Proceedings for Establishing the Colony of Georgia, 1732–1738* (University of Georgia Press, 1962).
Meadow, Mark and Robertson, Bruce (eds.) *The First Treatise on Museums: Samuel Quiccheberg's Inscriptiones, 1565* (Getty Research Institute, 2013).
Molyneux, Thomas. 'Remarks upon the Aforesaid Letter and Teeth', *PT* 29 (1714), 370–84.
Montagu, Elizabeth. *Elizabeth Montagu, the Queen of the Blue-Stockings: Her Correspondence from 1720 to 1761*, ed. Emily Climenson, 2 vols. (John Murray, 1906).
Moritz, Karl Philipp. *Travels, Chiefly on Foot, through Several Parts of England, in 1782* (London, 1795).

[Mortimer, Cromwell]. 'Account of the Prince and Princess of Wales Visiting Sir Hans Sloane', *Gentleman's Magazine* 18 (1748), 301–2.
Moseley, Benjamin. *A Treatise on Sugar* (London, 1799).
Nichols, John (ed.) *The Progresses and Public Processions of Queen Elizabeth*, 3 vols., London, 1823.
——— and Nichols, John Bower (eds.) *Illustrations of the Literary History of the Eighteenth Century*, 8 vols. (London, 1817–58).
Nieuhof, Johannes. *Gedenkweerdige Brasiliaense zee- en lant-reize* (Amsterdam, 1682).
Petiver, James. *Musei Petiveriani* (London, 1695–1703).
———. 'Catalogue of Some Guinea-Plants, with Their Native Names and Virtues', *PT* 19 (1695–7), 677–86.
———. *Brief Directions for the Easie Making, and Preserving Collections of all Natural Curiosities* (London, 1700?).
Pope, Alexander. *The Works of Alexander Pope* (John Murray, 1886).
[Powlett, Edmund]. *The General Contents of the British Museum*, 2nd edn (London, 1762).
Pulteney, Richard. *Historical and Biographical Sketches of the Progress of Botany in England*, 2 vols. (London, 1790).
Quarrell, W. H. and W. J. C. (eds.) *Oxford in 1710: From the Travels of Zacharias Conrad Von Uffenbach* (Blackwell, 1928).
Quélus, D. *The Natural History of Chocolate*, trans. R. Brookes, 2nd edn (London, 1725).
Quincy, John. *The Dispensatory of the Royal College of Physicians*, 2nd edn (London, 1727).
Ralegh, Walter. *The Discoverie of the Large, Rich and Bewtiful Empyre of Guiana* (1596, repr. Manchester University Press, 1997).
Ranby, John. 'Some Observations Made in an Ostrich, Dissected by Order of Sir Hans Sloane', *PT* 33 (1724–5), 223–7.
Ray, John. *Historia plantarum* (London, 1686–1704).
———. *The Wisdom of God Manifested in the Works of Creation* (London, 1691).
Rudwick, Martin. *Georges Cuvier, Fossil Bones, and Geological Catastrophes: New Translations and Interpretations of the Primary Texts* (University of Chicago Press, 1998).
Rusnock, Andrea (ed.) *The Correspondence of James Jurin (1684–1750): Physician and Secretary to the Royal Society* (Rodopi, 1996).
[Salter, James]. *A Catalogue of the Rarities to be Seen at Don Saltero's Coffee-House in Chelsea* (London, 1731).
Shaftesbury, Earl of (Anthony Ashley Cooper). *Characteristicks of Men, Manners, Opinions, Times* (1711), ed. Lawrence Klein (Cambridge University Press, 1999).
Shaw, Thomas. 'Letter to Sir Hans Sloane', *PT* 36 (1729–30), 177–84.
———. *Travels, or Observations relating to Several Parts of Barbary and the Levant* (1738, 2nd edn, London, 1757).
Shesgreen, Sean (ed.) *Engravings by Hogarth* (Dover, 1973).
Siegel, Jonah (ed.) *The Emergence of the Modern Museum: An Anthology of Nineteenth-Century Sources* (Oxford University Press, 2009).
Slaney, Edward. *Tabulae Iamaicae Insulae* (1678).
Sloane, Hans. 'A Description of the Pimienta or Jamaica Pepper-Tree, and of the Tree That Bears the Cortex Winteranus', *PT* 16 (1686–92), 462–8.
———. 'Account of a Prodigiously Large Feather of the Bird Cuntur . . . and of the Coffee-Shrub', *PT* 18 (1694), 61–4.
———. 'Letter from Hans Sloane . . . with Several Accounts of the Earthquakes in Peru . . . and at Jamaica', *PT* 18 (1694), 78–100.
———. 'Account of Four Sorts of Strange Beans, Frequently Cast on Shoar on the Orkney Isles', *PT* 19 (1695–7), 298–300.
———. 'Account of the Tongue of a Pastinaca Marina, Frequent in the Seas about Jamaica, and Lately Dug up in Mary-Land, and England', *PT* 19 (1695–7), 674–6.
———. 'Account of a China Cabinet', *PT* 20 (1698), 390–92.
———. 'A Further Account of the Contents of the China Cabinet', *PT* 20 (1698), 461–2.
———. 'Of the Use of the Root Ipecacuanha', *PT* 20 (1698), 69–79.
———. 'Part of a Letter from Mr George Dampier . . . Concerning the Cure of the Bitings of Mad Creatures', *PT* 20 (1698), 49–52.
———. 'A Further Account of a China Cabinet', *PT* 21 (1699), 44.
———. 'A Further Account of What Was Contain'd in the Chinese Cabinet', *PT* 21 (1699), 70–72.
———. 'Some Observations . . . concerning some Wonderful Contrivances of Nature in a Family of Plants in Jamaica, to Perfect the Individuum, and Propagate the Species', *PT* 21 (1699), 113–20.
———. *A Voyage to the Islands . . . with the Natural History of [Jamaica]*, 2 vols. (London, 1707–25).
———. 'A Letter from Dr Hans Sloane . . . to the Right Honourable the Earl of Cromertie', *PT* 27 (1710–12), 302–8.
———. 'Account of Elephants Teeth and Bones Found Under Ground', *PT* 35 (1727–8), 457–71, 497–514.

———. 'Mémoire sur les dents et autres ossemens de l'éléphant trouvés dans terre', *Mémoires de l'Académie Royale des Sciences* (1729), 305–34.
———. 'Conjectures on the Charming or Fascinating Power Attributed to the Rattle-Snake', *PT* 38 (1733–4), 321–31.
———. 'Account of Inoculation by Sir Hans Sloane' (1736), *PT* 49 (1755–6), 516–20.
———. 'Answer to the Marquis de Caumont's Letter', *PT* 40 (1737–8), 374–7.
———. *An Account of a Most Efficacious Medicine for Soreness, Weakness, and Several Other Distempers of the Eyes* (London, 1745).
———. 'Accounts of the Pretended Serpent-Stone Called Pietra de Cobra de Cabelos, and of the Pietra de Mombazza or the Rhinoceros Bezoar', *PT* 46 (1749–50), 118–25.
———. *Authentic Copies of the Codicils belonging to the Last Will and Testament of Sir Hans Sloane* (London, 1753).
———. *Will of Sir Hans Sloane* (London, 1753).
Smollett, Tobias. *The Adventures of Peregrine Pickle* (London, 1751).
———. *The Expedition of Humphry Clinker*, 3 vols. (London, 1771).
Solander, Daniel. *Daniel Solander: Collected Correspondence, 1753–1782*, ed. and trans. Edward Duyker and Per Tingbrand (University of Melbourne Press, 1995).
Sprat, Thomas. *The History of the Royal-Society of London, for the Improving of Natural Knowledge* (London, 1667).
Stack, Thomas. 'Letter from Thomas Stack', *PT* 41 (1739), 140–42.
Stuart, Alexander. 'An Explanation of the Figures of a Pagan Temple and Unknown Characters at Cannara in Salset', *PT* 26 (1708–9), 372.
Stubbe, Henry. *The Indian Nectar* (London, 1662).
Stukeley, William. *Of the Spleen* (London, 1723).
———. *The Family Memoirs of the Reverend William Stukeley* (Surtees Society, 1882–7).
Swedenborg, Emanuel. *Divine Love and Wisdom* (1763, repr. A & D Publishing, 2007).
Swift, Jonathan. *A Tale of a Tub* [1704] *and Other Works* (Oxford University Press, 1999).
———. *Travels into Several Remote Nations of the World, in four parts, by Lemuel Gulliver* (1726, repr. Penguin, 1985).
Taylor, John. *Multum in Parvo*, repr. in David Buisseret (ed.), *Jamaica in 1687: The Taylor Manuscript at the National Library of Jamaica* (University of the West Indies Press, 2008).
[Thomson, Alexander]. *Letters on the British Museum* (London, 1767).
Trapham, Thomas. *A Discourse of the State of Health in the Island of Jamaica* (London, 1679).
Turner, Dawson (ed.) *Extracts from the Literary and Scientific Correspondence of Richard Richardson* (Yarmouth, 1835).
Van der Doort, Abraham. *A Catalogue and Description of King Charles the First's Capital Collection of Pictures . . .* (London, 1757).
Van Rymsdyk, Jan and Andreas. *Museum Britannicum* (London, 1778).
'Voyage of the *Hannibal*, 1693–1694', in Elizabeth Donnan (ed.), *Documents Illustrative of the History of the Slave Trade to America, Volume I: 1441–1700* (Octagon Books, 1969), 392–410.
Walker, John (ed.) *Letters Written by Eminent Persons in the Seventeenth and Eighteenth Centuries*, 2 vols. (London, 1813).
Ward, Ned. *A Trip to Jamaica* (London, 1698).
Werenfels, Samuel. *A Dissertation upon Superstition in Natural Things* (London, 1748).
Woodward, John. *Brief Instructions for Making Observations in All Parts of the World* (London, 1696).
Yonge, James. 'A Letter from Mr James Yonge, FRS, to Dr Hans Sloane', *PT* 26 (1709), 424–31.

SECONDARY SOURCES

Abbattista, Guido (ed.) *Encountering Otherness: Diversities and Transcultural Experiences in Early Modern European Culture* (University of Trieste Press, 2011).
Ackerman, Silke and Wess, Jane. 'Between Antiquarianism and Experiment: Hans Sloane, George III and Collecting Science', in Sloan, *Enlightenment*, 150 –57.
Adams, Percy. *Travellers and Travel-Liars, 1660–1800* (Dover, 1980).
Adas, Michael. *Machines as the Measure of Men: Science, Technology, and Ideologies of Western Dominance* (Cornell University Press, 1990).
Agamben, Giorgio. *The Open: Man and Animal*, trans. Kevin Attell (Stanford University Press, 2004).
Alegria, Maria Fernanda, *et al*. 'Portuguese Cartography in the Renaissance', in David Woodward (ed.), *The History of Cartography, Volume 3: Cartography in the European Renaissance* (University of Chicago Press, 2007), 975–1068.
Al-Khalili, Jim. *The House of Wisdom: How Arabic Science Saved Ancient Wisdom and Gave Us the Renaissance* (Penguin,

2010).
Allen, D. E. 'Petiver, James', *ODNB*.
——. 'Sherard, William', *ODNB*.
Alpers, Svetlana. 'The Museum as a Way of Seeing', in Lavine and Karp, *Exhibiting Cultures*, 25–32.
Altick, Richard. *The Shows of London* (Belknap Press, 1978).
Amussen, Susan. *Caribbean Exchanges: Slavery and the Transformation of English Society, 1640–1700* (University of North Carolina Press, 2007).
Anderson, Jennifer. *Mahogany: The Costs of Luxury in Early America* (Harvard University Press, 2012).
Anderson, R. G. W., *et al.* (eds.) *Enlightening the British: Knowledge, Discovery, and the Museum in the Eighteenth Century* (British Museum Press, 2003).
Andrew, Donna. *Philanthropy and Police: London Charity in the Eighteenth Century* (Princeton University Press, 1990).
Anonymous. 'Rose of Jamaica', *Caribbeana* 5 (1917), 130–39.
App, Urs. *The Birth of Orientalism* (University of Pennsylvania Press, 2010).
Appadurai, Arjun (ed.) *The Social Life of Things: Commodities in Cultural Perspective* (Cambridge University Press, 1986).
Appleby, John. 'Human Curiosities and the Royal Society, 1699–1751', *NRRS* 50 (1996), 13–27.
——. 'The Royal Society and the Tartar Lamb', *NRRS* 51 (1997), 23–34.
Archibald, Marion. 'Coins and Medals', in MacGregor, *Sloane*, 150–66.
Armitage, David. *The Ideological Origins of the British Empire* (Cambridge University Press, 2000).
Armstrong, Douglas and Kelly, Kenneth. 'Settlement Patterns and the Origins of African Jamaican Society: Seville Plantation, St. Ann's Bay, Jamaica', *Ethnohistory* 47 (2000), 369–97.
Armytage, W. H. G. 'The Royal Society and the Apothecaries, 1660–1722', *NRRS* 11 (1954), 22–37.
Arnold, Ken. *Cabinets for the Curious: Looking Back at Early English Museums* (Ashgate, 2006).
Aronsson, Peter, *et al.* (eds.) *National Museums: New Studies from Around the World* (Routledge, 2011).
Ashworth, William, Jr. 'Emblematic Natural History of the Renaissance', in Jardine *et al.*, *Cultures of Natural History*, 17–37.
Bailyn, Bernard. *The Ideological Origins of the American Revolution* (Harvard University Press, 1967).
—— and Denault, Patricia (eds.) *Soundings in Atlantic History: Latent Structures and Intellectual Currents, 1500–1800* (Harvard University Press, 2011).
Baldwin, Geoff. 'The "Public" as a Rhetorical Community in Early Modern England', in Shepard and Withington, *Communities in Early Modern England*, 199–215.
Barber, Tabitha and Boldrick, Stacy (eds.) *Art Under Attack: Histories of British Iconoclasm* (Tate, 2013).
Barbour, Reid. *Sir Thomas Browne: A Life* (Oxford University Press, 2013).
Bardon, Jonathan. *The Plantation of Ulster: The British Colonisation of the North of Ireland in the Seventeenth Century* (Gill & Macmillan, 2011).
Barnard, Toby. *A New Anatomy of Ireland: The Irish Protestants, 1649–1770* (Yale University Press, 2003).
——. *Making the Grand Figure: Lives and Possessions in Ireland, 1641–1770* (Yale University Press, 2004).
——. 'Boyle, Murrough', *ODNB*.
——. 'The Irish in London and "the London Irish", *c.* 1660–1780', unpublished paper.
Barnes, Geraldine. 'Curiosity, Wonder, and William Dampier's Painted Prince', *Journal for Early Modern Cultural Studies* 6 (2006), 31–50.
Barrera-Osorio, Antonio. *Experiencing Nature: The Spanish-American Empire and the Early Scientific Revolution* (University of Texas Press, 2006).
Barringer, Tim, *et al.* (eds.) *Art and Emancipation in Jamaica: Isaac Mendes Belisario and His Worlds* (Yale University Press, 2007).
Barrington, E. 'Gavin Rylands de Beer, 1899–1972', *Biographical Memoirs of Fellows of the Royal Society* 19 (1973), 64–93.
Barry, Elizabeth. 'Celebrity, Cultural Production, and Public Life', *International Journal of Cultural Studies* 11 (2008), 251–8.
Bartrum, Giulia. *Albrecht Dürer and his Legacy: The Graphic Work of a Renaissance Artist* (Princeton University Press, 2002).
Bassani, Ezio. *African Art and Artifacts in European Collections, 1400–1800* (British Museum, 2000).
Baston, K. Grudzien. 'Vaughan, John, Third Earl of Carbery', *ODNB*.
Bätzner, Nike (ed.) *Assoziationsraum Wunderkammer: Zeitgenössische Künste zur Kunst und Naturalienkammer der Franckeschen Stiftungen zu Halle* (Verlag der Franckeschen Stiftungen zu Halle, 2015).
Baucom, Ian. *Spectres of the Atlantic: Finance Capital, Slavery, and the Philosophy of History* (Duke University Press, 2005).
Baudrillard, Jean. 'The System of Collecting' (1968), in Elsner and Cardinal, *Cultures of Collecting*, 7–24.
Bauer, Ralph. *The Cultural Geography of Colonial American Literatures: Empire, Travel, Modernity* (Cambridge University

Press, 2003).
———. 'A New World of Secrets: Occult Philosophy and Local Knowledge in the Sixteenth-Century Atlantic', in Delbourgo and Dew, *Science and Empire in the Atlantic World*, 99–126.
Baugh, Daniel. *The Global Seven Years War, 1754–1763: Britain and France in a Great Power Contest* (Routledge, 2011).
Beck, David. 'County Natural History: Indigenous Science in England, from Civil War to Glorious Revolution', *Intellectual History Review* 24 (2014), 71–87.
Beck, Robin. *Chiefdoms, Collapse, and Coalescence in the Early American South* (Cambridge University Press, 2013).
Beckles, Hilary. '"A Riotous and Unruly Lot": Irish Indentured Servants and Free Men in the English West Indies, 1644–1713', *WMQ* 67 (1990), 503–22.
Bender, John and Marrinan, Michael. *The Culture of Diagram* (Stanford University Press, 2010).
Benedict, Barbara. *Curiosity: A Cultural History of Early Modern Inquiry* (University of Chicago Press, 2001).
———. 'Collecting Trouble: Sir Hans Sloane's Literary Reputation in Eighteenth-Century Britain', *Eighteenth-Century Life* 36 (2012), 111–42.
Benjamin, Walter. *The Arcades Project*, trans. Howard Eiland and Kevin McLaughlin (Belknap Press, 1999).
Bennett, Herman. ' "Sons of Adam": Text, Context, and the Early Modern African Subject', *Representations* 92 (2005), 16–45.
Bennett, Tony. 'The Exhibitionary Complex', *New Formations* 4 (1988), 73–102.
Berg, Maxine. *Luxury and Pleasure in Eighteenth-Century Britain* (Oxford University Press, 2007).
Biagioli, Mario and Galison, Peter (eds.) *Scientific Authorship: Credit and Intellectual Property in Science* (Routledge, 2002).
Bickham, Troy. '"A Conviction of the Reality of Things": Material Culture, North American Indians and Empire in Eighteenth-Century Britain', *Eighteenth-Century Studies* 39 (2005), 29–47.
Bilby, Kenneth. *True-Born Maroons* (University Press of Florida, 2005).
Bindman, David and Gates, Henry Louis, Jr (eds.) *The Image of the Black in Western Art, Part III: From the 'Age of Discovery' to the Age of Abolition – The Eighteenth Century* (Belknap Press, 2011).
——— and Weston, Helen. 'Court and City: Fantasies of Domination', in Bindman and Gates, *Image of the Black*, 125–70.
Binnema, Ted. *'Enlightened Zeal': The Hudson's Bay Company and Scientific Networks, 1670–1870* (University of Toronto Press, 2014).
Blackburn, Robin. *The Making of New World Slavery: From the Baroque to the Modern, 1492–1800* (Verso, 1997).
Blackwell, Mark (ed.) *The Secret Life of Things: Animals, Objects, and It-Narratives in Eighteenth-Century England* (Bucknell University Press, 2007).
Blair, Ann. *Too Much to Know: Managing Scholarly Information before the Modern Age* (Yale University Press, 2010).
Bleichmar, Daniela. *Visible Empire: Botanical Expeditions and Visual Culture in the Hispanic Enlightenment* (University of Chicago Press, 2012).
Block, Kristen and Shaw, Jenny. 'Subjects without an Empire: The Irish in the Early Modern Caribbean', *Past and Present* 210 (2011), 33–60.
Bodart-Bailey, Beatrice. 'Writing *The History of Japan*', in Bodart-Bailey and Massarella, *The Furthest Goal*, 17–43.
——— and Derek Massarella (eds.) *The Furthest Goal: Engelbert Kaempfer's Encounter with Tokugawa Japan* (Japan Library, 1995).
Bond, Richmond. *Queen Anne's American Kings* (Clarendon Press, 1952).
Bond, T. Christopher. 'Keeping up with the Latest Transactions: The Literary Critique of Scientific Writing in the Hans Sloane Years', *Eighteenth-Century Life* 22 (1998), 1–17.
Bork, Robert and Kann, Andrea (eds.) *The Art, Science, and Technology of Medieval Travel* (Ashgate, 2008).
Boschung, Dietrich and Bremmer, Jan (eds.) *The Materiality of Magic* (Wilhelm Fink, 2015).
Bowen, H. V. 'British Conceptions of Global Empire, 1756–83', *Journal of Imperial and Commonwealth History* 26 (1998), 1–27.
——— *et al.* (eds.) *The Worlds of the East India Company* (D. S. Brewer, 2002).
Bracken, Susan, *et al.* (eds.) *Women Patrons and Collectors* (Cambridge Scholars Publishing, 2012).
Braunholtz, H. J. *Sir Hans Sloane and Ethnography* (British Museum, 1970).
Bredekamp, Horst. *The Lure of Antiquity and Cult of the Machine: The Kunstkammer and the Evolution of Nature, Art, and Technology* (Markus Weiner, 1995).
Brewer, John. *The Sinews of Power: War, Money, and the English State, 1688–1783* (Unwin Hyman, 1989).
———. *The Pleasures of the Imagination: English Culture in the Eighteenth Century* (HarperCollins, 1997).
——— and Roy Porter (eds.) *Consumption and the World of Goods* (Routledge, 1993).
Brigham, David. 'Mark Catesby and the Patronage of Natural History in the First Half of the Eighteenth Century', in Meyers and Pritchard, *Empire's Nature*, 91–146.
Brockliss, Laurence and Jones, Colin. *The Medical World of Early Modern France* (Oxford University Press, 1997).

Brooks, Eric St John. *Sir Hans Sloane: The Great Collector and His Circle* (Batchworth Press, 1954).
Brotton, Jerry. *The Sale of the Late King's Goods: Charles I and his Art Collection* (Macmillan, 2006).
——. *This Orient Isle: Elizabethan England and the Islamic World* (Allen Lane, 2016).
Brown, Christopher. *Moral Capital: Foundations of British Abolitionism* (University of North Carolina Press, 2006).
Brown, Vera Lee. 'The South Sea Company and Contraband Trade', *American Historical Review* 31 (1926), 662–78.
Brown, Vincent. *The Reaper's Garden: Death and Power in the World of Atlantic Slavery* (Harvard University Press, 2008).
——. 'Social Death and Political Life in the Study of Slavery', *American Historical Review* 114 (2009), 1231–49.
Brown, Yu-Ying. 'Japanese Books and Manuscripts', in MacGregor, *Sloane*, 278–90.
Brusius, Mirjam. 'Misfit Objects: Layard's Excavations in Ancient Mesopotamia and the Biblical Imagination in Mid-Nineteenth Century Britain', *Journal of Literature and Science* 5 (2012), 38–52.
Buchwald, Jed, and Cohen, I. Bernard (eds.) *Isaac Newton's Natural Philosophy* (MIT Press, 2001).
Bumas, E. Shaskan. 'The Cannibal Butcher Shop: Protestant Uses of Las Casas's *Brevísima Relación* in Europe and the American Colonies', *Early American Literature* 35 (2000), 107–36.
Burke, Peter. 'Commentary', *Archival Science* 7 (2007), 391–7.
Burnard, Trevor. 'A Failed Settler Society: Marriage and Demographic Failure in Early Jamaica', *Journal of Social History* 28 (1994), 63–82.
——. 'Who Bought Slaves in Early America? Purchasers of Slaves from the Royal African Company in Jamaica, 1674–1708', *Slavery and Abolition* 17 (1996), 68–92.
——. '"The Countrie Continues Sicklie": White Mortality in Jamaica, 1655– 1780', *Social History of Medicine* 12 (1999), 45–72.
——. *Mastery, Tyranny, and Desire: Thomas Thistlewood and his Slaves in the Anglo-Jamaican World* (University of North Carolina Press, 2004).
Burnett, Andrew. '"The King Loves Medals": The Study of Coins in Europe and Britain', in Sloan, *Enlightenment*, 122–31.
Bush, Barbara. *Slave Women in Caribbean Society, 1650–1838* (Indiana Uni- versity Press, 1990).
Bushnell, David, Jr. 'The Sloane Collection in the British Museum', *American Anthropologist* 39 (1906), 671–85.
Butterfield, Herbert. *The Origins of Modern Science, 1300–1800* (1949, repr. Free Press, 1965).
Bynum, Carol Walker. *Christian Materiality: An Essay on Religion in Late Medieval Europe* (Zone, 2011).
Byrd, Alexander. *Captives and Voyagers: Black Migrants across the Eighteenth-Century British Atlantic World* (Louisiana State University Press, 2010).
Cain, A. J. 'John Locke on Species', *Archives of Natural History* 24 (1997), 337–60.
Campos, Edmund. 'Thomas Gage and the English Colonial Encounter with Chocolate', *Journal of Medieval and Early Modern Studies* 39 (2009), 183–200.
Candlin, Fiona. 'Touch, and the Limits of the Rational Museum or Can Matter Think?', *Senses and Society* 3 (2008), 277–92.
Cañizares-Esguerra, Jorge. *How to Write the History of the New World: Histories, Epistemologies, and Identities in the Eighteenth-Century Atlantic World* (Stanford University Press, 2000).
——. *Nature, Empire, and Nation: Explorations of the History of Science in the Iberian World* (Stanford University Press, 2006).
Cannon, John. 'Botanical Collections', in MacGregor, *Sloane*, 136–49.
Canny, Nicholas. 'The Ideology of English Colonization: From Ireland to America', *WMQ* 30 (1973), 575–98.
——. 'Identity Formation in Ireland: The Emergence of the Anglo-Irish', in Canny and Anthony Pagden, *Colonial Identity in the Atlantic World*, 159–212.
—— and Anthony Pagden (eds.) *Colonial Identity in the Atlantic World, 1500–1800* (Princeton University Press, 1987).
Carey, Daniel. *Locke, Shaftesbury and Hutcheson: Contesting Diversity in the Enlightenment and Beyond* (Cambridge University Press, 2005).
——. 'Inquiries, Heads, and Directions: Orienting Early Modern Travel', in Hayden, *Travel Narratives*, 25–52.
——. 'Locke's Species: Money and Philosophy in the 1690s', *Annals of Science* 70 (2013), 357–80.
—— and Festa, Lynn (eds.) *Postcolonial Enlightenment: Eighteenth-Century Colonialism and Postcolonial Theory* (Oxford University Press, 2009).
Carney, Judith. *Black Rice: The African Origins of Rice Cultivation in the Americas* (Harvard University Press, 2001).
—— and Rosomoff, Richard. *In the Shadow of Slavery: Africa's Botanical Legacy in the Atlantic World* (University of California Press, 2010).
Carswell, John. *The South Sea Bubble* (Cresset, 1960).
Casid, Jill. *Sowing Empire: Landscape and Colonization* (University of Minnesota Press, 2005).
Cassidy, Frederic. *Jamaica Talk: Three Hundred Years of the English Language in Jamaica* (St Martin's, 1961).

Caygill, Marjorie. 'Sloane's Will and the Establishment of the British Museum', in MacGregor, *Sloane*, 45–68.
———. 'From Private Collection to Public Museum: The Sloane Collection at Chelsea and the British Museum in Montagu House', in Anderson *et al.*, *Enlightening the British*, 18–28.
———. 'Sloane's Catalogues and the Arrangement of his Collections', in Hunter, *Books to Bezoars*, 120–36.
——— and Date, Christopher. *Building the British Museum* (British Museum, 1999).
Chakrabarti, Pratik. *Materials and Medicine: Trade, Conquest and Therapeutics in the Eighteenth Century* (Manchester University Press, 2010).
Chakrabarty, Dipesh. 'The Climate of History: Four Theses', *Critical Inquiry* 35 (2009), 197–222.
Chambers, Ian. 'A Cherokee Origin for the "Catawba" Deerskin Map (*c.*1721)', *Imago Mundi* 65 (2013), 207–16.
Chambers, Liam. 'Medicine and Miracles in the Late Seventeenth Century: Bernard Connor's *Evangelium Medici* (1697)', in Kelly and Clark, *Ireland and Medicine*, 53–72.
Chaplin, Joyce. 'Mark Catesby, a Sceptical Newtonian in America', in Meyers and Pritchard, *Empire's Nature*, 34–90.
———. *Subject Matter: Technology, Science, and the Body on the Anglo-American Frontier, 1500–1676* (Harvard University Press, 2001).
———. *The First Scientific American: Benjamin Franklin and the Pursuit of Genius* (Basic, 2007).
Chaudhuri, K. N. *The Trading World of Asia and the English East India Company, 1660–1760* (Cambridge University Press, 1978).
Cherry, John. 'Medieval and Later Antiquities: Sir Hans Sloane and the Collecting of History', in MacGregor, *Sloane*, 198–221.
Christie, John and Shuttleworth, Sally (eds.) *Nature Transfigured: Science and Literature, 1700–1900* (Manchester University Press, 1989).
Churchill, Wendy. 'Bodily Differences? Gender, Race, and Class in Hans Sloane's Jamaican Medical Practice, 1687–1688', *Journal of the History of Medicine and Allied Sciences* 60 (2005), 391–444.
———. 'Sloane's Perspectives on the Medical Knowledge and Health Practices of Non-Europeans', in Hunter, *Books to Bezoars*, 90–98.
Clark, J. C. D. *English Society, 1660–1832: Religion, Ideology, and Politics during the Ancien Regime*, rev. edn (Cambridge University Press, 2000).
Clark, Michael and Crawford, Catherine (eds.) *Legal Medicine in History* (Cambridge University Press, 1994).
Clark, Peter. *British Clubs and Societies, 1500–1800: The Origins of an Associational World* (Oxford University Press, 2000).
Clark, William, *et al.* (eds.) *The Sciences in Enlightened Europe* (University of Chicago Press, 1999).
Clarke, J. Kent. *Goodwin Wharton* (Oxford University Press, 1984).
Clarke, Jack. 'Sir Hans Sloane and Abbé Bignon: Notes on Collection Building in the Eighteenth Century', *Library Quarterly* 50 (1980), 475–82.
Classen, Constance. 'Museum Manners: The Sensory Life of the Early Museum', *Journal of Social History* 40 (2007), 895–914.
Clifton, Robin. 'Monck, Christopher', *ODNB.*
Clutton-Brock, Juliet. 'Vertebrate Collections', in MacGregor, *Sloane*, 77–92.
Cody, Lisa. *Birthing the Nation: Sex, Science, and the Conception of Eighteenth-Century Britons* (Oxford University Press, 2008).
Coe, Sophie and Michael. *The True History of Chocolate* (Thames & Hudson, 1996).
Cohen, Patricia. *A Calculating People: The Spread of Numeracy in Early America* (University of Chicago Press, 1982).
Cole, Michael and Zorach, Rebecca (eds.) *The Idol in the Age of Art: Objects, Devotions and the Early Modern World* (Ashgate, 2009).
Colla, Elliot. *Conflicted Antiquities: Egyptology, Egyptomania, Egyptian Modernity* (Duke University Press, 2007).
Colley, Linda. *Britons: Forging the Nation, 1707–1837* (Yale University Press, 1992).
———. *Captives: Britain, Empire, and the World, 1600–1850* (Jonathan Cape, 2002).
Conley, Katharine. 'Value and Hidden Cost in André Breton's Surrealist Collection', *South Central Review* 32 (2015), 8–22.
Cook, Harold. *The Decline of the Old Medical Regime in Stuart London* (Cornell University Press, 1986).
———. 'Practical Medicine and the British Armed Forces After the "Glorious Revolution"', *Medical History* 34 (1990), 1–26.
———. 'The Rose Case Reconsidered: Physic and the Law in Augustan England', *Journal of the History of Medicine* 45 (1990), 527–55.
———. 'Sir John Colbatch and Augustan Medicine: Experimentalism, Character, and Entrepreneurialism', *Annals of Science* 47 (1990), 475–505.
———. *Trials of an Ordinary Doctor: Joannes Groenevelt in Seventeenth-Century London* (Johns Hopkins University Press, 1994).

——. 'Time's Bodies: Crafting the Preparation and Preservation of Naturalia', in Smith and Findlen, *Merchants and Marvels*, 223–47.
——. 'Medicine', in Daston and Park, *Cambridge History of Science, Volume 3*, 407–34.
——. *Matters of Exchange: Commerce, Medicine, and Science in the Dutch Golden Age* (Yale University Press, 2007).
Cook, J. Mordaunt. *The British Museum: A Case-Study in Architectural Politics* (Penguin, 1972).
Cook, Jill. 'The Nature of the Earth and the Fossil Debate', in Sloan, *Enlightenment*, 92–9.
——. 'The Elephants in the Collection: Sloane and the History of the Earth', in Hunter, *Books to Bezoars*, 158–67.
Cooper, Alix. *Inventing the Indigenous: Local Knowledge and Natural History in Early Modern Europe* (Cambridge University Press, 2007).
Coulton, Richard. '"The Darling of the Temple-Coffee-House Club": Science, Sociability, and Satire in Early Eighteenth-Century London', *Journal for Eighteenth-Century Studies* 35 (2012), 43–65.
Cowan, Brian. *The Social Life of Coffee: The Emergence of the British Coffeehouse* (Yale University Press, 2005).
Cowie, Leonard. *Henry Newman: An American in London, 1708–43* (Church Historical Society, 1956).
Crawford, Catherine. 'Legalizing Medicine: Early Modern Legal Systems and the Growth of Medico-Legal Knowledge', in Clark and Crawford, *Legal Medicine in History*, 89–116.
Crawford, Robert. *Devolving English Literature* (Oxford University Press, 1992).
Crosby, Alfred. *The Columbian Exchange: Biological and Cultural Consequences of 1492* (Greenwood, 1972).
Cuatrecasas, José. 'Cacao and its Allies: A Taxonomic Revision of the Genus Theobroma', *Contributions from the U.S. National Herbarium* 35 (1964), 379–614.
Cunningham, Andrew. 'Thomas Sydenham: Epidemics, Experiment and the "Good Old Cause"', in French and Wear, *Medical Revolution*, 164–90.
Curran, Andrew. 'Rethinking Race History: The Role of the Albino in the French Enlightenment Life Sciences', *History and Theory* 48 (2009), 151–79.
——. *The Anatomy of Blackness: Science and Slavery in an Age of Enlightenment* (Johns Hopkins University Press, 2011).
Curthoys, J. H. 'Hannes, Sir Edward', *ODNB*.
Dabydeen, David. *Hogarth's Blacks: Images of Blacks in Eighteenth-Century English Art* (University of Georgia Press, 1987).
Dacome, Lucia. *Malleable Anatomies: Models, Makers, and Material Culture in Eighteenth-Century Italy* (Oxford University Press, 2017).
Da Costa, P. Fontes. 'The Culture of Curiosity at the Royal Society in the First Half of the Eighteenth Century', *NRRS* 56 (2002), 147–66.
Dandy, J. E. *The Sloane Herbarium* (British Museum, 1958).
Darley, Gillian. *John Evelyn: Living for Ingenuity* (Yale University Press, 2007).
Daston, Lorraine. 'Marvellous Facts and Miraculous Evidence in Early Modern Europe', *Critical Inquiry* 18 (1991), 193–214.
——. 'The Ideal and Reality of the Republic of Letters in the Enlightenment', *Science in Context* 4 (1991), 367–86.
——. 'Attention and the Values of Nature in the Enlightenment', in Daston and Vidal, *Moral Authority of Nature*, 100–26.
—— (ed.) *Things That Talk: Object Lessons from Art and Science* (Zone, 2004).
——. 'Type Specimens and Scientific Memory', *Critical Inquiry* 31 (2004), 153–82.
—— and Galison, Peter. *Objectivity* (Zone, 2007).
—— and Park, Katharine. *Wonders and the Order of Nature, 1150–1750* (Zone, 1998).
—— and Park, Katharine (eds.) *The Cambridge History of Science, Volume 3: Early Modern Science* (Cambridge University Press, 2006).
—— and Vidal, Fernando (eds.) *The Moral Authority of Nature* (University of Chicago Press, 2004).
Davies, Randall. *The Greatest House at Chelsey* (John Lane, 1914).
Davis, Natalie Zemon. *Women on the Margins: Three Seventeenth-Century Lives* (Harvard University Press, 1995).
——. *Trickster Travels: A Sixteenth-Century Muslim between Worlds* (Hill & Wang, 2007).
Day, Michael. 'Humana: Anatomical, Pathological and Curious Human Specimens in Sloane's Museum', in MacGregor, *Sloane*, 69–76.
Dear, Peter. '*Totius in Verba*: Rhetoric and Authority in the Early Royal Society', *Isis* 76 (1985), 145–61.
——. 'The Meanings of Experience', in Daston and Park, *Cambridge History of Science, Volume 3*, 106–31.
De Beer, Gavin. *Sir Hans Sloane and the British Museum* (Oxford University Press, 1953).
——. *The Sciences Were Never at War* (Nelson, 1960).
Debus, Allen. *Chemistry and Medical Debate: Van Helmont to Boerhaave* (Science History Publications, 2001).
DeLacy, Margaret. *The Germ of an Idea: Contagionism, Religion, and Society in Britain, 1660–1730* (Palgrave Macmillan, 2016).

Delbourgo, James. *A Most Amazing Scene of Wonders: Electricity and Enlightenment in Early America* (Harvard University Press, 2006).
———. 'Divers Things: Collecting the World Under Water', *History of Science* 49 (2011), 149–85.
———. 'What's in the Box?', *Cabinet Magazine* 41 (2011), 46–50.
———. 'Listing People', *Isis* 103 (2012), 735–42.
———. 'The Newtonian Slave Body: Racial Enlightenment in the Atlantic World', *Atlantic Studies* 9 (2012), 185–207.
———. 'Die Wunderkammer als Ort von Neugier, Horror und Freiheit', in Bätzner, *Assoziationsraum Wunderkammer*, 83–96.
——— and Dew, Nicholas (eds.) *Science and Empire in the Atlantic World* (Routledge, 2007).
——— and Müller-Wille, Staffan. 'Listmania: Introduction', *Isis* 103 (2012), 710 –15.
Delmer, Cyrille. 'Sloane's Fossils', in Hunter, *Books to Bezoars*, 154–7.
DeLoughrey, Elizabeth. *Routes and Roots: Navigating Caribbean and Pacific Island Literatures* (University of Hawai'i Press, 2010).
De Marchi, Neil. 'The Role of Dutch Auctions and Lotteries in Shaping the Art Market(s) of 17th Century Holland', *Journal of Economic Behaviour and Organization* 28 (1995), 203–21.
De Renzi, Silvia. 'Medical Expertise, Bodies, and the Law in Early Modern Courts', *Isis* 98 (2007), 315–22.
De Sequeira, Miguel Menezes, *et al.* 'The Madeiran Plants Collected by Sir Hans Sloane in 1687, and his Descriptions', *Taxon* 59 (2010), 598–612.
Dettelbach, Michael. 'Global Physics and Aesthetic Empire: Humboldt's Physical Portrait of the Tropics', in Miller and Reill, *Visions of Empire*, 258–92.
Dew, Nicholas. *Orientalism in Louis XIV's France* (Oxford University Press, 2009).
———. 'Scientific Travel in the Atlantic World: The French Expedition to Gorée and the Antilles, 1681–1683', *BJHS* 43 (2010), 1–17.
Dobbs, Betty Jo. *The Foundation of Newton's Alchemy: or, 'The Hunting of the Green Lyon'* (Cambridge University Press, 1975).
Drayton, Richard. *Nature's Government: Science, Imperial Britain, and the 'Improvement' of the World* (Yale University Press, 2000).
Dubois, Laurent. *Avengers of the New World: The Story of the Haitian Revolution* (Harvard University Press, 2004).
Duffin, Christopher, *et al.* (eds.) *A History of Geology and Medicine* (Geological Society of London, 2013).
Duffy, Eamon. *The Stripping of the Altars: Traditional Religion in England, c. 1400–c. 1580* (Yale University Press, 1992).
Dunn, P. M. 'Sir Hans Sloane (1660–1753) and the Value of Breast Milk', *Archives of Disease in Childhood, Fetal and Neonatal Edition* 85 (2001), F73–F74.
Dunn, Richard. *Sugar and Slaves: The Rise of the Planter Class in the English West Indies, 1624–1723* (University of North Carolina Press, 1972).
Eamon, William. *Science and the Secrets of Nature: Books of Secrets in Medieval and Early Modern Europe* (Princeton University Press, 1994).
Earle, Peter. *The Wreck of the Almiranta: Sir William Phips and the Search for the Hispaniola Treasure* (Macmillan, 1979).
———. *The Making of the English Middle Class: Business, Society and Family Life in London, 1660–1730* (University of California Press, 1989).
Eco, Umberto. *The Infinity of Lists* (Rizzoli, 2009).
Eddy, Matthew, *et al.* (eds.) *Chemical Knowledge in the Early Modern World*, vol. 29 of *Osiris* (2014).
Eger, Elizabeth. 'Paper Trails and Eloquent Objects: Bluestocking Friendship and Material Culture', *Parergon* 26 (2009), 109–38.
Eliot, John. *Empires of the Atlantic World: Britain and Spain in America, 1492–1830* (Yale University Press, 1997).
Ellis, Markman. *The Coffee House: A Cultural History* (Weidenfeld & Nicolson, 2004).
Elman, Benjamin. *A Cultural History of Modern Science in China* (Harvard University Press, 2006).
Elshakry, Marwa. 'When Science Became Western: Historiographical Reflections', *Isis* 101 (2010), 98–109.
Elsner, John and Cardinal, Roger (eds.) *The Cultures of Collecting* (Harvard University Press, 1994).
Eltis, David and Richardson, David. *Atlas of the Transatlantic Slave Trade* (Yale University Press, 2010).
Endt-Jones, Marion. 'Reopening the Cabinet of Curiosities: Nature and the Marvellous in Surrealism and Contemporary Art', PhD thesis (University of Manchester, 2009).
Erskine, Andrew. 'Culture and Power in Ptolemaic Egypt: The Museum and Library of Alexandria', *Greece and Rome* 42 (1995), 38–48.
Evenden, Doreen. 'Blackwell, Elizabeth', *ODNB*.
Fan, Fa-ti. *British Naturalists in Qing China: Science, Empire, and Cultural Encounter* (Harvard University Press, 2004).

Fara, Patricia. *Sympathetic Attractions: Magnetic Practices, Beliefs, and Symbolism in Eighteenth-Century England* (Princeton University Press, 1996).

——. *Newton: The Making of Genius* (Columbia University Press, 2002).

Feigenbaum, Gail and Reist, Inge (eds.) *Provenance: An Alternate History of Art* (Getty Institute, 2013).

Feingold, Mordechai. 'Mathematicians and Naturalists: Sir Isaac Newton and the Royal Society', in Buchwald and Cohen, *Isaac Newton's Natural Philosophy*, 77–102.

Fenton, William. *The Great Law and the Longhouse: A Political History of the Iroquois Confederacy* (University of Oklahoma Press, 1998).

Festa, Lynn. 'The Moral Ends of Eighteenth- and Nineteenth-Century Object Narratives', in Blackwell, *Secret Life of Things*, 309–28.

Finch, Jeremiah (ed.) *A Catalogue of the Libraries of Sir Thomas Browne and Dr. Edward Browne, His Son: A Facsimile Reproduction with an Introduction, Notes and Index* (Brill, 1986).

Findlen, Paula. *Possessing Nature: Museums, Collecting and Scientific Culture in Early Modern Italy* (University of California Press, 1994).

——. 'Inventing Nature: Commerce, Art, and Science in the Early Modern Cabinet of Curiosities', in Smith and Findlen, *Merchants and Marvels*, 297–323.

—— (ed.) *Athanasius Kircher: The Last Man Who Knew Everything* (Rout- ledge, 2004).

——. 'Anatomy Theatres, Botanical Gardens, and Natural History Collections', in Daston and Park, *Cambridge History of Science, Volume 3*, 272–89.

——. 'Natural History', in Daston and Park, *Cambridge History of Science, Volume 3*, 435–68.

Fitton, Mike and Gilbert, Pamela. 'Insect Collections', in MacGregor, *Sloane*, 112–22.

Forshaw, Peter. '"Behold, the Dreamer Cometh": Hyperphysical Magic and Deific Visions in an Early Modern Theosophical Lab-Oratory', in Raymond, *Conversations with Angels*, 175–200.

——. 'Magical Material and Material Survivals: Amulets, Talismans and Mirrors in Early Modern Europe', in Boschung and Bremmer, *Materiality of Magic*, 357–78.

Foss, Peter and O'Connell, Catherine. 'Bogland: Study and Utilization', in Foster, *Nature in Ireland*, 184–98.

Foster, John (ed.) *Nature in Ireland: A Scientific and Cultural History* (McGill-Queens University Press, 1999).

Foucault, Michel. *The Order of Things: An Archaeology of the Human Sciences* (1966, repr. Vintage, 1994).

Frasca-Spada, Marina and Jardine, Nick (eds.) *Books and the Sciences in History* (Cambridge University Press, 2000).

French, Roger and Wear, Andrew (eds.) *The Medical Revolution of the Seventeenth Century* (Cambridge University Press, 1989).

Frey, Sylvia and Wood, Betty. *Come Shouting to Zion: African American Protestantism in the American South and British Caribbean to 1830* (University of North Carolina Press, 1998).

Furdell, Elizabeth. *The Royal Doctors, 1485–1714: Medical Personnel at the Tudor and Stuart Courts* (University of Rochester Press, 2001).

Gallay, Alan. *The Indian Slave Trade: The Rise of the English Empire in the American South, 1670–1717* (Yale University Press, 2002).

Gascoigne, John. *Science in the Service of Empire: Joseph Banks, the British State and the Uses of Science in the Age of Revolution* (Cambridge University Press, 1998).

——. 'The Royal Society, Natural History, and the Peoples of the "New World(s)", 1660–1800', *BJHS*, 42 (2009), 539–62.

Gaspar, David Barry. '"Rigid and Inclement": Origins of the Jamaica Slave Laws of the Seventeenth Century', in Tomlins and Mann, *Many Legalities of Early America*, 78–96.

Gaudio, Michael. *Engraving the Savage: The New World and Techniques of Civilization* (University of Minnesota Press, 2008).

Gaukroger, Stephen. *Descartes: An Intellectual Biography* (Oxford University Press, 1995).

Geary, Patrick. 'Sacred Commodities: The Circulation of Medieval Relics', in Appadurai, *Social Life of Things*, 169–91.

Gee, Sophie. *Making Waste: Leftovers and the Eighteenth-Century Imagination* (Princeton University Press, 2009).

Genuth, Sara Schechner. 'Astrolabes: A Cross-Cultural and Social Perspective', in Webster and Webster, *Western Astrolabes*, 2–25.

——. 'Astrolabes and Medieval Travel', in Bork and Kann, *Art, Science, and Technology of Medieval Travel*, 181–210.

Gerbi, Antonello. *The Dispute of the New World: The History of a Polemic, 1750–1900*, trans. Jeremy Moyle (1955, repr. University of Pittsburgh Press, 1973).

Gerzina, Gretchen. *Black England: Life Before Emancipation* (John Murray, 1995).

Gibson-Wood, Carol. 'Classification and Value in a Seventeenth-Century Museum: William Courten's Collection', *Journal*

of the History of Collections 9 (1997), 61–77.
——. *Jonathan Richardson: Art Theorist of the English Enlightenment* (Yale University Press, 2000).
Gidal, Eric. *Poetic Exhibitions: Romantic Aesthetics and the Pleasures of the British Museum* (Bucknell University Press, 2002).
Gikandi, Simon. *Slavery and the Culture of Taste* (Princeton University Press, 2011).
Gilbert, Pamela. 'Glanville, Eleanor', *ODNB*.
Gillispie, Charles. *Science and Polity in France: The Revolutionary and Napoleonic Years* (Princeton University Press, 2004).
Glasson, Travis. *Mastering Christianity: Missionary Anglicanism and Slavery in the Atlantic World* (Oxford University Press, 2011).
Goetzmann, William. 'John Bartram's Journey to Onondaga in Context', in Hoffmann and Van Horne, *America's Curious Botanist*, 97–106.
Goldfinch, John. 'Sloane's Incunabula', in Hunter, *Books to Bezoars*, 208–20.
Goldgar, Anne. 'The British Museum and the Virtual Representation of Culture in the Eighteenth Century', *Albion* 32 (2000), 195–231.
Golinski, Jan. 'A Noble Spectacle: Phosphorus and the Public Cultures of Science in the Early Royal Society', *Isis* 80 (1989), 11–39.
——. *British Weather and the Climate of Enlightenment* (University of Chicago Press, 2007).
Gomez, Michael. *Pragmatism in the Age of Jihad: The Precolonial State of Bundu* (Cambridge University Press, 1993).
——. *Exchanging our Country Marks: The Transformation of African Identities in the Colonial and Antebellum South* (University of North Carolina Press, 1998).
Gómez, Nicolás Wey. *The Tropics of Empire: Why Columbus Sailed South to the Indies* (MIT Press, 2008).
Gómez, Pablo. 'The Circulation of Bodily Knowledge in the Seventeenth-Century Black Spanish Caribbean', *Social History of Medicine* 26 (2013), 383–402.
Goodwin, Gordon. 'Cuninghame, James', *ODNB*.
Goody, Jack. *The Domestication of the Savage Mind* (Cambridge University Press, 1977).
Gordon, Bertram. 'Commerce, Colonies, and Cacao: Chocolate in England from Introduction to Industrialization', in Grivetti and Shapiro, *Chocolate*, 583–94.
Govier, Mark. 'The Royal Society, Slavery, and the Island of Jamaica: 1660–1700', *NRRS* 53 (1999), 203–17.
Graeber, David. *Toward an Anthropological Theory of Value: The False Coin of Our Own Dreams* (Palgrave, 2001).
Grafton, Anthony. *New Worlds, Ancient Texts: The Power of Tradition and the Shock of Discovery* (Harvard University Press, 1992).
Grant, Douglas. *The Fortunate Slave: An Illustration of African Slavery in the Early Eighteenth Century* (Oxford University Press, 1968).
Gray, J. M. *A History of the Gambia* (Cambridge University Press, 1940). Greene, Jack. *Pursuits of Happiness: The Social Development of Early Modern*
British Colonies and the Formation of American Culture (University of North Carolina Press, 1988).
——. '"A Plain and Natural Right to Life and Liberty": An Early Natural Rights Attack on the Excesses of the Slave System in Colonial British America', *WMQ* 57 (2000), 793–808.
Greenfield, Jeanette. *The Return of Cultural Treasures*, 3rd edn (Cambridge University Press, 2013).
Greer, Margaret, *et al.* (eds.) *Rereading the Black Legend: The Discourses of Religious and Racial Difference in the Renaissance Empires* (University of Chicago Press, 2008).
Grimé, William. *Ethno-Botany of the Black Americans* (Reference Publications, 1979).
Grindle, Nick. '"No Other Sign or Note than the Very Order": Francis Willughby, John Ray and the Importance of Collecting Pictures', *Journal of the History of Collections* 17 (2005), 15–22.
Grivetti, Louis and Shapiro, Howard (eds.) *Chocolate: History, Culture, and Heritage* (John Wiley and Sons, 2009).
Grove, Richard. *Green Imperialism: Colonial Expansion, Tropical Island Edens and the Origins of Environmentalism, 1600–1860* (Cambridge University Press, 1996).
Guerrini, Anita. *Obesity and Depression in the Enlightenment: The Life and Times of George Cheyne* (University of Oklahoma Press, 2000).
——. ' "A Scotsman on the Make": The Career of Alexander Stuart', in Wood, *Scottish Enlightenment*, 157–76.
——. 'Anatomists and Entrepreneurs in Early Eighteenth-Century London', *Journal of the History of Medicine and Allied Sciences* 59 (2004), 219–39.
——. 'Theatrical Anatomy: Duverney in Paris, 1670–1720', *Endeavour* 33 (2009), 7–11.
Gunn, Geoffrey. *First Globalization: The Eurasian Exchange, 1500–1800* (Rowman & Littlefield, 2003).

Habermas, Jürgen. *The Structural Transformation of the Public Sphere: An Inquiry into a Category of Bourgeois Society*, trans. Thomas Burger (MIT Press, 1991).

Hagner, Michael. 'Enlightened Monsters', in Clark *et al.*, *Sciences in Enlightened Europe*, 175–217.

Hallock, Thomas. 'Narrative, Nature, and Cultural Contact in John Bartram's *Observations*', in Hoffmann and Van Horne, *America's Curious Botanist*, 107–26.

Hamilton, Douglas and Blyth, Robert (eds.) *Representing Slavery: Art, Artefacts and Archives in the Collections of the National Maritime Museum* (Lund Humphries, 2007).

Hancock, David. *Citizens of the World: London Merchants and the Integration of the British Atlantic Community, 1735–1785* (Cambridge University Press, 1997).

——. *Oceans of Wine: Madeira and the Emergence of American Trade and Taste* (Yale University Press, 2009).

Handler, Jerome. 'Slave Medicine and Obeah in Barbados, circa 1650 to 1834', *New West Indian Guide* 74 (2000), 57–90.

——. 'The Middle Passage and the Material Culture of Captive Africans', *Slavery and Abolition* 30 (2009), 1–26.

Hanson, Craig. *The English Virtuoso: Art, Medicine, and Antiquarianism in the Age of Empiricism* (University of Chicago Press, 2009).

Harkness, Deborah. *John Dee's Conversations with Angels: Cabala, Alchemy and the End of Nature* (Cambridge University Press, 1999).

Harris, John. *The Palladian Revival: Lord Burlington, His Villa and Garden at Chiswick* (Royal Academy of Arts, 1994).

Harris, Steven. 'Long-Distance Corporations, Big Science and the Geography of Knowledge', *Configurations* 6 (1988), 269–304.

Haskell, Francis. *The King's Pictures: The Formation and Dispersal of the Collections of Charles I and his Courtiers* (Yale University Press, 2013).

Hauser, Mark. *An Archaeology of Black Markets: Local Ceramics and Economies in Eighteenth-Century Jamaica* (University Press of Florida, 2008).

Hayden, Judy (ed.) *Travel Narratives, the New Science, and Literary Discourse, 1569–1750* (Ashgate, 2012).

Hayes, Kevin (ed.) *The Library of William Byrd of Westover* (Rowman and Littlefield, 1997).

Hayton, David. 'The Williamite Revolution in Ireland, 1688–91', in Israel, *Anglo-Dutch Moment*, 185–214.

——. *Ruling Ireland, 1685–1742: Politics, Politicians, and Parties* (Boydell, 2004).

——. *The Anglo-Irish Experience, 1680–1730: Religion, Identity and Patriotism* (Boydell, 2012).

——. 'Southwell, Edward', *ODNB*.

Heaman, Elsbeth. 'Epistemic and Military Failures in Britain and Canada during the Seven Years' War', in Heaman *et al.*, *Essays in Honour of Michael Bliss*, 93–118.

—— *et al.* (eds.) *Essays in Honour of Michael Bliss: Figuring the Social* (University of Toronto Press, 2008).

Heesen, Anke te. 'Boxes in Nature', *Studies in the History and Philosophy of Science* 31 (2000), 381–403.

——. 'News, Paper, Scissors: Clippings in the Sciences and Arts Around 1920', in Daston, *Things That Talk*, 297–323.

——. 'Accounting for the Natural World: Double-Entry Bookkeeping in the Field', in Schiebinger and Swan, *Colonial Botany*, 237–51.

Heilbron, John. *Physics at the Royal Society during Newton's Presidency* (William Andrews Clark Memorial Library, 1983).

Helms, Mary. 'Essay on Objects: Interpretations of Distance Made Tangible', in Schwartz, *Implicit Understandings*, 355–77.

Henderson, Thomas and McConnell, Anita. 'Barham, Henry', *ODNB*.

Heyd, Michael. *'Be Sober and Reasonable': The Critique of Enthusiasm in the Seventeenth and Early Eighteenth Centuries* (Brill, 1995).

Higman, Barry. *Montpelier, Jamaica: A Plantation Community in Slavery and Freedom, 1739–1912* (University of the West Indies Press, 1998).

Hinderaker, Eric. 'The "Four Indian Kings" and the Imaginative Construction of the First British Empire', *WMQ* 53 (1996), 487–526.

Hodder, Ian. *Entangled: An Archaeology of the Relationship between Humans and Things* (Wiley-Blackwell, 2012).

Hoffmann, Nancy and Van Horne, John (eds.) *America's Curious Botanist: A Tercentennial Reappraisal of John Bartram, 1699–1777* (American Philosophical Society, 2004).

Hooper-Greenhill, Eilean. *Museums and the Shaping of Knowledge* (Routledge, 1992).

Hoppit, Julian. *A Land of Liberty? England, 1689–1727* (Oxford University Press, 2000).

Hopwood, Nick, *et al.* 'Seriality and Scientific Objects in the Nineteenth Century', *History of Science* 48 (2010), 251–85.

Hostetler, Laura. *Qing Colonial Enterprise: Ethnography and Cartography in Early Modern China* (University of Chicago Press, 2001).

Houghton, Walter Jr., 'The English Virtuoso in the Seventeenth Century', parts 1–2, *Journal of the History of Ideas* 3 (1942),

51–73, 190–219.
Houston, Stuart, *et al.* (eds.) *Eighteenth-Century Naturalists of Hudson Bay* (McGill-Queens University Press, 2003).
Hsia, Florence. *Sojourners in a Strange Land: Jesuits and their Scientific Missions in Late Imperial China* (University of Chicago Press, 2009).
Hudson, Nicholas. 'From "Nation" to "Race": The Origin of Racial Classification in Eighteenth-Century Thought', *Eighteenth-Century Studies* 29 (1996), 247–64.
Hunt, Arnold. 'Sloane as a Collector of Manuscripts', in Hunter, *Books to Bezoars*, 190–207.
Hunter, Matthew. *Wicked Intelligence: Visual Art and the Science of Experiment in Restoration London* (University of Chicago Press, 2013).
Hunter, Michael. *Establishing the New Science: The Experience of the Early Royal Society* (Boydell and Brewer, 1989).
———. *Boyle: Between God and Science* (Yale University Press, 2009).
——— *et al.* (eds.) *From Books to Bezoars: Sir Hans Sloane and His Collections* (British Library, 2012).
Hunting, Penelope. *A History of the Society of Apothecaries* (Society of Apothecaries, 1998).
Hurston, Zora Neale. *Tell My Horse: Voodoo and Life in Haiti and Jamaica* (Perennial Library, 1990).
Iliffe, Robert. 'Foreign Bodies: Travel, Empire and the Early Royal Society of London, Part One – Englishmen on Tour', *Canadian Journal of History* 33 (1998), 357–85.
Impey, Oliver. 'Oriental Antiquities', in MacGregor, *Sloane*, 222–7.
Israel, Jonathan (ed.) *The Anglo-Dutch Moment: Essays on the Glorious Revolution and its World Impact* (Cambridge University Press, 2003).
———. 'The Dutch Role in the Glorious Revolution', in Israel, *Anglo-Dutch Moment*, 105–62.
Jacob, James. *Henry Stubbe, Radical Protestantism and the Early Enlightenment* (Cambridge University Press, 1983).
Jacob, Margaret. *The Newtonians and the English Revolution, 1689–1720* (Cornell University Press, 1976).
———. *Strangers Nowhere in the World: The Rise of Cosmopolitanism in Early Modern Europe* (University of Pennsylvania Press, 2006).
Jacquot, Jean. 'Sir Hans Sloane and French Men of Science', *NRRS* 10 (1953), 85–98.
James, Kathryn. 'Sloane and the Public Performance of Natural History', in Hunter, *Books to Bezoars*, 41–7.
Jardine, Lisa. *Going Dutch: How England Plundered Holland's Glory* (Harper- Collins, 2008).
Jardine, Nicholas, *et al.* (eds.) *Cultures of Natural History* (Cambridge Univer- sity Press, 1996).
Jarvis, Charles. *Order Out of Chaos: Linnaean Plant Names and their Types* (Linnaean Society of London, 2007).
——— and Oswald, Philip. 'The Collecting Activities of James Cuninghame FRS on the Voyage of *Tuscan* to China (Amoy) between 1697 and 1699', *NRRS* 69 (2015), 135–53.
Jasanoff, Maya. *Edge of Empire: Conquest and Collecting on the Eastern Frontier of the British Empire* (Fourth Estate, 2005).
Jenkins, Eugenia. *A Taste for China: English Subjectivity and the Prehistory of Orientalism* (Oxford University Press, 2013).
Jenkins, Ian. 'Classical Antiquities: Sloane's "Repository of Time"', in MacGregor, *Sloane*, 167–73.
Jenkins, Susan. *Portrait of a Patron: The Patronage and Collecting of James Bridges, 1st Duke of Chandos (1674–1744)* (Ashgate, 2007).
Jewson, Nicholas. 'Medical Knowledge and the Patronage System in 18th-Century England', *Sociology* 8 (1974), 369–85.
Johnson, Maurice, *et al.* *Gulliver's Travels and Japan* (Doshisha University/ Amherst House, 1977).
Jones, Peter. 'A Preliminary Check-List of Sir Hans Sloane's Catalogues', *British Library Journal* 14 (1988), 38–51.
Jonsson, Fredrik Albritton. *Enlightenment's Frontier: The Scottish Highlands and the Origins of Environmentalism* (Yale University Press, 2013).
Jordan, Winthrop. *White Over Black: American Attitudes towards the Negro, 1550–1812* (University of North Carolina Press, 1968).
Jordanova, Ludmilla. 'Portraits, People and Things: Richard Mead and Medical Identity', *History of Science* 61 (2003), 93–113.
Jorink, Eric. 'Sloane and the Dutch Connection', in Hunter, *Books to Bezoars*, 57–70.
Kassell, Lauren. *Medicine and Magic in Elizabethan London: Simon Forman, Astrologer, Alchemist and Physician* (Oxford University Press, 2007).
Katzew, Ilona. *Casta Painting: Images of Race in Eighteenth-Century Mexico* (Yale University Press, 2004).
Kaufman, Terrence and Justeson, John. 'The History of the Word for "Cacao" and Related Terms in Ancient Meso-America', in McNeil, *Chocolate in Mesoamerica*, 117–39.
Keevak, Michael. *The Pretended Asian: George Psalmanazar's Eighteenth- Century Formosan Hoax* (Wayne State University Press, 2004).
———. *Becoming Yellow: A Short History of Racial Thinking* (Princeton University Press, 2011).
Keller, Vera. 'Nero and the Last Stalk of *Silphion*: Collecting Extinct Nature in Early Modern Europe', *Early Science and*

Medicine 19 (2014), 424–47.

Kellman, Jordan. 'Nature, Networks, and Expert Testimony in the Colonial Atlantic: The Case of Cochineal', *Atlantic Studies* 7 (2010), 373–95.

Kelly, James, and Clark, Fiona (eds.) *Ireland and Medicine in the Seventeenth and Eighteenth Centuries* (Ashgate, 2010).

Kennedy, Alasdair. 'In Search of the "True Prospect": Making and Knowing the Giant's Causeway as a Field Site in the Seventeenth Century', *BJHS* 41 (2008), 19–41.

Kenyon, John. *The Popish Plot* (Heinemann, 1972).

Kevill-Davies, Sally. *Sir Hans Sloane's Plants on Chelsea Porcelain* (Elmhirst & Suttie, 2015).

Kidd, Colin. *British Identities before Nationalism: Ethnicity and Nationhood in the Atlantic World, 1600–1800* (Cambridge University Press, 1999).

Kim, Julie. 'Obeah and the Secret Sources of Atlantic Medicine', in Hunter, *Books to Bezoars*, 99–104.

King, J. C. H. 'Ethnographic Collections: Collecting in the Context of Sloane's Catalogue of "Miscellanies"', in MacGregor, *Sloane*, 228–44.

——. *First Peoples, First Contacts: Native Peoples of North America* (Harvard University Press, 1999).

Kiple, Kenneth. *The Caribbean Slave: A Biological History* (Cambridge University Press, 1984).

Klaus, Sidney. 'A History of the Science of Pigmentation', in Nordlund *et al.*, *Pigmentary System*, 5–10.

Klein, Ursula and Lefèvre, Wolfgang (eds.) *Materials in Eighteenth-Century Science: A Historical Ontology* (MIT Press, 2007).

Koot, Christian. *Empire at the Periphery: British Colonists, Anglo-Dutch Trade, and the Development of the British Atlantic, 1621–1713* (NYU Press, 2011).

Kopytoff, Igor. 'The Cultural Biography of Things: Commoditization as Process', in Appadurai, *Social Life of Things*, 64–91.

Kowaleski-Wallace, Elizabeth. 'The First Samurai: Isolationism in Engelbert Kaempfer's 1727 *History of Japan*', *The Eighteenth Century* 48 (2007), 111–24.

Kristeva, Julia. *Powers of Horror: An Essay on Abjection*, trans. Leon Roudiez (Columbia University Press, 1982).

Kriz, Kay Dian. 'Curiosities, Commodities, and Transplanted Bodies in Hans Sloane's "Natural History of Jamaica"', *WMQ* 57 (2000), 35–78.

——. *Slavery, Sugar, and the Culture of Refinement: Picturing the British West Indies, 1700–1840* (Yale University Press, 2008).

Kupperman, Karen. 'Fear of Hot Climates in the Anglo-American Colonial Experience', *WMQ* 41 (1984), 213–40.

Kusukawa, Sachiko. 'The Historia Piscium (1686)', *NRRS* 54 (2000), 179–97.

——. 'Picturing Knowledge in the Early Royal Society: The Examples of Richard Waller and Henry Hunt', *NRRS* 65 (2011), 273–94.

——. *Picturing the Book of Nature: Image, Text, and Argument in Sixteenth-Century Human Anatomy and Medical Botany* (University of Chicago Press, 2012).

Kuwakino, Koji. 'The Great Theatre of Creative Thought: The *Inscriptiones vel tituli theatri amplissimi* . . . (1565) by Samuel von Quiccheberg', *Journal of the History of Collections* 25 (2013), 303–24.

Laird, Mark. 'From Callicarpa to Catalpa: The Impact of Mark Catesby's Plant Introductions on English Gardens of the Eighteenth Century', in Meyers and Pritchard, *Empire's Nature*, 184–227.

Langford, Paul. *A Polite and Commercial People: England, 1727–1783* (Oxford University Press, 1994).

Latour, Bruno. 'Visualisation and Cognition: Drawing Things Together', *Knowledge and Society* 6 (1986), 1–40.

——. *Science in Action: How to Follow Scientists and Engineers through Society* (Harvard University Press, 1987).

——. 'From Realpolitik to Dingpolitik, or How to Make Things Public', in Latour and Weibel, *Making Things Public*, 4–31.

—— and Weibel, Peter (eds.) *Making Things Public: Atmospheres of Democracy* (MIT Press, 2005).

Lavine, Steven and Karp, Ivan (eds.) *Exhibiting Cultures: The Poetics and Politics of Museum Display* (Smithsonian Institute, 1991).

Law, Robin. *The Horse in West Africa* (Oxford University Press, 1980).

Lawrence, Christopher and Shapin, Steven (eds.) *Science Incarnate: Historical Embodiments of Natural Knowledge* (University of Chicago Press, 1998).

Lawrence, Natalie. 'Assembling the Dodo in Early Modern Natural History', *BJHS* 48 (2015), 387–408.

Leong, Elaine and Rankin, Alisha (eds.) *Secrets and Knowledge in Medicine and Science, 1500–1800* (Ashgate, 2011).

Lepore, Jill. *The Name of War: King Philip's War and the Origins of American Identity* (Knopf, 1998).

Levine, Joseph. *Dr Woodward's Shield: History, Science, and Satire in Augustan England* (University of California Press, 1977).

——. *The Battle of the Books: History and Literature in the Augustan Age* (Cornell University Press, 1994).

Linebaugh, Peter and Rediker, Marcus. *The Many-Headed Hydra: Sailors, Slaves, Commoners, and the Hidden History of the Revolutionary Atlantic* (Beacon, 2000).

Liss, Robert. 'Frontier Tales: Tokugawa Japan in Translation', in Schaffer *et al.*, *Brokered World*, 1–47.
Livingston, Julie and Puar, Jasbir. 'Interspecies', *Social Text* 29 (2011), 3–14.
Lugo-Ortiz, Agnes and Rosenthal, Angela (eds.) *Slave Portraiture in the Atlantic World* (Cambridge University Press, 2013).
Lynch, Michael. 'Sacrifice and the Transformation of the Animal Body into a Scientific Object: Laboratory Culture and Ritual Practice in the Neurosciences', *Social Studies of Science* 18 (1988), 265–89.
MacGregor, Arthur (ed.) *Tradescant's Rarities: Essays on the Foundation of the Ashmolean Museum* (Clarendon Press, 1983).
———. 'Egyptian Antiquities', in MacGregor, *Sloane*, 174–9.
———. 'The Life, Character and Career of Sir Hans Sloane', in MacGregor, *Sloane*, 11–44.
———. 'Prehistoric and Romano-British Antiquities', in MacGregor, *Sloane*, 180–97.
——— (ed.) *Sir Hans Sloane: Collector, Scientist, Antiquary, Founding Father of the British Museum* (British Museum Press, 1994).
———. *The Ashmolean Museum: A Brief History of the Museum and its Collections* (Ashmolean Museum, 2001).
———. 'Medicinal *terra sigillata*: A Historical, Geographical and Typological Review', in Duffin *et al.*, *History of Geology and Medicine*, 113–36.
——— and Oliver Impey (eds.) *The Origins of Museums: The Cabinet of Curiosities in Sixteenth- and Seventeenth-Century Europe* (Oxford University Press, 1985).
MacGregor, Neil. *A History of the World in 100 Objects* (Allen Lane, 2010).
MacLean, Gerald and Matar, Nabil. *Britain and the Islamic World, 1558–1713* (Oxford University Press, 2011).
Maddison, Francis and Savage-Smith, Emilie (eds.) *Science, Tools and Magic, Part One: Body and Spirit, Mapping the Universe* (Nour Foundation, 1997).
Malcolmson, Cristina. *Studies of Skin Color in the Early Royal Society: Boyle, Cavendish, Swift* (Ashgate, 2013).
Mandelbrote, Giles. 'Sloane and the Preservation of Printed Ephemera', in Mandelbrote and Taylor, *Libraries within the Library*, 146–68.
——— and Barry Taylor (eds.) *Libraries within the Library: The Origins of the British Library's Printed Collections* (British Library, 2010).
Margócsy, Dániel. 'The Fuzzy Metrics of Money: The Finances of Travel and the Reception of Curiosities in Early Modern Europe', *Annals of Science* 70 (2013), 381–404.
———. *Commercial Visions: Science, Trade, and Visual Culture in the Dutch Golden Age* (University of Chicago Press, 2014).
Markley, Robert. *The Far East and the English Imagination, 1600–1730* (Cambridge University Press, 2006).
Marshall, P. J. and Williams, Glyndwr. *The Great Map of Mankind: British Perceptions of the World in the Age of Enlightenment* (J. M. Dent & Sons, 1982).
Martínez, María Elena. *Genealogical Fictions: Limpieza de Sangre, Religion, and Gender in Colonial Mexico* (Stanford University Press, 2008).
Mason, Peter. *Before Disenchantment: Images of Exotic Animals and Plants in the Early Modern World* (Reaktion, 2009).
Massarella, Derek. 'The History of *The History*: The Purchase and Publication of Kaempfer's *History of Japan*', in Bodart-Bailey and Massarella, *The Furthest Goal*, 96–131.
Matar, Nabil. *Islam in Britain, 1558–1685* (Cambridge University Press, 1998).
——— (ed.) *In the Lands of the Christians: Arabic Travel Writing in the Seven-teenth Century* (Routledge, 2003).
Mauriès, Patrick. *Cabinets of Curiosities* (Thames & Hudson, 2002).
Mauss, Marcel. *The Gift: The Form and Reason for Exchange in Archaic Societies*, trans. W. D. Halls (1925, repr. Norton, 1990).
McBurney, Henrietta (ed.) *Mark Catesby's Natural History of America: The Watercolours from the Royal Library, Windsor Castle* (Merrell Holberton, 1997).
———. 'Note on the Natural History Albums of Sir Hans Sloane', in McBurney, *Catesby's Natural History*, 33.
McClain, Molly. *Beaufort: The Duke and His Duchess, 1657–1715* (Yale University Press, 2001).
McClellan, Andrew. *Inventing the Louvre: Art, Politics and the Origins of the Modern Museum in Eighteenth-Century Paris* (University of California Press, 1994).
McCormick, Ted. *William Petty and the Ambitions of Political Arithmetic* (Oxford University Press, 2010).
McCully, Bruce. 'Governor Francis Nicholson, Patron "Par Excellence" of Religion and Learning in Colonial America', *WMQ* 39 (1982), 310–33.
McDonald, Roderick. *The Economy and Material Culture of Slaves: Goods and Chattels on the Sugar Plantations of Jamaica and Louisiana* (Louisiana State University Press, 1993).
McKendrick, Neil, *et al.* *The Birth of a Consumer Society: The Commercialization of Eighteenth-Century England* (Europa, 1982).

McKeon, Michael. *The Origins of the English Novel, 1600–1740* (Johns Hopkins University Press, 1987).
——. *The Secret History of Domesticity: Public, Private, and the Division of Knowledge* (Johns Hopkins University Press, 2005).
McNeil, Cameron (ed.) *Chocolate in Mesoamerica: A Cultural History of Cacao* (University Press of Florida, 2006).
McNeill, John. *Mosquito Empires: Ecology and War in the Greater Caribbean, 1620–1914* (Cambridge University Press, 2010).
Meijers, Debora. 'Sir Hans Sloane and the European Proto-Museum', in Anderson *et al.*, *Enlightening the British*, 11–17.
Mejcher-Atassi, Sonja and Schwartz, John Pedro (eds.) *Archives, Museums and Collecting Practices in the Modern Arab World* (Ashgate, 2012).
Merrell, James. *Into the American Woods: Negotiators on the Pennsylvania Frontier* (Norton, 1999).
Meyers, Amy. 'The Perfecting of Natural History: Mark Catesby's Drawings of American Flora and Fauna in the Royal Library', in McBurney, *Catesby's Natural History*, 11–27.
——. 'Picturing a World in Flux: Mark Catesby's Response to Environmental Interchange and Colonial Expansion', in Meyers and Pritchard, *Empire's Nature*, 228–61.
—— and Margaret Beck Pritchard (eds.) *Empire's Nature: Mark Catesby's New World Vision* (University of North Carolina Press, 1998).
—— and Margaret Beck Pritchard. 'Introduction: Toward an Understanding of Catesby', in Meyers and Pritchard, *Empire's Nature*, 1–33.
Mikhail, Alan. *The Animal in Ottoman Egypt* (Oxford University Press, 2014).
Millar, Ashley. 'Your Beggarly Commerce! Enlightenment European views of the China Trade', in Abbattista, *Encountering Otherness*, 205–22.
Miller, David. 'The "Hardwicke Circle": The Whig Supremacy and its Demise in the 18th-Century Royal Society', *NRRS* 52 (1998), 73–91.
—— and Reill, Peter (eds.) *Visions of Empire: Voyages, Botany, and Representations of Nature* (Cambridge University Press, 1996).
Miller, Edward. *That Noble Cabinet: A History of the British Museum* (Ohio State University Press, 1974).
Minter, Sue. *The Apothecaries' Garden: A History of the Chelsea Physic Garden* (Sutton, 2000).
Mintz, Sidney. *Sweetness and Power: The Place of Sugar in Modern History* (Viking, 1985).
Mitter, Partha. *Much Maligned Monsters: A History of European Reactions to Indian Art* (University of Chicago Press, 1992).
Modest, Wayne. 'We Have Always Been Modern: Museums, Collections, and Modernity in the Caribbean', *Museum Anthropology* 35 (2012), 85–96.
Molineux, Catherine. *Faces of Perfect Ebony: Encountering Atlantic Slavery in Imperial Britain* (Harvard University Press, 2012).
Monod, Paul. *Solomon's Secret Arts: The Occult in the Age of Enlightenment* (Yale University Press, 2013).
Morgan, Edmund. *American Slavery, American Freedom: The Ordeal of Colonial Virginia* (Norton, 1975).
Morgan, Jennifer. *Labouring Women: Reproduction and Gender in New World Slavery* (University of Pennsylvania Press, 2004).
Morgan, Philip. 'Slaves and Livestock in Eighteenth-Century Jamaica: Vineyard Pen, 1750–51', *WMQ* 52 (1995), 47–76.
——. 'The Caribbean Environment in the Early Modern Era', unpublished paper.
Muensterberger, Werner. *Collecting – An Unruly Passion: Psychological Perspectives* (Princeton University Press, 1993).
Mukund, Kanakalatha. *The Trading World of the Tamil Merchant: Evolution of Merchant Capitalism in the Coromandel* (Orient Longman, 1999).
Müller-Wille, Staffan. 'Collection and Collation: Theory and Practice of Linnaean Botany', *Studies in History and Philosophy of Biological and Bio- medical Sciences* 38 (2007), 541–62.
Murphy, Anne. *The Origins of English Financial Markets: Investment and Speculation before the South Sea Bubble* (Cambridge University Press, 2012).
Murphy, Kathleen. 'Collecting Slave Traders: James Petiver, Natural History, and the British Slave Trade', *WMQ* 70 (2013), 613–70.
Murphy, Trevor. *Pliny the Elder's Natural History: The Empire in the Encyclopaedia* (Oxford University Press, 2004).
Myers, Fred (ed.) *The Empire of Things: Regimes of Value and Material Culture* (SAR Press, 2002).
Nagata, Toshiyuki, *et al.* 'Engelbert Kaempfer, Genemon Imamura and the Origin of the Name *Ginkgo*', *Taxon* 64 (2015), 131–6.
Nair, Savithri Preetha. '"To Be Serviceable and Profitable for Their Health": A Seventeenth-Century English Herbal of East Indian Plants Owned by Sloane', in Hunter, *Books to Bezoars*, 105–19.

Nappi, Carla. *The Monkey and the Inkpot: Natural History and its Transformations in Early Modern China* (Harvard University Press, 2009).
Neer, Richard. 'Framing the Gift: The Politics of the Siphnian Treasury at Delphi', *Classical Antiquity* 20 (2001), 273–344.
Neeson, Eoin. 'Woodland in History and Culture', in Foster, *Nature in Ireland*, 133–56.
Neill, Anna. 'Buccaneer Ethnography: Nature, Culture, and Nation in the Journals of William Dampier', *Eighteenth-Century Studies* 33 (2000), 165–80.
Nelson, E. Charles. *Sea Beans and Nickar Nuts* (Botanical Society of the British Isles, 2000).
Neri, Janice. *The Insect and the Image: Visualizing Nature in Early Modern Europe, 1500–1700* (University of Minnesota Press, 2011).
Newell, Jennifer, *et al.* (eds.) *Curating the Future: Museums, Communities and Climate Change* (Routledge, 2016).
Newman, William. 'From Alchemy to "Chymistry"', in Daston and Park, *Cambridge History of Science, Volume 3*, 497–517.
Nickson, Marjorie. 'Books and Manuscripts', in MacGregor, *Sloane*, 263–77. Nordlund, James, *et al.* (eds.) *The Pigmentary System: Physiology and Pathophysiology*, 2nd edn (Wiley-Blackwell, 2006).
Norton, Marcy. *Sacred Gifts, Profane Pleasures: A History of Tobacco and Chocolate in the Atlantic World* (Cornell University Press, 2008).
Nussbaum, Felicity. 'Between "Oriental" and "Blacks So Called", 1688–1788', in Carey and Festa, *Postcolonial Enlightenment*, 137–66.
Ogborn, Miles. *Indian Ink: Script and Print in the Making of the English East India Company* (University of Chicago Press, 2007).
———. *Global Lives: Britain and the World, 1550–1800* (Cambridge Univer- sity Press, 2008).
———. 'Talking Plants: Botany and Speech in Eighteenth-Century Jamaica', *History of Science* 51 (2013), 251–82.
Ogilvie, Brian. 'Natural History, Ethics, and Physico-Theology', in Pomata and Siraisi, *Historia*, 75–104.
———. *The Science of Describing: Natural History in Renaissance Europe* (University of Chicago Press, 2006).
———. 'Nature's Bible: Insects in Seventeenth-Century European Art and Science', *Tidsskrift* 3 (2008), 5–21.
Ohlmeyer, Jane. *Making Ireland English: The Irish Aristocracy in the Seven-teenth Century* (Yale University Press, 2012).
O'Malley, Therese. 'Mark Catesby and the Culture of Gardens', in Meyers and Pritchard, *Empire's Nature*, 147–83.
——— and Meyers, Amy (eds.) *The Art of Natural History: Illustrated Treatises and Botanical Paintings, 1400–1850* (Yale University Press, 2010).
O'Neill, Mark. 'Enlightenment Museums: Universal or Merely Global?', *Museum and Society* 2 (2004), 190–202.
Padrón, Francisco. *Spanish Jamaica*, trans. Patrick Bryan (Ian Randle, 2003).
Pagden, Anthony. *The Fall of Natural Man: The American Indian and the Origins of Comparative Ethnology* (Cambridge University Press, 1987).
Park, Katharine. 'The Life of the Corpse: Division and Dissection in Late Medieval Europe', *Journal of the History of Medicine* 50 (1995), 111–32.
Parker, Charles. *Global Interactions in the Early Modern Age* (Cambridge University Press, 2010).
Parrish, Susan Scott. *American Curiosity: Cultures of Natural History in the Colonial British Atlantic World* (University of North Carolina Press, 2006).
———. 'Diasporic African Sources of Enlightenment Knowledge', in Delbourgo and Dew, *Science and Empire in the Atlantic World*, 281–310.
———. 'Richard Ligon and the Atlantic Science of Commonwealths', *WMQ* 67 (2010), 209–48.
Parry, Graham. *The Trophies of Time: English Antiquarians of the Seventeenth Century* (Oxford University Press, 1996).
Pasti, George. 'Consul Sherard: Amateur Botanist and Patron of Learning, 1659–1728', PhD thesis (University of Illinois, 1950).
Paton, Diana. 'Punishment, Crime, and the Bodies of Slaves in Eighteenth-Century Jamaica', *Journal of Social History* 34 (2001), 923–54.
Patterson, Orlando. *The Sociology of Slavery: An Analysis of the Origins, Development, and Structure of Negro Slave Society in Jamaica* (Fairleigh Dickinson University Press, 1967).
———. 'Slavery and Slave Revolts: A Sociohistorical Analysis of the First Maroon War, 1665–1740', in Price, *Maroon Societies*, 246–92.
Paul, Carole. 'Capitoline Museum, Rome: Civic Identity and Personal Cultivation', in Paul, *First Modern Museums of Art*, 21–46.
——— (ed.) *The First Modern Museums of Art: The Birth of an Institution in 18th- and Early-19th-Century Europe* (Getty, 2012).
Payne, Joseph. *Thomas Sydenham* (T. Fisher Unwin, 1900).

Peck, Linda Levy. *Consuming Splendour: Society and Culture in Seventeenth-Century England* (Cambridge University Press, 2005).
Pels, Peter. 'The Spirit of Matter: On Fetish, Rarity, Fact, and Fancy', in Spyer, *Border Fetishisms*, 91–121.
Pencak, William and Richter, Daniel (eds.) *Friends and Enemies in Penn's Woods: Indians, Colonists, and the Racial Construction of Pennsylvania* (Pennsylvania State University Press, 2004).
Pestana, Carla. *The English Atlantic in an Age of Revolution, 1640–1661* (Harvard University Press, 2004).
Pettigrew, William. *Freedom's Debt: The Royal African Company and the Politics of the Atlantic Slave Trade, 1672–1752* (University of North Carolina Press, 2013).
Pietz, William. 'The Problem of the Fetish', *Res* 9 (1985), 5–17; ibid., 13 (1987), 23–45; ibid., 16 (1988), 105–24.
Pimentel, Juan. *Testigos del mundo: Ciencia, literatura y viajes en la ilustración* (Marcial Pons, 2003).
Pincus, Steven. *1688: The First Modern Revolution* (Yale University Press, 2009).
Pointon, Marcia. 'Slavery and the Possibilities of Portraiture', in Lugo-Ortiz and Rosenthal, *Slave Portraiture*, 41–70.
Pomata, Gianna. 'Sharing Cases: The *Observationes* in Early Modern Medicine', *Early Science and Medicine* 15 (2010), 193–236.
——— and Siraisi, Nancy (eds.) *Historia: Empiricism and Erudition in Early Modern Europe* (MIT Press, 2005).
Pomeranz, Kenneth. *The Great Divergence: China, Europe, and the Making of the Modern World Economy* (Princeton University Press, 2000).
Pomian, Krzysztof. *Collectors and Curiosities: Paris and Venice, 1500–1800* (1987), trans. Elizabeth Wiles-Portier (Polity, 1990).
Poole, William. 'Francis Lodwick, Hans Sloane, and the Bodleian Library', *The Library: The Transactions of the Bibliographical Society* 7 (2006), 377–418.
———. *The World Makers: Scientists of the Restoration and the Search for the Origins of the Earth* (Peter Lang, 2010).
Popkin, Richard. *Isaac La Peyrère (1596–1676): His Life, Work and Influence* (Brill, 1987).
Porter, David. *The Chinese Taste in Eighteenth-Century England* (Cambridge University Press, 2010).
Porter, Dorothy and Roy. *Patient's Progress: Doctors and Doctoring in Eighteenth-Century England* (Stanford University Press, 1989).
Porter, Roy. *English Society in the Eighteenth Century* (Allen Lane, 1982).
———. *Health for Sale: Quackery in England, 1660–1850* (Manchester University Press, 1989).
———. 'Consumption: Disease of the Consumer Society?', in Brewer and Porter, *Consumption and the World of Goods*, 58–81.
———. *The Creation of the Modern World: The Untold Story of the British Enlightenment* (Norton, 2000).
———. *Bodies Politic: Disease, Death, and Doctors in Britain, 1650–1900* (Cornell University Press, 2001).
———. *Flesh in the Age of Reason* (Allen Lane, 2003).
Porter, Venetia. *Arabic and Persian Seals and Amulets in the British Museum* (British Museum, 2011).
Postle, Martin (ed.) *Joshua Reynolds: The Creation of Celebrity* (Tate Gallery, 2005).
Powers, John. '"Ars Sine Arte": Nicolas Lemery and the End of Alchemy in Eighteenth-Century France', *Ambix* 45 (1998), 163–89.
Preston, Diana and Michael. *A Pirate of Exquisite Mind: Explorer, Naturalist, and Buccaneer: The Life of William Dampier* (Walker, 2004).
Price, Jacob. 'Heathcote, Gilbert', *ODNB*.
Price, Richard (ed.) *Maroon Societies: Rebel Slave Communities in the Americas* (Johns Hopkins University Press, 1973).
Principe, Lawrence. *The Aspiring Adept: Robert Boyle and his Alchemical Quest* (Princeton University Press, 2000).
Purcell, Mark. '"Settled in the North of Ireland": Or, Where did Sloane Come From?', in Hunter, *Books to Bezoars*, 24–32.
Raj, Kapil. 'Surgeons, Fakirs, Merchants, and Craftsmen: Making L'Empereur's *Jardin* in Early Modern South Asia', in Schiebinger and Swan, *Colonial Botany*, 252–69.
———. *Relocating Modern Science: Circulation and the Construction of Knowledge in South Asia and Europe, 1650–1900* (Palgrave, 2010).
Rappaport, Rhoda. *When Geologists were Historians, 1665–1750* (Cornell University Press, 1997).
Rath, Richard. 'African Music in Seventeenth-Century Jamaica: Cultural Transit and Transition', *WMQ* 50 (1993), 700–26.
Raven, Charles. *John Ray, Naturalist: His Life and Works* (Cambridge University Press, 1942).
Ray, Arthur. *Indians in the Fur Trade: Their Role as Trappers, Hunters, and Middlemen in the Lands Southwest of Hudson Bay, 1660–1870* (University of Toronto Press, 1974).
Raymond, Joad (ed.) *Conversations with Angels: Essays Toward a History of Spiritual Communication, 1100–1700* (Palgrave, 2011).
Rediker, Marcus. *The Slave Ship: A Human History* (Penguin, 2008).

Ree, Peta. 'Shaw, Thomas', *ODNB*.
Reitsma, Ella. *Maria Sibylla Merian and Daughters: Women of Art and Science* (Oxford University Press, 2008).
Revel, Jacques. 'Knowledge of the Territory', *Science in Context* 4 (1991), 133–61.
Richards, John. *The Mughal Empire* (Cambridge University Press, 1996).
Roach, Joseph. *Cities of the Dead: Circum-Atlantic Performance* (Columbia University Press, 1996).
Roberts, Benjamin. 'Drinking Like a Man: The Paradox of Excessive Drinking for Seventeenth-Century Dutch Youths', *Journal of Family History* 29 (2004), 237–52.
Roberts, Lissa. 'The Death of the Sensuous Chemist: The "New" Chemistry and the Transformation of Sensuous Technology', *Studies in the History and Philosophy of Science* 26 (1995), 503–29.
——— *et al.* (eds.) *The Mindful Hand: Inquiry and Invention from the Late Renaissance to Early Industrialization* (Royal Netherlands Academy of Arts and Sciences, 2007).
Robertson, James. 'Re-Writing the English Conquest of Jamaica in the Late Seventeenth Century', *English Historical Review* 117 (2002), 813–39.
———. 'Knowledgeable Readers: Jamaican Critiques of Sloane's Botany', in Hunter, *Books to Bezoars*, 80–89.
Rogoziński, Jan. *A Brief History of the Caribbean: From the Arawak and Carib to the Present* (Plume, 1999).
Roos, Anna Marie. *Web of Nature: Martin Lister (1639–1712), the First Arachnologist* (Brill, 2011).
Rosenberg, Philippe. 'Thomas Tryon and the Seventeenth-Century Dimensions of Antislavery', *WMQ* 61 (2004), 609–42.
Rougetel, Hazel Le. *The Chelsea Gardener: Philip Miller, 1691–1771* (Natural History Museum, 1990).
Rouse, Irving. *The Tainos: Rise and Decline of the People Who Greeted Columbus* (Yale University Press, 1992).
Rucker, Walter. 'Conjure, Magic, and Power: The Influence of Afro-Atlantic Religious Practices on Slave Resistance and Rebellion', *Journal of Black Studies* 32 (2001), 84–103.
Rudoe, Judy. 'Engraved Gems: The Lost Art of Antiquity', in Sloan, *Enlightenment*, 132–9.
Rudwick, Martin. *Bursting the Limits of Time: The Reconstruction of Geohistory in the Age of Revolution* (University of Chicago Press, 2005).
Ruiz, Barbaro Martinez. 'Sketches of Memory: Visual Encounters with Africa in Jamaican Culture', in Barringer *et al.*, *Art and Emancipation in Jamaica*, 103–20.
Rusnock, Andrea. *Vital Accounts: Quantifying Health and Population in Eighteenth-Century England and France* (Cambridge University Press, 2002).
Russell-Wood, A. J. R. *The Portuguese Empire, 1415–1808* (Johns Hopkins University Press, 1998).
Safier, Neil. *Measuring the New World: Enlightenment Science and South America* (University of Chicago Press, 2008).
———. 'Transformations de la Zone Torride: Les Répertoires de la Nature Tropicale à l'Époque des Lumiéres', *Annales* 66 (2011), 143–72.
Said, Edward. *Orientalism* (Pantheon, 1978).
Saliba, George. *Islamic Science and the Making of the European Renaissance* (MIT Press, 2007).
Sanderson, Margaret. *Ayrshire and the Reformation: People and Change, 1490–1600* (Tuckwell, 1997).
Sankey, Margaret. *Jacobite Prisoners of the 1715 Rebellion: Preventing and Punishing Insurrection in Early Hanoverian Britain* (Ashgate, 2005).
Santos-Guerra, Arnoldo, *et al.* 'Late 17th-Century Herbarium Collections from the Canary Islands: The Plants Collected by James Cuninghame in La Palma', *Taxon* 60 (2011), 1734–53.
Savage-Smith, Emilie. 'Amulets and Related Talismanic Objects', in Maddison and Savage-Smith, *Science, Tools and Magic*, 132–47.
Scarisbrick, Diana and Zucker, Benjamin. *Elihu Yale: Merchant, Collector and Patron* (Thames & Hudson, 2014).
Schaffer, Simon. 'Natural Philosophy and Public Spectacle in the Eighteenth Century', *History of Science* 21 (1983), 1–43.
———. 'Defoe's Natural Philosophy and the Worlds of Credit', in Christie and Shuttleworth, *Nature Transfigured*, 13–44.
———. 'The Glorious Revolution and Medicine in Britain and the Netherlands', *NRRS* 43 (1989), 167–90.
———. 'Regeneration: The Body of Natural Philosophers in Restoration England', in Lawrence and Shapin, *Science Incarnate*, 83–120.
———. '"On Seeing Me Write": Inscription Devices in the South Seas', *Representations* 97 (2007), 90–122.
———. 'Newton on the Beach: The Information Order of *Principia Mathematica*', *History of Science* 47 (2009), 243–76.
——— *et al.* (eds.) *The Brokered World: Go-Betweens and Global Intelligence, 1770–1820* (Science History Publications, 2009).
Schiebinger, Londa. *Plants and Empire: Colonial Bioprospecting in the Atlantic World* (Harvard University Press, 2004).
———. 'Scientific Exchange in the Eighteenth-Century Atlantic World', in Bailyn and Denault, *Soundings in Atlantic History*, 294–328.
——— and Swan, Claudia (eds.) *Colonial Botany: Science, Commerce, and Politics in the Early Modern World* (University of

Pennsylvania Press, 2005).
Schwartz, Marion. *A History of Dogs in the Early Americas* (Yale University Press, 1998).
Schwartz, Stuart (ed.) *Implicit Understandings: Observing, Reporting, and Reflecting on the Encounters between Europeans and Other Peoples in the Early Modern Era* (Cambridge University Press, 1994).
Scott, G. and Hewitt, M. 'Pioneers in Ethnopharmacology: The Dutch East India Company (VOC) at the Cape from 1650 to 1800', *Journal of Ethno- pharmacology* 115 (2008), 339–60.
Scott, Monique. *Rethinking Evolution in the Museum: Envisioning African Origins* (Routledge, 2007).
Screech, Timon. *The Lens within the Heart: The Western Scientific Gaze and Popular Imagery in Later Edo Japan* (University of Hawai'i Press, 2002).
Seed, Patricia. *Ceremonies of Possession in Europe's Conquest of the New World, 1492–1640* (Cambridge University Press, 1995).
Senior, Matthew. 'Pierre Donis and Joseph-Guichard Duverney: Teaching Anatomy at the Jardin du Roi, 1673–1730', *Seventeenth-Century French Studies* 26 (2004), 153–69.
Seth, Suman. *Difference and Disease: Locality and Medicine in the Eighteenth-Century British Empire*, forthcoming.
Shackelford, Jole. 'Documenting the Factual and Artifactual: Ole Worm and Public Knowledge', *Endeavour* 23 (1999), 65–71.
Shank, J. B. *The Newton Wars and the Beginning of the French Enlightenment* (University of Chicago Press, 2008).
Shapin, Steven. *A Social History of Truth: Civility and Science in Seventeenth-Century England* (University of Chicago Press, 1994).
——. *The Scientific Revolution* (University of Chicago Press, 1996).
——. 'Trusting George Cheyne: Scientific Expertise, Common Sense, and Moral Authority in Early Eighteenth-Century Dietetic Medicine', *Bulletin of the History of Medicine* 77 (2003), 263–97.
——. 'The Sciences of Subjectivity', *Social Studies of Science* 42 (2012), 170–84.
—— and Schaffer, Simon. *Leviathan and the Air-Pump: Hobbes, Boyle, and the Experimental Life* (Princeton University Press, 1985).
Shapiro, Barbara. *A Culture of Fact: England, 1550–1720* (Cornell University Press, 2000).
Shaw, Jane. *Miracles in Enlightenment England* (Yale University Press, 2006).
Shaw, Wendy. *Possessors and Possessed: Museums, Archaeology, and the Visualization of History in the Late Ottoman Empire* (University of California Press, 2003).
Sheller, Mimi. *Consuming the Caribbean: From Arawaks to Zombies* (Routledge, 2003).
Shepard, Alexandra, and Withington, Phil (eds.) *Communities in Early Modern England* (Manchester University Press, 2000).
Shepherd, Verene. *Livestock, Sugar and Slavery: Contested Terrain in Colonial Jamaica* (Ian Randle, 2009).
Sheridan, Richard. *Doctors and Slaves: A Medical and Demographic History of Slavery in the British West Indies, 1680–1834* (Cambridge University Press, 1985).
——. 'The Doctor and the Buccaneer: Sir Hans Sloane's Case History of Sir Henry Morgan, Jamaica, 1688', *Journal of the History of Medicine and Allied Sciences* 41 (1986), 76–87.
Slaughter, Thomas. *The Natures of John and William Bartram* (Knopf, 1996). Sloan, Kim (ed.) *Enlightenment: Discovering the World in the Eighteenth Century* (British Museum, 2003).
——. '"Aimed at Universality and Belonging to the Nation": The Enlightenment and the British Museum', in Sloan, *Enlightenment*, 12–25.
—— (ed.) *A New World: England's First View of America* (British Museum, 2007).
——. 'Sloane's "Pictures and Drawings in Frames" and "Books of Miniature & Painting, Designs, &c.', in Hunter, *Books to Bezoars*, 168–89.
——. 'Sir Hans Sloane's Pictures: The Science of Connoisseurship or the Art of Collecting?', *Huntington Library Quarterly* 78 (2015), 381–415.
Sloan, Philip. 'John Locke, John Ray, and the Problem of the Natural System', *Journal of the History of Biology* 5 (1972), 1–53.
Smallwood, Stephanie. *Saltwater Slavery: A Middle Passage from Africa to American Diaspora* (Harvard University Press, 2009).
Smith, Justin. *Nature, Human Nature, and Human Difference: Race in Early Modern Philosophy* (Princeton University Press, 2015).
—— and Delbourgo, James. 'Introduction', in Smith and Delbourgo (eds.), 'In Kind: Species of Exchange in Early Modern Science', *Annals of Science* 70 (2013), 299–304.
Smith, Lisa. 'The Body Embarrassed? Rethinking the Leaky Male Body in Eighteenth-Century England and France', *Gender and History* 23 (2011), 26–46.
——. 'Sloane as Friend and Physician of the Family', in Hunter, *Books to Bezoars*, 48–56.
——. 'Sir Hans Sloane's "Earnest Desire to be Useful"', unpublished paper.

Smith, Pamela, and Findlen, Paula (eds.) *Merchants and Marvels: Commerce, Science, and Art in Early Modern Europe* (Routledge, 2001).
Smith, Tracy-Ann and Hann, Katherine. 'Sloane, Slavery and Science: Perspectives from Public Programmes at the Natural History Museum', in Hunter, *Books to Bezoars*, 227–35.
Spadafora, David. *The Idea of Progress in Eighteenth-Century Britain* (Yale University Press, 1990).
Spary, Emma. *Utopia's Garden: French Natural History from Old Regime to Revolution* (University of Chicago Press, 2000).
———. 'Scientific Symmetries', *History of Science* 42 (2004), 1–46.
———. 'Self-Preservation: French Travels between *Cuisine* and *Industrie*', in Schaffer *et al.*, *Brokered World*, 355–86.
Spyer, Patricia (ed.) *Border Fetishisms: Material Objects in Unstable Spaces* (Routledge, 1998).
Stafford, Barbara Maria. *Artful Science: Enlightenment Entertainment and the Eclipse of Visual Education* (MIT Press, 1996).
Stagl, Justin. *A History of Curiosity: The Theory of Travel, 1550–1800* (Rout- ledge, 1995).
Stearns, Raymond. *James Petiver: Promoter of Natural Science* (American Antiquarian Society, 1953).
———. *Science in the British Colonies of America* (University of Illinois Press, 1970).
Stephenson, Marcia. 'From Marvellous Antidote to the Poison of Idolatry: The Transatlantic Role of Andean Bezoar Stones in the Late Sixteenth and Seventeenth Centuries', *Hispanic American Historical Review* 90 (2010), 3–39.
Stern, Philip. *The Company State: Corporate Sovereignty and the Early Modern Foundation of the British Empire in India* (Oxford University Press, 2011).
——— and Wennerlind, Carl (eds.) *Mercantilism Reimagined: Political Economy in Early Modern Britain and its Empire* (Oxford University Press, 2013).
Stewart, Larry. 'The Edge of Utility: Slaves and Smallpox in the Early Eighteenth Century', *Medical History* 29 (1985), 54–70.
———. *The Rise of Public Science: Rhetoric, Technology, and Natural Philosophy in Newtonian Britain, 1660–1750* (Cambridge University Press, 1992).
Stroup, Alice. *A Company of Scientists: Botany, Patronage, and Community at the Seventeenth-Century Parisian Royal Academy of Sciences* (University of California Press, 1990).
Subrahmanyam, Sanjay. 'Frank Submissions: The Company and the Mughals between Sir Thomas Roe and Sir William Norris', in Bowen *et al.*, *Worlds of the East India Company*, 69–96.
———. *Mughals and Franks: Explorations in Connected History* (Oxford University Press, 2005).
———. 'Taking Stock of the Franks: South Asian Views of Europeans and Europe, 1500–1800', *Indian Economic Social History Review* 42 (2005), 69–100.
Swan, Claudia. '*Ad vivum, naer het leven*, from the Life: Considerations on a Mode of Representation', *Word and Image* 11 (1995), 353–72.
Swann, Marjorie. *Curiosities and Texts: The Culture of Collecting in Early Modern England* (University of Pennsylvania Press, 2001).
Sweet, James. *Domingos Álvares, African Healing, and the Intellectual History of the Atlantic World* (University of North Carolina Press, 2011).
Sweet, Jessie. 'Sir Hans Sloane: Life and Mineral Collection, Part III – Mineral Pharmaceutical Collection', *Natural History Magazine* 5 (1935), 145–64.
———. 'Sir Hans Sloane's Metalline Cubes', *NRRS* 10 (1953), 99–100.
Sweet, Julie. 'Bearing Feathers of the Eagle: Tomochichi's Trip to England', *Georgia Historical Quarterly* 86 (2002), 339–71.
Swiderski, Richard. *The False Formosan: George Psalmanazar and the Eighteenth-Century Experiment of Identity* (Edwin Mellen, 1991).
Synnott, David. 'Botany in Ireland', in Foster, *Nature in Ireland*, 157–83.
Tamen, Miguel. *Friends of Interpretable Objects* (Harvard University Press, 2004).
Tana, Li. *Nguyễn Cochinchina: Southern Vietnam in the Seventeenth and Eighteenth Centuries* (Cornell University Press, 1998).
Taussig, Michael. *My Cocaine Museum* (University of Chicago Press, 2004). Terrall, Mary. 'Heroic Narratives of Quest and Discovery', *Configurations* 6 (1998), 223–42.
———. 'Following Insects Around: Tools and Techniques of Eighteenth-Century Natural History', *BJHS* 43 (2010), 573–88.
———. *Catching Nature in the Act: Réaumur and the Practice of Natural History in the Eighteenth Century* (University of Chicago Press, 2014).
Thackray, John. 'Mineral and Fossil Collections', in MacGregor, *Sloane*, 123–35.
Thomas, Jennifer. 'Compiling "God's Great Book [of] Universal Nature": The Royal Society's Collecting Strategies', *Journal of the History of Collections* 23 (2011), 1–13.
Thomas, Keith. *Religion and the Decline of Magic* (Weidenfeld & Nicolson, 1971).
———. *Man and the Natural World: Changing Attitudes in England, 1500–1800* (Penguin, 1983).

——. *The Ends of Life: Roads to Fulfilment in Early Modern England* (Oxford University Press, 2009).
Thomas, Nicholas. *Entangled Objects: Exchange, Material Culture, and Colonialism in the Pacific* (Harvard University Press, 1991).
Thrush, Coll. *Indigenous London: Native Travelers at the Heart of Empire* (Yale University Press, 2016).
Tillyard, Stella. 'Paths of Glory: Fame and the Public in Eighteenth-Century London', in Postle, *Joshua Reynolds*, 61–9.
Tobin, Beth. *Colonizing Nature: The Tropics in British Arts and Letters, 1760–1820* (University of Pennsylvania Press, 2005).
——. *The Duchess's Shells: Natural History Collecting in the Age of Cook's Voyages* (Yale University Press, 2014).
Todd, Angela. 'Your Humble Servant Shows Himself: Don Saltero and Public Coffeehouse Space', *Journal of International Women's Studies* 6 (2005), 119–35.
Tomlins, Christopher and Mann, Bruce (eds.) *The Many Legalities of Early America* (University of North Carolina Press, 2001).
Tortello, Rebecca and Greenland, Jonathan (eds.) *Xaymaca: Life in Spanish Jamaica, 1494–1655* (Institute of Jamaica, 2009).
Trentmann, Frank. *Empire of Things: How We Became a World of Consumers, from the Fifteenth Century to the Twenty-First* (Allen Lane, 2016).
Turner, Howard. *Science in Medieval Islam: An Illustrated Introduction* (University of Texas Press, 1996).
Tze-Ken, Danny Wong. 'The Destruction of the English East India Company Factory on Condore Island, 1702–1705', *Modern Asian Studies* 46 (2012), 1097–115.
van der Velde, Paul. 'The Interpreter Interpreted: Kaempfer's Japanese Collaborator Imamura Genemon Eisei', in Bodart-Bailey and Massarella, *The Furthest Goal*, 44–58.
Vaughan, Alden. *Transatlantic Encounters: American Indians in Britain, 1500–1776* (Cambridge University Press, 2006).
Waley-Cohen, Joanna. *The Sextants of Beijing: Global Currents in Chinese History* (Norton, 1999).
Walker, Alison. 'Sir Hans Sloane's Printed Books in the British Library: Their Identification and Associations', in Mandelbrote and Taylor, *Libraries within the Library*, 89–97.
——. 'Sir Hans Sloane and the Library of Dr Luke Rugeley', *The Library* 15 (2014), 383–409.
Wall, Cynthia. 'The English Auction: Narratives of Dismantlings', *Eighteenth-Century Studies* 31 (1997), 1–25.
——. *The Prose of Things: Transformations of Description in the Eighteenth Century* (University of Chicago Press, 2006).
Ward, Estelle. *Christopher Monck, Duke of Albemarle* (John Murray, 1915).
Warsh, Molly. 'Enslaved Pearl Divers in the Sixteenth Century Caribbean', *Slavery and Abolition* 31 (2010), 345–62.
Watts, David. *The West Indies: Patterns of Development, Culture and Environmental Change since 1492* (Cambridge University Press, 1990).
Way, Kathie. 'Invertebrate Collections', in MacGregor, *Sloane*, 93–111.
Wear, Andrew. *Knowledge and Practice in English Medicine* (Cambridge University Press, 2000).
Weaver, Karol. *Medical Revolutionaries: The Enslaved Healers of Eighteenth-Century Saint Domingue* (University of Illinois Press, 2006).
Weber, David. *The Spanish Frontier in North America* (Yale University Press, 1992).
Weber, Harold. *Paper Bullets: Print and Kingship under Charles II* (University Press of Kentucky, 1995).
Webster, Charles. *Paracelsus: Medicine, Magic and Mission at the End of Time* (Yale University Press, 2008).
Webster, Roderick and Marjorie. *Western Astrolabes* (Adler Planetarium, 1998).
Wennerlind, Carl. *Casualties of Credit: The English Financial Revolution, 1620–1720* (Harvard University Press, 2011).
Werrett, Simon. 'Healing the Nation's Wounds: Royal Ritual and Experimental Philosophy in estoration England', *History of Science* 38 (2000), 377–99.
Whan, Robert. *The Presbyterians of Ulster, 1680–1730* (Boydell, 2013).
Wheeler, Roxann. *The Complexion of Race: Categories of Difference in Eighteenth-Century British Culture* (University of Pennsylvania Press, 2000).
White, Jerry. *London in the Eighteenth Century: A Great and Monstrous Thing* (Bodley Head, 2012).
White, Richard. *The Middle Ground: Indians, Empires, and Republics in the Great Lakes Region, 1650–1815* (Cambridge University Press, 1991).
Wild, Wayne. *Medicine-by-Post: The Changing Voice of Illness in Eighteenth- Century British Consultation Letters and Literature* (Rodopi, 2006).
Williams, Jonathan. 'Parliaments, Museums, Trustees, and the Provision of Public Benefit in the Eighteenth-Century British Atlantic World', *Huntington Library Quarterly* 76 (2013), 195–214.
Wilson, Christie. *Beyond Belief: Surviving the Revocation of the Edict of Nantes in France* (Lehigh University Press, 2011).
Wilson, David. *The British Museum: A History* (British Museum, 2002).
Wilson, Kathleen. *The Sense of the People: Politics, Culture, and Imperialism in England, 1715–1785* (Cambridge University

Press, 1998).
———. *The Island Race: Englishness, Empire and Gender in the Eighteenth Century* (Routledge, 2003).
———. 'The Performance of Freedom: Maroons and the Colonial Order in Eighteenth-Century Jamaica and the Atlantic Sound', *WMQ* 66 (2009), 45–86.
Wilson, Samuel. *The Archaeology of the Caribbean* (Cambridge University Press, 2007).
Wingfield, Chris. 'Placing Britain in the British Museum: Encompassing the Other', in Aronsson *et al.*, *National Museums*, 123–37.
Winterbottom, Anna. *Hybrid Knowledge in the Early East India Company World* (Palgrave Macmillan, 2015).
Wintroub, Michael. 'Taking Stock at the End of the World: Rites of Distinction and Practices of Collecting in Early Modern Europe', *Studies in History and Philosophy of Science* 30 (1999), 395–424.
Withington, Philip. *Society in Early Modern England: The Vernacular Origins of Some Powerful Ideas* (Polity, 2010).
Wood, Marcus. *Blind Memory: Visual Representations of Slavery in England and America, 1780–1865* (Routledge, 2000).
Wood, Paul (ed.) *The Scottish Enlightenment: Essays in Reinterpretation* (University of Rochester Press, 2000).
Wootton, David. *The Invention of Science: A New History of the Scientific Revolution* (Allen Lane, 2015).
Wragge-Morley, Alexander. 'The Work of Verbal Picturing for John Ray and Some of his Contemporaries', *Intellectual History Review* 20 (2010), 165–79.
Wrigley, Tony. *Poverty, Progress, and Population* (Cambridge University Press, 2004).
Yale, Elizabeth. *Sociable Knowledge: Natural History and the Nation in Early Modern Britain* (University of Pennsylvania Press, 2016).
Yamamoto, Koji. 'Reformation and the Distrust of the Projector in the Hartlib Circle', *Historical Journal* 55 (2012), 175–97.
Yeo, Richard. 'Encyclopaedic Collectors: Hans Sloane and Ephraim Chambers', in Anderson *et al.*, *Enlightening the British*, 29–36.
———. *Encyclopaedic Visions: Scientific Dictionaries and Enlightenment Culture* (Cambridge University Press, 2010).
———. *Notebooks, English Virtuosi, and Early Modern Science* (University of Chicago Press, 2014).
Yeomans, Henry. *Alcohol and Moral Regulation: Public Attitudes, Spirited Measures, and Victorian Hangovers* (University of Chicago Press, 2014).
Young, Jason. *Rituals of Resistance: African Atlantic Religion in Kongo and the Lowcountry South in the Era of Slavery* (Louisiana State University Press, 2007).
Zahedieh, Nuala. *The Capital and the Colonies: London and the Atlantic Economy, 1660–1700* (Cambridge University Press, 2010).

Websites Consulted

(Note: websites accurately quoted at time of consultation but some no longer maintained)
Blakeway, Amy. 'The Library Catalogues of Sir Hans Sloane: Their Authors, Organization, and Functions', *Electronic British Library Journal* (2011), 1–49: http://www.bl.uk/eblj/2011articles/pdf/ebljarticle162011.pdf (accessed December 2016).
The Botanist. http://www.thebotanistonsloanesquare.com/index.php/photo- gallery/photo/180/ (accessed July 2009).
British History Online. http://www.british-history.ac.uk/vch/middx/vol12/pp 108-115 (accessed August 2016).
British Library. Elizabeth Blackwell, *Curious Herbal*: http://www.bl.uk/collection-items/a-curious-herbal-dandelion (accessed August 2016).
———. Annabel Gallop, 'Malay Manuscripts in the Sloane Collection', 2013: http://britishlibrary.typepad.co.uk/asian-and-african/2013/11/malay-manuscripts-in- the-sloane-collection.html (accessed August 2015).
———. Sloane MS 116 (prayer book): http://www.bl.uk/catalogues/illuminatedmanuscripts/ILLUMIN.ASP?Size=mid&IllID=6547 (accessed June 2014).
———. Sloane MS 1171 (Philosopher's Stone): http://www.bl.uk/catalogues/illuminatedmanuscripts/record.asp?MSID=1217&CollID=9&NStart=1171 (accessed May 2014).
———. Sloane Printed Books Catalogue: http://www.bl.uk/catalogues/sloane/ (accessed August 2014).
British Museum. Chocolate cups: http://www.britishmuseum.org/research/collection_online/collection_object_details.aspx?objectId=42888&partId=1&se archText=sloane+chocolate&page=1 (accessed July 2016).
———. Qing Vases: http://www.britishmuseum.org/research/collection_online/collection_object_details.aspx?objectId=262782&partId=1&people=98677& peoA=98677-35&sortBy=imageName&page=1 (accessed March 2014).
———. Robert Storrie on Sámi Drum: http://www.britishmuseum.org/research/collection_online/collection_object_details.aspx?objectId=671371&partId=1 &searchText=sami&images=true&page=1 (accessed August 2015).
———. Sloane Astrolabe (English): http://www.britishmuseum.org/research/collection_online/collection_object_details.

aspx?objectId=54863&partId=1& searchText=sloane+astrolabe&page=1 (English) (accessed August 2015).
——. Sloane Astrolabe (Safavid): http://www.britishmuseum.org/research/collection_online/collection_object_details.aspx?objectId=245507&partId=1 &searchText=sloane+astrolabe&images=true&page=1 (Persian) (accessed August 2015).
——. 'Sloane's Treasures: Sloane's Artificial Rarities', 2012, presentations on 'Sloane's Chinese Glass, Prints and Paintings' by Jessica Harrison-Hall, Clarissa von Spee and Anne Farrer: http://backdoorbroadcasting.net/2012/05/sloanes-treasures-sloanes-artificial-rarities/ (accessed August 2015).
Brown, Vincent. 'Slave Revolt in Jamaica, 1760–1761: A Cartographic Narrative', 2012: http://revolt.axismaps.com (accessed December 2016).
Brown, Yu-Ying. 'Kaempfer's Album of Famous Sights of Seventeenth-Century Japan', *Electronic British Library Journal* (1989), 90–103: http://www.bl.uk/eblj/1989articles/pdf/article7.pdf (accessed November 2015).
The Cadogan Estate. http://www.cadogan.co.uk/pages/estate-development (accessed March 2014).
Daily Telegraph. http://www.telegraph.co.uk/culture/art/art-news/7877168/Campaign-to-keep-slave-painting-in-Britain.html (accessed June 2013).
Delbourgo, James. 'Slavery in the Cabinet of Curiosities: Hans Sloane's Atlantic World', 2007, British Museum: http://www.britishmuseum.org/pdf/ delbourgo%20essay.pdf (accessed August 2015).
——. 'Voyage to the Islands: Hans Sloane, Slavery, and Scientific Travel in the Caribbean', 2012: http://www.brown.edu/Facilities/John_Carter_Brown_ Library/exhibitions/sloane/index.html (accessed December 2016).
Dubois, Laurent, *et al.* Musical Passage: http://www.musicalpassage.org/# explore, 2015 (accessed September 2016).
Franklin, Benjamin. Franklin to Sloane, 2 June 1725, Papers of Benjamin Franklin (Yale): http://www.franklinpapers.org/franklin/framedNames.jsp (accessed May 2013).
Hans Sloane (Chocolates). http://www.sirhanssloanelondon.co.uk/index. php?page=whyhans and http://www.quintessentiallyescape.com/Escape_ UK/Def_Unique_Chocolate.htm (accessed July 2009).
The History of Parliament. http://www.historyofparliamentonline.org/volume/1690-1715/member/sloane-james-1655-1704 (accessed April 2014).
Lister, Martin. *Every Man's Companion: or, An Useful Pocket-Book*, 1663–6, ed. Anna Marie Roos, MS Lister 19, Bodleian Library, Oxford University: http://lister.history.ox.ac.uk (accessed December 2016).
London Art Reviews. David Franchi, 2013: http://londonartreviews.com/index. php/museums/113-first-portrait-of-slave-diallo-is-back-at-the-national-portrait-gallery-london (accessed December 2016).
National Archives. Currency converter: http://apps.nationalarchives.gov.uk/currency/default0.asp (accessed August 2014).
Natural History Museum. 'A Specialist's Guide to the Sloane Database': http:// www.nhm.ac.uk/research-curation/scientific-resources/collections/botanical-collections/sloane-herbarium/about-database/index.html (accessed December 2016).
A Parcel of Ribbons: Eighteenth-Century Jamaica Viewed through Family Stories and Documents. http://aparcelofribbons.co.uk/2011/11/the-maroon-war-settlement-of-1739/ (accessed December 2014).
Pestcoe, Shlomo. 'Banjo Beginnings: The Afro-Creole "Strum-Strumps" of Jamaica, 1687–89': https://www.facebook.com/notes/banjo-roots-banjo-beginnings/banjo-beginnings-the-afro-creole-strum-strumps-of-jamaica-1687-89/596163280402853 (accessed February 2014).
Pope's Grotto Preservation Trust. http://www.popesgrotto.org.uk/pictures. html (accessed January 2014) (photo 7).
Rath, Richard. http://www.way.net/music/audio/Rich%20Rath%20-%20Af MusJamRough01.mp3 (accessed October 2014).
The Trans-Atlantic Slave Trade Database. http://www.slavevoyages.org/voyage/ (accessed August 2015).

圖片版權說明
List of Illustrations

圖

圖 1.1: Curiosity cabinets as universal knowledge: Olaus Wormius, *Museum Wormianum* (1655). Courtesy John Carter Brown Library, Brown University.

圖 2.1: Maps illustrating Sloane's Caribbean voyage: Sloane, *Natural History of Jamaica*, vol. 1 (1707). Courtesy John Carter Brown Library, Brown University.

圖 2.2: Jamaican crab specimens with fragments of pots: Sloane, *Natural History of Jamaica*, vol. 1 (1707). Courtesy John Carter Brown Library, Brown University.

圖 2.3: Sloane's Jamaican 'strum strums': Sloane, *Natural History of Jamaica*, vol. 1 (1707). Courtesy John Carter Brown Library, Brown University.

圖 2.4: African music in the Americas: Sloane, *Natural History of Jamaica*, vol. 1 (1707). Courtesy John Carter Brown Library, Brown University.

圖 3.1, 圖 3.2: Cacao specimen and sketch: Sloane Herbarium (5:59). © Trus- tees of the Natural History Museum, London.

圖 3.3: Cacao engraving: Sloane, *Natural History of Jamaica*, vol. 2 (1725). Courtesy John Carter Brown Library, Brown University.

圖 3.4: The Jamaican mammee tree: Sloane Herbarium (7:58–9). Photography by James Delbourgo, © Trustees of the Natural History Museum, London; Sloane, *Natural History of Jamaica*, vol. 2 (1725). Courtesy John Carter Brown Library, Brown University.

圖 4.1: Sloane's banking ledgers: Ancaster Deposit, with the permission of Lincolnshire Archives and the Grimsthorpe & Drummond Castle Trust.

圖 4.2: Trade card for Sloane Milk Chocolate. © Trustees of the British Museum.

圖 7.1: Montagu House: James Simon, 'Mountague House' (c. 1715). © Trustees of the British Museum.

圖 7.2: Touring the British Museum. By permission of Tony Spence and Marjorie Caygill.

彩圖

彩圖 1. *Sir Hans Sloane* by Stephen Slaughter (1736). NPG 569: © National Portrait Gallery, London.
彩圖 2. Glazed earthenware cups. © Trustees of the British Museum.
彩圖 3. Instruments from a Chinese surgical cabinet. © Trustees of the British Museum.
彩圖 4. Surinam shaddock fruit with moths, caterpillar and chrysalis by Maria Sibylla Merian. Sloane MS 5275.29: © Trustees of the British Museum.
彩圖 5. Portable Buddhist shrines. © Trustees of the British Museum.
彩圖 6. Akan drum. © Trustees of the British Museum.
彩圖 7. *Audience Given by the Trustees of Georgia to a Delegation of Creek Indians* (1734–5) by William Verelst. Courtesy Winterthur Museum.
彩圖 8. John Bartram's silver cup. Courtesy of Kislak Center for Special Collections, Rare Books and Manuscripts, University of Pennsylvania.
彩圖 9. *Ayuba Suleiman Diallo (Job ben Solomon)* by William Hoare (1733). NPG L245: OM.762, Orientalist Museum, Doha.
彩圖 10. Persian amulets with Qur'ānic inscriptions. © Trustees of the British Museum.
彩圖 11. A Turk and an Indian: from Engelbert Kaempfer at Isfahan, Persia, in 1684–5. Sloane MS 5027.b: © Trustees of the British Museum.
彩圖 12. Sloane's Antiquities Catalogue. © The Trustees of the British Museum.
彩圖 13. One of ninety drawers containing Sloane's 'Vegetable Substances' collection. Photography by James Delbourgo, © Trustees of the Natural History Museum, London.
彩圖 14. Pimiento specimen from Sloane's 'Vegetable Substances' collection. Photography by James Delbourgo, © Trustees of the Natural History Museum, London.
彩圖 15. Guinea butterfly in mica sleeve. Photography by James Delbourgo, © Trustees of the Natural History Museum, London.
彩圖 16. Sloane's shoe collection. © Trustees of the British Museum.
彩圖 17. Magical instruments belonging to the Elizabethan adept John Dee. © Trustees of the British Museum.
彩圖 18. Oak branch inside an ox vertebra. Photography by James Delbourgo, © Trustees of the Natural History Museum, London.
彩圖 19. Glass vases of imitation realgar. © Trustees of the British Museum.
彩圖 20. British Museum seal, 1755. © Trustees of the British Museum.

左岸科學人文（329）

蒐藏全世界
史隆先生和大英博物館的誕生
COLLECTING THE WORLD
Hans Sloane and the Origins of the British Museum

作　　者　詹姆士・德爾柏戈（James Delbourgo）
譯　　者　王品元
總 編 輯　黃秀如
責任編輯　林巧玲
封面設計　莊謹銘
行銷企劃　蔡竣宇

社　　長　郭重興
發行人暨出版總監　曾大福
出　　版　左岸文化／遠足文化事業股份有限公司
發　　行　遠足文化事業股份有限公司
231 新北市新店區民權路108-2號9樓
電　　話　(02) 2218-1417
傳　　真　(02) 2218-8057
客服專線　0800-221-029
E-Mail　rivegauche2002@gmail.com
左岸臉書　facebook.com/RiveGauchePublishingHouse
法律顧問　華洋法律事務所　蘇文生律師
印　　刷　呈靖彩藝有限公司
初版一刷　2021年12月

定　　價　800元
ISBN　978-626-95354-4-6
歡迎團體訂購，另有優惠，請洽業務部，(02) 2218-1417分機1124、1135

蒐藏全世界：史隆先生和大英博物館的誕生／
詹姆士・德爾柏戈（James Delbourgo）著；王品元譯.
－初版.－新北市：左岸文化出版：
遠足文化事業股份有限公司發行，2021.12
面；　公分.－(左岸科學人文；329)
譯自：Collecting the world : Hans Sloane and the origins of the British Museum
ISBN 978-626-95354-4-6（平裝）
1.史隆(Sloane, Hans, Sir, 1660-1753) 2.大英博物館
3.博物館學家 4.蒐藏品 5.自然史
069.841　　110018532